KB086847

# 한의 외과피부과학

## Vol 2. 피부과학

대한한방안이비인후피부과학회

# Surgery & Dermatology of KOREAN MEDICINE

## Vol 2. Dermatology of Korean Medicine

# 한의외과피부과학 vol.2 피부과학

첫째판 1쇄 인쇄 | 2022년 2월 9일
첫째판 1쇄 발행 | 2022년 3월 2일
첫째판 2쇄 발행 | 2023년 2월 24일

지 은 이 대한한방안이비인후피부과학회
출판기획 김도성
책임편집 이민지
편집디자인 최정미
표지디자인 김재욱
일러스트 이다솜
제작담당 이순호
발 행 처 등록 제4-139호(1991. 6. 24)
본사 (10881) **파주출판단지** 경기도 파주시 서패동 470번지



ISBN 979-11-5955-837-5
979-11-5955-835-1 (set)

정가 120,000원

# 발간사

2007년 새로운 교재의 필요성을 인식한 전국의 한의과대학 안이비인후피부과학 교수님들이 그 당시 한의과대학에서 교재로 사용되었던 채병윤 교수님의 「한방외과」를 계승, 발전시킨 「한의피부외과학」을 발간하여 학생들의 교육과 연구 및 진료에 활용하였습니다. 이후 의료환경의 변화와 시대적 요구에 따른 교과서 개정에 대한 논의가 여러 차례 있었지만 진행되지 못하다가 대한한방안이비인후피부과학회가 2007년 「한의피부외과학」 교과서 초판을 낸 후 15년 만에 「한의외과피부과학」을 발간하게 된 것을 모든 회원 여러분과 함께 기쁘게 생각합니다.

이번에 발간한 교과서는 전국 한의과대학의 안이비인후피부과학을 담당하시는 교수님들의 의견을 반영하여 「한의피부외과학」에서 「한의외과피부과학」으로 이름을 바꾸었고, 외과학과 피부과학 2권으로 구성되었습니다. 또한 많은 내용을 수정, 보완하였고 최신의 지식을 수록하여 한의과대학의 교과서로서 손색이 없도록 하였습니다. 특히 KCD 질병코드와 한의 병명, 많은 사진 자료들을 추가하였고 전체적인 디자인과 편제를 바꾸어 읽기 편하게 하고자 노력하였습니다.

「한의외과피부과학」 교과서 발간에 많은 관심을 가지고 환자 진료와 학생 교육 및 연구에 바쁘신 중에도 집필과 교정을 위하여 수고를 아끼지 않으신 전국의 한의과대학 안이비인후피부과학 교수님들에게 진심으로 감사드립니다. 지금까지 본 교과서가 완성될 수 있도록 노력과 수고를 아끼지 않으신 교과서 편찬위원장인 부산대 서형식 교수님과 편찬위원인 경희대 김규석 교수님, 동신대 박수연 교수님, 정민영 교수님, 상지대 이규영 교수님에게 감사드립니다. 또한 이 책의 출판을 위해 물심양면으로 도움을 주신 글로북스 관계자분들에게도 심심한 감사를 드립니다.

「한의외과피부과학」 교과서가 전국의 한의과대학 학생들에게 한의외과학과 한의피부과학을 체계적으로 이해하고 공부하는데 기본이 되는 교과서가 되기를 바라며, 임상에서도 환자 진료와 치료에 도움이 되기를 기대합니다.

2022년 2월 28일

대한한방안이비인후피부과학회 회장 **김 희 택**

# 한의외과피부과학 교과서편찬위원


**[ 위원장 ]** 서형식

**[ 위　원 ]** 김규석, 박수연, 이규영, 정민영

**[ 공동편저자 ]**

**고 우 신** 동의대학교 한의과대학 안이비인후피부과학교실
**권　 강** 부산대학교 한의학전문대학원 안이비인후피부외과학교실
**김 경 준** 가천대학교 한의과대학 안이비인후피부과학교실
**김 규 석** 경희대학교 한의과대학 안이비인후피부과학교실
**김 윤 범** 경희대학교 한의과대학 안이비인후피부과학교실
**김 종 한** 동신대학교 한의과대학 안이비인후피부과학교실
**김 희 택** 세명대학교 한의과대학 안이비인후피부과학교실
**남 혜 정** 경희대학교 한의과대학 안이비인후피부과학교실
**박 민 철** 원광대학교 한의과대학 안이비인후피부과학교실
**박 수 연** 동신대학교 한의과대학 안이비인후피부과학교실
**서 형 식** 부산대학교 한의학전문대학원 안이비인후피부외과학교실
**윤 화 정** 동의대학교 한의과대학 안이비인후피부과학교실
**이 규 영** 상지대학교 한의과대학 안이비인후피부과학교실
**이 동 효** 우석대학교 한의과대학 안이비인후피부과학교실
**정 민 영** 동신대학교 한의과대학 안이비인후피부과학교실
**정 현 아** 대전대학교 한의과대학 안이비인후피부과학교실
**지 선 영** 대구한의대학교 한의과대학 안이비인후피부과학교실
**최 정 화** 동신대학교 한의과대학 안이비인후피부과학교실
**홍 석 훈** 원광대학교 한의과대학 안이비인후피부과학교실
**홍 승 욱** 동국대학교 한의과대학 안이비인후피부과학교실
**홍 철 희** 상지대학교 한의과대학 안이비인후피부과학교실
**황보 민** 대구한의대학교 한의과대학 안이비인후피부과학교실

# 목 차

피부 과학

# 목 차

# 피부 과학

# 第 27 章 가려움

| KCD 코드 | 한글 상병명 | 영문 상병명 |
|---|---|---|
| **L29** | **가려움** | **Pruritus** |
| L29.0 | 항문가려움 | Pruritus ani |
| L29.1 | 음낭가려움 | Pruritus scroti |
| L29.2 | 외음가려움 | Pruritus vulvae |
| L29.3 | 상세불명의 항문생식기가려움 | Anogenital pruritus, unspecified |
| L29.8 | 기타 가려움 | Other pruritus |
| L29.9 | 상세불명의 가려움<br>가려움 NOS | Pruritus, unspecified<br>Itch NOS |
| **L28** | **만성 단순태선 및 가려움발진** | **Lichen simplex chronicus and prurigo** |
| L28.0 | 만성 단순태선<br>국한신경피부염<br>태선 NOS | Lichen simplex chronicus<br>Circumscribed neurodermatitis<br>Lichen NOS |
| L28.1 | 결절성 가려움발진 | Prurigo nodularis |
| L28.2 | 기타 가려움발진<br>가려움발진 NOS<br>헤브라 가려움발진<br>경증 가려움발진<br>구진성 두드러기 | Other prurigo<br>Prurigo NOS<br>Hebra prurigo<br>Mitis prurigo<br>Urticaria papulosa |

# I 가려움 Pruritus

## 1. 개요

가려움(소양감, pruritus)은 피부질환 및 전신질환에서 아주 흔하게 볼 수 있는 임상증상으로, 긁거나 비벼대고 싶은 욕망을 일으키는 불쾌한 감각을 말하며, 외부 물질과의 가벼운 기계적 접촉, 주위의 온도 변화, 화학적 물질, 전기적 자극 등에 의해서 발생할 수 있으나, 외부자극 없이도 나타날 수 있다. 주관적인 감각이기 때문에 동일한 자극원이 가해지더라도 개인마다 다른 강도로 느낄 수 있으며, 동일한 사람에서도 상황에 따라 자극 강도가 다를 수 있다. 가려움은 긴장, 불안, 공포와 같은 정신적인 스트레스에 의해 악화되는 경우가 많으며, 하루 중에서는 저녁에 잠자리에 들었을 때 특히 심하다. 신체 부위 중에서는 눈꺼풀, 콧구멍, 귓구멍, 항문, 성기 부위가 특히 가려움에 민감하다. 본 단원에서는 객관적인 증상인 피부발진이 없으면서 주관적인 증상인 가려움증만 있는 경우를 말하며, 여러 장기나 정신적인 문제로 발생한다. 대개는 전신 피부의 건조증(xerosis)이 동반되는 경우가 많다.

가려움에 해당하는 風瘙痒 또는 痒風은 과민성 피부에 발생하기 쉬우며, 원인을 알 수 없는 경우가 많다. 가려움에는 정신적 문제로 인하여 나타나는 정신피부질환도 포함된다. 극렬한 가려움이 발생하면 피부를 긁음으로 인하여 血痂, 비후된 피부, 태선화 등의 이차적인 피부손상이 나타날 수 있다. 또한 병세가 급하고 가려움의 부위가 인체의 여러 곳에 나타나는 특징이 있다. 원발성 피부손상이 없는 것이 중요 특징이다.

한의학 문헌 중에서는《素問 · 至眞要大論》에 "諸痛痒瘡 皆屬于心"이라 기재되어 있고,《外科證治全書》에서 本病을 "痒風"이라 칭하고, 그 특징이 "遍身瘙痒 幷無疥瘡 搔之不止"라 하였다. 가려움은 국소 부위에 발생하거나 전신에 발생하는 경우도 있어 임상적으로는 범발성과 국한성의 두 종류로 분류하는데, 風瘙痒은 이들 중 범발성 가려움에 해당한다고 볼 수 있다.

## 2. 원인 및 병기

稟性不耐, 氣血虛弱, 衛外失固, 氣滯血瘀, 血熱內蘊 등과 같은 요인이 모두 內因이 될 수 있다고 보았다. 한편 六淫之邪의 侵襲, 혹은 辛辣炙博한 음식이나 魚腥動風之品 섭취, 오리털 · 거위털 등이 포함된 의복과의 접촉 등은 모두 外因이 될 수 있다고 하였는데 대표적으로 다음 2가지를 원인으로 보았다.

1) 風熱, 血熱이 肌膚에 蘊하여 疏泄되지 못하여 발생한다.

2) 血虛肝旺으로 風, 燥를 生하여 肌膚가 失養되어 발생한다.

## 3. 증상

지속적인 긁음으로 인한 scratching mark가 관찰되고, 처음에는 피부손상이 없으나 과도하게 긁으면 2차적인 찰상, 血痂, 색소침착, 습진화, 태선화 등의 속발성 피부손상이 나타난다. 자각증상은 진발성 가려움으로, 대개 저녁에 심해져 참기가 어렵다. 환자는 항상 연속적으로 격렬히 환부를 긁음으로 인해 피부가 손상되어 피가 흐르며, 통증이 느껴질 때까지 긁고서야 긁는 행위를 멈춘다. 가려움이 지속되는 시간은 짧게는 수분에서 길게는 수시간 지속된다. 환자는 항상 가려움으로 인하여 失眠하거나 夜寐不安하고, 주간에 정신이 맑지 않고, 혹은 식욕이 감퇴된다.

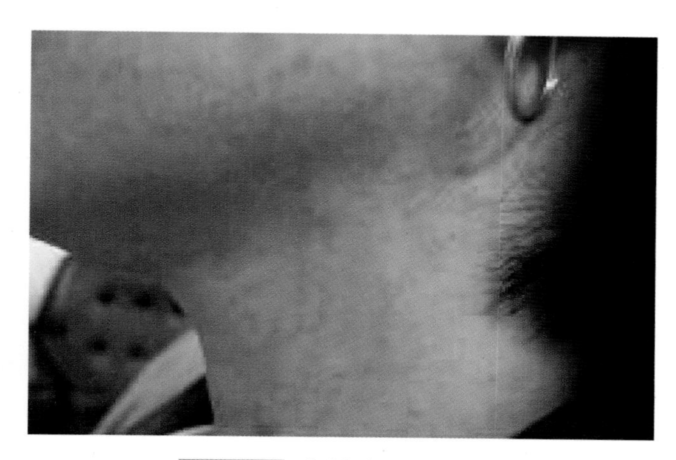

그림 27-1 가려움 (얼굴, 목 부위)

## 4. 진단감별

### 1) 진단요점

(1) 발병하면 소양감만 있으며, 어떠한 원발성 발진도 발생하지 않는다.

(2) 소양감은 극렬하며, 보통 진발성으로 나타난다. 특히 야간에 심해지거나, 정신적인 긴장, 기후변화, 음주, 맵고 자극적인 음식물의 섭취, 의복에 의한 마찰, 다한 등으로 인하여 소양감이 발생하거나 심해질 수 있다.

(3) 반복적이고 잦은 긁음은 抓痕, 血痂, 습진성 병변, 색소침착, 피부의 비후 및 거칠어짐, 태선양

병변 등의 속발진의 발생으로 이어질 수 있다.

### 2) 감별질환

(1) 두드러기(癮疹) : 갑자기 발병하며, 크기가 다양한 팽진이 관찰된다. 발진의 색은 붉은색이나 흰색을 띠며, 빠르게 출현하였다가 빠르게 소실된다. 팽진이 소실되고 나면 어떤 흔적도 남지 않는다.

(2) 벌레물림(蟲咬傷) : 頭面部, 頸項部, 손발 등 노출된 부위에서 피부병변이 많이 발견되며, 발진은 홍반, 구진, 丘疱疹, 腫脹과 같은 형태로 나타난다.

(3) 약물발진(中藥毒) : 약물을 사용한 과거력이 있으며, 발병 전 일정한 잠복기가 있다. 피부병변의 크기는 다양하며, 형태도 각기 다르다. 발진의 색깔은 선홍색을 띠며, 범발성으로 발생하는 경우가 많다. 원인이 되는 약물의 사용을 중단하면 발진은 점점 소실된다.

(4) 옴(疥瘡) : 피부병변은 손가락 사이, 유방 아래, 회음부 등 피부가 접히는 부위에 발생한다. 원발진으로는 구진, 수도, 수포, 결절이 나타나며, 옴진드기를 발견할 수 있다.

## 5. 치료

### 1) 內治法

(1) 風熱血熱證 : 일반적으로 나이가 적은 사람에 많고, 病이 새로 발생한 것이며, 더운 곳에 가면 발생하거나 혹은 소양감이 심해진다. 舌苔黃, 脈滑或滑數하다. 疏風淸熱凉血시키며, 消風散合 四物湯에 加減한다.

(2) 血虛肝旺證 : 일반적으로 노인층에 많이 보이고, 病程이 비교적 길고, 정서적 흥분 후에 발생하거나 혹은 소양감이 심해진다. 苔薄質紅, 脈細數或弦數하다. 養血平肝, 祛風潤燥시키며, 地黃飮子에 加減한다. 加減法으로 夜不安寐者는 上方에 五味子 등을 加한다.

### 2) 外治法

(1) 피부가 손상되어 습진화된 경우에는 三黃으로 1일 4~5회 씻는다.

(2) 태선화된 경우에는 黃柏霜으로 1일 3회 바른다.

### 3) 鍼灸療法

曲池, 合谷, 血海, 足三里 등을 격일로 1회 刺鍼하며, 刺鍼 10회를 1회 치료과정으로 한다.

#### 4) 생활관리

(1) 음주를 금하고, 생선, 새우, 게 등을 적게 먹고, 야채와 과일을 많이 먹는다.
(2) 속옷은 부드러운 재질로 된 것을 입고 느슨하게 입는다. 면직물이나 견직물로 만든 의류를 입고, 모직물로 만든 의류는 입지 않는다.
(3) 염기성이 강한 비누로 씻지 않는다.

## Ⅱ 신경피부염 Neurodermatitis

### 1. 개요

신경피부염(neurodermatitis)에 해당하는 牛皮癬은 만성 발작성 소양증과 유사하고, 진발성의 피부 소양감과 피부 태선화를 주요 증상으로 하는 만성 피부염으로 정서적 자극과 밀접한 관련이 있다. 청 · 장년층에서 다발하며, 호발 부위는 頸項部로 피부에 원형 혹은 다각형의 구진이 생기고 융합하여 판을 형성하기도 하는데, 가려워 긁거나 하면 피부가 가죽과 같이 두껍게 된다. 그 모양이 牛皮처럼 두껍고 굳어서 牛皮癬이라 한다.

한의학 문헌 중《諸病源候論 · 攝領瘡候》에서는 "攝領瘡 如癬之流 生于頸上痒痛 衣領拂着卽劇 是衣領揩所作 故名攝領瘡也."라 하였으며, 《外科正宗 · 頑癬第七十六》에서는 "頑癬乃風熱濕蟲四者爲患, ……牛皮癬如牛項之皮 頑硬且堅 抓之如朽木, ……此等總皆血燥風毒克于脾肺二經 初期用消風散加浮萍一兩 葱豉爲引 取汁發散, 久者服首烏丸, 蜡礬丸, 外擦土大黃膏用槿皮散選而用之 亦可漸效."라 하여 牛皮癬의 원인 및 치료에 대해 서술하고 있다.

### 2. 원인 및 병기

초기에는 風濕熱의 邪氣가 피부에 阻滯되거나 기계적인 자극으로 생긴다. 久病으로 耗傷陰液, 營血不足하므로 血虛生風, 生燥하여 肌膚를 營養하지 못해 발생하기도 하며, 血虛肝旺, 정서불안, 과도긴장 등으로 다발하거나 악화된다.

#### 1) 情志內傷

정서적 불안정, 긴장, 번민 등이 울체되어 해소되지 않으면 心火가 內生하게 되고 火熱이 營血에 잠복하였다가 血熱이 발생한다. 血熱이 偏盛하게 되면 經脈을 따라 피부로 침입하여 홍색의 皮疹을 형성한다. 또한 血熱이 風을 生하여 風이 盛하게 되면 燥하게 되어 피부에 소양감이 그치지 않으며 건조해져 脫屑이 발생한다. 이러한 증상이 오래되면 陰血을 상하게 하여 營血이 부족해지고 經脈이 충만해지지 못하여 피부에 영양을 공급하지 못한다. 皮疹은 담홍색을 띠고 血虛風燥가 심해져 피부가 비후되며 가죽처럼 단단하고 거칠어진다.

#### 2) 風邪侵擾

風邪가 體表에 侵襲하여 肌腠에 鬱滯되면 熱로 化하게 되어 風이 유발되며 이로 인해 風燥가 陰血을 손상하게 되어 肌膚를 濡養하지 못해 발생한다.

#### 3) 營血不足

虛弱하거나 또는 久病, 大病에 이환된 후에 營血不足으로 血虛가 되어서 이것으로 인해 風燥가 유발되어 피부를 濡養하지 못해 발생된다. 마찰이나 搔破 등의 외부 자극도 營血의 調和에 영향을 미쳐 소양감을 가중시키고 피부가 비후되어 거칠어진다.

## 3. 증상

편평형 또는 다각형의 구진이 생겼다가 융합되어 판으로 되고, 긁은 후 피부가 비후해지고, 피부에 홈이 깊게 파이고, 피부는 융기되어 태선화를 쉽게 이루는 것이 이 병의 중요 특징이다. 頸部, 四肢(肘窩 · 膕部), 上眼瞼, 會陰, 大腿 內側部에 호발하는데 80% 정도는 頸項部에 국한되어 있다. 소수의 경우는 여러 부위에 발생하기도 한다.

피부 손상 초기에는 소양감만 있다가 점차 군집성의 편평 구진이 생기는데, 구진은 건조하고 견실하며, 피부색은 담갈색이나 정상 피부와 동일하고 표면이 매끈하다. 오래되면 구진이 융합되어 판을 이루고 점점 증대되는데 피부는 점차 두꺼워지면서 건조해지며 약간의 脫屑이 있고 긁으면 흔적이 남고 血痂가 생긴다.

발작적인 소양감이 있으며 밤에 심해지고 긁어도 통증을 느끼지 못하며, 정서적으로 불안하면 더욱 소양감이 악화되는 경향이 있다. 대체로 긁어서 쉽게 태선화를 이루게 되고 환자는 더욱더 심한 소양감을 느끼게 된다. 자꾸 긁으므로 피부의 손상을 가중시키는 악순환이 되풀이된다. 病程이 수년 또는 수십 년으로 길고, 비록 쉽게 치유되더라도 쉽게 재발한다.

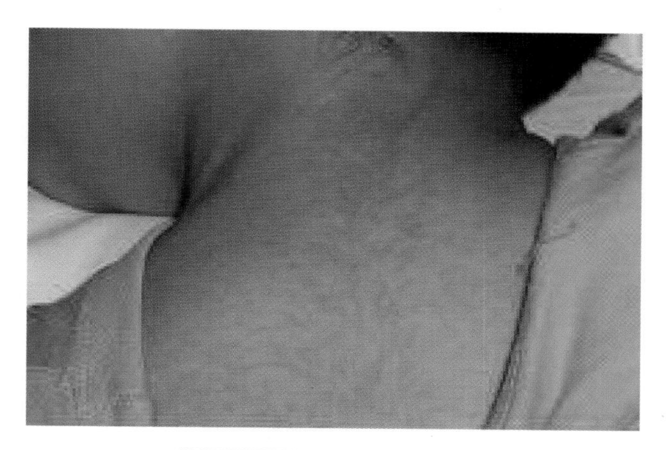

그림 27-2 신경피부염(목 부위)

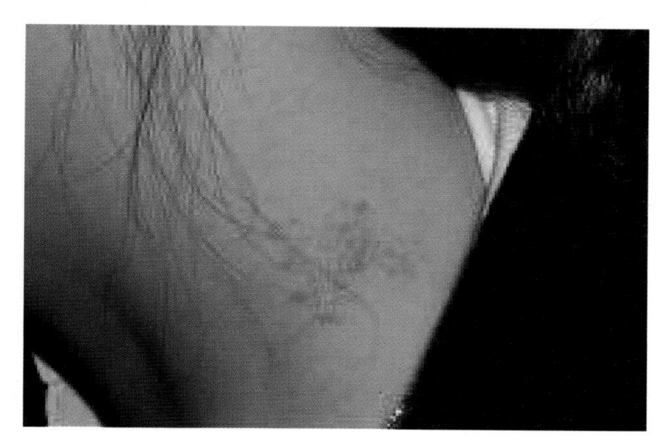

그림 27-3 신경피부염(목 부위)

## 4. 진단감별

### 1) 진단요점

(1) 국한성일 경우에는 項部 및 骶尾部, 四彎部에 호발하며, 파종성일 경우에는 頭面部, 四肢部, 허리와 같이 비교적 광범위한 부위에서 발견되는 경우가 많다.

(2) 국소 피부에 먼저 소양감이 발생하며, 소양감으로 인해 피부를 긁으면 광택이 있는 편평한 구진이 출현한다. 구진은 빠르게 융합되어 태선양 병변으로 발전한다. 대칭적인 분포를 보이며 소양감이 극렬한 경우가 많다.

### 2) 감별질환

(1) 만성 습진 : 대개 급성 및 아급성 습진으로부터 비롯되며, 일정한 호발 부위는 없다. 태선양 병변이 나타나지만, 표면은 대량의 황색 가피로 덮여 있으며, 습윤한 경향을 보인다.

## 5. 치료

### 1) 內治法

(1) 風濕熱 : 구진은 비후하고 피부 손상부위가 潮紅하고 미란되어 있으며 습윤하다. 苔黃 脈濡數하다. 疏風化濕, 淸熱止痒을 하고 消風散, 烏蛇驅風湯을 사용한다.

(2) 血虛生燥型 : 病程이 비교적 길고 병소가 건조하고 비후하며 인설이 많다. 苔薄 脈濡細하다. 養血祛風潤燥를 하고 四物消風湯, 四物潤膚湯, 風癬湯, 當歸飮子加減을 사용한다.

(3) 血熱風盛型 : 극렬한 소양감이 있고 心煩口渴, 睡眠不佳, 舌質紅, 苔薄黃, 脈弦滑 或 滑數 등의 증상이 수반된다. 凉血淸熱, 消風止痒을 하고 消風散, 皮癬湯을 사용한다.

### 2) 外治法

(1) 三黃(黃芩, 黃連, 黃柏)을 달인 물로 하루 3~4차례 씻어준다.

(2) 피부손상이 국한되어 있고 소양감이 극렬한 경우에는 羊蹄根酒나 斑蝥醋浸劑, 新五玉膏 등을 매일 2~3회 바른다.

(3) 白鮮皮 50 g, 蛇床子 60 g을 전탕하여 국부를 세척한다.

(4) 羊蹄根散醋를 국부에 매일 1~2회 도포한다.

### 3) 기타 치료법

(1) 曲池, 血海를 主穴로 하고 合谷, 三陰交, 阿是穴을 補助穴로 하여 平補平瀉法으로 刺鍼한 후 30분 정도 留鍼시킨다. 전신에 발생한 경우에는 風池, 天柱, 風府, 啞門, 大椎, 曲池, 內關, 合谷, 委中, 足三里, 血海 중에서 5~6穴을 선택하여 瀉法으로 刺鍼 후 30분 정도 留鍼시킨다.

(2) 耳鍼으로 肺, 神門, 腎上腺, 肝, 皮質下, 內分泌 및 환부에 상응하는 혈위를 取하여 매일 1회 10분 정도 留鍼시킨다.

(3) 頭鍼으로 양측 感覺區의 上 2/5나 환부에 상응하는 부위의 感覺區를 取하여 매일 1회 刺鍼한다.

(4) 灸法으로 비후된 국부를 소독하고 大蒜汁을 바른 후 灸를 하는데 매일 1회 3~5장씩 灸를 시행한다.

(5) 梅花鍼療法으로 태선화가 심한 부위를 소독한 후 梅花鍼으로 국부를 叩刺하여 약간의 출혈이 보이면 그친다.

(6) 火鍼療法으로 肺兪, 心兪, 膈兪 및 환부를 取하여 소독한 후 달구어진 火鍼으로 신속하게 直刺한 후 바로 발침하여 피부에 가벼운 화상을 입을 정도로 시행한다. 만약 환부가 넓으면 중심부에 여러 번 刺鍼하고, 환부에 약간의 구진만 있으면 가볍게 시행하며, 태선화를 보이고 소양감이 매우 심한 경우에는 깊게 刺入한다. 3일에 1회 시행하고 5번을 1회로 하며 1회가 끝나면 7일 정도 휴식을 취한다.

## Ⅲ 결절성 양진 Prurigo nodularis

### 1. 개요

결절성 양진(Prurigo nodularis, PN)은 심한 가려움증, 태선화된 결절이 발생되는 비교적 만성으로 경과하는 피부질환이다. 결절성 양진은 임상적으로 장액성 구진이지만, 습진 등에서 볼 수 있는 장액성 구진이 장래 소수포로 발전할 전단계의 것임에 비하여, 양진에서는 소수포로 발전하는 일 없이 즉시에 충실성 구진이 되어 오래 계속된다. 成人婦女의 四肢 특히 小腿伸側에 많이 發生하고 情緒的 要因나 昆蟲咬傷과 關聯이 많다.

이는 한의학 문헌에서의 粟瘡과 유사하다. 皮膚 角化가 過度하여 小結節을 形成하고 瘙痒感이 甚한 慢性 瘙痒性 皮膚病으로 馬疥, 血疳, 血風瘡이라 불리기도 하며, 《醫宗金鑒 · 外科心法要訣》에 "形如粟粒, 其色紅, 搔之愈痒, 久而不瘥, 亦能消耗血液, 膚如蛇皮."라 하여 樣相과 經過에 대하여 기술하고 있다.

### 2. 원인 및 병기

결절성 양진은 병리조직학적으로 표피의 과각화증, 극세포증, 위상피종양 과증식 소견이 특징이다. 진피에서는 만성 염증 세포의 침윤 및 신경조직의 증식 소견을 나타낸다.

한의학에서는 연령에 따라 다음과 같은 원인으로 粟瘡이 발생한다고 보고 있다.

1) 小兒에 있어서는 初起에 脾의 運化가 健實하지 못하여 體內에 濕邪가 內蘊한데 다시 外界의 風毒을 感受하여 濕邪와 風毒이 凝聚하여 經絡이 阻塞되고 氣血이 凝滯되면서 肌膚에 薰蒸

하여 發生하고, 오래되면 風濕의 邪氣가 鬱滯되어 火熱로 化하여 陰血을 耗傷하므로 血燥生風하게 되어 肌膚를 營養하지 못하므로 皮疹이 乾燥하면서 堅實하게 된다.

2) 成人에 있어서는 肝氣가 鬱滯되어 熱로 化하여 營血에 潛伏한 狀態에서 다시 外部의 風邪를 感受하여 發病한다. 만일 오래되면 氣血이 虧耗하게 되어 血虛生風化燥하게 되어 肌膚에 營養을 供給하지 못하므로 時間이 지나도 消退하지 않게 된다.

## 3. 증상

小兒에서는 1~5歲의 男兒에서 많이 發生하므로 早發性 痒疹이라고도 하며, 季節性이 있어 夏季에 비교적 多發한다. 初起에는 淡紅色의 綠豆에서 黃豆크기의 風團이 생기고 가려운데 1~2日이 지나면 風團이 점차 輕해지면서 中心에 小丘疹 或은 小丘疱疹이 出現한다. 가려워 搔爬하고 나면 血漿이 滲出하여 結痂를 形成하고 血痂나 膿疱, 苔蘚化, 色素沈着, 濕疹樣 變化 等을 招來하게 된다. 四肢의 伸側面 특히 下肢에서 好發하고 手足背部에서도 볼 수 있다. 病程이 길어 數年동안 遲延될 수 있으며 一般的으로 9~10歲 정도에서 治愈되는 경향을 보인다. 甚하면 皮疹이 많고 瘙痒感이 極烈하며 淺表에 있는 淋巴節이 顯著하게 增大되기도 한다.

成人에서는 20~40歲에 始作되며 頭皮, 面部, 肩, 頸, 臀 및 腹部 等에 發生한다. 病程도 數週間 持續된다. 中年以上(40~60歲)에서 發生하는 경우 全身 各部位에 發生하는데, 특히 軀幹 및 四肢의 伸側에 多發하고 面部나 頭皮 等에도 發生할 수 있다. 丘疹의 境界가 뚜렷하지 않으며 緊密하게 서로 接해 있고 極烈한 瘙痒感으로 참기 힘들어 睡眠에 障碍를 일으키고 頸部 및 鼠蹊部의 淋巴節이 腫大되어 있다. 病程이 길고 부분적으로 緩解되기도 하나 再發하여 數個月에서 數年정도까지 進行된다.

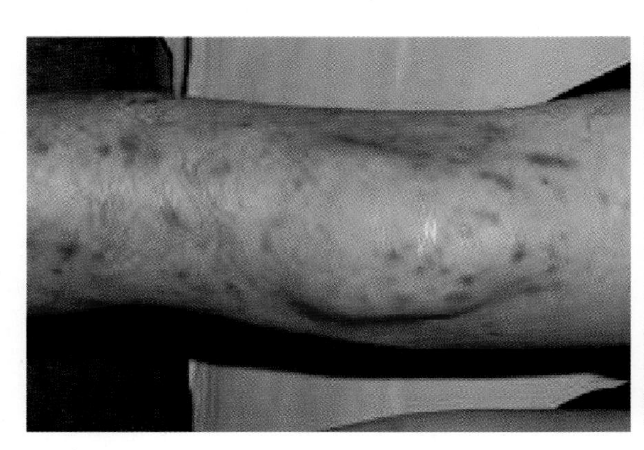

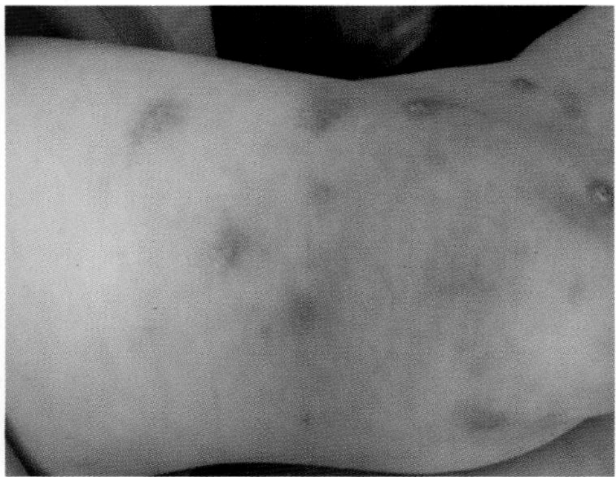

그림 27-4 결절성 양진

## 4. 진단감별

진단은 만성적으로 심한 가려움증의 병력과 종종 대칭적으로 분포하는 특징적인 찰과상, 결절 병변의 임상 소견에 기초하여 진단할 수 있다. 그러나 치료에 대한 반응이 좋지 않은 경우 피부 생검을 실시할 수 있다.

아토피 피부염이나 기타 소양증 피부 질환의 병력이 없는 PN 환자에서 만성 소양증의 전신적 원인(예: 만성 신장 질환, 간 질환, 갑상선 질환, HIV 감염, 기생충 감염, 악성 종양)에 대한 조사가 필요할 수 있다.

후천성 반응성 천공성 피부병(acquired reactive perforating dermatoses), 수포성 유천포창의 드문형태인 결절성 유천포창(pemphigoid nodularis), 결절성 옴(nodular scabies), 다발성 각막가시종(multiple keratoacanthomas) 등과 증상이 유사하므로 이에 대한 감별진단이 필요하다.

## 5. 치료

### 1) 內治

(1) 風盛濕阻 : 淸熱除濕, 散風止痒하는 방법으로 消風散, 全虫方, 全虫方合烏蛇驅風湯을 사용하여 治한다.

(2) 血熱風盛 : 疏風止痒, 凉血散結하는 방법으로 凉血消風散, 加味逍遙散合桂枝茯苓丸, 大黃蟅蟲丸을 사용하여 治한다.

(3) 血虛風燥 : 養血潤燥, 疏風止痒하는 방법으로 地黃飮子, 養血潤膚飮合地黃飮子를 사용하여 治한다.

### 2) 外治法

(1) 結節이 비교적 작고 浸潤이 深하지 않은 경우에는 鮮蘆薈를 切斷하여 患部에 바르거나 雄黃膏, 化毒散을 바른다.

(2) 浸潤이 비교적 深한 경우에는 紅粉膏를 每日 1~2回 바른다.

### 3) 其他療法

(1) 頭面에는 風池 · 風門 · 完骨 · 太陽을, 上肢에는 曲池 · 外關 · 合谷 · 中渚를, 胸背部에는 大椎 · 肺兪 · 膈兪 · 神道를, 下肢에는 風市 · 陰陵泉 · 足三里 · 足臨泣을 瀉法으로 刺鍼하고 20分間 留針시킨다.

(2) 耳針으로 神門, 肺, 肝, 脾, 心, 蕁麻疹區를 取하여 每日 或은 隔日로 1回씩 施行한다.

(3) 灸法으로 腰以上의 痒疹에는 膈兪, 腰以下에는 血海를 取하여 10~20分씩 每日 1~2回 艾灸를 施行한다.

(4) 梅花針療法으로 患部를 消毒한 후 梅花針으로 瘙痒感이 있는 部位나 痒疹結節이 있는 部位를 叩刺하여 少量의 出血이 있으면 그친다.

## 6. 예후

PN의 치료는 어렵고 다각적인 접근이 필요한다. 피부 자극 및 소파를 줄이기 위한 일반적인 환자 교육, 소양증의 대증치료, 가려움증–소파 주기를 차단하고 피부 병변을 평평하게 하는 것을 목표로 하는 국소 또는 전신 요법을 병행한다.

### 참고문헌


1) 譚新華, 何清湖. 中医外科学. 第2版. 北京: 人民卫生出版社; 2011.
1) 대한피부과학회 교과서 편찬위원회. 피부과학. 서울: 맥그로힐에듀케이션코리아; 2020.
3) 대한피부과학회 교과서 편찬위원회. 피부과학. 제6판. 서울: (주)대한의학서적; 2014.
4) 이승철. 임상의를 위한 피부과학. 개정판. 서울: 도서출판 대한의학; 2019.
5) 전국 한의과대학 피부외과학 교재편찬위원회. 한의피부외과학. 부산: 선우; 2007.
6) Elmariah S, Kim B, Berger T, et al. Practical approaches for diagnosis and management of prurigo nodularis: United States expert panel consensus. J Am Acad Dermatol 2021.
7) Zeidler C, Tsianakas A, Pereira M, et al. Chronic Prurigo of Nodular Type: A Review. Acta Derm Venereol 2018.

# 第28章 습진성 피부질환

| KCD 코드 | 한글 상병명 | 영문 상병명 |
|---|---|---|
| **L20-L30** | **피부염 및 습진** | **Dermatitis and eczema** |
| **L20** | **아토피성 피부염** | **Atopic dermatitis** |
| L20.0 | 베스니에가려움발진 | Besnier's prurigo |
| L20.8 | 기타 아토피성 피부염<br>굴측습진<br>내인성 습진<br>아토피성 신경피부염<br>영아습진 | Other atopic dermatitis<br>Flexural eczema<br>Intrinsic eczema<br>Atopic neurodermatitis<br>Infantile eczema |
| L20.84 | 중등증 아토피성 피부염 | Moderate atopic dermatitis |
| L20.85 | 중증 아토피성 피부염 | Severe atopic dermatitis |
| L20.88 | 기타 아토피성 피부염 | Other atopic dermatitis |
| L20.9 | 상세불명의 아토피성 피부염 | Atopic dermatitis, unspecified |
| **L21** | **지루피부염** | **Seborrhoeic dermatitis** |
| L21.0 | 두피지루<br>아기머릿기름딱지 | Seborrhoea capitis<br>Cradle cap |
| L21.1 | 영아지루피부염 | Seborrhoeic infantile dermatitis |
| L21.8 | 기타 지루피부염 | Other seborrhoeic dermatitis |
| L21.9 | 상세불명의 지루피부염 | Seborrhoeic dermatitis, unspecified |
| **L23** | **알레르기성 접촉피부염**<br>**알레르기성 접촉습진** | **Allergic contact dermatitis**<br>**Allergic contact eczema** |
| L23.0 | 금속에 의한 알레르기성 접촉피부염 | Allergic contact dermatitis due to metals |
| L23.1 | 접착제에 의한 알레르기성 접촉피부염 | Allergic contact dermatitis due to adhesives |
| L23.2 | 화장품에 의한 알레르기성 접촉피부염 | Allergic contact dermatitis due to cosmetics |
| L23.3 | 피부에 묻은 약물에 의한 알레르기성 접촉피부염 | Allergic contact dermatitis due to drugs in contact with skin |
| L23.4 | 색소에 의한 알레르기성 접촉피부염 | Allergic contact dermatitis due to eyes |

| | | |
|---|---|---|
| L23.5 | 기타 화학물질에 의한 알레르기성 접촉피부염 | Allergic contact dermatitis due to other chemical products |
| L23.6 | 피부에 묻은 음식물에 의한 알레르기성 접촉피부염 | Allergic contact dermatitis due to food in contact with skin |
| L23.7 | 즐겨찾기 음식물을 제외한 식물에 의한 알레르기성 접촉피부염 | Allergic contact dermatitis due to plants, except food |
| L23.8 | 기타 요인에 의한 알레르기성 접촉피부염 | Allergic contact dermatitis due to other agents |
| L23.9 | 상세불명 원인의 알레르기성 접촉피부염<br>알레르기성 접촉습진 NOS | Allergic contact dermatitis, unspecified cause<br>Allergic contact eczema NOS |
| **L24** | **자극물접촉피부염<br>자극물접촉습진** | **Irritant contact dermatitis<br>Irritant contact eczema** |
| L24.0 | 세제에 의한 자극물접촉피부염 | Irritant contact dermatitis due to detergents |
| L24.1 | 기름 및 그리스에 의한 자극물접촉피부염 | Irritant contact dermatitis due to oils and greases |
| L24.2 | 용제에 의한 자극물접촉피부염 | Irritant contact dermatitis due to solvents |
| L24.3 | 화장품에 의한 자극물접촉피부염 | Irritant contact dermatitis due to cosmetics |
| L24.4 | 피부에 묻은 약물에 의한 자극물접촉피부염 | Irritant contact dermatitis due to drugs in contact with skin |
| L24.5 | 기타 화학물질에 의한 자극물접촉피부염 | Irritant contact dermatitis due to other chemical products |
| L24.6 | 피부에 묻은 음식물에 의한 자극물접촉피부염 | Irritant contact dermatitis due to food in contact with skin |
| L24.7 | 음식물을 제외한 식물에 의한 자극물접촉피부염 | Irritant contact dermatitis due to plants, except food |
| L24.8 | 기타 요인에 의한 자극물접촉피부염 | Irritant contact dermatitis due to other agents |
| L24.9 | 상세불명 원인의 자극물접촉피부염<br>자극물접촉습진 NOS | Irritant contact dermatitis, unspecified cause<br>Irritant contact eczema NOS |
| **L25** | **상세불명의 접촉피부염<br>상세불명의 접촉습진** | **Unspecified contact dermatitis<br>Unspecified contact eczema** |
| L25.0 | 화장품에 의한 상세불명의 접촉피부염 | Unspecified contact dermatitis due to cosmetics |
| L25.1 | 피부에 묻은 약물에 의한 상세불명의 접촉피부염 | Unspecified contact dermatitis due to drugs in contact with skin |
| L25.2 | 색소염료에 의한 상세불명의 접촉피부염 | Unspecified contact dermatitis due to dyes |
| L25.3 | 기타 화학물질에 의한 상세불명의 접촉피부염 | Unspecified contact dermatitis due to other chemical products |
| L25.4 | 피부에 묻은 음식물에 의한 상세불명의 접촉피부염 | Unspecified contact dermatitis due to food in contact with skin |

| | | |
|---|---|---|
| L25.5 | 음식물을 제외한 식물에 의한 상세불명의 접촉피부염 | Unspecified contact dermatitis due to plants, except food |
| L25.8 | 기타 물질에 의한 상세불명의 접촉피부염 | Unspecified contact dermatitis due to other agents |
| L25.9 | 상세불명 원인의 상세불명의 접촉피부염<br>접촉피부염(직업성) NOS<br>접촉습진(직업성) NOS | Unspecified contact dermatitis, unspecified cause<br>Contact dermatitis (occupational) NOS<br>Contact eczema (occupational) NOS |
| **L30** | **기타 피부염** | **Other dermatitis** |
| L30.0 | 동전모양피부염 | Nummular dermatitis |
| L30.1 | 발한이상[한포(汗疱)] | Dyshidrosis [pompholyx] |
| **L85** | **기타 표피의 비후** | **Other epidermal thickening** |
| L85.3 | 피부건조증<br>건성 습진<br>건조피부피부염 | Xerosis cutis<br>Xerotic eczema<br>Dry skin dermatitis |

# I 습진성 피부질환 Eczematous dermatoses

## 1. 개요

습진(濕疹, eczema)은 피부염(dermatitis)과 같은 의미로 염증성 피부반응을 말하고, 임상적으로 공통되는 피부소견을 나타내는 질환을 포괄해서 부른다. 접촉피부염, 아토피피부염, 지루피부염, 동전모양습진, 한포진 등이 있다.

## 2. 증상

1) 주관적 증상 : 가려움(pruritus)이 주증상이며, 이는 피부의 염증반응에서 생산되는 여러 물질(histamine, serotonin, substance P 등)에 의하여 유발된다.
2) 객관적 증상 : 급성기~만성기 염증반응에 의한 다양한 피부발진이 나타난다.
   (1) 급성기 피부발진 : 홍반, 구진, 수포 등
   (2) 만성기 피부발진 : 가피, 인설, 태선화, 색소이상(과다색소침착) 등

## 3. 진단

습진의 진단과 감별진단에 있어서 임상적으로 중요한 고려사항들은 다음과 같다.

1) 주관적인 가려움증이 주증상인 경우, 습진을 먼저 의심해야 한다.

2) 연령에 따라 흔하게 나타날 수 있는 습진들을 먼저 고려한다.

(1) 소아 : 아토피피부염

(2) 성인 : 지루피부염, 동전모양피부염

(3) 노인 : 건성습진

(4) 연령에 무관 : 접촉피부염

3) 호발 부위가 감별진단에 중요한 단서를 제공한다.

(1) 아토피피부염 : 四肢의 屈側部

(2) 동전모양피부염 : 四肢의 伸展部

(3) 지루피부염 : 피지 분비가 많은 부위(두피, 얼굴)

(4) 건성습진 : 피지 분비가 적은 四肢의 伸展部

## 4. 분류

### 1) 원인별 분류

(1) 내인성 습진 : 아토피피부염, 지루피부염, 동전습진, 건성습진 등

(2) 외인성 습진 : 접촉피부염 등

### 2) 부위별 분류

눈습진, 귀습진, 손습진, 발습진, 유두습진 등

## 5. 치료(外治法)

1) 급성기 : 휴식을 취하고 생리식염수로 냉찜질하며 증상에 따라 약물목욕을 한다.

2) 아급성기 : 국소 외용제로는 크림이나 로션 형태가 적합하다.

3) 만성기 : 연고 형태의 국소 외용제가 좋고, 피부 태선화되어 두꺼워진 부위에는 약물이 잘 침투할 수 있도록 밀봉요법을 사용한다.

# Ⅱ 접촉피부염 Contact dermatitis

## 1. 개요

접촉피부염(contact dermatitis)에 해당하는 漆瘡은 신체 외부의 여러 환경인자나 화학물질 등이 피부에 직접 접촉되어 발생하는 피부염으로 홍반, 구진, 부종, 물집 등 전형적이고 경계가 분명한 습진성 병변이 자극원과 접촉한 신체 부위에만 국한되어 발생한다. 일정한 잠복기가 있으며, 원인 물질을 제거하면 1~2주 내에 자연 소실된다.

일반적으로 강자극성 물질에 의해 발생하는 자극접촉피부염(irritant contact dermatitis)과 특정 항원에 의해 발생하는 알레르기접촉피부염(allergic contact dermatitis)으로 구분한다.

漆瘡은 접촉피부염을 일으키는 대표적인 물질인 옻(漆)의 辛熱한 毒에 감수되어 종창, 수포, 소양감, 瘡을 이루는 접촉피부염과 유사하고 膏藥風, 馬桶癬이라고도 한다. 한의학 문헌 중《外科大成》에서 "由新漆辛熱有毒 人之秉質有偏 腠理不密 感其氣而生也."라 하여 漆의 有毒함에 대해 언급하면서 인체에 미치는 영향을 설명하였으며,《諸病源候論 · 漆瘡候》,《外科啓玄 · 漆瘡》,《外科正宗 · 漆瘡》 등에서도 漆의 毒氣에 대하여 설명하고 있다.

## 2. 원인 및 병기

1) 자극접촉피부염의 대표적인 원인 및 임상양상은 강산 · 강알칼리에 의한 화학화상, 물이나 세제에 반복적으로 접촉하여 발생하는 주부습진, 기저귀의 습기와 마찰로 인해 기저귀 접촉부에 발생하는 기저귀피부염 등으로 나누고 있다. 알레르기접촉피부염은 제 4형 지연과민반응(type Ⅳ delayed hypersensitivity)의 일종으로 보고 있으며, 초기의 감작단계(sensitization)와 재접촉 시의 발현단계(elicitation)를 거쳐 발생하는 것으로 알려져 있다.

2) 자극접촉피부염과 알레르기 접촉피부염의 구별

자극접촉피부염은 부주의나 사고로 강산이나 강염기성 물질이 피부에 닿아 발생하기도 하나, 일상생활에서 자주 사용하는 비누 등 세제나 직업적으로 취급하는 여러 가지 화학물질에 반복적으로 오랫동안 노출되면 누구에게나 발생할 수 있다. 흔히 주부습진(housewife eczema)이라고 부르는 질환도 대부분은 자극접촉피부염에 속한다.

표 28-1. 자극접촉피부염과 알레르기접촉피부염의 비교

| | 자극접촉피부염 | 알레르기접촉피부염 |
|---|---|---|
| 대상 | 거의 모든 사람 | 감작된 사람 |
| 발생 빈도 | 높다 | 낮다 |
| 경과 | 급성, 만성 | 지연형 반응 |
| 병변의 다양성 | 물질에 따라 다양한 병변 | 공통적 병변 |
| 첩포시험 | 음성 | 양성 |
| 자각증상 | 따갑다, 화끈거린다 | 가렵다 |
| 예후 | 원인 제거시 신속히 소실 | 지속적 병변 |

반면 알레르기 접촉피부염은 옻나무 접촉피부염을 대표적인 예로 들 수 있으며, 옻나무 수액 성분에 이미 감작되어 있는 사람에게만 발생한다. 즉, 일상생활이나 직업적으로 노출될 수 있는 어떠한 물질이라도 항원성을 지니고 있다면 알레르기 접촉피부염을 일으킬 수 있다. 옻나무와 유사한 성분을 지닌 식물로는 은행, 망고, 캐슈넛 등이 있다. 니켈, 크롬, 수은 등의 금속류, 약제류, 각종 화장품, 고무 제품, 가죽 제품, 접착제 등이 원인이 될 수 있다.

3) 현대 이전에는 人體의 타고난 천성이 不耐한 것이 주요 발병 원인으로, 外界의 生漆이나 漆器에 접촉하거나 혹은 漆氣를 맡아 발병한다고 보았다. 내성이 있는 사람은 비록 하루 종일 漆毒에 접촉하더라도 큰 문제가 되지 않으나, 천성이 不耐하면 발병한다고 하였다. 漆은 辛熱有毒하여 환자가 타고난 천성이 不耐하면 肌膚와 腠理가 치밀하지 못하여 生漆, 漆器에 접촉하거나 漆氣를 맡으면 漆毒에 중독된다고 보았다. 漆毒이 皮毛에 머무르거나 혹은 漆氣가 肺經을 범하면, 漆의 辛熱動風生火之毒은 肌腠에 內蘊한 濕과 相結하거나 또는 '肺主皮毛'로 인하여 漆毒이 외부의 肌膚로 넘쳐 漆瘡이 발생한다고 보았다.

## 3. 증상

일반적인 습진성 질환들과 공통적인 증상이 나타난다. 발병 1시간 혹은 수 일 전에 자극원을 접촉하였거나 냄새를 맡았으면 발병할 수 있는데, 처음 몇 차례의 발병은 대개 수일 이상 경과하여 발생한다. 처음에는 대개 노출부위에 발생하는데 얼굴, 목, 손목 주위, 손등 및 指背에 많다. 심한 경우는 음부, 체간, 사지로 파급되어 전신으로 전파되지만 손바닥에 발병하는 경우는 비교적 적다.

피부에 돌연히 홍조, 종창, 열감, 소양감이 발생하고 심하면 작은 구진 혹은 수포가 발생하며 긁어

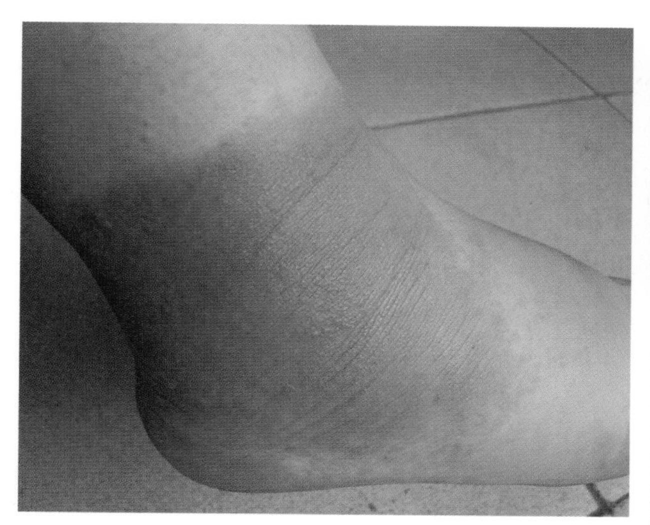

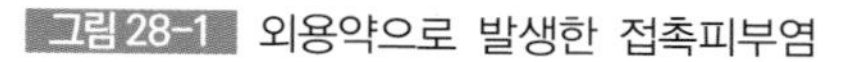

그림 28-1 외용약으로 발생한 접촉피부염

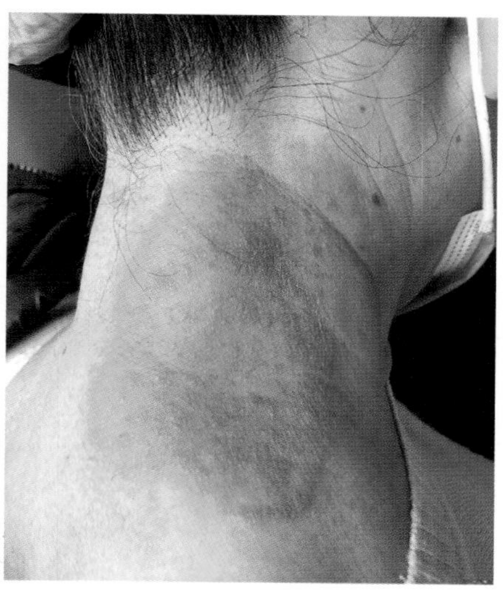

그림 28-2 외용약으로 발생한 접촉피부염

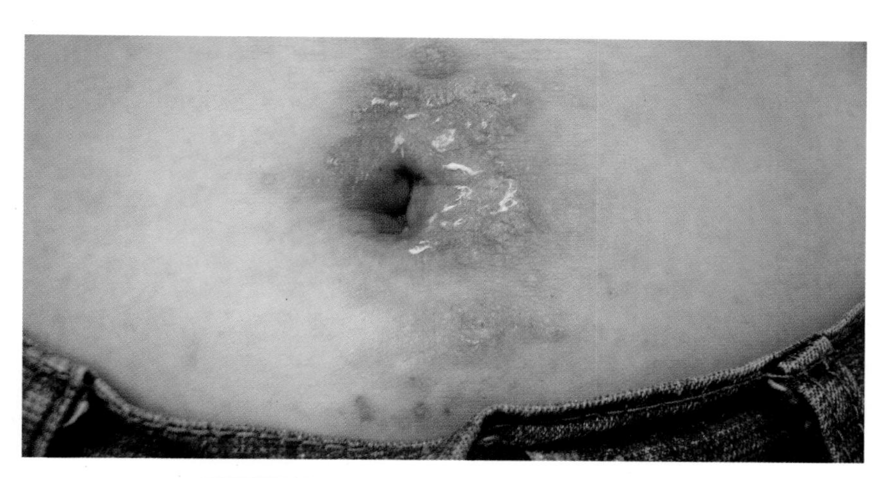

그림 28-3 금속 버클과 단추로 유발된 접촉피부염

서 터지면 미란되어 황색의 진물이 난다. 안면에 발생하면 부종이 비교적 극렬하고 眼瞼腫脹으로 눈을 뜨지 못하게 되는데 얼굴이 둥근 달 같다. 자각증상으로는 동통과 소양감이 있으며, 심한 경우에는 오한, 발열, 식욕부진, 두통, 변비가 동반되고 심한 경우 心神恍惚, 夜不安寐 등 전신증상이 나타난다.

## 4. 진단감별

### 1) 진단요점

#### (1) 병변 관찰

접촉피부염은 환자의 병력과 피부병변의 모양, 분포, 발생부위 등을 관찰하면 쉽게 진단할 수 있다. 병변은 원인 물질과 접촉된 부위에 국한되며, 병변의 모양도 원인 물질과 부합되게 나타난다. 예를 들면 시계줄이나 팔찌가 원인인 경우에는 손목에, 화장품이 원인인 경우에는 대개 얼굴에 발생한다.

#### (2) 피부접촉검사(첩포검사, patch test)

일정 농도의 항원을 포함한 용기(Finn chamber)를 환자의 등 피부에 테이프로 밀봉시킨 다음 24~48시간 후에 피부반응을 판독하는 방법이다. 용기 제거 후 30분 후에 판독하지만, 반응이 약하거나 의심스러우면 2일이 더 경과한 후 재판독할 수 있다. 양성인 경우 +(약양성, 잔물집 없음), ++(강양성, 잔물집 있음), +++(초강양성)으로 기록한다. 알레르기성인 경우에는 자극성에 비하여 가려움증이 심하고, 2~4일 후에 뚜렷한 반응을 보이며 지속시간도 3~4일 이상인 경우가 많다.

#### (3) 유발시험(usage test, provocation test)

첩포시험이 적합하지 않을 경우, 환자가 자신이 사용한 방법대로 접촉 물질을 피부에 직접 도포하여 증상을 유발시키는 방법으로 하루 1~2회 최대 14일까지 팔에 바른 다음 반응을 관찰한다.

### 2) 감별질환

(1) 안면단독 : 자극원을 접촉한 병력은 없으며, 전신증상이 엄중하여 寒熱, 오심 · 구토, 두통 등의 증상이 나타난다. 얼굴 부위의 피부에 발적, 水腫이 생기는데, 그 경계는 명확하다. 종종 일측성으로 코 또는 귀에서 먼저 증상이 시작되어 동측의 뺨 부위로 만연하며, 빠르게 코의 반대측으로 파급된다. 혈액검사상 총 백혈구 수 및 호중구가 모두 증가되어 있다.

(2) 급성 습진 : 자극원을 접촉한 병력은 없으며, 피부병변의 형태가 다양하며 대칭적이다. 경계는 명확하지 않고 재발한다.

## 5. 치료

일반적인 습진성 질환의 치료에 준한다. 재발을 방지하기 위해서는 원인 물질과 다시 접촉하는 것을 피해야 한다.

### 1) 內治

(1) 風熱壅盛證 : 손목, 손가락 사이, 손등, 아래팔의 肌膚에 극렬한 소양감이 있고, 피부가 붉게 腫脹한다. 밀집되어 있는 붉은색 구진을 관찰할 수 있는데, 수포는 형성되지 않는다. 피부가 가렵고, 긁으면 더욱 심해진다. 舌質紅, 苔薄黃, 脈數하다. 治法은 淸熱消風하며, 消風散加減을 사용한다. 소양감이 심한 경우에는 白芷, 羌活을 加한다. 구진이 넓게 겹쳐 있는 경우에는 疏風淸熱, 調和營衛하는 疏風淸熱飮加感을 사용한다.

(2) 毒熱夾濕證 : 病情이 비교적 重하고, 肌膚에 국소적인 홍반과 腫脹이 발생하고, 참을 수 없는 소양감이 나타나며, 발진을 손으로 긁으면 더욱 심해진다. 발진은 신속하게 홍반 위에 수포가 형성되는데, 그 크기는 작은 것은 粟米 또는 黃豆大만하고 큰 것은 櫻桃만하며, 疱壁이 두텁고 긴장되어 있다. 수포를 터트리면 진물이 흘러나오며, 마르면 누런 가피가 형성된다. 또한 얼굴 및 생식기 부위에서는 수포처럼 부종이 발생한다. 동반증상으로 두통, 열감, 소화불량, 오심, 변비, 심계 등이 나타나며, 舌質紅, 苔黃, 脈滑數하다. 治法은 淸熱解毒 化濕消腫하며, 化斑解毒湯加減을 사용한다. 熱이 重한 경우에는 川連, 黃柏을 加한다. 水腫이 明顯한 경우에는 木通, 滑石, 冬瓜皮 등을 加한다.

### 2) 成藥, 驗方

(1) 生綠豆 60 g, 生意仁 30 g을 씻어 물을 적당량 붓고 흐물흐물해질 때까지 삶아, 白糖을 적당량 넣어 매일 1회 頓服한다.

(2) 馬齒莧 250 g을 씻어 물을 적당량 붓고 2번 바짝 달인 후, 여과액을 섞어 2회분으로 나눈 후 2번에 나누어 따뜻하게 복용한다.

### 3) 外治

(1) 피부병변이 구진, 홍반이 위주이면 三黃洗劑, 爐虎水洗劑 중에서 선택하여 환부에 도포한다. 만약 丘疱疹, 미란, 삼출 위주의 병변이면 靑黛散 혹은 玉露散을 植物油를 이용하여 페이스트처럼 만들어 환부에 바른다. 매일 1~2회 시행한다.

(2) 局部油漆淸潔法 : 피부를 오염시킨 油漆을 제거하기 위해 먼저 계란 흰자 또는 菜油를 솜에 묻혀 해당 부위에 가볍게 문지른다. 특히 紅腫이나 수포가 있는 부위일수록 부드럽게 문지르는 것이 좋으며, 혹은 鮮玉米鬚의 즙을 짜서 해당 부위에 바른다.

(3) 溻淸法 : 生地楡, 黃柏 각 15 g을 물로 달여 凉濕敷한다. 수포로 濕爛한 瘡面에 적용한다.

(4) 蒲公英 혹은 野菊花 30 g, 혹은 桑葉 30 g, 生甘草 30 g을 전탕하여 식힌 후 액을 바른다.

(5) 青黛粉, 黃柏粉, 生甘草分, 生石膏分 각 30 g, 薄荷腦粉 1.5 g에 油를 섞어 바른다.
(6) 三黃을 전탕하여 환부에 바른다.
(7) 삼출물이 많을 경우에는 馬齒莧, 生地油, 각 30 g을 섞어 바른다.
(8) 貫衆 20 g을 물로 달여 환부를 세척한다.
(9) 有紫結痂者는 青黛膏나 혹은 清凉乳油劑를 환부에 매일 3~4차례 바른다.
(10) 韭菜汁에 三白散(杭分 1兩, 石膏 3錢, 輕粉 5錢)을 섞어 바른다.
(11) 清解片(大黃, 黃芩, 黃柏, 蒼朮) 을 매회 5片씩 외용으로 매일 3회 쓰고, 重한 경우 전탕액을 쓴다.

#### 4) 기타 치료법

(1) 體針療法 : 尺澤, 曲池, 合谷, 曲澤穴을 單側으로 교대로 취혈한다.
(2) 刺絡療法 : 委中穴 放血
(3) 치료상의 주의점 : 뜨거운 물이나 유화성 물비누 혹은 마찰은 좋지 않고, 자극성이 강한 止痒藥도 사용해서는 안 된다. 물을 많이 마시도록 하고 소화되기 쉬운 음식을 섭취하며 辛辣, 油膩, 魚腥 등의 유발물은 피한다.

### 6. 예후

초기증상은 경중 및 치료의 적당 여부에 따라 수일에서 혹은 1~2주 내에 치유된다. 가령 환자가 만일 다시 자극원과 접촉하면 병정은 비교적 처음에 비해 엄중하고 병의 경과 또한 비교적 길다. 만일 반복 발작하게 되면 피부가 거칠어지고 비후되어 만성 습진성 변화를 나타낼 수 있다.

## Ⅲ 아토피피부염 Atopic dermatitis

### 1. 개요

아토피피부염은 일반적으로 유아기 혹은 소아기에 초발하는 유전적 소인과 환경요인이 복합적으로 작용하여 발생하는 만성 재발성 피부질환이다. 아토피피부염은 한국을 비롯한 전 세계적으로 증가추세에 있다. 유병률은 나이와 지역에 따른 차이가 커서 정확히 알기 어려우나 어린이에서 약

10~20%로 추정된다. 아토피피부염의 유병률이 증가하는 원인으로는 공해와 같은 자극물질의 증가, 여러 가지 알레르기 물질의 증가, 유아 때 감염의 감소, 서구화된 생활 패턴 등이 거론되고 있다. 흔히 1~3개월의 영아에게서 발생하기 시작하며, 多形性 皮疹은 반복적으로 발작하고 時輕時重한다. 아동기를 지나 성인으로 성장하면서 호흡기의 아토피 질환인 알레르기성 비염이나 천식을 동반하는 경우가 많으며, 이러한 경우는 異位性 皮膚炎이라고 칭한다. 유아기에는 얼굴과 四肢 伸側部에 습진 형태의 피부염으로 관찰되나 성장하면서 특징적으로 팔오금과 오금 같은 신체의 屈側部에 관찰되는 특징이 있다. 혈액검사상 혈청 내 IgE가 증가되어 있는 경우가 흔하며, 유전성도 있어 가족 중에 항상 천식, 고초열, 알레르기 비염 및 두드러기 등의 과거력이 있는 경우가 많다.

소아 哺乳 시 발생하는 癬疾이므로 奶癬이라 하며, 또는 胎癬이라고도 한다. 이 癬은 현대의학에서 말하는 진균증(癬)이 아니고 영아습진을 설명하는 것이다. 外科 문헌 중 隋代《諸病源候論 · 小兒雜病諸侯 · 癬候》에 최초로 기재되어 있는데, "小兒面上 癬皮如甲錯起乾燥 謂之乳癬. 言兒飮乳 乳汁漬汚兒面 変生此症"이라고 되어 있다. 또한 "口下黃肥瘡候", "耳瘡候", "浸淫瘡" 중에 유사한 記載가 있다. 明代의《外科正宗 · 奶癬》에 원인 및 피부 손상에 대하여 설명되어 있는데 "奶癬因兒在胎中 母食五辛 父餐炙煿 遺熱與兒. 頭面遍身發爲奶癬 流滋成片 睡臥不安 瘙痒不絶"이라고 되어 있다. 淸代《醫宗金鑑 · 外科心法要訣 · 嬰兒部》에 "胎瘢瘡"에 대하여 "此證生嬰兒頭頂 或生眉端 又名奶癬. 痒起白屑 刑如癬疥 由胎中血熱 落草受風纏綿 此系乾瘢; 有誤用燙洗 皮膚起粟 瘙痒無度 黃水浸淫 延及遍身 卽成濕瘢"이라고 설명하고 있다.

## 2. 원인 및 병기

유전적 소인과 환경적 요인이 복합적으로 작용하여 발생한다고 알려져 있다. 이는 출생 직후에 발생하기보다는 대개 생후 2개월 이후에 발생하는 경우가 많다는 점을 보아도 알 수 있다.

### 1) 유전적 소인

아토피피부염 환자의 약 70~80%에서 아토피 질환(아토피피부염, 천식, 알레르기비염)의 가족력이 있으며, 환자의 80% 이상에서 혈액 내의 총 IgE 수치가 증가되어 있으므로 보아 유전적 소인이 매우 중요함을 알 수 있다. 부모 중 아토피 질환이 있는 경우 자녀의 반수에서 아토피피부염이 발생할 수 있으며, 부모 두 명이 모두 아토피 환자인 경우 아토피피부염의 발생 확률은 더욱 증가된다.

### 2) 환경적 요인

대기오염, 주거환경이나 음식문화의 변화, 서구화된 생활방식, 모유 수유의 감소와 소아기 감염질환의 감소, 복잡한 생활방식에 따른 정신적 스트레스 등이 아토피피부염을 증가시킨다.

(1) 주거환경 : 아토피피부염 환자는 온도와 습도의 변화에 매우 예민하다. 한국에서는 고온다습한 여름철과 건조한 겨울철에 아토피피부염의 증상이 악화되는 경우가 많다. 여름철에 땀을 흘릴 때에 가려움증이 심해지는 환자가 많으며, 겨울철에 대기습도가 낮으면 건조한 피부가 더욱 건조해지면서 가려움증이 더욱 심해진다. 일반적으로 주택에서는 50~60%의 실내습도와 18~20℃의 실내온도가 아토피피부염 환자에게 적절하다.

(2) 의복 : 아토피피부염 환자는 피부자극이 없는 면 옷을 입는 것이 바람직하다. 모직은 피부를 자극하여 가려움증을 유발하고, 나일론 등의 합성섬유는 공기 소통이 원활하지 못하여 땀이 차서 가려움증을 유발할 수 있다.

(3) 음식을 비롯한 알레르기 항원

① 음식물 항원 : 아토피피부염 환자들이 가장 관심을 갖는 환경요인이 음식이다. 우유, 계란(특히 환자), 콩, 땅콩, 생선, 밀가루 등이 아토피피부염을 악화시키는 알레르기 항원으로 알려져 있다.

② 흡입 항원 : 3세 이후에는 음식물보다는 흡입 항원이 증상 악화의 주원인이다. 대기 중에 흔한 항원인 집먼지진드기(house dust mites)를 비롯한 꽃가루 항원이나 곰팡이 항원 등이 이에 속한다. 집먼지진드기는 사람의 각질을 먹이로 삼아 침구, 카펫, 소파 등에서 잘 서식한다. 25℃ 이상의 온도와 75~80%의 상대습도의 따뜻하고 습한 환경에서 잘 자라므로 실내온도와 습도의 조절을 위하여 자주 환기시키는 것이 좋다.

(4) 스트레스 : 아토피피부염 환자에서 신경과민, 우울, 불안 등의 정도가 정상인에 비하여 더 높다.

3) 현대 이전에는 先天不足, 稟性不耐, 또는 脾失健運으로 濕熱이 內生하거나, 風濕熱邪를 複感하여 肌膚에 蘊聚되어 발병한다고 보았다. 혹은 반복하여 발작하거나 병이 오래되어도 치유되지 않으면 耗傷陰液하는데, 이로 인해 營血不足하고 血虛風燥하여 肌膚가 失養하게 된다. 久病은 腎과 관련되어 있는 경우가 많으므로, 病程 중에 脾腎虧損의 證候도 나타난다고 보았다.

(1) 遺熱於兒 : 대개 임신 중인 모체가 魚腥肥甘 및 辛辣炙煿 등의 動風化熱食物을 지나치게 섭취하고, 출산 후에도 動風魚腥食物을 많이 섭취함으로 인해 脾運失司하여 內生한 濕熱이 哺乳 시 遺熱於兒하여 발병한다.

(2) 稟性不耐 濕熱內蘊한 상태에서 風濕熱邪가 浸淫됨으로 內外邪氣가 相搏하여 肌膚에 발생하는 것이 本病의 病因病理의 특징이다. 稟性不耐와 素質은 有關하고, 濕熱內蘊은 脾心二經에 근원을 둔다. 脾主濕하는데 飮食失節, 恣食魚腥, 辛辣炙煿으로 인한 惡濕으로 脾失健運하여 生濕化熱한다. 心主血脈하는데 心緖煩擾 五志不遂로 인해 生熱하고 鬱久化火하여 伏於營血하면 血熱內生으로 熱盛하여 生風한다. 內風濕熱한 상태가 本病이 發病하는 기초이

다. 風性은 數變하므로 腠理를 왕래하면서 소양감이 있다. 熱性은 趨外하므로 體表에 壅滯되면 紅斑疹이 출현한다. 濕性은 重濁하므로 肌膚에 모이면 수포가 생긴다. 또한 濕性은 粘膩하므로 戀結難除하여 질병이 纏綿하고 오래되어도 치유되지 않고 반복적으로 발작하게 한다. 만약 風濕熱이 肌表에 浸淫하면 發病이 급하다. 만약 濕熱이 체내에 오래 머물러 있으면서 不化하면 病程이 완만하다. 蘊熱이 日久하면 熱은 營을 상하고, 滲水日久하면 陰을 상하며, 陰血이 耗傷하면 燥하게 되는데, 燥하면 피부는 점점 비후되고 건조하며 脫屑이나 皸裂이 있게 된다.

(3) 先天不足하고 後天失調하면 生化乏源하여 身體消瘦, 不長肌肉, 膚失血養한다.

## 3. 증상

임상양상은 매우 다양하여, 개개인마다의 차이뿐만 아니라 연령에 따라서도 차이가 있으며, 인종에 따라서도 임상양상의 차이가 있다. 아토피피부염은 연령에 따라 유아기(2개월~2세), 소아기(2~10세), 사춘기 및 성인기로 분류한다.

### 1) 영유아기

(1) 초기에는 뺨이나 이마 같은 얼굴 및 두피 등에 호발하지만, 몸통이나 사지에도 발생할 수 있다.

(2) 흔히 2세 이하의 영아 및 유아에게서 발생한다.

(3) 피부손상은 홍반, 구진, 수포, 미란, 삼출, 結痂 위주로 나타난다. 특히 유아기에는 삼출이나 가피 형태의 급성 습진 병변의 양상으로 흔히 나타난다.

(4) 귓불이나 신체 屈側部 침범과 같은 특징적인 임상양상은 주로 유아기 후반에 나타난다.

(5) 극렬한 소양감으로 울며 보채서 수면에 영향을 주기도 한다.

### 2) 소아기

(1) 유아기에 비하여 진물이 약해지면서 점차 건조한 병변(dry lesion)이 주를 이루어 구진과 태선화 병변과 과다색소반이 특징적이다.

(2) 아토피피부염의 호발부위로 잘 알려진 전주와(antecubital fossa), 슬와(popliteal fossa), 손목이나 발목 등 굴측부(flexural area)를 비롯하여 목이나 얼굴의 특정 부위로 습진 증상이 점차 고착화되는 경향이 있다.

(3) 피부병변이 아급성 내지 만성의 경과를 취하여 얼굴은 오히려 덜 침범되는데 반하여, 접히는 부위는 후기로 갈수록 침범이 뚜렷해지며, 특징적으로 귀밑의 열창 및 귀 주위의 습진이 관찰된다.

### 3) 성인기

(1) 사춘기 이후에 발생하며 환경요인, 정신적 스트레스, 호르몬 변화 등이 중요한 요인으로 작용한다.

(2) 건조병변이 많고 가려움발진이나 태선화가 주요 증상으로 나타난다.

(3) 특징적 부위 신체 굴측부 이외에도 상체부위 즉 얼굴, 목, 가슴이나 등에서 증상이 더 심한 경향을 보인다.

(4) 극렬한 소양감이 있고 皸裂 시에는 동통을 자각한다.

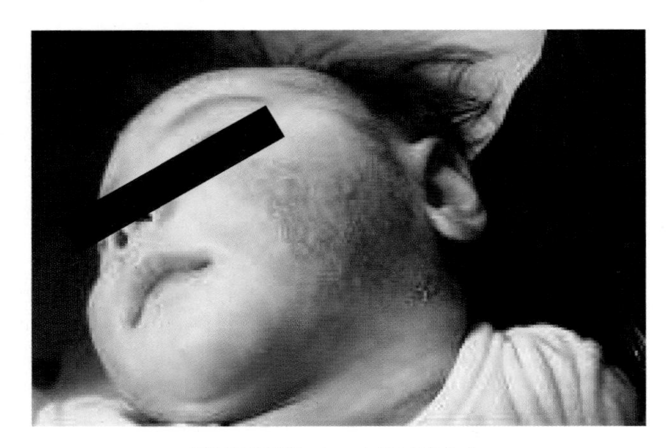

그림 28-4 아토피피부염(영아)

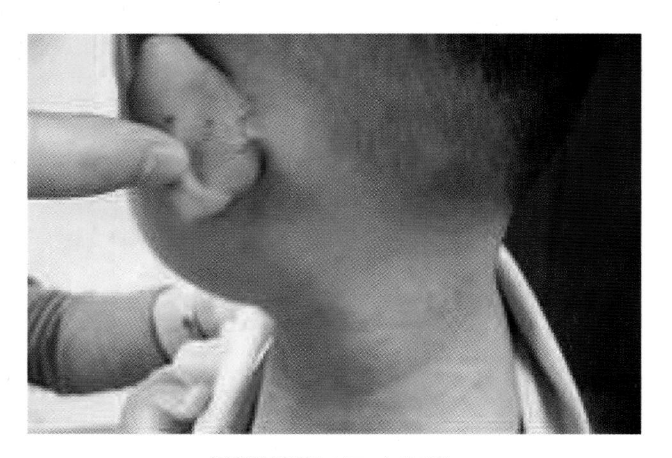

그림 28-5 아토피피부염

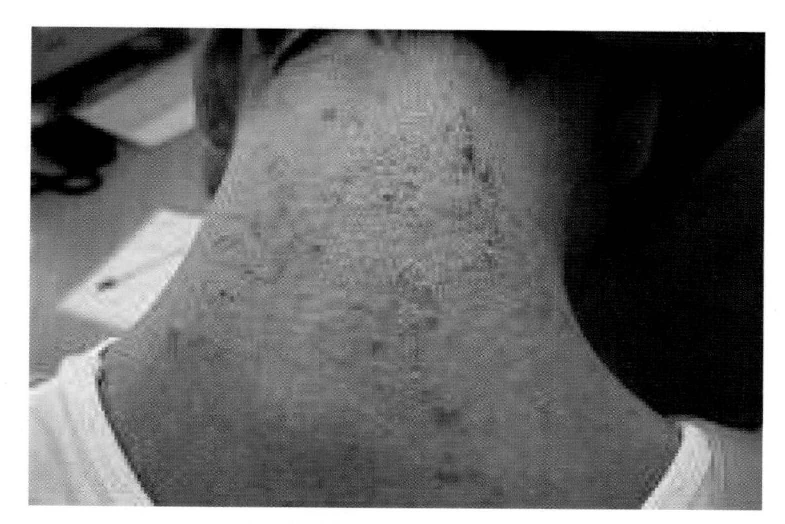

그림 28-6 아토피피부염

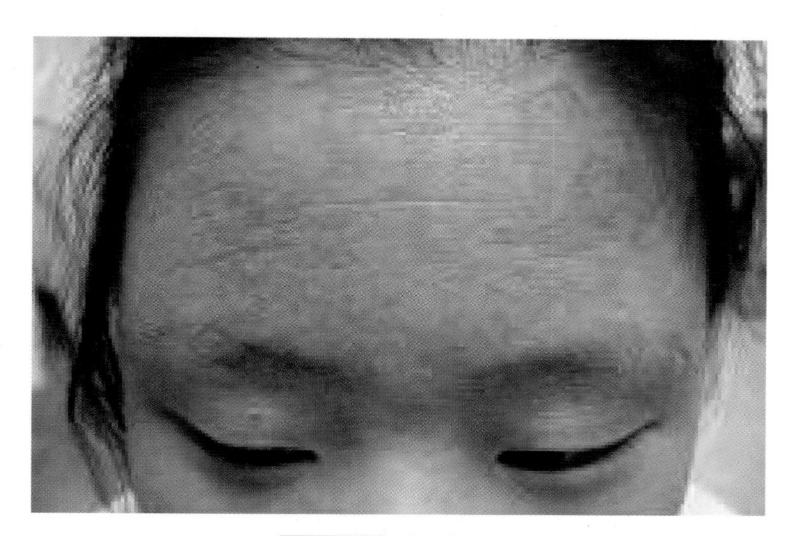

그림 28-7 아토피피부염

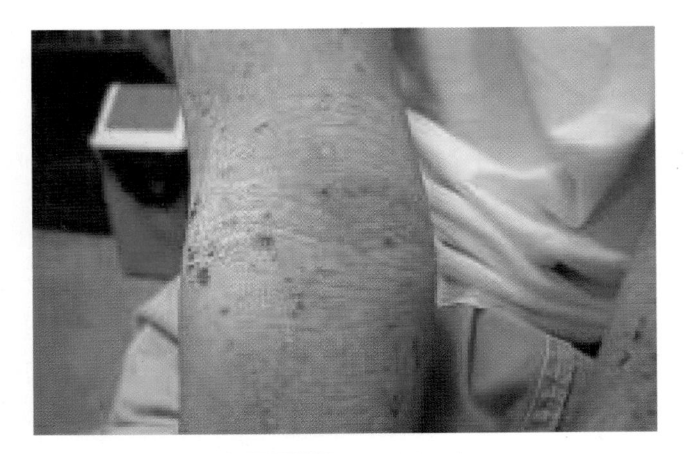

그림 28-8 아토피피부염

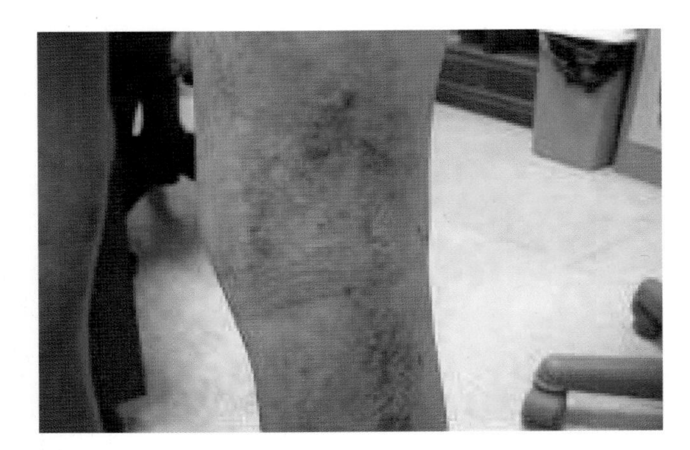

그림 28-9 아토피피부염

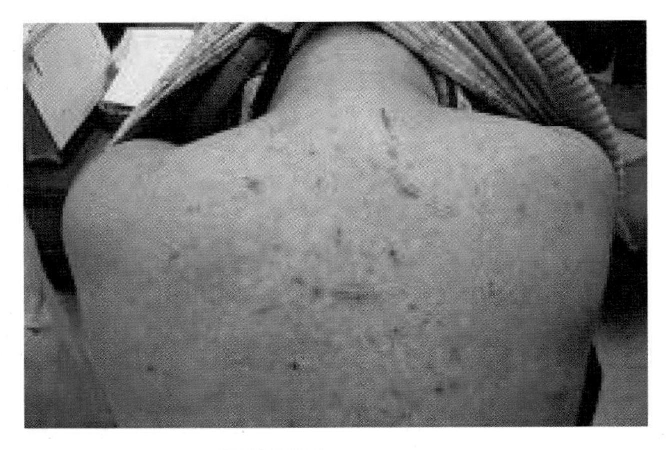

그림 28-10 아토피피부염

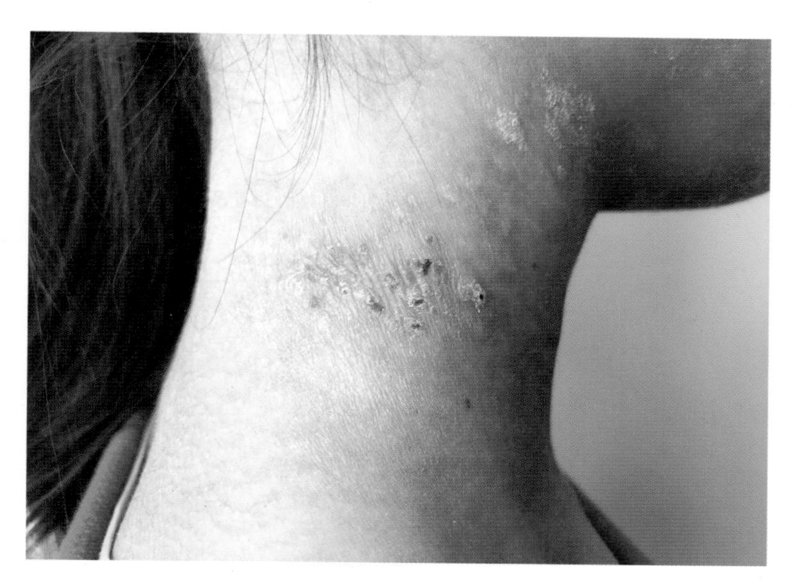

그림 28-11 아토피피부염(목)

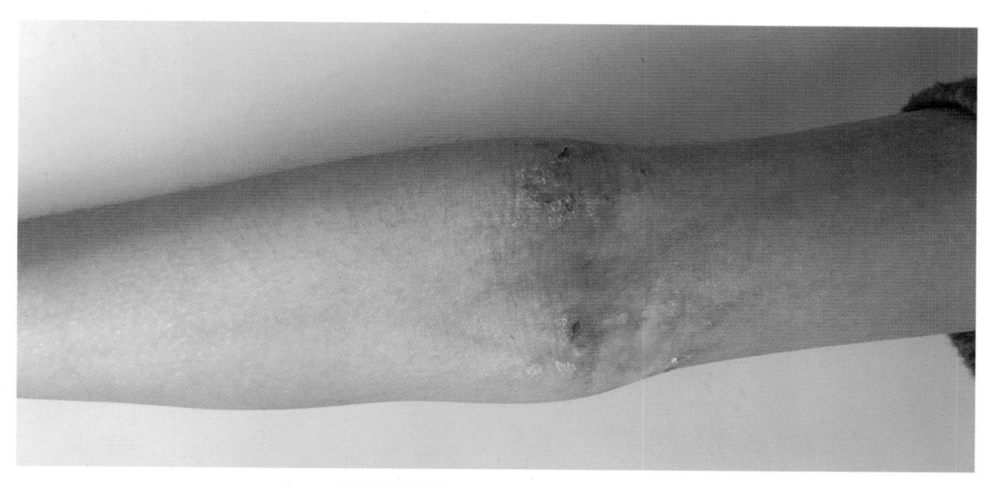

그림 28-12 아토피피부염(前肘窩)

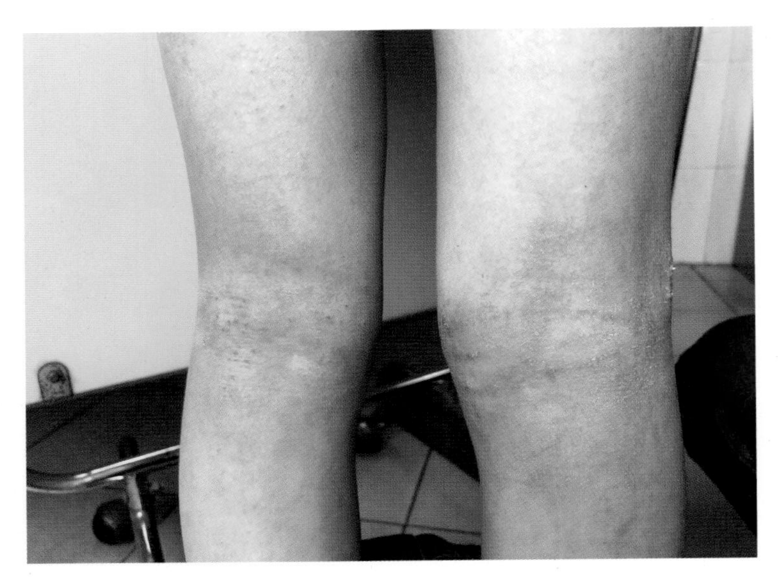

그림 28-13 아토피피부염(膝窩)

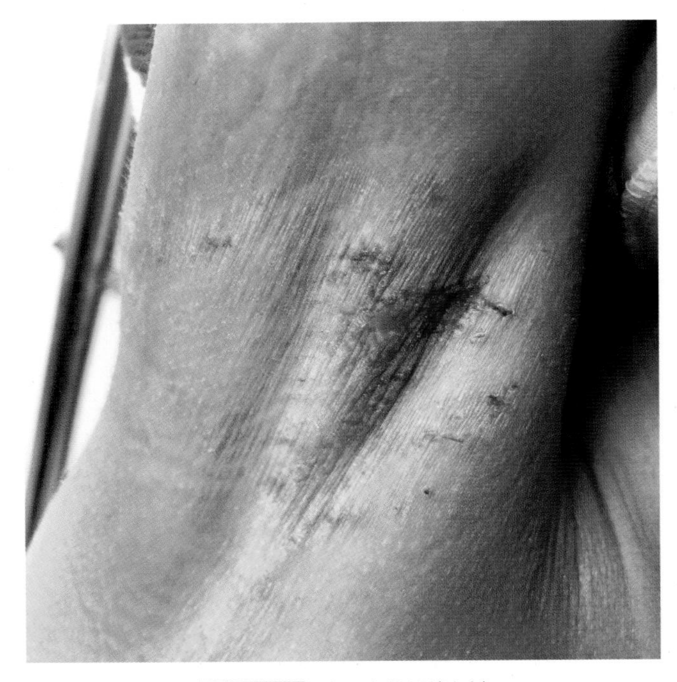

그림 28-14 아토피피부염(腋窩)

## 4. 진단감별

### 1) 진단요점

아토피피부염의 진단은 임상양상을 종합하여 진단하며, 1980년 Hanifin과 Rajka가 제안한 진단기준을 근거로 하여 각 국가별로 조금씩 변형한 진단기준으로 진단을 내리고 있다. 국내에서는 2005년 대한아토피피부염학회에서 해외의 진단기준과 한국인의 임상양상을 기반으로 주진단기준 3항목과 보조진단기준 14항목으로 구성된 한국인 아토피피부염의 진단기준(표 28-2)을 제시하였다.

표 28-2. 한국인 아토피피부염의 진단기준(2005)

| 진단조건 |
| --- |
| 주진단기준 중 적어도 2개 이상에 보조진단기준 중 4개 이상. |
| **주진단기준** |
| 1. 가려움증 |
| 2. 특징적인 피부염의 모양 및 부위 |
| 1) 2세 미만의 환자 : 얼굴, 몸통, 사지 폄 쪽 습진 |
| 2) 2세 이상의 환자 : 얼굴, 몸통, 사지 굽힘 쪽 습진 |
| 3. 아토피(천식, 알레르기성 비염, 아토피피부염)의 개인 및 가족력 |
| **보조진단기준** |
| 1. 피부건조증 |
| 2. 백색잔비늘증(백색비강진, pityriasis alba) |
| 3. 눈 주위의 습진병변 혹은 색소침착 |
| 4. 귀 주위의 습진병변 |
| 5. 입술염 |
| 6. 손, 발바닥의 비특이적 습진 |
| 7. 두피 비듬 |
| 8. 땀구멍 주위 피부의 두드러짐 |
| 9. 유두 습진 |
| 10. 땀 흘릴 경우의 가려움증 |
| 11. 백색 피부그림증(피부묘기증, dermographism) |
| 12. 피부단자시험 양성반응 |
| 13. 혈청 IgE의 증가 |
| 14. 피부 감염의 증가 |

### 2) 감별질환

(1) 영아 지루피부염 : 출생한 지 오래 되지 않은 영아에게서 주로 관찰된다. 두피의 국소 부위 혹은 전부가 灰黃色 또는 棕黃色의 油膩한 인설로 덮여 있다. 눈썹, 鼻脣溝, 耳後部 등에도 발생하며, 가벼운 소양감이 있다.

## 5. 치료

### 1) 현대 치료법

(1) 국소요법

① 보습제 : 아토피피부염 환자에서 보이는 비정상적인 피부장벽의 기능을 회복시키기 위한 보습제가 안전하면서도 약한 스테로이드제와 같은 효능을 낼 수 있기 때문에 지속적으로 도포할 수 있는 매우 중요한 국소요법제이다.

② 스테로이드제

③ 국소면역조절제

④ 항생제, 항바이러스제, 항진균제 : 이차적인 감염인 세균, 바이러스, 진균 감염증

⑤ 습포요법 : 진물이 나오는 급성 습진 병변에 주로 시행된다.

⑥ 밀폐요법 : 태선화된 만성 병변에 주로 시행된다.

(2) 전신요법

① 항히스타민제 : 가려움증 치료목적으로 투여하지만 아토피피부염의 복잡한 기전으로 인하여 그 효능은 높지 않다. 그러나 장기간 투여 시에도 안전하기 때문에 많이 처방되고 있다.

② 전신 스테로이드제 : 장기간 사용 시 여러 부작용이 발생할 수 있으며, 끊었을 때 반동현상이 있기 때문에 습진 증상이 심한 경우에 한하여 단기간으로 제한적으로 사용해야 한다.

③ 면역억제제

### 2) 內治法

(1) 風濕熱浸淫肌膚症 : 清熱利濕, 消風止痒하는 龍膽瀉肝湯加減(醫宗金鑑), 消風散(萬病回春), 凉血除濕湯(朱仁康臨床經驗綠), 草薢滲濕湯 合 二妙散加減(瘍醫大全) 등을 사용한다.

(2) 脾虛濕熱內蘊症 : 健脾除濕하는 除濕胃苓湯加減(醫宗金鑑)을 사용하며, 상용하는 약물로는 蒼朮, 陳皮, 厚朴, 白朮, 猪苓, 茯苓, 澤瀉, 滑石, 甘草, 防風, 山梔, 木通, 肉桂 등을 사용한다.

(3) 陰傷血燥濕戀症 : 피부가 건조하며 가렵고, 인설이 脫落하며, 환부를 긁어서 생긴 血痕이 많다. 舌紅苔剝 혹은 舌淡苔淨하며, 脈細하다. 血虛가 위주인 경우, 治法은 養血潤燥하며 처방은 地黃飮子에 防風, 苦參, 夜交藤 등을 적당량 加하여 사용한다. 陰虛가 위주인 경우, 治法은 滋陰潤燥하며 처방은 滋陰除濕湯(朱仁康臨床經驗綠)에 白蒺藜, 苦參, 熟地 등을 적당량 加하여 사용한다. 상용하는 약물로는 生地, 玄蔘, 當歸, 丹蔘, 茯苓, 澤瀉, 白鮮皮, 蛇床子 등을 사용한다.

### 3) 成藥, 驗方

(1) 滋陰補腎片, 菘蓉片, 地龍片 각 5片을 1일 2회 內服한다.

(2) 濕熱內蘊證에는 導赤丹 또는 淸熱化毒丹을 사용할 수 있으며, 1세 이하의 영아에게는 매일 1丸을 2회로 나누어 복용한다. 1세 이상의 영유아에게는 매일 2회씩, 1회 1丸씩 복용한다. 脾虛濕盛證에는 蔘苓白朮散을 매일 2회, 1회 3 g씩 물과 함께 복용한다.

### 4) 外治法

(1) 영아기에는 靑黛散 또는 淸解片을 갈아 분말로 만들어 麻油에 개어 페이스트처럼 만들어 매일 3~4회 환부에 바른다. 아동기 및 성인기에는 1% 薄荷三黃洗劑 또는 葎草酊을 매일 환부에 3~4회 바른다.

(2) 濕熱內蘊證에는 濕疹膏 또는 五石膏를 매일 3~4회 환부에 도포한다. 오랜 시간이 경과해도 낫지 않는 경우에는 地膚子 30 g, 蛇床子 9 g, 苦參 15 g, 白礬 5 g을 물로 달여 매일 1회 환부를 씻는다. 또는 三妙散을 麻油에 개어 페이스트처럼 만들어 매일 3~4회 환부에 바른다. 陰虛血燥證에는 潤肌膏과 濕疹粉을 혼합하여 환부에 바른다.

(3) 미란, 삼출액이 明顯할 때는 馬齒莧, 生地楡, 貫衆을 같은 양으로 물에 달여 환부에 매회 10~15분, 매일 2~3회 凉濕敷한다.

(4) 홍반의 면적이 크면서 結痂가 많고 또한 태선화가 된 경우에는 靑黛膏를 매일 2회 도포한다.

(5) 극렬한 소양감이 있는 경우에는 九華粉洗劑을 도포하거나 혹은 蛇床子洗方을 물로 달여 매일 3~5회 씻는다.

(6) 病程이 비교적 오래되고 피부 손상부위가 비후되면서 극렬한 소양감이 있는 경우, 止痒藥粉을 환부에 도포하거나 혹은 植物油에 섞어 피부 손상부위에 매일 1~2회 도포한다.

(7) 홍반 · 구반 · 수포가 아직 궤파되지 않은 경우 濕疹一號膏를 매일 2회 도포한다.

(8) 미란 · 삼출액이 있는 경우 油膏劑는 禁用한다. 馬齒莧, 生地楡를 동일한 양으로 물에 달여 환부에 매회 15분씩, 매일 2~5회 凉濕敷한다. 乾結된 후에는 濕敷를 할 수 있고, 油膏劑를 도포한다.

(9) 피부 손상부위를 긁어서 화농되어 감염이 속발된 경우, 靑黛散을 麻油에 섞어 도포하거나 혹은 黃連膏를 매일 1~2회 도포한다.

(10) 피부 손상부위가 비후되고 층층히 脫皮가 있는 경우에는 濕毒膏나 薄膚膏 중에 선택하여 도포한다.

(11) 피부 손상부위가 乾燥皸裂이 있는 경우 狼毒膏를 매일 1~2회 도포한다.

### 5) 기타 치료법

(1) 鍼灸法

① 體鍼 : 軀幹 取 脾兪 胃兪 大椎 / 上肢 取 合谷 曲池 / 下肢 取 足三里 委中 豊隆

② 耳鍼 : 脾 胃 內分泌 神門

### 6) 생활관리

(1) 아토피피부염을 악화시키거나 가려움증을 유발한다고 생각되는 음식물이나 환경요인이 있다면 피한다. 피부검사 등에서 양성반응을 나타내고, 실제로 임상적인 연관성이 있는 알레르겐에 대하여는 피하는 것이 좋다. 환경 조절이나 직업상 노출될 수 있는 자극물질에 대한 회피도 중요하다. 乳母는 魚鰕海味, 鷄, 鴨 및 辛辣 등의 유발음식을 피해야 하며, 환아는 過飢過飽하게 해서는 안 된다. 이유식을 하는 영아도 유발음식을 피해야 한다.

(2) 신생아의 경우 생후 6개월 이내에 모유를 먹이는 것이 아토피피부염의 예방에 기여하는 것으로 알려져 있다.

(3) 소양감이 있다고 환부를 긁어서는 안 되며 수면 전에는 피부 손상 부위를 잘 보호해야 한다. 가령 머리의 경우에는 모자를 쓰고, 양 손은 장갑 등을 낀다.

(4) 의복은 부드럽고 자극적이지 않은 것으로 골라 자주 세탁하여 입는다. 피부를 자극하지 않고 땀을 잘 흡수하는 면제품 의류를 입는 것이 좋다. 양모로 된 모직물 의류는 피부를 자극하여 소양감과 자극을 유발할 수 있으므로, 입지 않도록 한다. 세탁할 때도 자극성이 있는 합성세제 등을 이용해서 의복을 세탁하면 안 된다.

(5) 피부가 청결하고 건조하지 않도록 관리해야 하며, 발병 기간에는 잦은 목욕은 피한다. 뜨거운 물로 씻어서는 안 되며, 매일 1회 미지근한 물로 5~20분간 목욕한다. 목욕할 때 타올 등으로 심하게 피부를 문지르거나 찰상을 주면 안 된다. 목욕 후 3분 이내에 피부의 건조를 방지하기 위해 보습제를 바른다. 올리브유를 솜에 적셔 문지르지 말고 가볍게 두드려 준다.

(6) 급성 발작기에는 예방접종을 하지 말아야 한다. 더욱이 아토피피부염 환아에게는 牛痘 접종을 해서는 안 된다.

(7) 외부 온도와 습도의 급격한 변화는 아토피피부염을 악화시키거나 재발을 유발하는 요인이다.

(8) 운동, 정신적인 스트레스, 통기가 잘 안되는 옷 등에 의하여 땀이 나면 피부를 자극하는 원인이 되어 가려움증을 유발한다.

## 5. 예후

아토피피부염의 예후를 예측하기는 매우 어렵지만, 나이가 들어감에 따라 호전되는 경향을 보인다. 어린이에게서는 10~20%의 유병률을 보이나, 성인이 되면 유병률은 1~5% 미만으로 현저히 감소한다. 유아형 아토피피부염 환자의 약 40%는 5세 이전에 저절로 호전되며, 성년에 도달하면 아토피피부염 환자의 약 85%에서 호전된다고 보고된 바도 있다.

그러나 최근 연구에서는 성인이나 노인에서 아토피피부염이 발생하거나, 유아 또는 소아형 아토피피부염이 호전되었다가 성인이 되어 재발하거나, 혹은 성인 이후까지 지속되는 경우가 증가하는 추세에 있다고 보고되었다. 성인기의 환자들은 증세가 심한 경향을 보인다.

아토피피부염의 나쁜 예후인자로는 아토피피부염의 가족력, 천식 등 호흡기 아토피가 동반된 경우, 피부병변이 심한 경우, 피부염이 2세 이전에 발병한 경우 등이 있다.

# Ⅳ 지루피부염 Seborrhoeic dermatitis

## 1. 개요

지루피부염에 해당하는 白屑風 혹은 面遊風은 장기간 지속되는 만성 습진의 일종으로, 전체 인구의 2~5%에서 발생하며, 여성보다는 남성에게서 호발한다. 호발 연령은 영아는 생후 3개월 이내, 성인은 30~60대이다. 주로 피지샘의 활동이 증가되어 피지 분비가 왕성한 두피와 얼굴, 그 중에서도 눈썹, 코, 입술 주위, 귀, 겨드랑이, 가슴, 서혜부 등에 발생한다. 초기에는 두피에서 시작되어 점차 얼굴, 눈, 귀 목 등으로 파급되며, 전신에 걸쳐 나타나기도 한다. 대표적인 증상은 피부가 油膩하고 瘙痒潮紅하며 或은 白屑이 일어나는 것이 특징이나, 피부병변의 형태는 다양하게 나타날 수 있다. 건성형의 경우에는 피부가 潮紅하고 脫屑하는 것이 주요 증상이며, 습성형의 경우에는 홍반, 미란, 流滋하고 油膩性 脫屑과 結痂가 주요 증상으로 나타난다.

한의학 문헌 중에서는 《外科正宗 · 白屑風 第八十四》에 "白屑風多生于頭, 面, 耳, 項, 髮中,

初起微痒, 久則漸生白屑, 層層 飛起, 脫而又生. 此皆起于熱体當風, 風熱所化, 治當消風散, 玉肌散, 次以當歸膏潤之. 髮中作痒有脂水者, 宜翠云散搽之自愈"라 하여 白屑風의 호발 부위와 원인 등에 대해 설명하였고,《醫宗金鑑 · 外科心法要訣, 面游風》에 "此證生于面上, 初發面目浮腫, 痒若虫行, 肌膚乾燥, 時起白屑 · 次後極痒, 抓破, 熱濕盛者津黃水, 風燥盛者津血, 痛楚難堪, 由平素血燥, 過食辛辣厚味, 以致陰陽胃經濕熱受風而成"이라 하였다.

## 2. 원인 및 병기

1) 원인은 확실하지 않지만 과다한 피지 분비, 또는 피부에 기생하는 진균인 *Malasssezia* 속이 관여하는 것으로도 알려졌으며, 파킨슨병이나 척수공동증과 동반되어 나타나기도 하며 땀을 많이 흘리는 상황이나 정서적 긴장도 악화 요인이 되는 등 복합적인 원인이 작용할 것으로 추정된다.

2) 현대 이전에는 다음과 같은 2가지 원인으로 발병한다고 보았다.
(1) 風熱血燥 : 風熱의 邪氣가 外襲하여 오래되면 血燥하고 陰血이 부족하면 쉽게 風을 발생하기도 하고 風燥熱邪가 肌膚에 蘊積하면 피부가 영화로움을 잃어버리고 피부가 쉽게 粗糙하여지는데 건조한 경우가 많고 관찰되는 임상양상도 乾性型이 위주이다.
(2) 腸胃濕熱 : 기름진 음식이나 매운 음식을 과식하거나 혹은 술을 과음하면 腸胃가 運化를 잃어버려 濕과 熱을 발생하고 濕熱이 肌膚에 蘊積하여 발생한다. 관찰되는 임상양상은 습성형이 많고, 장비색잔비늘증형(玫瑰糠疹型)이 주이다.

## 3. 증상

홍반 위에 발생한 기름기가 있는 노란 인설이 특징이다. 주로 피지선이 풍부한 두피, 얼굴, 가슴 한가운데, 등쪽 견갑골 사이에 누런색 혹은 붉은색의 습진성 병변으로 나타난다. 병변이 있는 부위의 피부는 기름기가 많아 번들번들하며, 모낭구는 확대되어 있다. 특히 얼굴의 눈썹 사이나 눈꺼풀의 가장자리, 코입주름 부위에서 보이는 기름진 인설이 특징적이다. 홍반 위에는 건성 혹은 기름기가 있는 노란 인설이 있으며, 가려움증을 동반할 수 있다.

초기에는 가벼운 소양감이 있다가 시일이 경과함에 따라 인설이 첩첩이 쌓이며 긁으면 탈락된다. 모발도 가늘고 약해져 쉽게 절단되고 탈락된다. 병세는 호전과 악화를 되풀이하며 전신으로 나타날 수도 있다.

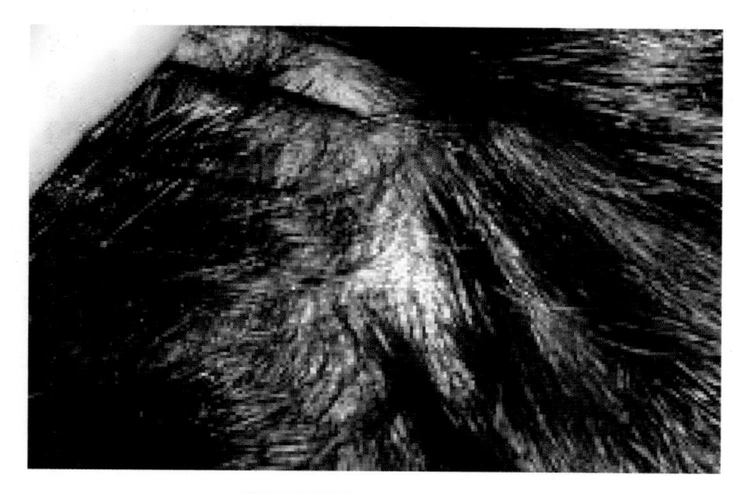

그림 28-15 지루피부염(두피)

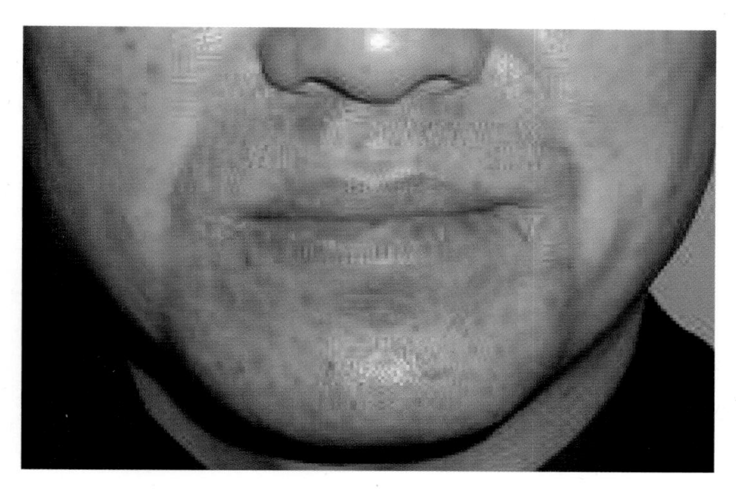

그림 28-16 지루피부염(안면부)

얼굴의 지루피부염은 뺨, 코, 이마에 1 ㎝ 미만 크기의 구진성 발진으로 나타날 수 있다. 쉽게 벗겨지는 비늘과 홍반이 눈썹에서 발견되고 비늘 밑의 피부는 붉은색을 띤다. 눈꺼풀도 황적색을 띠며 미세한 비늘로 덮여 있는 경우도 있다. 여드름이나 장미증과 병발하는 경우도 흔하다.

지루피부염은 임상양상에 따라 크게 건성형, 습성형, 장미색잔비늘증형(玫瑰糠疹型)으로 나눌 수 있다.

### 1) 건성형

크기가 일정하지 않은 斑片을 나타내고 기저부는 미홍색을 띠며 위에는 彌滿하고 일정한 분말상의 건조한 脫屑이 나온다. 두피에는 여러 층이 생겨 두터워지고 머리를 빗거나 혹은 긁으면 쉽게 탈락되며, 모발이 건조하여 쉽게 빠진다.

### 2) 습성형

홍반, 미란, 流滋가 많으며 油膩한 脫屑과 結痂가 많으며 항상 악취가 많다. 耳後部와 코에 군열이 있으며 눈썹은 긁어 절단되어 희소하여진다. 병변은 머리의 眉弓, 鼻脣溝, 귀의 앞뒤 부위, 목 뒤, 등, 액와 등의 부위에 많다. 항상 두피에서 시작하여 아래로 널리 퍼지고 심한 경우는 전신으로 퍼진다.

### 3) 장미색잔비늘증형(玫瑰糠疹型)

원형, 타원형, 혹은 불규칙한 형태의 홍색 斑片으로 나타나며, 위에는 油膩한 脫屑이 있고 중심부의 피부는 정상이다. 주요 발병 부위는 가슴, 등, 견갑부와 서혜부이며 때로 미란하여 油滋하고 습성형의 임상양상과 유사하며 동시에 귓바퀴 내부에는 油膩한 脫屑이 있다. 병정이 완만하고 항상 급성으로 발생한다.

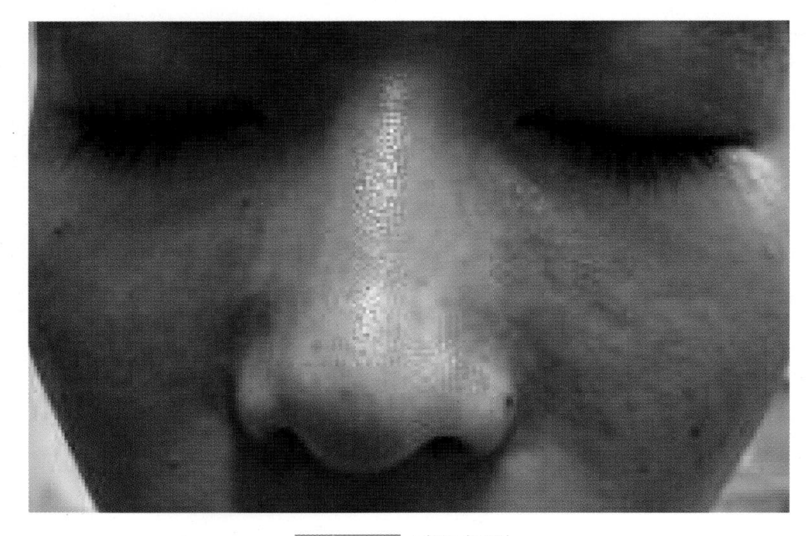

그림 28-17 지루피부염

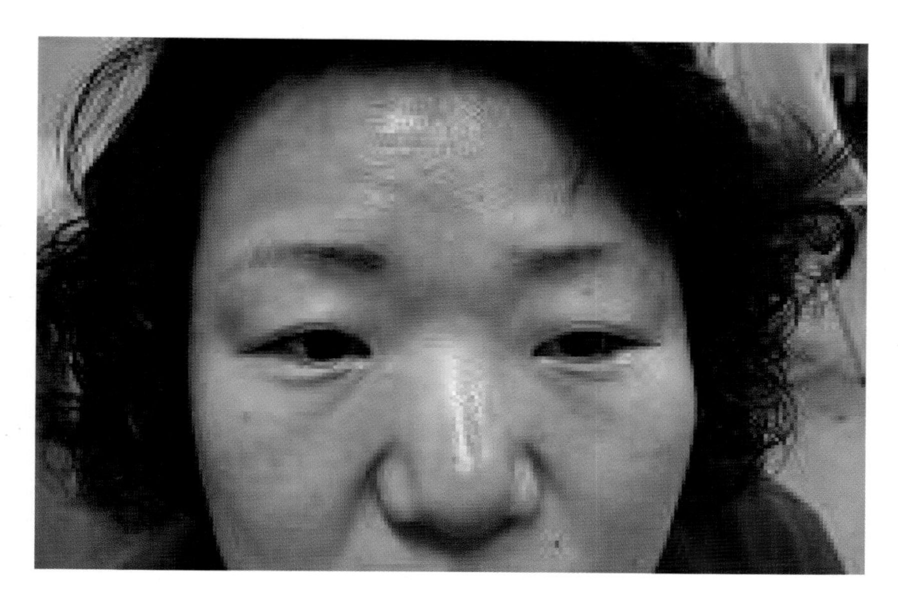

그림 28-18 지루피부염

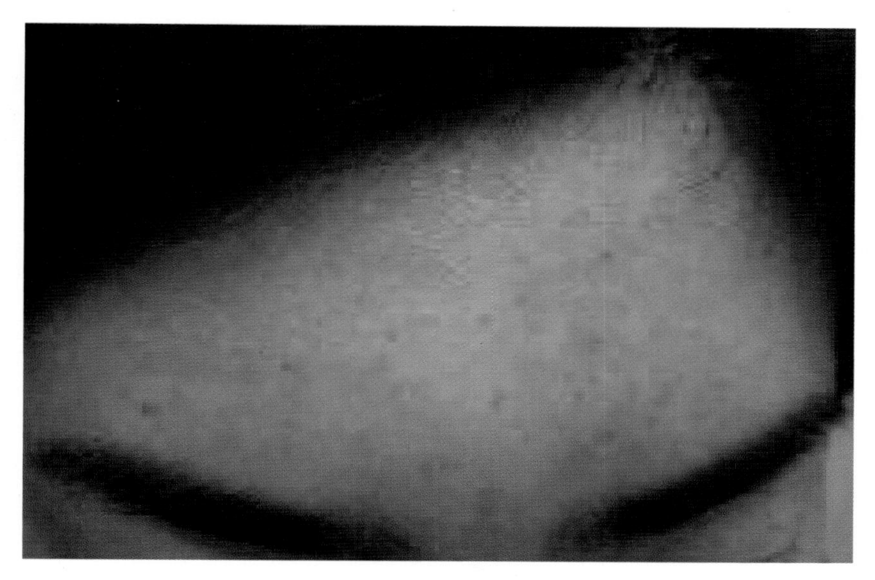

그림 28-19 지루피부염

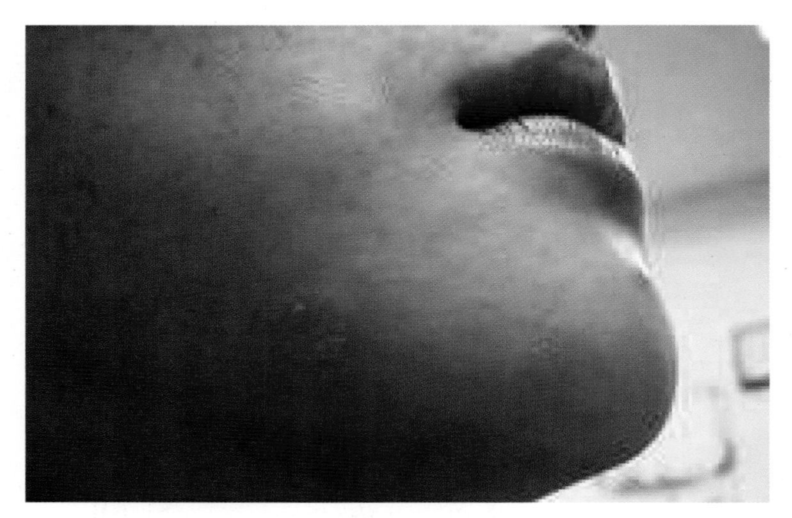

그림 28-20 지루피부염

## 4. 진단감별

1) 건선 : 인설은 은백색을 나타내고 油膩하지 않으며, 심하게 긁은 후에는 홍반 상부에 이슬 모양의 출혈점이 나온다. 피부병변이 주로 肘膝關節의 伸側部이며 그 위에 매우 두꺼운 은백색의 인설이 있다.

2) 두부백선 : 아동에 많고 진균검사상 양성으로 나타난다.

3) 백색잔비늘증 : 피부병변으로 원형, 타원형의 色素減退斑이 있고, 표면에는 가벼운 인설이 있다.

4) 비듬 : 비듬은 생리적 현상으로, 정상인의 두피에 쌀겨 모양의 미세한 소량의 표피탈락이 생기는 것을 말한다. 두피의 수포, 농포가 궤파된 후의 痂皮脫落은 지루피부염과 다르다.

## 5. 치료

### 1) 內治法

(1) 乾性型 : 養血祛風潤燥하는 消風散加減을 사용하여 熱이 심하면 白花蛇舌草, 寒水石 등을 加하고, 소양감이 심하면 苦蔘片, 徐長卿 등을 加한다. 그 외에 祛風換肌丸 혹은 當歸飮子加減을 사용하기도 하며, 養陰淸熱化濕하고 상용하는 약물로는 生地黃, 玄蔘, 麥門冬, 生石膏,

蛇舌草, 生山楂, 側柏葉, 大黃, 車前草, 虎杖根을 사용한다.

(2) 濕性型 : 茵蔯蒿湯, 茵蔯蒿湯 合 三黃丸, 防風通聖散加減 등을 사용한다. 淸熱化濕通腑하고 상용하는 약물로는 茵陳, 生山梔, 黃芩, 黃柏, 大黃, 蛇舌草, 生薏苡仁, 車前草, 苦蔘, 生甘草을 사용한다.

(3) 玫瑰糠疹型 : 위 처방에 加 龍膽草, 胡黃連을 사용한다.

### 2) 外治法

(1) 피부건조에는 潤肌膏를 매일 2회 사용한다.

(2) 두피에는 白屑風酊 혹은 側柏葉酊을 사용하며 소양감이 심하고, 기름기가 많은 사람은 白屑風酊을 외부에 매일 2~3회 바른다.

(3) 얼굴의 油膩에는 顚倒散洗劑를 환부에 바른다. 痤瘡洗劑를 얼굴에 사용하기도 한다.

(4) 濕性의 경우 靑黛膏를 사용한 후에 三石散을 바른다.

### 3) 현대 치료법

일주일에 2~3회 정도 약물함유샴푸로 머리를 감거나 국소 스테로이드 로션을 바른다. 얼굴에 강한 스테로이드 연고를 오래 사용할 경우 모세혈관 확장, 피부 위축, 여드름 모양 발진 등의 부작용을 유발할 수 있으므로 주의해야 한다.

### 4) 생활관리

(1) 우선 모발 및 피부의 청결을 유지하는 것이 중요하며 지루, 즉 머리의 기름기 및 먼지를 제거하여 악화요인을 없애야 한다.

(2) 또한 두피의 염증이 심하면 머리가 많이 빠질 수도 있으므로 흡연, 음주, 과로를 피한다.

(3) 얼굴에는 유분이 많은 연고나 화장품을 사용하는 것을 피하며, 신체적 피로, 스트레스 등을 줄인다.

(4) 채소, 콩 제품을 많이 먹고 끓인 물에 소금을 묽게 넣고 마시는 것 같은 방법으로 大便通暢을 유지한다.

(5) 지방, 진한 차, 커피, 술, 식초나 매운 식품을 적게 먹는다.

# V 동전모양피부염 Nummular dermatitis

## 1. 개요

동전모양피부염(화폐상 습진)은 경계가 명확한 동전 모양 혹은 원형의 홍반성 반이 특징적으로 나타나는 만성 습진성 질환이다. 주로 성인에서 발생하고, 남성에게서 흔하고 특히 고령자의 건조한 피부에서 발생하는 빈도가 높다고 알려져 있으며, 호발연령은 55~66세이다.

## 2. 원인 및 병기

원인은 명확히 알려져 있지 않으며, 건조한 피부에서 호발한다. 정서적 긴장, 알레르기, 아토피, 음주, 유전적 요인 등이 유발인자인 것으로 알려져 있다.

## 3. 증상

아급성 혹은 만성 습진성 질환으로, 동전 모양의 홍반성 반이 주로 사지의 신측부에 발생한다. 손등, 사지 신측부, 둔부, 가슴 및 유두에 잘 발생한다. 처음에는 소수포와 구진으로 시작하여 점차 동전 모양으로 진행한다. 다발성이나 10 ㎝ 이상의 병변은 드물다. 병변이 진행되면서 중심부가 정상 피부처럼 회복되는 경우가 있는데, 이러한 양상은 진균감염증과 임상양상이 유사하다. 급성기에는 부종과 진물을 동반한 가피가 보이고 심한 경우에는 수포성 삼출로 인해 진물과 딱지를 형성하는 경우도 있다. 소양감이 심하여 쉽게 재발하는데, 재발할 때는 처음 병변이 발생했던 자리에 또 발생하는 경우가 많다.

## 4. 치료

습진에 준하여 치료한다. 피부가 건조하지 않도록 보습제를 자주 발라준다. 장시간의 뜨거운 물로 목욕하는 것은 피하고 강한 세정력의 비누 사용을 피해야 한다.

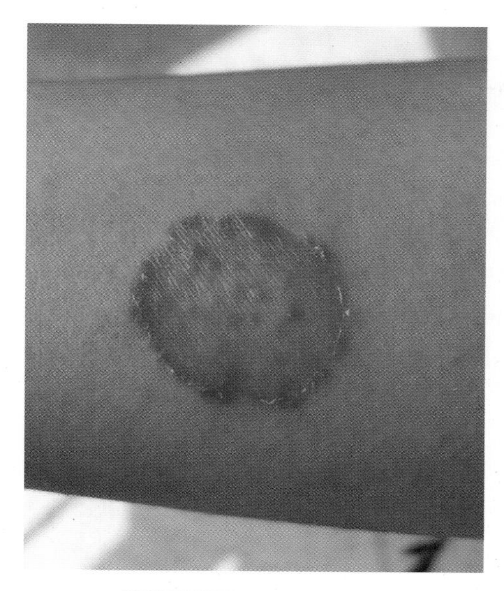
그림 28-21 동전모양피부염

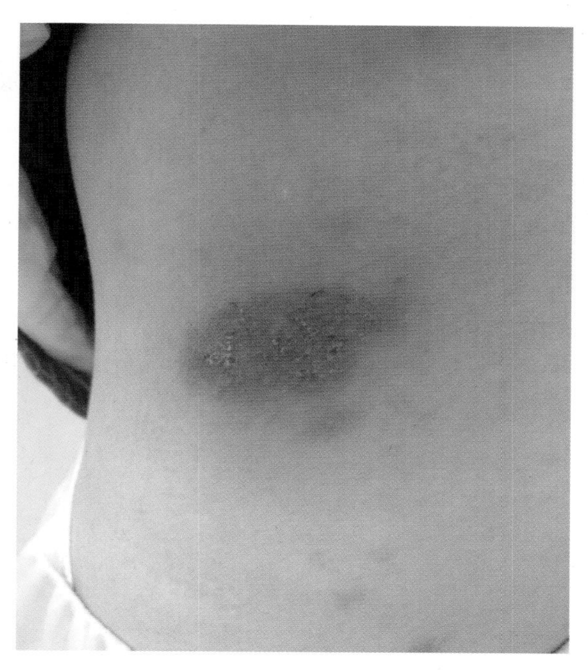
그림 28-22 동전모양피부염

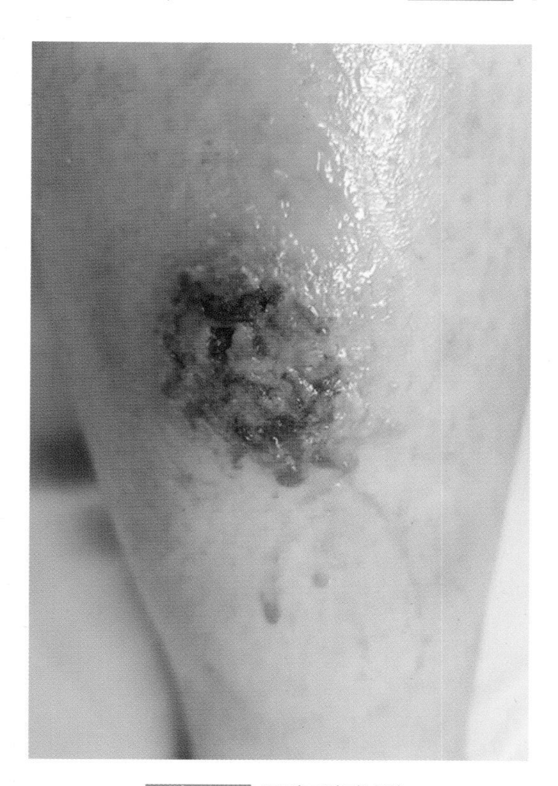
그림 28-23 동전모양피부염

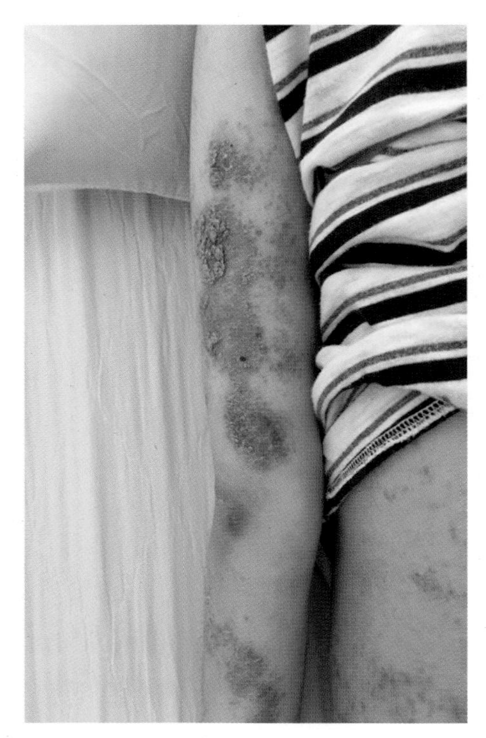

그림 28-24 전신형 동전모양피부염(오른팔)

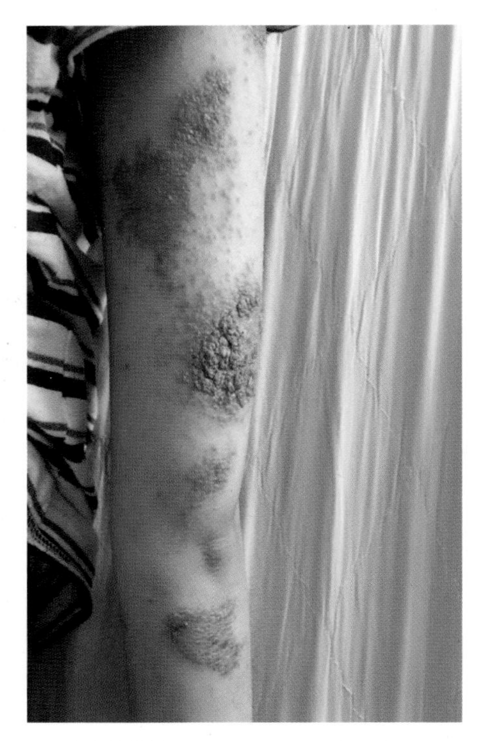

그림 28-25 전신형 동전모양피부염(왼팔)

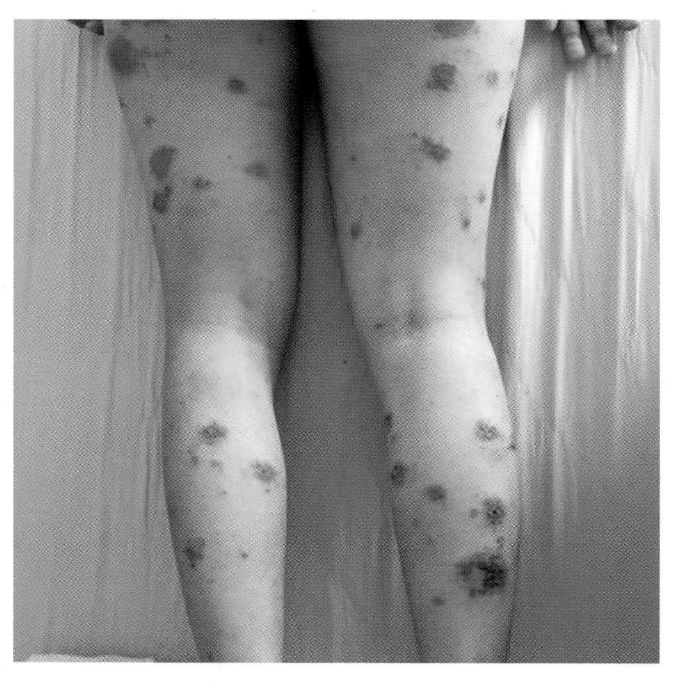

그림 28-26 전신형 동전모양피부염(다리)

# Ⅵ 건성습진 Xerotic eczema, Asteatotic eczema

## 1. 개요

건성습진은 피부건조증이 심하여 피부 표면에 미세한 균열과 건조한 인설이 나타난다. 주로 노년층에 호발하며, 건조한 겨울철에 뜨거운 물에 강한 비누를 사용하여 자주 오래 목욕하는 사람에게서 흔하다. 皸裂瘡 또는 皴裂瘡과 유사하여, 明代《證治準繩》에서는 "手足皴裂, 夫秋冬風寒燥裂, 人手足爲之皸瘃者, 血少肌膚虛故易傷也, 外潤以膏澤, 內服益氣和血之藥可也."라고 하여, 건성습진의 호발 계절, 증상, 원인 및 치법을 설명하였다.

## 2. 원인 및 병기

피부 표면 지질의 감소 또는 성상의 변화가 원인으로 추정된다. 혹은 이뇨제 복용, 아연 결핍증, 림프종 등에 2차적으로 발생할 수도 있다.

현대 이전에는 주로 갑자기 風寒燥冷에 傷하여 血脈이 阻滯되고, 肌膚가 濡養함을 잃어서 발병하거나 또는 素體血虛하여 국소 부위에 마찰이 반복적으로 가해지면 발병한다고 하였다.

## 3. 증상

홍반, 건조, 얕은 균열과 미세한 인설이 특징적인 증상으로 나타난다. 인설은 하지, 특히 정강이 부위에 미세하고 마른 인설이 특징적으로 나타나며, 진행되면 피부 표면에 균열이 발생한다. 심한 소양감도 동반하고 주로 한랭하고 건조한 공기에 노출되면 악화된다.

## 4. 진단감별

1) 손발백선 : 손백선에서는 홍반, 인설, 皸裂이 주로 관찰되나, 수포나 삼출액이 있을 수도 있다. 대개 일측성 병변으로 나타나며, 소양감이 있다. 발백선은 손백선과 비슷한 증상 외에도 潮濕, 浸潰, 發白, 多汗 등이 나타나며, 足趾間, 足弓, 足緣에 호발한다. 백선증은 겨울에 완화되고

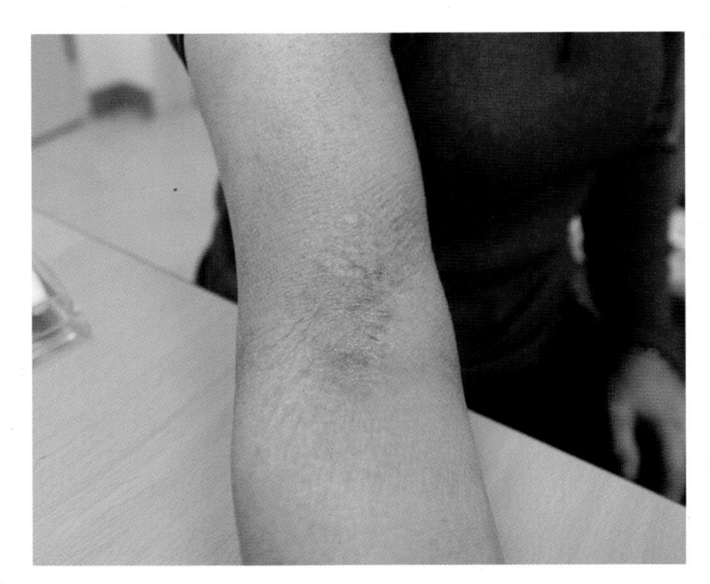

그림 28-27 건성습진(오른팔)

여름에 악화되며, KOH 검사상 진균 양성 소견을 보인다.

2) 박탈성각질융해증 : 대부분 다한증을 동반한다. 손발바닥에 針冒 크기의 작은 비염증성 흰 반점이 나타나는데, 곧이어 주위로 확대된다. 동시에 표면이 파열되며 얇은 인설들로 찢어져 탈락하나, 피부의 균열은 나타나지 않는다.

3) 손습진 : 피부병변이 다양하게 나타나며, 소양감이 있다. 수포, 삼출액이 흔히 발견되며, 국한성으로 건조한 인설이 나타나거나 혹은 피부의 균열이 함께 나타날 수 있다.

4) 손발각화증 : 손바닥, 발바닥의 표피 각질층이 두터워지며 피부가 딱딱해진다. 병변의 경계는 분명하고, 황색을 띠는 큰 티눈과 같이 생긴 두꺼운 굳은살이 있으며, 이는 갈라져 균열을 만들 수 있다.

5) 진행성손바닥각화증 : 여성의 오른손에 많이 발생하며, 특히 검지, 중지, 엄지손가락 말단에서 흔하다. 피부가 건조하고 거칠며, 發紫, 發紅, 脫屑이 나타나며 심한 경우에는 균열이 발생한다.

6) 어린선 : 대개 가족력이 있으며, 주로 四肢 伸側部에 물고기 비늘처럼 생긴 건조한 인설이 관찰된다. 겨울에 악화되고 여름에는 호전되는 뚜렷한 경향을 보인다.

## 5. 치료

### 1) 內治法

養血潤燥하는 治法을 사용하며, 처방은 四物湯加減을 사용한다. 상용하는 약물로는 當歸, 白芍, 熟地, 雞血藤, 何首烏, 桃仁, 桑白皮, 黃精, 甘草 등이 있다.

### 2) 成藥, 驗方

(1) 歸脾丸을 매회 9 g씩 매일 3회 경구 복용한다.

(2) 蛤蜊油를 매일 수차례 도포한다.

(3) 白芨軟膏 : 白芨 細末 10 g, 바셀린 50 g을 고루 섞어 매일 수차례 도포한다.

(4) 蜂蠟과 麻油 각각 적당량을 가열하여 녹인 다음, 따뜻한 상태로 환부에 점적한다.

### 3) 外治法

(1) 外洗

① 大楓子 20 g, 陳皮 10 g, 黃精 15 g, 地榆 15 g, 威靈仙 20 g, 金毛狗脊 20 g, 紅花 10 g을 물에 달여 매일 1~2회 溫泡한다.

② 苦楝子, 地骨皮, 王不留行 각 30 g, 白礬 15 g을 물로 달여 따뜻한 상태로 매일 1~2회 熏洗한다.

(2) 外塗

① 紅花 5 g, 白芨 4g, 松香 5 g, 黃蠟 5 g, 바셀린 100 g을 연고 형태로 만들어 환부에 매일 3회 도포한다.

② 甘油塗劑 : 글리세린 60%, 紅花 15%, 青黛 4%, 香水 1%, 75% 에탄올 20%을 고루 혼합하여 매일 3회 환부에 도포한다.

③ 紫草, 甘草, 當歸, 白蘞을 極細末로 갈아 같은 양을 바셀린에 넣고 고루 섞어 매일 2~3회 환부에 도포한다.

(3) 外貼

① 柏樹膏, 松香을 같은 양으로 研末하여 藥粉을 膚疾寧帖劑 위에 뿌린 다음 文火로 烊化한다. 이를 매일 1회 환부에 부착한다.

## 6. 생활관리

피부가 건조해지지 않도록 보습제를 자주 사용하여 관리해 주는 것이 매우 중요하다. 목욕할 때는 순한 비누를 사용하고, 때를 심하게 밀지 않으며, 목욕 후에는 즉시 보습제를 도포한다.

# Ⅶ 한포진 Dyshidrotic eczema, Pompholyx

## 1. 개요

한포진(발한이상, 한포, 물집습진, dyshidrotic eczema, pompholyx)은 손바닥 및 발바닥 표피 내에 소수포를 형성하는 습진성 피부질환이다. 가려움증을 동반하며, 만성적으로 재발한다. 주로 사춘기 및 성인기에 잘 발생하며, 봄과 여름철에 빈발한다.

한의학에서는 피부병변의 형태가 우렁이(田螺)나 개미집(螘窩)과 닮았다고 하여 田螺泡 또는 螞蟻窩라고 하였고 明代《外科正宗 · 田螺泡第一百二十二》에서는 “田螺泡, ……此脾經風濕攻注……”라고 하였으며, 淸代《醫宗金鑑 · 外科心法要訣 · 田螺皰》에서는 “……由脾經濕熱下注, 外寒閉塞, 或因熱體涉水, 濕冷之氣蒸鬱而成.”이라고 기술하였다.

## 2. 원인 및 병기

땀이 많이 나면 증상이 악화되어 이전에는 한선의 기능 이상과 연관된 것으로 예상하였으나, 조직검사상 수포와 한선의 연관성은 없다고 알려졌다. 여름철에 악화되고, 정신적인 스트레스와도 관련성이 있으며, 수족다한증 환자에게서 흔하다.

현대 이전에는 脾經에 濕熱이 內蘊하고, 風邪가 聚結하여 발병한다고 보았다.

## 3. 증상

발병 전 소수포보다 소양감이 먼저 나타날 수도 있으며, 소양감은 심할 수 있다. 초기에는 갑자기 투명한 1~2 ㎜ 정도 크기의 소수포들이 손바닥, 손가락 측면, 발바닥에서 양측성으로 대칭적으로

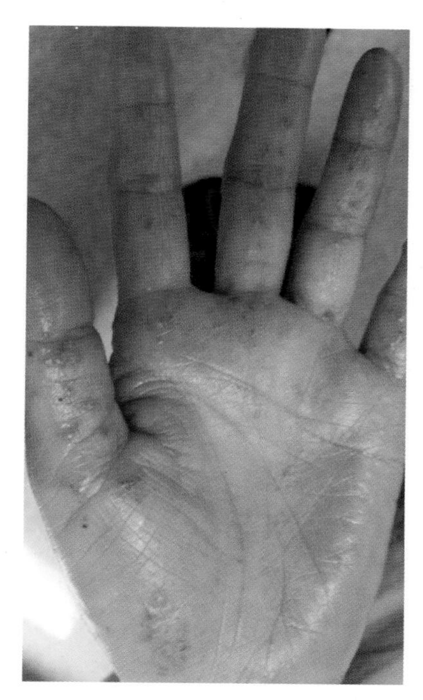

그림 28-28 한 환자의 손발에 발생한 한포진(왼손)

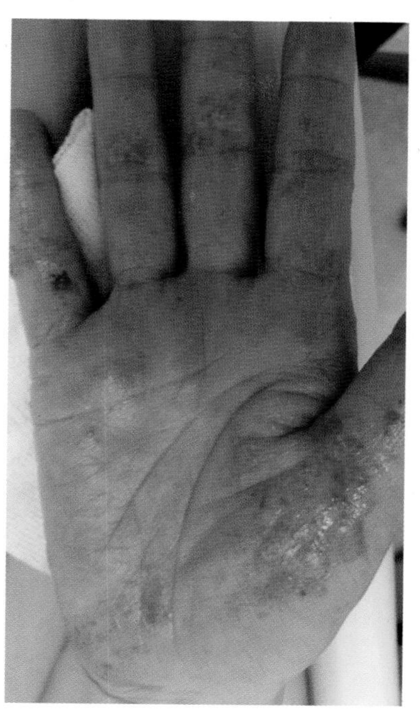

그림 28-29 한 환자의 손발에 발생한 한포진(오른손)

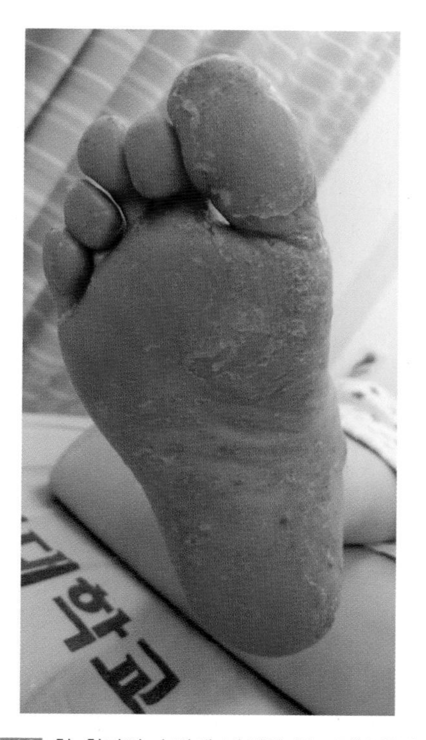

그림 28-30 한 환자의 손발에 발생한 한포진(오른발바닥)

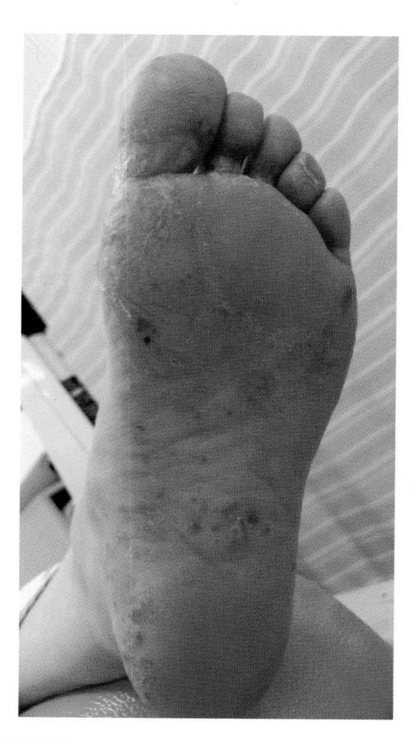

그림 28-31 한 환자의 손발에 발생한 한포진(왼발바닥)

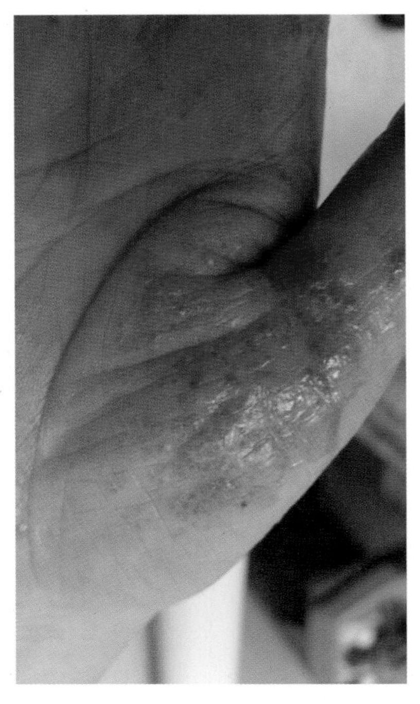

그림 28-32 한포진의 치료 경과(치료 전)

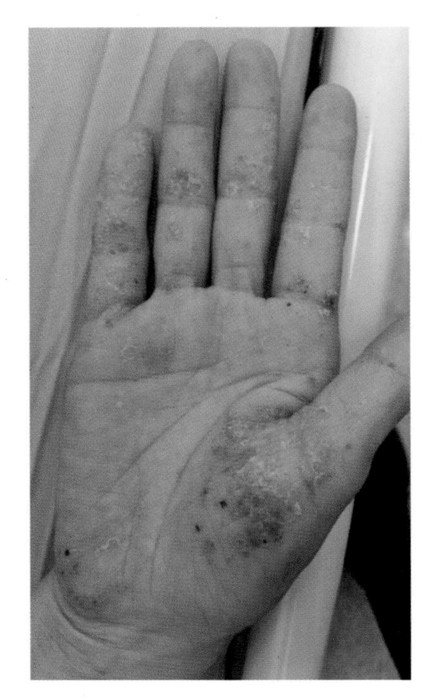

그림 28-33 한포진의 치료 경과(치료 후)

발생한다. 특히 손가락의 양쪽 측면에서 가장 흔하다. 혹은 소수포들이 융합되어 대수포를 형성하기도 한다. 무색의 수포들은 시간이 지남에 따라 농포로 형성되고, 농포가 터지면서 가피와 인설을 남긴다. 발진은 대부분 2~3주 정도 경과하면 표피가 탈락하며 호전되나 쉽게 재발한다.

## 4. 진단감별

1) 수포형 손백선 및 발백선 : 병변이 대칭성이 아닌 일측성으로 발생하는 경우가 많다. 병변의 경계가 분명하며, 주변에는 구진과 脫屑이 명확하게 나타난다. 진균검사상 양성 반응이 나타난다.

## 5. 치료

### 1) 內治法

治法은 利濕淸熱, 散風解毒하며, 解毒瀉脾湯加減을 사용한다. 상용하는 약물로는 石膏, 牛蒡

子, 防風, 黃芩, 蒼朮, 梔子, 生薏苡仁, 浮小麥, 土茯苓, 甘草, 綿茵陳, 白花蛇舌草, 魚腥草가 있다.

### 2) 成藥, 驗方

(1) 金菊五花茶沖劑를 매일 2~3회, 매회 1포씩 복용한다.

(2) 甘露消毒片을 매일 2회, 매회 4~6片씩 복용한다.

### 3) 外治法

(1) 苦參, 石菖蒲, 艾葉 각 10 g을 물로 달여 환부를 씻는다. 매일 1회, 매회 15분간 시행한다.

(2) 三黃洗劑를 매일 3회 도포한다.

(3) 5% 硫黃霜을 매일 2회 도포한다.

### 4) 鍼灸治療

손에 병변이 있을 때는 內關, 曲池, 合谷을 取하며, 발에 병변이 있을 때는 三陰交, 足三里, 湧泉을 取한다.

### 참고문헌

1) 譚新華. 何清湖. 中医外科学. 第2版. 北京: 人民卫生出版社; 2011.
2) 대한피부과학회 교과서 편찬위원회. 피부과학. 서울: 맥그로힐에듀케이션코리아; 2020.
3) 서울대학교 의과대학 피부과학교실. (의대생을 위한) 피부과학. 4판. 서울: 고려의학; 2017.
4) 이승철. 임상의를 위한 피부과학. 개정판. 서울: 도서출판 대한의학; 2019.
5) 전국 한의과대학 피부외과학 교재편찬위원회. 한의피부외과학. 부산: 선우; 2007.

# 第 29 章 약물발진, 홍반, 두드러기

| KCD 코드 | 한글 상병명 | 영문 상병명 |
|---|---|---|
| **L27** | **내부로 섭취된 물질에 의한 피부염** | **Dermatitis due to substances taken internally** |
| L27.0 | 약물 및 약제에 의한 전신피부발진 | Generalized skin eruption due to drugs and medicaments |
| L27.1 | 약물 및 약제에 의한 국소피부발진 | Localized skin eruption due to drugs and medicaments |
| **L28** | **만성 단순태선 및 가려움발진** | **Lichen simplex chronicus and prurigo** |
| L28.2 | 기타 가려움발진<br>구진성 두드러기 | Other prurigo<br>Urticaria papulosa |
| **L50** | **두드러기** | **Urticaria** |
| L50.0 | 알레르기성 두드러기 | Allergic urticaria |
| L50.1 | 특발성 두드러기 | Idiopathic urticaria |
| L50.2 | 한랭 및 열에 의한 두드러기 | Urticaria due to cold and heat |
| L50.20 | 한랭에 의한 두드러기 | Urticaria due to cold |
| L50.21 | 열에 의한 두드러기 | Urticaria due to heat |
| L50.3 | 피부묘기성 두드러기 | Dermatographic urticaria |
| L50.4 | 진동성 두드러기 | Vibratory urticaria |
| L50.5 | 콜린성 두드러기 | Cholinergic uticari |
| L50.6 | 접촉두드러기 | Contact urticaria |
| L50.8 | 기타 두드러기 | Other urticaria |
| L50.80 | 만성 두드러기 | Chronic urticaria |
| L50.81 | 재발성 주기성 두드러기 | Recurrent periodic urticaria |
| L50.88 | 기타 두드러기 | Other urticaria |
| L50.9 | 상세불명의 두드러기 | Uricaria, unspecified |

| | | |
|---|---|---|
| **L51** | **다형홍반** | **Erythema multiforme** |
| L51.0 | 비수포성 다형홍반 | Nonbullous erythema multiforme |
| L51.1 | 수포성 다형홍반<br>스티븐스-존슨증후군 | Bullous erythema multiforme<br>Stevens-Johnson syndrome |
| L51.2 | 독성표피괴사용해[라이엘] | Toxic epidermal necrolysis [Lyell] |
| L51.8 | 기타 다형홍반 | Other erythema multiforme |
| L51.9 | 상세불명의 다형홍반 | Erythema multiforme, unspecified |
| **L52** | **결절홍반** | **Erythema nodosum** |
| **L56** | **자외선에 의한 기타 급성 피부변화** | **Other acute skin changes due to ultraviolet radiation** |
| L56.3 | 일광두드러기 | Solar urticaria |
| **Q82** | **피부의 기타 선천기형** | **Other congenital malformations of skin** |
| Q82.2 | 비만세포증<br>색소두드러기 | Mastocytosis<br>Urticaria pigmentosa |
| **T78** | **달리 분류되지 않은 유해작용** | **Adverse effects, NEC** |
| T78.3 | 혈관신경성 부종<br>거대두드러기<br>퀸크부종 | Angioneurotic oedema<br>Giant urticaria<br>Quineke's oedema |

# I 약물발진 Drug eruption

## 1. 개요

약물발진(drug eruption)에 해당하는 中藥毒은 진단과 치료 및 예방을 위해 약물을 내복 · 주사 · 흡입 · 좌약 · 경피 등의 방법으로 투여한 결과 사용 목적과 다르게 유발된 모든 피부병을 말한다. 발병 전에 약물을 사용한 적이 있거나, 약물 알레르기에 대한 기왕력이 있다. 한약 중에서는 川貝母 · 大黃 · 天花粉 등의 단미제와 六神丸, 安神補心丸, 銀翹解毒片 등 100여 종이 유발할 수 있는 것으로 알려져 있으며, 양약 중에서는 해열진통제 · 수면진정제 · 항생제 등 350여 종이 유발할 수 있는 것으로 알려져 있다. 근래 약의 오남용 및 새로운 약제의 개발 등으로 인해 이러한 약물발진이 늘어나고 있는 추세이다.

약물발진은 다른 피부질환과 비교할 때 특징적 양상을 보인다. 즉, 병변이 비교적 빨리 나타나며, 대개 대칭적으로 전신에 분포되어 있고 병변의 색조가 선명하며, 원인으로 의심되는 약물의 사용을 중지하면 피부 병변이 서서히 소실된다. 약물반응에 의한 피부병변은 매우 다양하여 반상 구진,

표 29-1. 약물발진의 분류

| 약진에 의해 발생하는 primary skin eruption의 양상에 따른 분류 |
|---|
| 1. 반점구진약물발진(maculopapular drug eruption)<br>2. 수포약물발진(vesiculobullous drug eruption)<br>3. 농포약물발진(pustular drug eruption) : acneiform drig eruption, AGEP<br>4. 두드러기약물발진(urticarial drug eruption)<br>5. 고정약물발진(fixed drug eruption) |
| **전신증상을 동반하는 심한 형태의 약진의 종류** |
| 1. Drug reaction with eosinophilia and systemic symptoms (DRESS)<br>2. Acute generalized exanthematous pustulosis (AGEP)<br>3. Drug-induced lupus erythematous |
| **스테로이드에 의한 약물 부작용** |
| 1. 국소도포에 의한 피부 부작용 : 피부위축(atrophy), 피부선조(striae), 모세혈관확장(telangiectasia), 자반(purpura) 등<br>2. 전신요법에 의한 피부 부작용 : 자반(purpura), 쿠싱양(cushingoid), 여드름(acne), 선조(striae) 등<br>3. 전신 부작용 : 고혈압, 당뇨, 골다공증, 백내장이나 녹내장, 기회감염 증가(세균, 진균, 바이러스) 등 |

또는 습진 · 두드러기 · 맥관부종 · 고정약진 · 다형홍반 · 탈락피부염 · 광과민성 반응 · 자반성 발진 · 혈관염 · 중독성 표피괴사융해증 · 결절홍반 · 수포성 발진 · 편평태선 · 여드름 · 육아종 · 색소변화 · 탈모증 등의 병변이 나타날 수 있다. 발진의 양상에 따라 반점구진약물발진, 수포약물발

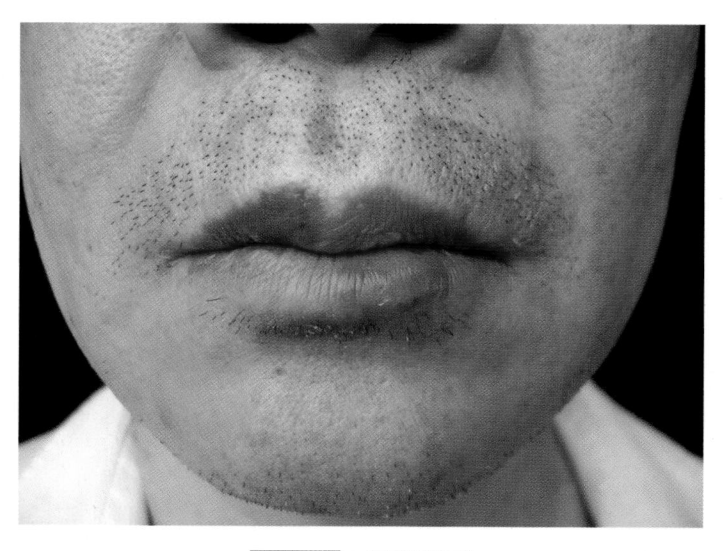

그림 29-1 고정약물발진

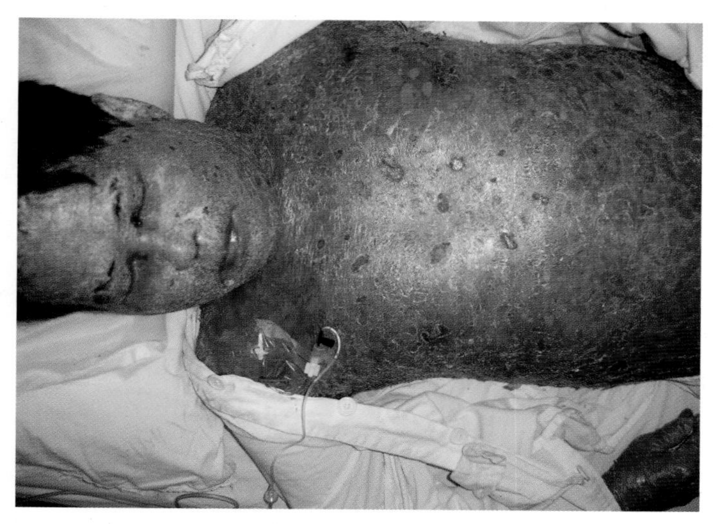

그림 29-2 박탈피부염 또는 홍피증형 약물발진

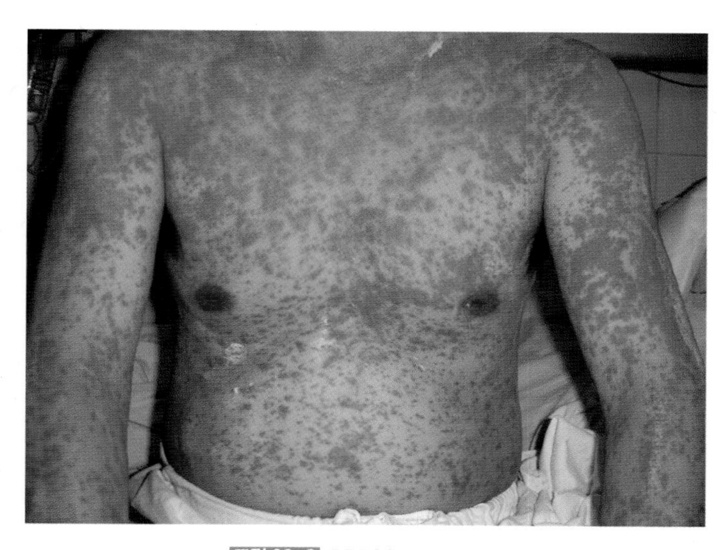

그림 29-3 DRESS syndrome

진, 농포약물발진, 두드러기약물발진, 고정약물발진으로도 분류한다.

약물발진의 치료에 있어서 가장 중요한 것은 원인 제거로, 의심되는 약물의 투여중단 및 재투여를 하지 않는 것이다. 경증에는 항히스타민제 투여 및 국소 스테로이드제 도포 등의 대증요법으로 호전될 수 있으나, 심한 경우에는 전신적 스테로이드를 사용해야 한다. 아나필락시스인 경우는 즉시 에피네프린 피하주사, 수액요법 · 스테로이드 투여 등 필요한 조치를 취해야 한다.

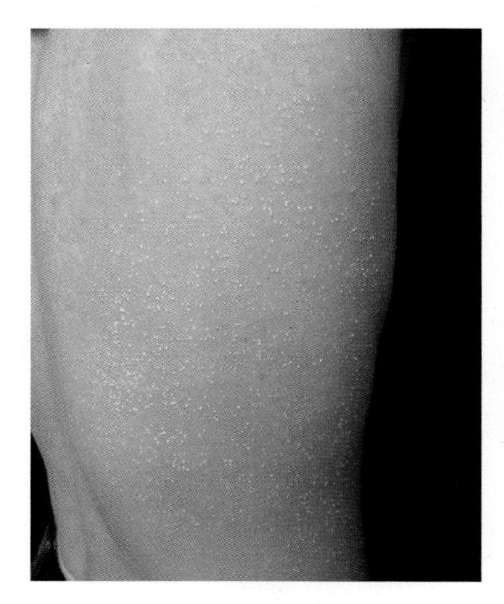

그림 29-4 농포약물발진

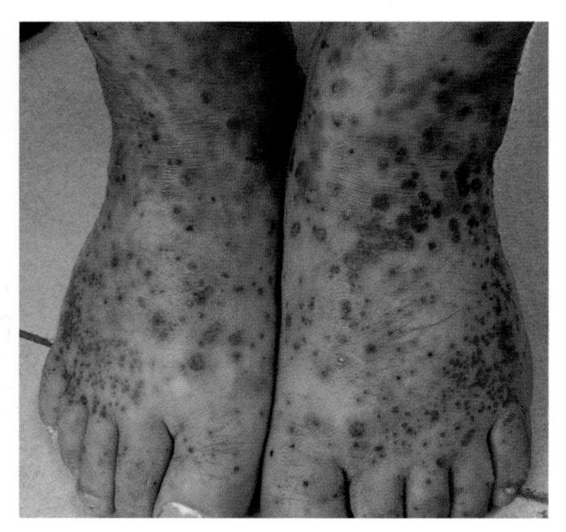

그림 29-5 자반형 약물발진

## 2. 원인 및 병기

1) 약물발진의 발생기전에는 여러 가지가 있는데, 크게 알레르기 반응 · 광과민성 반응 등의 면역학적인 것과 약리작용 · 독성작용 · 상호작용 등에 의한 비면역학적인 것으로 나눌 수 있다. 알레르기반응은 주로 제 Ⅰ～Ⅳ형 알레르기 중 하나인 항원-항체 반응에 의해 일어나지만, 세포매개형에 의한 경우도 있다. 단순 화학물질인 약물은 단독일 때보다 체내의 단백질과 결합한 후 비로소 완전항원이 되어 알레르기 반응을 야기하게 된다. 즉, 약물의 분자적 특성과 숙주요인 · 주위환경 등에 많은 영향을 받고, 약물 자체보다 대사산물이나 제조과정에 포함된 불순물에 의한 경우가 많으며, 한 번 투약으로는 반응이 일어나지 않고 재투약 시 단시간 내에 반응이 일어나며 교차반응을 보이는 수도 있다. 광과민성 반응에는 광알레르기 반응과 광독성 반응이 있는데, 약물 사용 후 광선 노출시 일어나는 반응으로 약물발진의 흔한 원인 중의 하나이다. 약리작용에 의한 것은 정상적인 약리작용에 의해 2차적으로 생기는 피부병변으로서, 항암제 사용 후 생기는 탈모증이 여기에 속한다고 볼 수 있다. 축적성 중독반응에 의한 경우는 피부에 약이나 그 대사산물이 만성으로 축적되어 발생하는 것으로, 금 · 은 및 수은제 등을 장기적으로 사용하였을 경우 일어나게 되는 피부의 색소침착 등이 여기에 속한다. 그 밖에 약물의 상호작용에 의한 해로운 반응, 용량과다나 부적당한 투여방법 및 생태학적 불균형의 초래로 일으키는 경우도 있다.

2) 현대 이전에는 稟賦가 不耐하여 藥物이 오히려 藥毒을 형성하고, 脾濕이 不運하여 濕熱毒이 되어 肌膚에 발병하고 심한 경우 毒熱이 營分에 入하여 氣血兩燔하여 발생한다고 보았다.

## 3. 증상

잠복기, 발생 및 발전양상, 임상양상, 병정, 예후 등에 따라 여러 유형으로 나뉘게 되는데, 성홍열형, 담마진형, 좌창형, 습진형, 고정홍반형 등이 있다. 이들은 증상에 있어 공통점이 있는데 잠복기가 있고, 돌발적으로 발병하며, 發熱 · 畏寒 등 전구증상이 있고, 피부병변의 양상도 고정홍반형을 제외하고는 전신적이고 대칭적이며 광범위하게 분포하며, 독성표피괴사용해증형과 탈락피부염형을 제외하고는 생명에 위험이 없고 병정도 대개 1개월 정도 지속된다. 자각증상으로 항상 소양감, 작열감을 호소하고, 약물을 중단하면 증상이 가벼워지거나 치유된다.

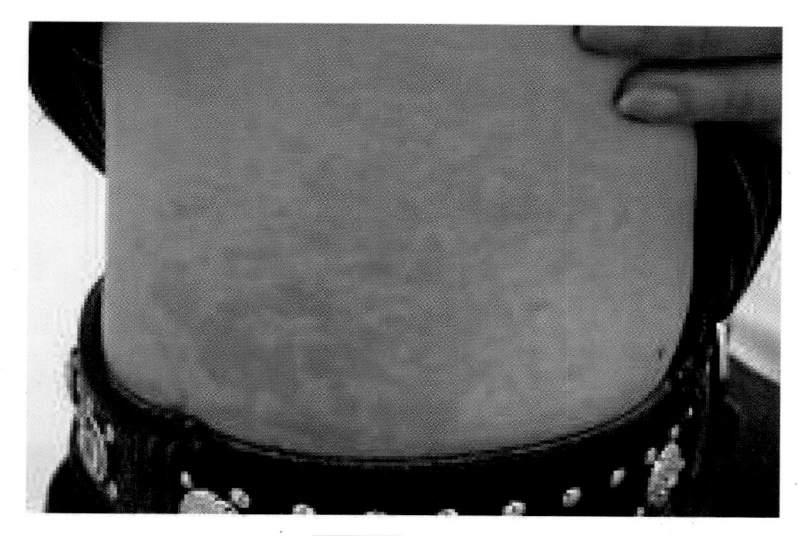

그림 29-6 약물발진

## 4. 진단감별

### 1) 진단방법

피부발진이 갑자기 발생하고, 신체에 대칭적으로 광범위하게 분포하며, 약물의 섭취와 관련된 질환이므로 투약을 중단하면 호전되는 특징이 있다. 특정 약물이 특정 형태의 발진을 잘 유발하기도 하지만, 하나의 병변만을 일으키는 것이 아니므로 약의 이름만으로는 원인을 규명하기 힘들고 다음과 같은 과정을 거쳐 확인해야 한다.

(1) 병력 청취 : 환자가 약을 사용한 시기와 발진과의 연관성을 알기 위해 필요하다. 대부분 약을 복용한 즉시 발진이 발생하나, 투약을 중단하고 나서 발생하는 경우도 있다.

(2) 의심 약물 사용 금지 : 의심되는 약물을 제거하여 병변이 소실되면 의심할 수 있으나, 일회성으로는 확진할 수 없다. 또한 투약을 중단하였음에도 병변이 지속되는 경우는 소량의 약물은 장기간 체내에 잔류하여 그럴 수도 있으므로 원인에서 배제하기 어렵다.

(3) 피부반응검사 : 피부에 존재하는 면역세포들을 이용하여 알레르기 반응을 유발하는 검사로, 약진을 비롯한 병변의 진단에 활용된다. 검사 순서는 안전성을 고려하여 우선 개방검사(open test)를 시행하여 음성이면 피부접촉검사를 시행하고, 이마저도 음성이면 단자검사 · 피내검사 등을 시행한다. 그러나 위양성이나 위음성이 있을 수 있으므로 피부반응검사에만 의지하여 진단하면 안 된다. 또한 피부반응검사도 첩포를 통해 흡수된 항원 약물에 의해 부작용이 발생할 수 있다.

### 2) 진단요점

(1) 약물을 사용하거나 복용한 과거력이 있다.

(2) 일정한 잠복기가 있어 처음 약물을 사용한 경우에는 4~20일 이내에 발병하며, 반복하여 약물을 사용한 경우에는 보통 1일 이내에 발병한다.

(3) 발진은 갑자기 발생하며, 색상과 광택이 선명하고 일관된다. 고정형 약물발진을 제외한 대부분의 약물발진은 대칭적으로 또는 광범위하게 분포하며, 진행 속도가 비교적 빠르다.

(4) 자각증상으로는 일반적으로 작열감, 소양감이 있으며, 대부분 발열을 동반한다. 심한 경우에는 간, 신장, 심장 등의 장기 손상도 동반할 수 있다.

### 3) 감별질환

(1) 성홍열 : 약물 사용력이 없으며, 갑자기 발병하여 고열, 두통, 인후통, 전신중독증상이 뚜렷하다. 피부에 미세한 점 모양의 미만성 홍색 구진이 肘窩, 腋窩 및 서혜부에 瘀點 모양의 선상으로 배열되어 출현한다. 초기에는 혀의 유두가 붉게 부어올라 비대해져 "딸기혀"를 관찰할 수 있다. 입 주변은 창백한 것이 특징적이다.

(2) 홍역 : 9~11일의 잠복기를 지나 鼻流淸涕, 눈의 충혈과 怕光, 분비물의 증가가 발생한다. 초기에는 구강 점막에서 藍白色 혹은 紫白色의 작은 점을 발견할 수 있으며, 반점의 주변에는 紅暈이 있다. 약 2~5일이 경과하면 발진이 퍼진다. 발진이 나타나면 고열이 동반되며, 발진이 출현한 지 5~7일 후에는 체온이 떨어지고 발진도 소실되기 시작한다.

(3) 범발성 습진 : 약물을 사용한 과거력이 없으며, 病程이 길고, 반복적으로 발병한다. 보통 겨울

철에 악화되며, 소양감과 삼출이 뚜렷하게 나타난다.

## 5. 치료

### 1) 內治法

(1) 風熱型 : 疏風解表, 淸熱解毒하는 銀翹散을 사용한다.

(2) 濕熱型 : 淸熱利濕, 凉血하는 龍膽瀉肝湯, 淸熱除濕湯을 사용한다.

(3) 血熱型 : 淸熱凉血, 利濕解毒하는 犀角地黃湯을 사용한다.

(4) 火毒型 : 淸營解毒, 養陰泄熱하는 淸營湯, 淸瘟敗毒飮을 사용한다.

(5) 氣陰兩傷型 : 益氣養陰淸熱, 健脾和胃하는 增液解毒湯, 解毒養陰湯, 沙蔘麥門冬湯合生脈飮을 사용한다.

### 2) 外治法

(1) 국부에 홍반, 발진, 소양감이 심한 경우에는 爐甘石으로 환부를 씻는다.

(2) 미란되고 진물이 많이 나면 黃柏 · 生地楡 各 15 g, 혹은 馬齒莧 · 貫衆 各 15 g을 水煎하여 濕敷한다.

(3) 국부가 건조하고 結痂가 있으면 먼저 地楡油를 바른 후 가피가 없어지면 黃連膏를 다시 바른다.

(4) 紫草油를 환부에 바르는데 매일 2회 시행한다.

### 3) 기타 치료법

(1) 內關, 曲池, 血海, 足三里를 主穴로 하고 合谷, 尺澤, 曲澤, 三陰交, 委中을 配合하며 厥證이 있으면 人中, 承漿을 加한다. 內關은 補法, 三陰交 · 足三里는 先瀉後補, 나머지는 모두 瀉法으로 刺鍼한다.

(2) 耳鍼으로 腎 · 皮質下 · 肝을 主穴로 하고 耳鳴 · 耳聾에는 外耳 · 神門을, 失眠多夢에는 額 · 枕 · 神門 · 心을, 두통에는 額 · 枕 · 太陽을, 구토에는 胃 · 交感을, 項强에는 頸을, 皮疹에는 肺를, 소양감이 심하면 心 · 腎을 加하는데, 30분간 留鍼시키고 하루 1회 刺鍼한다.

(3) 頭鍼으로 兩側感覺區, 運動區, 精神情感區에 신속하게 進鍼한 후 30분간 留鍼하는데, 每 5분마다 염전을 1차례씩 1분간 시행한다. 하루 1회 刺鍼한다.

# Ⅱ 다형홍반 Erythema multiforme

## 1. 개요

홍반(紅斑, erythema)이란 피부에 얕게 위치한 혈관이 확장되어 피부가 붉어지고 충혈되는 현상을 말한다. 피부에 발생한 홍반을 손가락이나 압시경으로 누르면 일시적으로 붉은색이 사라지며, 떼면 다시 붉은색이 되돌아오는 특징이 있다.

다형홍반(erythema multiforme, EM)에 해당하는 猫眼瘡은 주로 감염에 의해서 발생하는 급성 반응성 홍반의 하나로 표적 모양 병변(target lesion)이 특징적이다. 발병이 신속하고 홍반, 구진, 수포 등의 여러 형태의 피부병변을 유발하며, 항상 점막 손상을 수반하며, 심하면 내장 손상까지 이를 수 있다. 주로 세균감염, 헤르페스 바이러스 감염(전체의 90%), 알레르기 반응을 일으키는 다양한 물질들 또는 독성 물질에 의한 항원항체 반응이 혈관 내피세포를 침범하는 과민반응 증후군이다. 피부의 말초혈관 확장으로 인하여 홍반이 발생하는데 이러한 홍반은 피부뿐만 아니라 점막과 다양한 내부 장기까지 침범한다.

임상적으로는 다형홍반을 EM minor와 EM major로 나눌 수 있다. EM minor는 수포성 병변이 없고, 점막 침범이 없거나 약하며, 전신 증상은 없다. 반면 EM major는 수포성 병변이 있을 수 있고, 점막 침범이 심하며, 전신 증상이 동반되는 특징이 있다.

한의학 문헌 중에서는 《醫宗金鑒 · 外科心法要訣 · 猫眼瘡》에서 "猫眼瘡多取象形, 痛痒不常無血膿, 光芒閃爍如猫眼……."이라 하였고, 또한 "猫眼瘡一名寒瘡, 每生于面及遍身, 由脾經久鬱濕熱, 復被外寒凝結而成. 初起形如猫眼, 光彩閃爍無血, 但痛痒不常, 久則近脛, 宜服清肌滲濕湯, 外搓妙貼散."이라고 설명하고 있다.

## 2. 원인 및 병기

### 1) 다양한 약물이나 감염증에 의하여 유발된다.

(1) 감염 : EM의 흔한 원인이다. 재발성 다형홍반의 경우, 특히 입 주위나 성기 주위의 재발성 단순포진 감염 후에 EM이 자주 재발하는 경우가 가장 흔하다(>70%).

(2) 약물 : 재발성 EM 이외의 경우에서 주요 원인이다.

### 2) 현대 이전 원인

(1) 濕熱蘊結 : 肥甘辛辣한 음식물을 과다 섭취하여 脾의 健運機能이 失調되어 濕熱이 內生하고 外로 肌膚에 鬱滯되어 발생한다.

(2) 氣血凝滯 : 氣血不足한데 風寒外束하여 氣血이 凝澁하게 되거나 혹은 脾經에 濕熱이 오랫동안 鬱滯된 상태에서 寒邪에 침범되어 발생한다.

(3) 藥毒內攻 : 先天 稟賦 不耐한데 다시 藥毒을 感受하게 되거나 비린내가 나는 음식물을 잘못 섭취하여 毒熱이 內生하게 되면 毒熱이 內攻하거나 濕熱과 결합하여 肌膚를 薰蒸하므로 발생한다.

## 3. 증상

표적(target) 모양 혹은 홍채(iris) 모양의 병변이 가장 특징적이다. 반, 구진, 결절, 수포, 환상, 윤상, 홍채 모양, 자반성, 두드러기성 등 여러 가지 형태로 나타날 수 있다. 피부에 암적색의 반 또는 편평한 구진이 나타나며, 병변이 커지면 중심부의 구진 주변부로 서로 다른 색깔의 동심원이 나타난다. 각각의 병변은 1~2주 정도 지속되다가 색소침착을 남기고 소실되어 전체 경과는 대개 4주를 초과

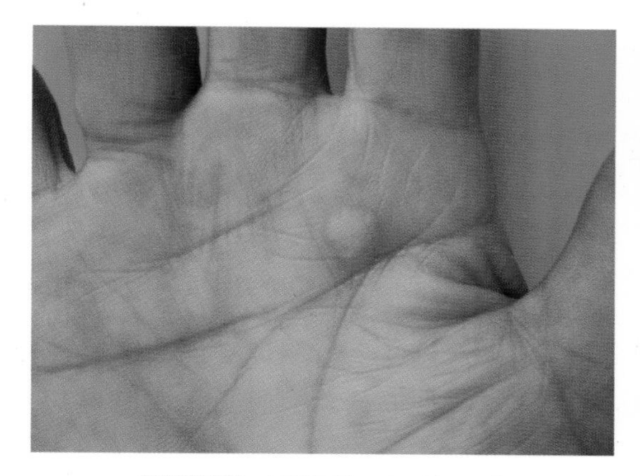

그림 29-7 다형홍반(표적모양 수포)

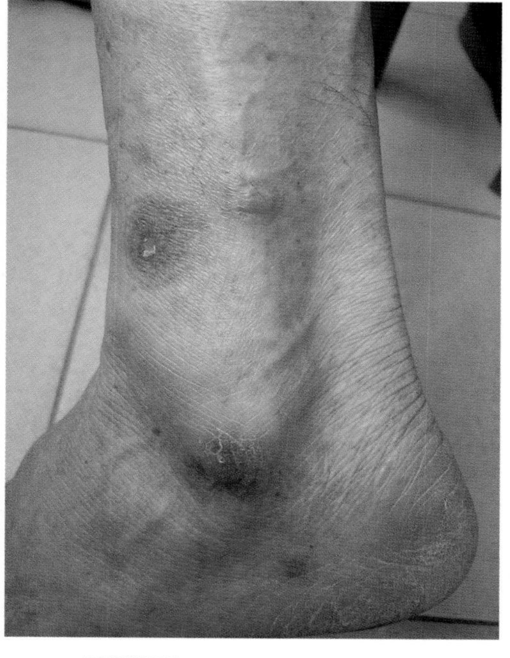

그림 29-8 다형홍반(표적모양 수포)

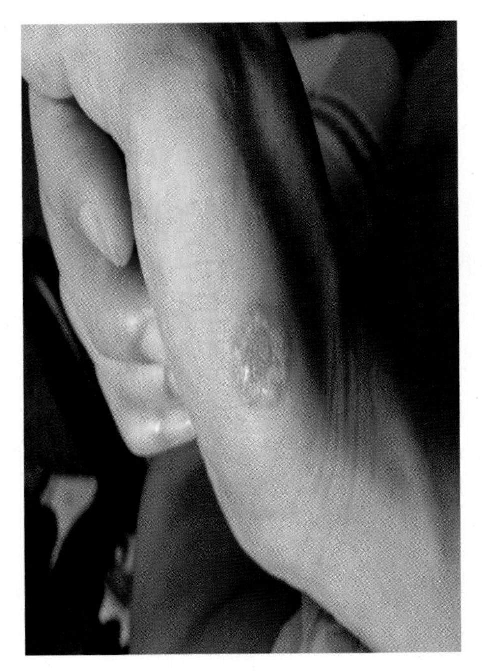

그림 29-9 다형홍반(우측 魚際穴 부근)

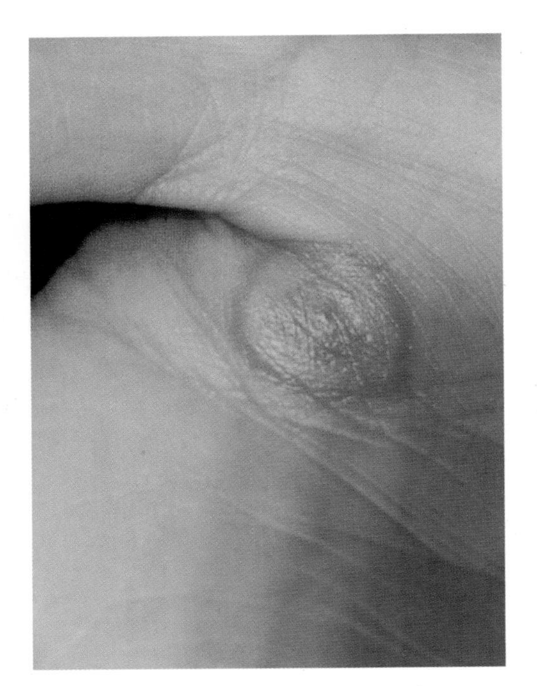

그림 29-10 다형홍반(우측 손바닥)

하지 않는다. 이외에도 두드러기 모양의 구진 또는 판이 나타날 수도 있으며, 기존의 반점, 구진, 팽진 위에 소수포가 발생할 수 있다.

대칭적으로 손등, 발등, 무릎, 발바닥 등에 호발한다. 청장년, 특히 10~30세의 연령에서 가장 많이 발생한다. 피부 증상이 발생하기 전에 발열, 두통, 인통, 권태, 식욕부진, 관절통 등이 나타난다. 일반적으로 소양증은 없다.

## 4. 스티븐스-존슨 증후군(Stevens-Johnson syndrome, SJS) / 독성표피괴사용해증(toxic epidermal necrosis, TEN)

스티븐스-존슨 증후군(Stevens-Johnson syndrome, SJS)은 피부점막 증상을 보이는 다형홍반의 심한 변형으로, 약물로 인한 경우가 많으며 심할 경우 사망률이 높은 편이다. EM major와 유사하게 발열, 두통, 근육통과 같은 전신증상이 있으며 물집이 나타날 수 있는 임상양상을 보인다. SJS는 EM의 전형적인 표적 모양 병변 대신에 물집과 함께 암적색의 반이나 표피의 박리가 나타나는데 사지보다는 몸통에 호발하고, 독성표피괴사용해증(toxic epidermal necrosis, TEN)으로 진행될 위험성이 있으며, 발병 원인이 HSV와 같은 감염이 아니라 주로 약물이라는 점에서 EM major와 구별된다. 표피 분리가 일어난 피부병변이 체표면의 10% 미만일 경우는 SJS, 10~30%는 중복(SJS-TEN overlap), 30%를 초과하는 범위에 병변이 분포하는 경우는 TEN으로 구분한다.

### 1) 증상

드물지만 생명을 위협할 수 있는 질환으로, 약에 의해 유발되는 경우가 많다. 전형적인 표적 모양의 병변, 수포를 동반한 광범위한 발진, 반, 점막병변, 마치 화상을 입은 듯한 표피의 탈락 등의 피부 증상을 보이나, 이들 질환의 정의와 수포다형홍반과의 구별은 명확하지 않다.

(1) 전구증상 : 40℃의 고열, 두통, 인후와 입안의 통증, 피로, 관절통 등이 나타난다.

(2) 피부병변 : 전신에 홍채상 병변(눈동자 모양, 화살과녁 모양)이 나타난다. 니콜스키 징후(Nikolsky sign) 양성 반응을 보인다.

(3) 점막병변 : 구내염, 입술, 혀, 코, 결막, 요도, 질, 항문 등에 미란, 궤양 및 가피 형성으로 통증이 수반된다. 구강 점막을 침범하면 통증으로 음식물을 삼키기 곤란하며, 안구에서는 결막염이나 각막염을 유발하여 시력장애 또는 시력소실이 발생할 수 있다. 성기 점막을 침범하면 배변이나 배뇨 시 통증이 발생한다.

(4) 전신증상 : 발열, 두통, 기침, 인후통, 근육통, 관절통 등을 동반하는 경우가 많다.

(5) 조직소견 : 다형홍반과 유사하다. TEN의 경우는 표피 전층의 괴사가 있으나, 진피의 염증세포 침윤은 그리 심하지 않다.

(6) 합병증 : 관절염, 위장관 이상, 경련, 혼수, 부정맥, 심낭염, 폐렴, 간의 병변, 패혈증 등이 나타난다.

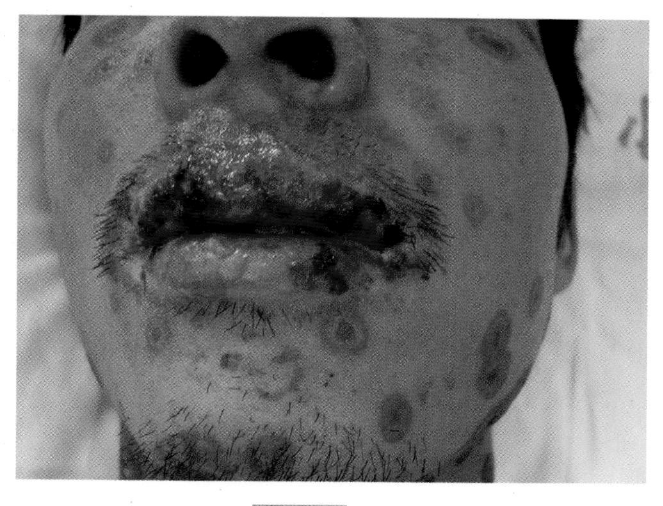

그림 29-11 SJS

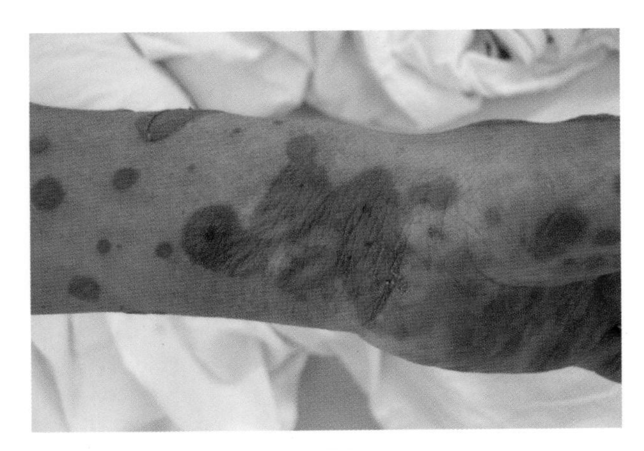

그림 29-12 SJS

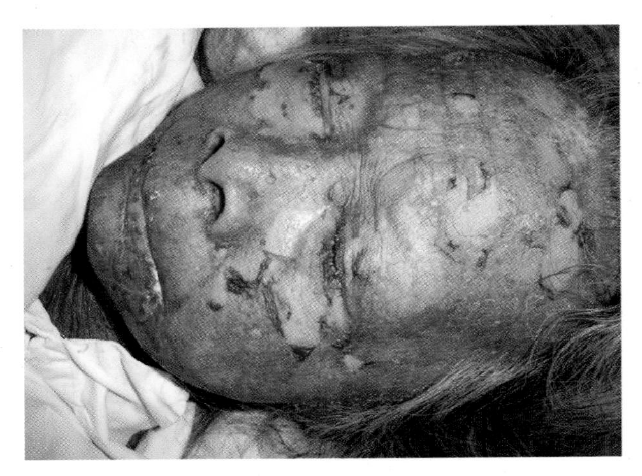

그림 29-13 TEN

그림 29-14 TEN

### 2) 원인

발생 기전으로는 HLA 유전자와의 연관성, 약물의 대사이상, 세포독성 T세포에 의한 표피괴사 등이 보고되었으나 아직 확실하지 않다. 약물의 경우에는 설폰아마이드, antiepileptics, oxicam(비스테로이드성 소염제), allopurinol, 클로르메자논 등이 흔한 원인으로 보고된 바 있다.

## 5. 진단감별

### 1) 진단요점

(1) 겨울과 봄의 두 계절에 많이 나타나고, 청장년층에 호발하며, 여성이 남성보다 많다.

(2) 손등, 발등, 얼굴 및 四肢 伸側部에 호발하며, 심한 경우에는 점막에도 이환될 수 있다. 보통 대칭성을 보인다.

(3) 전형적인 피부병변인 홍채양 홍반이 특징이다. 피부병변은 다양하게 나타나는데, 수종성 홍반, 구진, 수포가 관찰되며, 심한 경우에는 大疱, 血疱, 미란 등이 관찰되기도 한다.

(4) 자각증상으로는 작열감, 脹痛, 소양감이 있다. 중증의 경우에는 발병이 급격하며, 대개 발열, 전신권태, 두통, 인후통, 관절통 등과 같은 뚜렷한 전신증상을 보이는 경우가 많다.

(5) 질병의 경과는 매 발작 시 약 3~4주 동안 지속되며, 반복하여 발작하기 쉽다.

### 2) 감별진단

(1) 동상(凍瘡) : 겨울철에 많이 발생한다. 귓바퀴, 손등, 발모서리에 자홍색 반점이 있다. 소양감이 있으며, 열을 받으면 더욱 심해진다. 일반적으로 수포, 홍채상 병변 및 점막발진은 없다.

(2) 두드러기(蕁麻疹) : 팽진이 주로 나타나며, 발적이나 창백함이 일정하지 않고 24시간 이내에 자연 소실된다. 특정 호발부위가 없으며, 발진이 대칭적으로 나타나지 않는다.

## 6. 치료

### 1) 內治法

(1) 濕熱鬱膚型 : 潮紅色을 띤 크기가 일정하지 않은 猫眼狀의 皮疹이 많이 나타나며 홍색의 구진, 수포가 산재되어 있다. 發熱, 倦怠, 口乾咽痛, 嘔惡納呆, 關節酸痛 등의 전신증상이 나타나며 舌質紅, 苔薄根膩, 脈滑數 或濡하다. 淸熱解毒, 祛風利濕하는 淸肌滲濕湯, 皮炎湯, 除濕胃苓湯, 消風導赤散을 사용한다.

(2) 寒濕瘀結型 : 자홍색이나 암홍색을 띤 猫眼狀의 皮疹이 손발에 산재해 있고 그 사이에 소량의 수포가 보인다. 四肢不溫, 關節冷痛하며 차가운 곳에서 더 심해지고 따뜻한 곳에서 경감된다. 舌質淡紅, 苔薄白根微膩, 脈沈緊 或弦緊하다. 散寒祛濕, 溫通經脈하는 當歸四逆湯, 黃芪桂枝五物湯을 사용한다.

(3) 毒熱入營型 : 급성적으로 피부상에 큰 水腫性의 홍반, 瘀斑, 수포, 血疱가 나타나며, 코, 구강 등의 점막이 미란되어 있다. 고열, 두통, 인후종통, 핍력, 관절동통, 심하면 神昏譫語 등의 증상이 동반되며, 舌質紅 或絳, 苔少, 脈細數 或滑數하다. 淸營凉血, 解毒祛濕하는 犀角地黃湯, 淸瘟敗毒飮을 사용한다.

### 2) 外治法

(1) 피부가 미란된 경우 三黃洗劑를 미란부에 도포한다.

(2) 수포가 궤파되어 삼출물이 흐르면 生地楡, 貫衆 各 30 g을 水煎하여 환부에 濕敷한다.

(3) 환부가 紫暗色을 띠고 사지가 不溫하면 川椒, 艾葉, 紅花, 桂枝 各 15 g, 透骨草, 王不留行 各 30 g을 전탕하여 환부를 浸泡한 후 紫色潰瘍膏를 바른다.

(4) 구강이 潰爛된 경우에는 靑果水洗劑로 가글하고 나서 養陰生肌散을 환부에 吹入한다.

### 3) 기타 치료법

(1) 피부병변이 홍색을 띠면 曲池, 風池, 合谷을, 소양감이 있고 때로 통증이 있으면 血海, 三陰交, 陰陵泉을, 피부가 濕爛하면 三陰交, 通谷, 水道, 豊隆을 取하여 瀉法으로 刺鍼하고 留鍼하지 않는다.

(2) 耳鍼으로 神門, 交感, 皮質下, 內分泌, 肺, 脾, 心을 取하여 20~30分 정도 留鍼시킨다.

### 4) 현대 치료법

대부분의 다형홍반은 2주 안에 저절로 소실되므로 대증치료 이외에 특별한 치료는 필요하지 않으나, 단순포진 바이러스 감염에 의한 다형홍반은 acyclovir와 같은 항바이러스제를 경구 투여하기도 하며, 단순포진 바이러스에 의해 재발하는 경우 예방적 목적으로 항바이러스제를 6개월 이상 장기간 투여하기도 한다.

## 7. 예후

다형홍반을 유발한 원인이 제거되면 대개 일시적인 과다색소반을 남기면서 저절로 호전된다.

# Ⅲ 결절홍반 Erythema nodosum

## 1. 개요

결절홍반(erythema nodosum)에 해당하는 瓜藤纏은 가장 흔한 지방층염으로, 피부 말초혈관이 확장되어 압통이 있는 1~1.5 ㎝ 크기의 다수의 홍반성 결절이 대칭성으로 주로 경골 전면부와 같은 하지 伸側部에 발생하는 질환이다. 연쇄상구균의 감염에 의한 류마티스열, 인두염, 편도염, 단독, 성홍열 등 상기도 감염 후에 주로 발병하는 경우가 많아 면역학적 반응성 홍반으로 생각되며, 결핵이나 약물에 의한 반응으로도 나타날 수 있다. 일반적으로 젊은 여성에게서 봄 또는 가을에 주로 발생한다.

한의학 문헌 중 《醫宗金鑒 · 外科心法要訣》에서 "此證生于腿脛, 流行不定, 或發一二處, 瘡頂形似牛眼, 根脚漫腫, 輕者則色紫, 重者則色黑, 潰破膿水, 浸漬好肉, 破爛日久不斂. ……若繞脛而發, 卽名瓜藤纏, 結核數枚, 日久腫痛, 腐爛不已, 亦屬濕熱下注而成."이라고 설명하고 있다.

## 2. 원인 및 병기

### 1) 현대

아직까지 정확하게 알려져 있지 않으나, 감염이나 약물과 같은 다양한 원인에 대한 지연형 과민면역반응이 연관되어 있을 것으로 추측하고 있다. 가장 흔한 원인으로는 연쇄상구균 감염과 같은 세균감염이며, 비감염성 원인으로는 사르코이드증, 궤양성 대장염이나 크론병과 같은 염증성 장질환, 악성 종양, 임신, 살리실산, 설폰아마이드, 에스트로겐, 경구 피임약과 같은 약물 등이 있다. 베체트병에서도 결절홍반과 유사한 병변이 나타날 수 있다.

### 2) 현대 이전

(1) 血分蘊熱 : 평소 血分에 熱이 蘊積되어 있는데 외부의 濕邪를 感受하게 되면 濕과 熱이 서로 結聚하여 經絡을 阻塞하고 그 결과 氣血運行이 不暢되어 발생한다.

(2) 濕熱下注 : 脾虛하여 健運하지 못하면 水濕이 內生하고 濕이 鬱滯하면 熱로 化하므로 經脈을 따라 아래로 腿脛에 下注하여 經絡을 阻塞시켜 氣血이 瘀滯하므로 결절이 발생한다.

(3) 寒濕凝聚 : 허약한 사람은 기혈이 부족하여 衛外를 固密하게 하지 못하는데 이로 인해 寒濕의 邪氣가 쉽게 肌膚에 침범하여 經絡을 阻塞하게 되므로 기혈이 瘀滯하게 되어 발생한다.

## 3. 증상

1) 전구증상으로 발열, 두통, 관절통, 식욕부진 등이 나타나는 경우가 많다.

2) 피부병변

(1) 급성형 : 젊은 여성에서 주로 발생한다. 정강이와 같은 하지 신측부에 압통을 동반하는 1~5 ㎝ 크기의 홍반성 결절 2~3개 또는 5~6개 정도가 대칭적으로 갑자기 나타나며, 병변의 색은 시간이 지남에 따라 밝은 적색에서 점차 타박상처럼 어두운 적갈색으로 변한다. 궤양을 형성하지는 않으며, 보통 1개월 이내에 염증 후 과다색소침착을 남기면서 흉터나 위축이 없이 소실된다. 발열, 쇠약감, 백혈구증가증, 관절통, 하지부종 등이 동반되기도 하지만 특발성 및 약물에 의한 결절홍반에서는 보통 전신증상이 없다.

(2) 만성형 : 나이가 많은 여성에서 더 많이 발생한다. 편측성이거나 양측성이어도 비대칭적으로 나타나며, 전신질환을 동반하지 않고 급성형보다 압통이 약하다.

3) 호발 부위는 하지 신측부이고 상지, 안면, 하지 굴측부에도 발생할 수 있다.

4) 일반적으로 화농과 궤양은 발생하지 않는다. 급성으로 발병한 경우에는 경과가 신속하게 진행하여 일반적으로 6주 정도면 자연 치유되나, 길게는 수개월 동안 지속되는 경우도 있다. 또한 여성의 월경 이후, 혹은 과로하거나 감기에 걸린 후에는 재발하기 쉽다.

## 4. 진단감별

### 1) 진단요점

피부병변은 선홍색 또는 자홍색의 피하결절이 산재되어 분포하며, 결절은 피부 표면보다 높이 돌출되어 있으며, 크기는 다양하고 하지 伸側部에 호발한다. 결절을 누르면 疼痛이 있으며, 발병 전 畏寒, 발열, 두통, 인후통, 전신권태, 관절통 등과 같은 전신증상이 나타난다.

### 2) 감별진단

(1) 알러지성피부혈관염 : 피부병변은 피하의 결절이 주로 관찰되며, 그 개수는 몇 개에서 몇십 개까지 다양하다. 보통 새끼줄 모양의 덩어리가 동반되며, 疼痛은 비교적 가볍다. 반복적으로 발

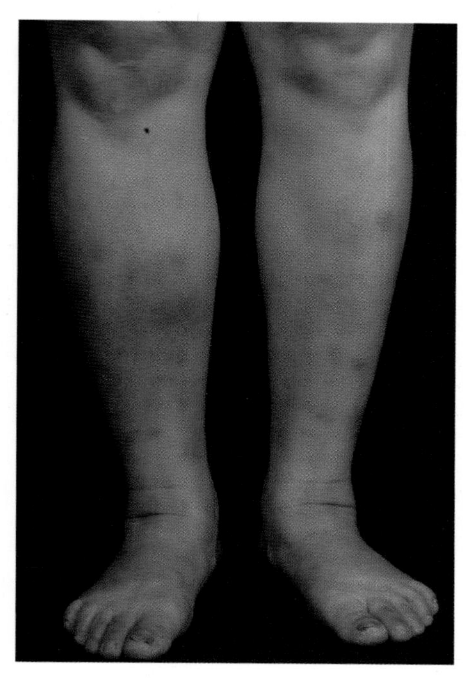

그림 29-15 결절홍반

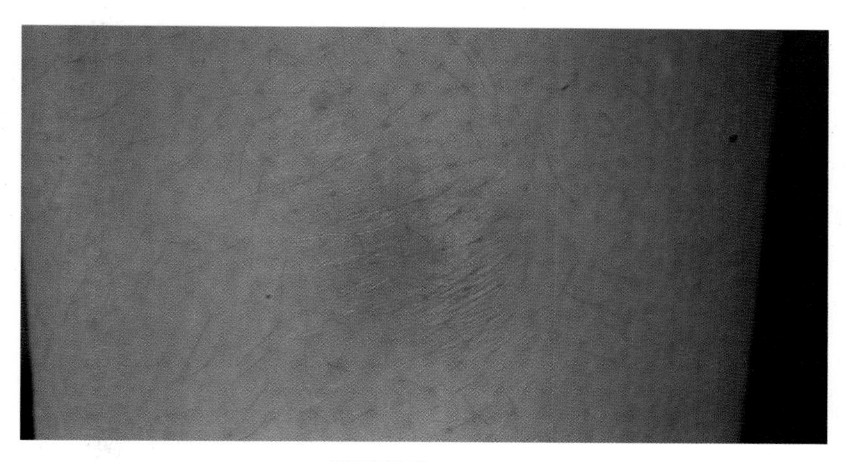

그림 29-16 결절홍반

병하며, 病程은 비교적 길다.

(2) 경결홍반 : 병이 완만히 진행되고, 疼痛도 경미하다. 결절은 종아리 뒷면에 호발하며, 사계절 모두 발병할 수 있다. 결절은 破潰되기 쉬우며, 病程은 비교적 길다. 보통 瘰癧 혹은 결핵을 앓은 과거력이 있다.

## 5. 치료

우선 원인을 발견하여 치료하는 것이 가장 중요하다. 증상이 약한 경우에는 다리를 올리고 안정을 취하는 것만으로도 호전될 수 있다.

### 1) 內治法

(1) 血熱偏盛型 : 하지부 결절이 크기가 서로 달라 작게는 豆大에서 크게는 梅大이고 선홍색을 띠며 압통이 뚜렷하게 나타난다. 자각증상으로 작열통이 있고 관절이 痠痛하며 身熱, 大便秘結, 小便溲黃하고 舌質紅, 苔少, 脈浮數 或滑數하다. 淸熱凉血, 活血通絡하는 通絡方을 사용한다.

(2) 濕熱下注型 : 하지부 결절이 深紅色을 띠고 腿跗가 浮腫한데 심하면 국부에 미만성 부종으로 발전하여 按壓하면 陷凹되나 자각되는 동통은 경미하고 關節痠痛이 뚜렷하며 전신이 困乏無力하고 小便黃濁하며 舌質淡紅, 苔黃膩, 脈沈濡 或沈細數하다. 淸熱化濕, 活血通絡하는 凉血五根湯을 사용한다.

(3) 寒濕凝聚型 : 하지부 결절이 암홍색 또는 암자색을 띠고 반복적으로 발생하여 시간이 지나도 치유되지 않는다. 面色晄白, 心悸氣短, 手足厥冷, 관절통이 있으며 舌質淡紅, 苔薄白, 脈細弱하다. 散寒祛濕, 通絡和營하는 黃芪桂枝五物湯, 當歸四逆湯, 陽和湯을 사용한다.

### 2) 外治法

(1) 초기에 紅腫이 뚜렷하고 동통이 비교적 심하면 玉露膏나 如意金黃散을 도포한다.

(2) 결절이 오래되어도 소실되지 않으면 紫金錠, 蟾酥丸을 식초에 녹여 바른다.

(3) 피하결절이 紅腫하지 않으면 冲和膏를 도포한다.

(4) 국부에 결절이 紅腫하고 痛하면 金黃膏를 도포한다.

### 3) 기타 치료법

(1) 合谷, 內關, 足三里, 三陰交를 主穴로 하고, 병변이 小腿에 있으면 陽陵泉을, 膝上에까지 파급되면 伏兎, 血海를, 발등에 있으면 解谿, 太谿, 崑崙을, 臂에 있으면 曲池를 加하여 平補平瀉法으로 刺鍼하고 30분간 留鍼시킨다.

(2) 耳針으로 腎, 肺, 皮質下, 神門, 腎上腺의 穴을 取하여 刺鍼한 후 30분간 留鍼한다.

# Ⅳ 두드러기 Urticaria

## 1. 개요

두드러기(urticaria)에 해당하는 癮疹은 임상에서 흔한 질환으로, 여러 원인에 의해 피부나 점막이 일시적으로 붉은색 또는 흰색으로 부풀어 오르는 혈관반응에 의한 질환이다. 이때 발생하는 붓기(swelling)는 혈관이 확장되고 혈관의 투과성이 증가함에 따라 혈장 단백질과 체액이 유출되어 생긴다. 이처럼 국소적으로 부풀어 오른 병변을 팽진(wheal)이라고 하며, 흔히 극렬한 소양감을 동반한다. 팽진은 갑자기 발생하였다가 갑자기 사라지기를 반복하며, 소실되고 나면 흔적을 남기지는 않는다. 때로는 호흡곤란, 천식양 발작 등의 호흡기 증상과 복통, 설사 등 위장증상을 수반하는 것도 있다.

두드러기는 지속 기간에 따라서 대부분 1개월 이내에 호전되는 급성 두드러기와 지속적 혹은 간헐적으로 6주 이상 지속되는 만성 두드러기로 나눌 수 있다. 유발 원인에 따라서는 식사성 두드러기 · 약제성 두드러기 · 물리적 두드러기 · 콜린성 두드러기 · 심인성 두드러기 등으로 분류된다. 발생 기전에 따라서는 크게 면역학적 기전에 의한 두드러기와 비면역학적 기전에 의한 두드러기로 분류한다.

현대의학에서 두드러기의 치료는 항히스타민제를 투여하는 것이 원칙이지만 증상이 심한 경우에는 부신피질호르몬제를 투여하기도 한다. 때로는 탈감작요법도 실시한다. 또한 두드러기와 맥관부종으로도 구분할 수 있는데, 두드러기는 부종이 상부 진피에 국한되며 벌레에 물린 듯한 모양의 팽진으로 나타날 때를 말하며, 맥관부종은 부종이 피하조직 또는 점막조직까지 확대되어 임상적으로 커다랗게 부풀어 오른 것처럼 보일 때를 말한다.

한의학 문헌 중에서는《千金要方 · 癮疹》에 "忽起如蚊蚋啄, 煩痒, 極者重沓壟起, 搔之逐手起.",《外科大成 · 癮疹》에 "癮疹者, 生小粒靨於皮膚之中, 憎寒發熱, 遍身搔痒."이라 하여 癮疹의 증상에 대하여 기술하고 있다. 다른 이름으로는 蕁麻疹이라고도 한다.

## 2. 원인 및 병기

### 1) 현대

(1) 두드러기는 다양한 원인과 기전에 의해 비만세포 및 호염기구에서 여러 가지 화학 매개체들이 유리되고, 이 매개체들이 피부의 미세혈관에 작용하여 미세혈관을 확장시키고 투과성을 증가시켜 단백질과 체액이 혈관 밖으로 유출되어 발병하는 것으로 보고 있다.

(2) 급성 두드러기는 때때로 그 원인을 찾을 수 있고 이를 제거하면 쉽게 치료되나, 만성 두드러기

는 그 원인을 알기 어려운데 최근에는 많은 경우가 자가항체에 의하여 발생한다고 알려져 있다.

(3) 두드러기의 원인 인자로 외부적인 요인으로는 흡입물, 음식물, 식품 첨가물, 약물, 곤충독 등이 있으며, 내부적 요인으로는 감염, 결합조직 질환, 갑상선기능항진증, 당뇨, 임신, 기생충, 악성 종양 등이 있다. 대부분의 경우에서는 흡입물, 음식물, 식품 첨가물, 약물, 감염 등을 주요 원인으로 추정하고 있다. 흡입물은 꽃가루, 동물의 분변이나 털, 진균의 포자, 집먼지, 분무제 등이 호흡을 통해 흡입되어 두드러기를 일으킬 수 있다. 음식물은 급성 두드러기에서 원인인 경우가 많으며, 만성 두드러기의 원인인 경우는 드물다. 두드러기를 흔히 유발하는 음식으로 초콜릿, 조개류, 땅콩, 토마토, 딸기, 돼지고기, 치즈, 마늘, 양파, 식품 첨가제 등이 있다. 그 외에도 스트레스, 물리적 인자, 혈청병, 멘톨, 신생물, 바이러스, 기생충, 알코올 등의 많은 물질이 원인이 되는 것으로 알려져 있다.

### 2) 현대 이전

첫째는 稟賦가 不耐하여 氣血이 虛弱하고 衛氣가 固密하지 못하여 각종 인자(예를 들면 음식, 약물, 생물제품, 장내 기생충, 정신적 요인, 외부 한랭자극 등)의 영향을 받아 발병한다. 둘째는 발병 인자로 風을 들 수 있는데, 風氣가 腠理를 왕래하므로 극렬한 소양감을 느끼게 된다. 전자는 발병의 기초로 本이 되고, 후자는 致病의 조건으로 標가 된다. 標象이 명현하면 발병이 급속하고 병세도 빠르게 진행되며, 本虛가 突出되면 반복하여 發作하고 綿綿히 지속되어 치유가 어렵게 된다.

(1) 稟賦가 不耐하고 체질이 특이한데 葷腥動風燥火한 음식물을 과식하면 腸胃가 不和하여 濕이 內蘊하고 熱이 생기게 되고, 겸하여 風邪를 外感하면 風濕熱이 서로 結聚하여 안으로 疎泄하지 못하고 밖으로는 透達하지 못하게 되어 皮腠의 사이에 鬱滯하여 발병한다.

(2) 肌膚中에 濕이 있는데 다시 風熱 혹은 風寒의 邪氣를 感受하게 되어 肌膚와 皮毛腠理의 사이에 結聚되어 발생한다. 風熱로 인하면 風團이 홍색을 띠고, 風寒으로 인하면 風團과 피부색이 일치하거나 혹은 흰색을 띠며, 風濕으로 인하면 風團의 색이 淡하고 수종이 明顯하게 된다.

(3) 血虛하여 肌膚를 영양하지 못하거나 혹은 氣虛하여 衛外가 固密치 못하면 風邪가 虛한 틈을 타고 침습하여 皮腠에 結聚하여 發生한다.

(4) 風邪가 沖任不調와 氣血失和를 타고 皮腠에 침습하여 鬱滯되므로 발병한다. 장내 기생충이 존재해도 本病을 유발할 수 있다.

## 3. 증상

두드러기는 일년 사계절 및 남녀노소 모두 발병할 수 있으며, 특히 봄 · 가을에 성인에게서 다발한다. 몸의 어느 부위에서든지 발생할 수 있으며 전신으로 퍼질 수도 있으나, 개개의 병변은 일과성으로 수 시간 정도 지속되다가 흔적을 남기지 않고 소실되며 12~24시간 이상 지속되는 경우는 매우 드물다. 쉽게 재발할 수 있으며, 급성은 대부분 수일이 지나면 증상이 소실되고 만성은 팽진이 감소하나 1년이 지나도 치유되지 않는 경향이 있다.

일반적으로 두드러기에서 발생하는 팽진의 크기는 수 ㎜ 정도의 아주 작은 것부터 손바닥보다 더 큰 것까지 매우 다양하며, 병변이 거짓다리를 만들면서 빠른 속도로 커지고 서로 융합하여 원형, 타원형, 지도 모양 등 여러 가지 모양으로 나타난다. 팽진의 색은 흰색이나 붉은색을 띠고, 개개의 병변은 홍반으로 둘러싸이는 경향이 있고 대개 가려움이나 따끔거림을 호소하는데 이런 감각은 병변의 초기에 나타난다.

동반 증상으로는 극렬한 소양감과 작열감이 있다. 일부 환자에게서는 怕冷, 발열 등의 증상도 나타나며, 소화기 점막을 침범한 경우에는 오심, 구토, 복통, 설사 등의 증상을 호소하고, 인후부에 발생한 경우에는 인두부의 수종과 호흡곤란, 흉민, 질식감 등의 증상을 보이며, 심한 경우에는 실신할 수도 있다.

두드러기의 일종인 맥관부종은 근본적으로 두드러기와 동일하나 정도의 차이를 나타낸 것으로 간주하며, 한 환자에서 두 증상이 동시에 나타날 수도 있다. 맥관부종은 대개 홍반이 없으며 가려움보다는 화끈거리거나 따끔거리는 증상이 있다. 얼굴과 사지에 호발하고, 특히 눈 주위나 입술이 꽈리처럼 부풀어 오르는 특징이 있다. 위장관을 침범하여 구토, 복통, 설사 등이 나타나며, 후두부를 침범하면 호흡곤란, 쉰 목소리 등이 나타나고 생명이 위험할 수도 있다.

### 1) 물리적 인자에 의한 두드러기

피부묘기증, 압박 두드러기, 진동성 맥관부종, 한랭 두드러기, 열 두드러기, 콜린 두드러기, 일광 두드러기, 수성 두드러기 등이 있으며 이들 중 흔한 것은 다음과 같다.

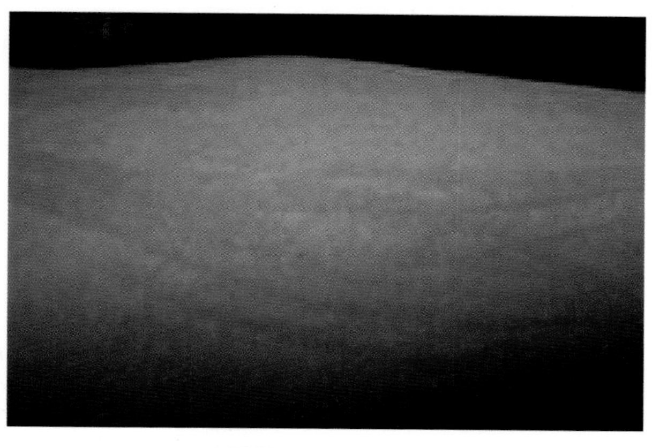

그림 29-17 피부묘기증

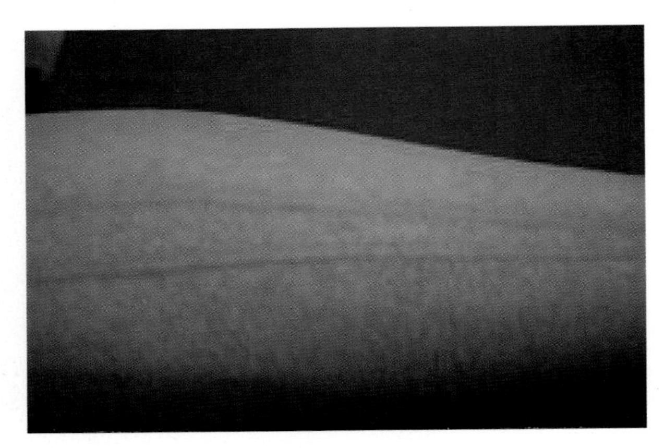

그림 29-18 피부묘기증

## 2) 한랭 두드러기

후천성 한랭 두드러기가 만성 두드러기의 1~3%를 차지하며, 드물게 유전성인 경우도 있다. 유전성 한랭 두드러기는 상염색체 우성으로 유전되는 질환으로, 어린 나이에 발생한다. 병변은 진정한 팽진은 아니지만 홍반성 반과 구진이 수 시간 이상에서 수일까지 지속될 수 있다. 후천성 한랭 두드러기는 찬 공기, 찬물, 얼음 등의 한랭자극에 노출되었다가 몸이 다시 더워질 때 소양감, 홍반, 팽진이 발생한다.

## 3) 콜린 두드러기

열자극에 의하여 유발되는 물리적 두드러기의 흔한 한 형태로, 심한 운동, 정서적 스트레스, 뜨거운 목욕, 辛熱한 음식물 등으로 심부체온이 상승할 때 땀을 흘리면서 동반되는 두드러기이다. 초기에 가려움증을 동반한 1~4 ㎜ 정도의 비교적 작은 팽진이 다수 발생하며, 작은 팽진이 비교적 큰 홍반성 발적과 함께 분포할 때 콜린 두드러기로 의심할 수 있다. 이러한 반응은 일반적으로 심부체온이 상승한 수분 이내에 나타난다. 발진은 주로 몸통 및 사지 근위부에 호발하나 얼굴, 손바닥, 발바닥은 침범하지 않는다. 자각증상으로는 소양감보다는 따가움을 호소하는 경우가 많다. 팽진은 대부분 30~60분 내에 소실되지만 각각의 병변이 더 오래 지속되는 경우에는 융합하여 통상의 두드러기와 비슷한 양상을 보이기도 한다. 쌕쌕거림, 어지럼증, 실신 또는 위장관 경련과 같은 전신증상이 드물게 나타날 수 있다.

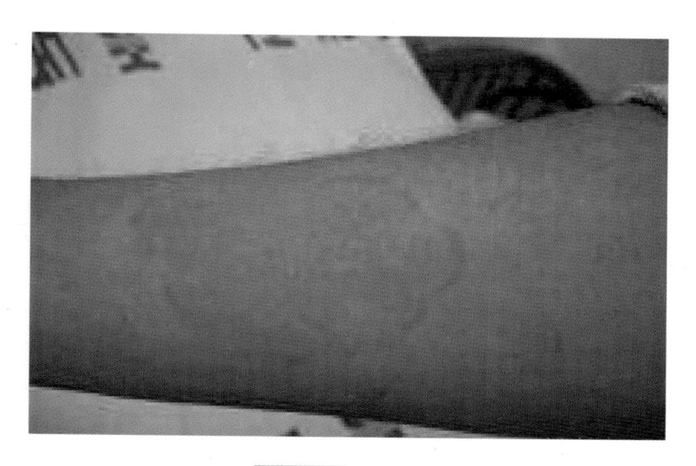

그림 29-19 두드러기

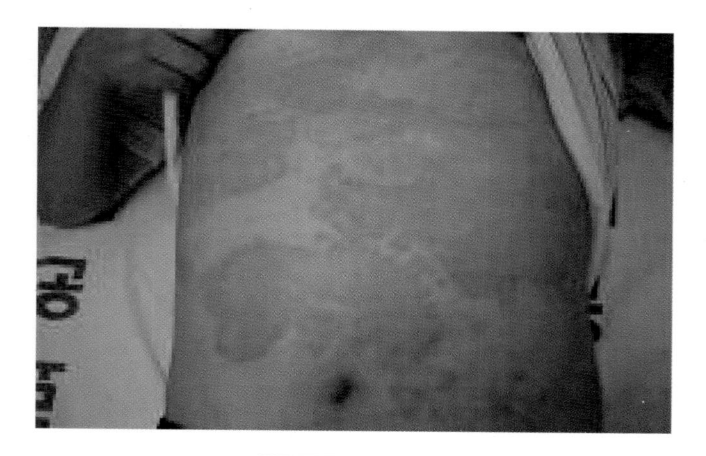

그림 29-20 두드러기

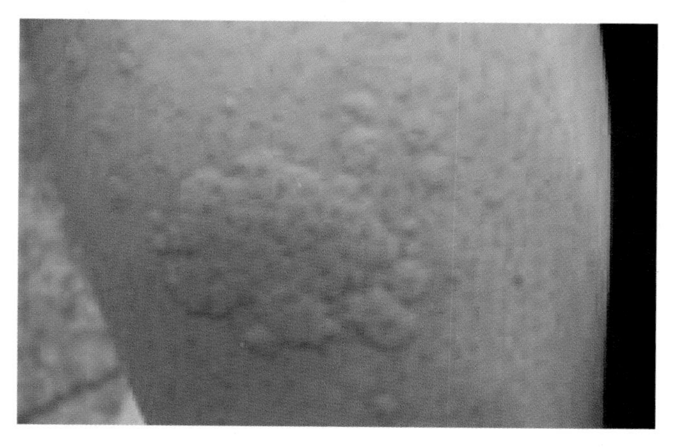

그림 29-21 두드러기

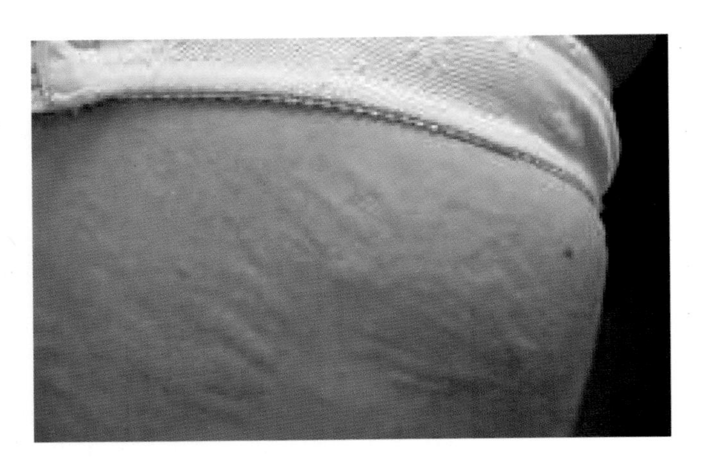

그림 29-22 두드러기

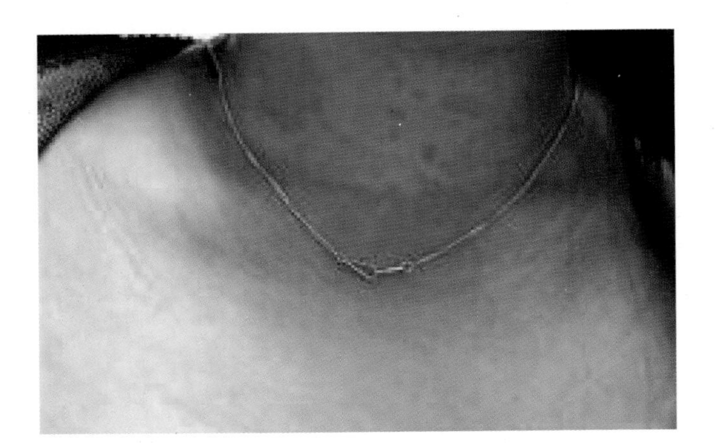

그림 29-23 두드러기

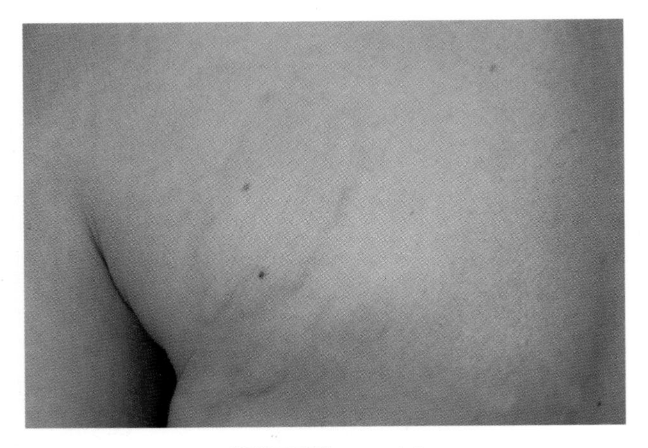

그림 29-24 두드러기

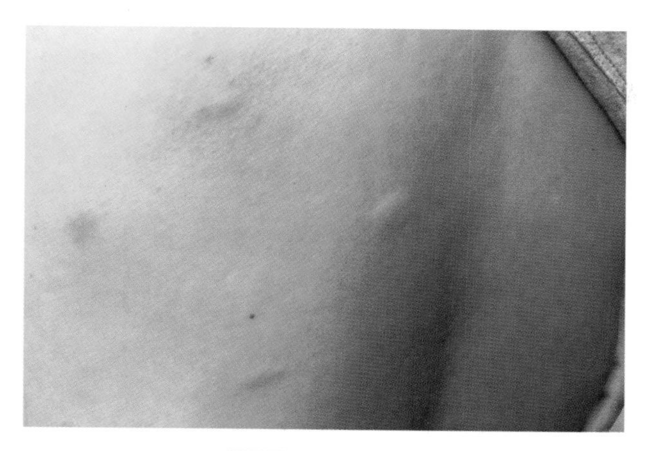

그림 29-25 두드러기

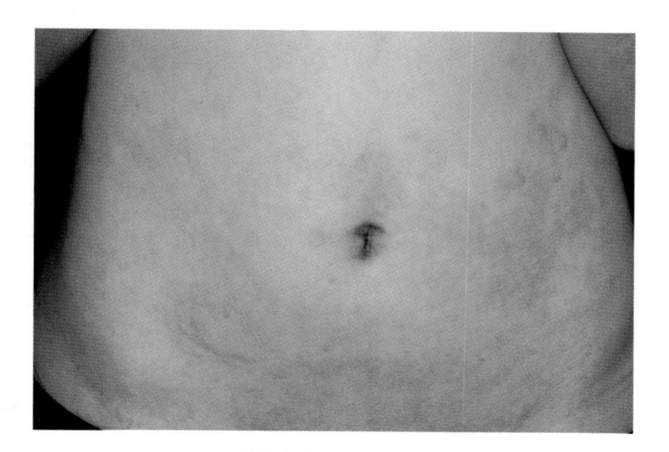

그림 29-26 두드러기

그림 29-27 두드러기

## 4. 진단감별

1) 다형홍반 : 다형홍반은 어느 연령대에서든 발병할 수 있으며, 봄과 가을에 많이 발병한다. 손등과 발등, 손바닥과 발바닥, 四肢 伸側部 등의 부위에 호발하며, 피부병변은 홍반, 구진, 팽진, 수포, 大疱 등 다양한 형태로 나타난다. 전형적인 피부병변은 고양이 눈, 즉 홍채 모양을 하고 있으며 색상은 암홍색 또는 자홍색을 띤다.

## 5. 치료

### 1) 현대 치료법

두드러기 치료에서 가장 이상적인 방법은 원인을 밝혀내서 이를 제거하거나 피하는 것이지만, 원인을 밝히지 못하는 경우가 많으므로 일반적으로는 여러 가지 대증요법을 시행하게 된다.

현재까지 항히스타민제가 두드러기 치료에 가장 중요한 약제이다. 급성 두드러기가 전신에 심하게 발생하고 항히스타민제로 잘 호전되지 않거나, 후두부 부종으로 호흡곤란이 있을 때는 항히스타민제와 함께 에피네프린(1:1000)을 0.5 cc 피하주사하거나 에페드린을 경구 투여하면 효과적이다. 맥관부종에서 후두부 부종으로 호흡곤란이 있으면 즉시 기관절개술을 기행하여 기도를 확보해야 한다. 부신피질호르몬제는 치료에 잘 반응하지 않는 급성 두드러기에 단기간 사용할 수 있으나, 만성 두드러기에는 사용하지 않는다.

### 2) 內治法

(1) 風熱相搏型 : 疏風淸熱止痒하는 銀翹散, 桑菊飮, 消風散, 疏風淸熱飮, 荊防敗毒散을 사용한다.
(2) 風寒外束型 : 疏風散寒, 調和營衛하는 麻黃湯, 麻黃桂枝湯을 사용한다.
(3) 衛外不固型 : 固表御風하는 玉屛風散, 桂枝湯을 사용한다.
(4) 氣血兩虛型 : 益氣養血하는 八珍湯을 사용한다.
(5) 冲任失調型 : 調攝冲任하는 二仙湯, 四物湯을 사용한다.
(6) 心經鬱熱型 : 淸心凉血, 安神止痒하는 淸心蓮子飮, 補心丹을 사용한다.
(7) 脾胃不和型 : 健胃和脾, 祛風止痒하는 枳朮散, 健脾祛風湯, 搜風流氣飮을 사용한다.
(8) 蟲積傷脾型 : 健脾消積, 殺蟲止痒하는 香砂六君子湯, 烏梅丸을 사용한다.
(9) 毒熱燔營型 : 淸營凉血, 解毒止痒하는 皮炎湯, 淸營湯을 사용한다.
(10) 血瘀經絡型 : 理氣活血, 通宣經絡하는 通經逐瘀湯, 桃紅四物湯, 血府逐瘀湯을 사용한다.

### 3) 外治法

(1) 皮疹이 범발하고 소양감이 극렬할 때는 楮桃葉, 苦蔘, 威靈仙, 樟樹, 蒼耳子, 浮萍, 路路通, 香附子, 吳茱萸, 百部根 중에서 3~5味를 선택하여 煎湯하고 환부를 씻는다.
(2) 百部根을 전탕하여 환부를 씻는다.
(3) 茵蔯, 路路通 各 60 g을 물에 달여 熏洗한다.
(4) 紫背浮萍 50 g, 蠶砂 30 g을 煎湯하여 매일 1~2회 15분씩 熏洗한다.
(5) 香樟木을 달인 물에 목욕한다.

### 4) 기타 치료법

(1) 두드러기가 상반신에 심하면 合谷, 曲池, 風府, 大椎, 百會, 迎香, 絲竹空 등의 경혈을, 하반신에 심하면 伏兎, 風市, 足三里, 委中 등의 경혈을 선택한다. 급성인 경우는 瀉法을, 만성인 경우는 補法을 시행하여 10~20분간 留鍼하는데, 매일 또는 격일로 1회 刺鍼한다.
(2) 耳鍼으로 神門, 肺區, 枕部, 蕁麻疹區, 腎上腺, 內分泌 等의 穴을 刺鍼한다.
(3) 放血療法으로 兩耳輪, 兩中指尖, 兩足趾尖을 소독한 三稜鍼으로 放血하는데, 3일에 1회씩 5차례를 1療程으로 잡는다.
(4) 穴位注射法으로 曲池, 肺兪, 大椎, 三陰交, 足三里 등의 경혈 중 4穴을 取하여 當歸注射液 혹은 丹參注射液을 0.5 ㎖씩 주입한다.

# V 혈관신경성 부종 Angioneurotic edema

## 1. 개요

혈관신경성부종(Angioneurotic edema, Quincke's edema)은 국부적인 급성 피부부종으로 1882년에 독일의 의사 퀸케가 처음 기록함으로써 이 병명이 붙여졌다. 그러나 이 병명이 확립된 것은 1921년이며, 혈관신경성 부종, 급성 피부국한성 부종, 거대담마진, 거대부종, 유주성수종 등으로 불려 지고 있다. 이 가운데에서도 혈관신경성 부종이나 퀸케부종으로 부르는 경우가 많다. 혈관 운동신경의 국부적인 흥분으로 모세관의 투과성이 높아져서 살갗 밑과 점막 아래에 부종이 나타난다. 갑자기 하나 또는 여러 개가 작은 것부터 손바닥 정도까지의 크기로 피부 또는 점막에 나타나는 부종성의 종창인데, 빠르면 몇 시간, 길어도 하루면 저절로 없어진다. 일반적으로 가벼운 열기운, 불쾌감은 있어도 가려움은 없으며, 부종은 손으로 눌러도 자국을 남기지 않는다. 눈꺼풀이나 입술이 잘 발생되는 부위이지만, 귓불이나 혀, 때로는 음부나 손, 발에도 생기는 경우가 있다. 후두부종이라고 해서 후두에 생기면 호흡곤란을 일으키므로 위험하다.

혈관신경성 부종은 한의학 문헌에서의 赤白遊風과 유사하다. 顔面에 突然히 발생하는 국한성 부종을 나타내는 병증으로《醫宗金鑒 · 外科心法要訣 發無定處》에 "滯于血分者 則發赤色 滯在氣分者 則發白色 故名赤白遊風也."라 기술하고 있다.

## 2. 원인 및 병기

혈관신경성 부종은 약물이나 기타 물질(유발 인자)에 대한 반응, 유전 질환, 드물게는 암 합병증 또는 면역 질환에 해당될 수 있지만, 원인을 알 수 없는 경우도 있다.

한의학에서는 脾肺의 氣가 虛하여 水濕이 內鬱하고 腠理가 不密한 상태에서 風寒 혹 風熱의 外邪를 받아 濕이 肌腠에 鬱滯하여 발생한다. 風寒이 盛하며 腫脹이 白色을 보이며, 風熱이 盛하면 腫脹이 赤色을 보인다고 보고 있다.

## 3. 증상

口脣, 眼瞼, 耳垂, 頭皮 등 성글은 피부, 피하조직에 생기며 口內, 舌, 咽喉, 外陰部 등 점막, 점막하에도 생길 수 있다. 국소의 부종이 주증이며 경계는 명확하지 않으며 눌러도 함몰되지 않고 표

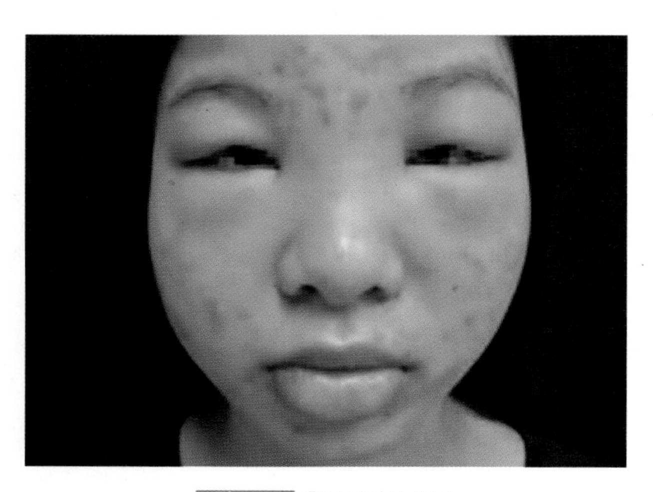

그림 29-28 혈관신경성 부종

면은 긴장되어 있고 윤기가 있으며 淺白色이거나 或 淡紅色을 보인다. 突然히 발생하고 국소의 脹滿과 痲木感이 있을 수 있고 咽喉에 발생하면 呼吸이 곤란하여 窒息이 올 수 있다.

## 4. 진단감별

2~3시간이면 사라지는 발적이나 가려움증이 없는 국한성 부종, 발생부위, 전신증상이 없는 것 등으로 진단할 수 있다. 이 증상은 본질적으로 두드러기와 같아서 보통 두드러기와 병발하는 예도 있다. 병리조직학적으로도 두드러기와 같으나 병변 부위가 다르며, 두드러기에서는 국한성 부종이 속살갗인데 반해, 퀸케 부종은 피하조직이다. 임상검사에서 이상은 없지만 필요하면 두드러기에 준하는 검사를 한다.

## 5. 치료

### 1) 內治

(1) 風寒濕이 鬱滯된 경우는 散寒祛風除濕消腫하는 방법으로 麻黃連翹赤小豆湯을 사용하여 治한다.

(2) 風熱濕이 鬱滯된 경우는 疏風淸熱 除濕消腫하는 방법으로 四物消風散을 사용하여 治한다.

### 2) 外治

일반적으로 外治는 要하지 않으나 瘙痒이 심하면 三黃洗劑를 外涂한다.

## 6. 예후

후두 부종으로 기도 폐쇄를 유발하거나 아나필락시스를 나타내는 경우 생명을 위협할 수 있다.

## 참고문헌

1) 譚新華. 何清湖. 中医外科学. 第2版. 北京: 人民卫生出版社; 2011.
2) 대한피부과학회 교과서 편찬위원회. 피부과학. 서울: 맥그로힐에듀케이션코리아; 2020.
3) 서울대학교 의과대학 피부과학교실. (의대생을 위한) 피부과학. 4판. 서울: 고려의학; 2017.
4) 이승철. 임상의를 위한 피부과학. 개정판. 서울: 도서출판 대한의학; 2019.
5) 전국 한의과대학 피부외과학 교재편찬위원회. 한의피부외과학. 부산: 선우; 2007.
6) 主編. 谭新华, 何清湖. 중의외과학 2nd ed. 북경: 인민위생출판사; 2016.
7) Jonathan A. Bernstein, Paolo Cremonesi, Thomas K. Hoffmann, John Hollingsworth. Angioedema in the emergency depart¬ment: a practical guide to differential diagnosis and management. Int J Emerg Med. 2017.

# 第30章 구진비늘질환

| KCD 코드 | 한글 상병명 | 영문 상병명 |
|---|---|---|
| L26 | 탈락피부염<br>헤브라잔비늘증(비강진) | Exfoliative dermatitis<br>Hebra's pityriasis |
| **L30** | **기타 피부염** | **Other dermatitis** |
| L30.5 | 백색잔비늘증 | Pityriasis alba |
| L40 | 건선 | Psoriasis |
| L40.0 | 보통건선<br>동전모양건선<br>반상건선 | Psoriasis vulgaris<br>Nummular psoriasis<br>Plaque psoriasis |
| L40.00 | 중증 보통건선 | Severe psoriasis vulgaris |
| L40.01 | 중등증 보통건선 | Moderate psoriasis vulgaris |
| L40.02 | 경증 보통건선 | Mild psoriasis vulgaris |
| L40.08 | 기타 및 상세불명의 보통건선 | Other and unspecified psoriasis vulgaris |
| L40.1 | 전신농포건선<br>헤르페스모양농가진<br>폰줌부쉬병 | Generalized pustular psoriasis<br>Impetigo herpetiformis<br>Von Zumbusch's disease |
| L40.2 | 연속성 말단피부염 | Acrodermatitis continua |
| L40.3 | 손발바닥농포증 | Pustulosis palmaris et plantaris |
| L40.4 | 물방울건선 | Guttate psoriasis |
| L40.5 | 관절병성 건선(M07.0-M07.3*, M09.0*) | Arthropathic psoriasis |
| L40.8 | 기타 건선<br>굴측건선 | Other psoriasis<br>Flexural psoriasis |
| L40.9 | 상세불명의 건선 | Psoriasis, unspecified |
| **L42** | **장미색잔비늘증(비강진)** | **Pityriasis rosea** |
| **L43** | **편평태선** | **Lichen planus** |
| L43.0 | 비대성 편평태선 | Hypertrophic lichen planus |

| | | |
|---|---|---|
| L43.1 | 수포성 편평태선 | Bullous lichen planus |
| L43.2 | 태선모양약물반응 | Lichenoid drug reaction |
| L43.3 | 아급성 (활동성) 편평태선<br>열대성 편평태선 | Subacute (active) lichen planus<br>Lichen planus tropicus |
| L43.8 | 기타 편평태선 | Other lichen planus |
| L43.9 | 상세불명의 편평태선 | Lichen planus, unspecified |
| **L44** | **기타 구진비늘장애** | **Other papulosquamous disorders** |
| L44.0 | 모공성 홍색잔비늘증(비강진) | Pityriasis rubra pilaris |

구진비늘질환이란 구진이나 판이 주병변이고, 이차병변으로 비늘(인설)을 동반하는 질환군을 말한다.

# I 건선 Psoriasis

## 1. 개요

건선(psoriasis)에 해당하는 白疕는 피부에 구진이 생기면서 그 상부에 은백색의 인설이 비늘처럼 겹겹이 쌓여 나타나는데, 점차 구진이 서로 뭉치거나 커지면서 판을 형성하며 파급되는 피부질환이다. 병변의 침범 부위나 정도가 개인마다 아주 다양하며, 대개 경우에 따라 악화와 호전이 반복되는 만성 경과를 보인다. 건선은 전 세계적으로 비교적 흔한 피부질환 중 하나로서 발생빈도가 인종과 지역에 따라 다르다. 백인에서는 1~3%인데 반해 한국인에서는 1% 내외로 추정되며 높은 위도 지역에서 더 높게 발생한다. 남녀 간의 발생빈도는 차이가 없는 것으로 보고 있다. 20대에 초발하는 경우가 가장 흔하며, 이어서 10대와 30대에 많이 초발하는 것으로 알려져 있다. 가족력은 우리나라에서 25% 정도로 나타난다.

## 2. 원인 및 병기

### 1) 현대 원인

지금까지는 유전적 요인을 바탕으로 개인의 생활습관과 환경적 요인이 유발인자로 작용하며, 면역학적 요인에 의해 염증 반응과 각질형성세포의 증식이 일어나는 것으로 보고 있다.

(1) 면역학적 요인 : 최근 연구에 의하면 건선은 유전적 요인을 가진 사람에게서 생활습관 · 환경 등이 유전자의 발현을 촉진하고, 이를 통해 T세포에 의한 염증반응이 일어나면서 염증성 cytokine의 영향으로 각질형성세포의 과증식이 발생하는 것으로 알려져 있다. 따라서 현재 건선은 helper T cell 중 IFN-γ, IL-2, TNF-α와 같은 $Th_1$ cytokine들과 $Th_{17}$ cytokine들이 복합적으로 작용하여 발생하는 Th 질환으로 보고 있다.

(2) 유전적 요인 : 건선은 유전적 바탕 위에 다양한 환경적인 인자가 복합적으로 가해져서 발병하는 다인성 유전(multifactorial inheritance)으로 설명하고 있다. 유전적으로 동일한 일란성 쌍둥이에서 건선이 발병할 확률은 60% 정도로 알려져 있다.

(3) 각질형성세포의 증식과 분화의 이상 : 건선의 가장 중요한 현상은 표피세포가 빠르게 성장하여 증식하는 것이지만 각질형성세포의 증식 자체가 염증반응에 의한 건선병변을 직접 일으키지는 않는다. 즉, 이러한 이상 현상은 건선 병변에서 각질형성세포의 분화가 정상적으로 이루어지지 않고 있음을 의미한다.

(4) 진피의 혈관 이상 : 건선 환자의 진피층에 분포하는 혈관들을 관찰하면, 정상 혈관들과 달리 확장되어 있으며 꼬인 모양을 하고 있다.

### 2) 현대 이전

현대 이전에는 稟賦不耐하여 血熱之體한 사람이 風濕熱邪에 쉽게 外感되면 肌膚로 內侵하며, 여기에 飮食不節, 情志內傷, 陰陽失調가 더해지면 營血이 虧損되어 生風生燥하여 피부가 失養하여 발병한다고 설명하였다. 또한 병이 오래되고 體虛하면 邪毒이 經絡을 침범하고 關節까지 상하게 하며, 營血을 燔灼하고 내부로는 臟腑를 손상시킨다고 하였다.

## 3. 증상

### 1) 피부증상

선홍색의 작은 구진이 초발진으로 점차 커지거나 융합하여 동전 모양 내지 판상 형태를 나타나는데 경계가 분명하고 은백색의 인설로 덮혀 있다. 인설 아래는 균질한 홍반을 나타내고 있다. 병변은 조그만 크기에서부터 전신에 걸친 병변까지 크기가 다양하며, 소양감은 대체로 없거나 있어도 경미하다. 건선의 경과는 다양하나, 보통 호전과 악화를 되풀이하면서 지속된다.

발진은 주로 대칭성으로 오며, 호발 부위는 무릎, 팔꿈치, 엉덩이, 머리 등이다. 이런 특이한 호발 부위는 건선에서 나타나는 피부의 국소적 손상 부위에 동일한 질병이 생기는 isomorphic 현상으로 설명할 수 있는데, 이를 쾨브너 현상(Koebner phenomenon, Köbner phenomenon)이라고도 부른다. Koebner 현상은 건선 이외에도 편평태선, 광택태선, 모공성 홍색잔비늘증 등에서도 발견될 수 있다.

건선에서는 진피유두 위의 표피는 얇고 그 아래의 혈관은 확장되어 있기 때문에, 병변부의 인설을 제거하면 점상 출혈이 나타나는 아우스피츠 징후(Auspitz's sign)가 있을 수 있는데 이것은 건선에서만 특이하게 나타난다.

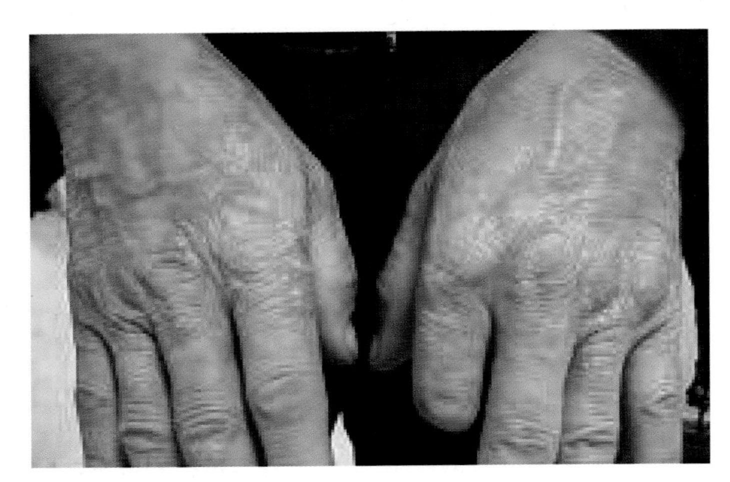

그림 30-1 건선(손)

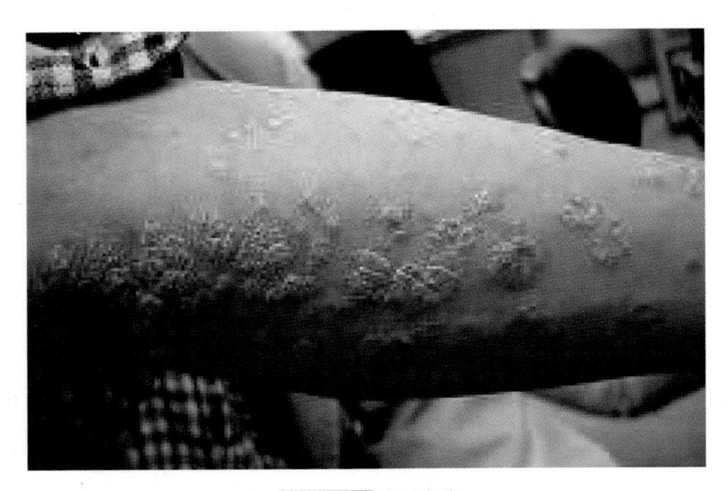

그림 30-2 건선(팔)

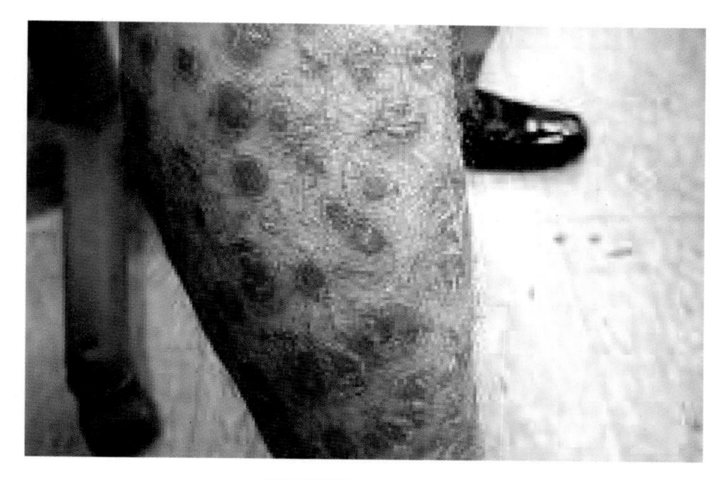

그림 30-3 건선(다리)

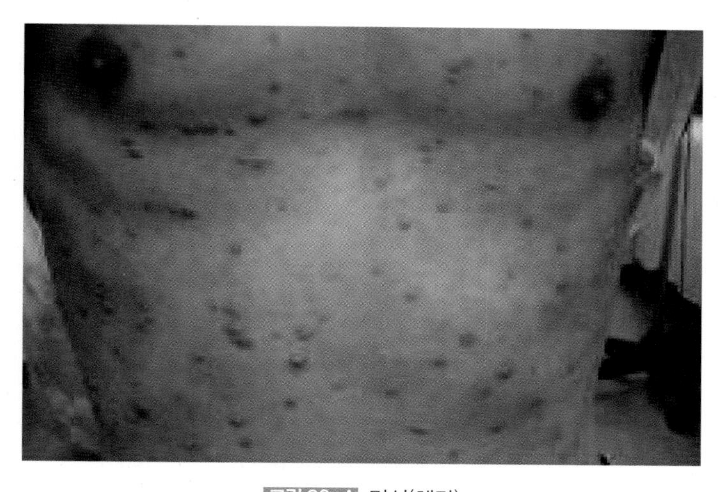

그림 30-4 건선(체간)

### 2) 손발톱

건선에서는 손발톱의 변화가 흔히 동반된다. 30~50%의 환자에게서 손발톱에 변화가 나타나는 것으로 알려져 있으며, 손톱의 변화가 발톱보다 흔하다. 조갑의 변화 중 조갑판에 점상 함몰을 보이는 조갑함몰(nail pitting)이 가장 흔하다. 그 외 조갑판 아래 갈색반점(oil spot)이 보이는데 이는 조갑상의 병변에 의한 것이다. 조갑판이 조갑상으로 부터 분리되는 조갑 박리증과 조갑하 각화, 조갑 비후 등의 조갑이영양증도 올 수 있다.

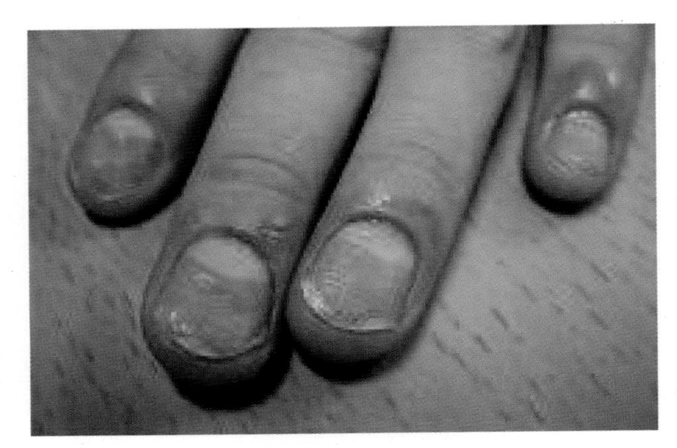

그림 30-5 건선(조갑변화)

### 3) 점막

드물게 농포성 건선이나 박탈성 건선에서 구강 병변이 나타난다. 백색이나 회색의 환상 병변이나 경계가 명확한 판상 병변을 보인다.

### 4) 건선의 임상형

건선은 발진의 주 양상에 따라 판상건선, 물방울건선, 전신성 또는 국소성 농포건선, 박탈건선 등으로 분류할 수 있다.

(1) 보통건선(psoriasis vulgaris): 가장 흔한 형태로 약 80~90%를 차지한다. 처음에는 인설을 동반한 구진이 발생하여 점차 커지면서 합쳐져 경계가 뚜렷하고 은백색의 인설이 덮인 전형적인 판을 형성한다. 판모양건선 또는 판상건선(plaque psoriasis)이라 불린다.

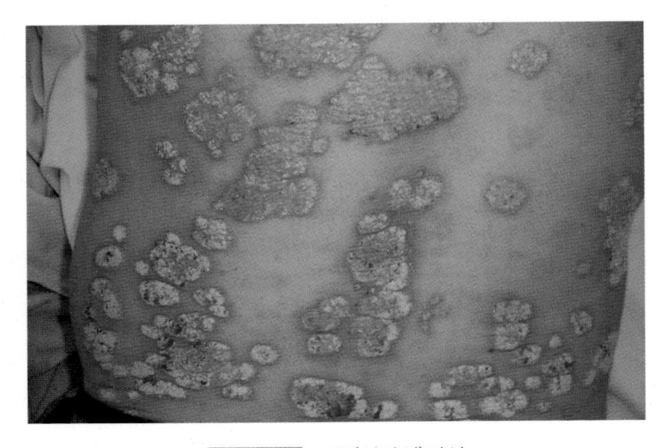

그림 30-6 보통(심상성)건선

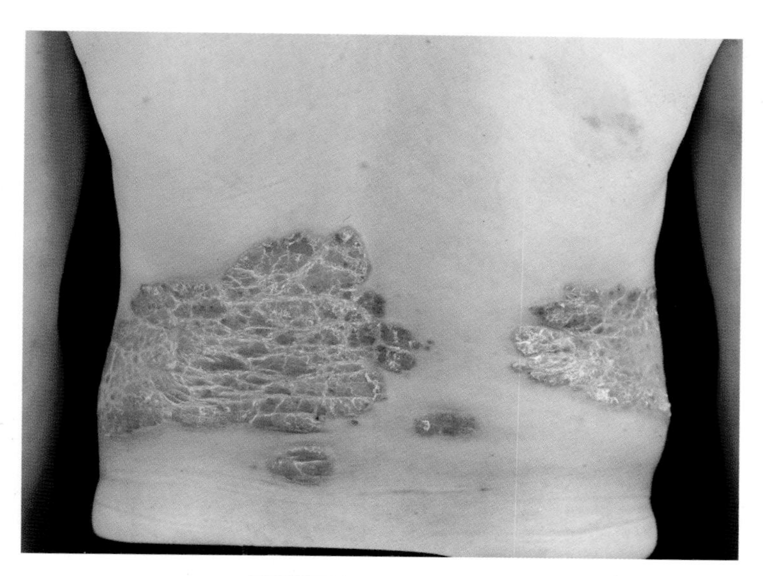

그림 30-7 보통(심상성)건선

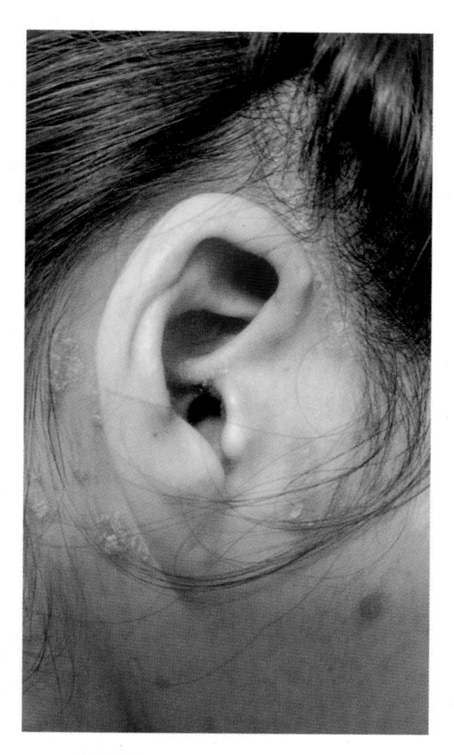

그림 30-8 보통(심상성)건선(귀)

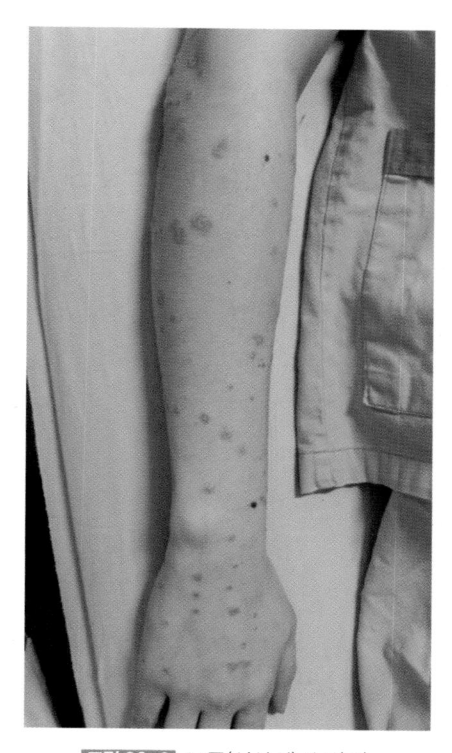

그림 30-9 보통(심상성)건선(팔)

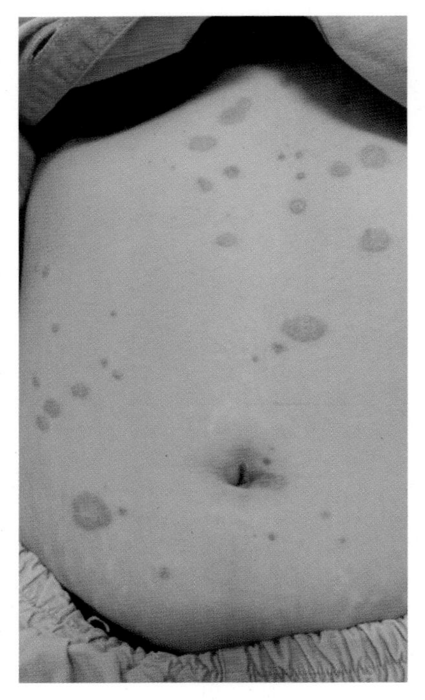

그림 30-10 보통(심상성)건선(배)

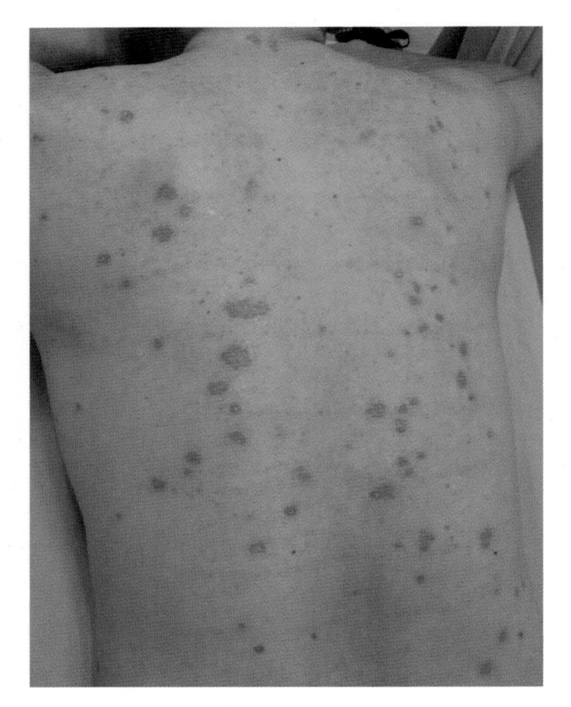

그림 30-11 보통(심상성)건선(등)

(2) 물방울건선(guttate psoriasis) : 소아 및 청년기에 흔한 형태로, 대개 연쇄상구균의 감염 후에 자주 발생한다. 0.5~1 ㎝ 정도의 작은 물방울 같은 구진이 전신에 퍼져서 급속히 출현한다. 임상병리검사상 연쇄상구균 독소에 대한 항체(antistreptolysin-O, ASO)가 자주 상승한다.

(3) 전신성 농포건선(generalized pustular psoriasis) : 임상에서 아주 드물고, 증상이 심한 건선으로, 무균성 농포가 전신에 퍼져 있다. 대개 고열, 관절통, 백혈구 증가, 권태감과 같은 전신증상이 동반되며, 치명적인 경우도 있다. 치료를 시도하여도 호전과 악화가 되풀이되며 저항성을 보이는 경우가 많다.

(4) 국소성 농포건선(localized pustular psoriasis) : 무균성 농포가 손바닥과 발바닥에 나타나며, 손발톱 주위의 피부도 침범한 경우가 많다. 다른 피부 부위에 건선 병변을 발견하는 경우가 많으며, 전신성 농포건선처럼 치료에 저항하여 장기간 진행된다.

(5) 박탈성 건선(exfoliative psoriasis) : 전신에 걸쳐 과도한 인설이 발생하는 형태로, 전신 홍피증, 발열과 같은 전신증상을 수반할 수 있다.

(6) 건선 관절염(psoriatic arthropathy) : 건선 관절염은 건선 환자에게서 발생하는 인대, 건, 근막, 척추 및 말초 관절의 염증성 질환이다. 임상병리검사상 류마티스 인자는 음성이며, 류마티스 결

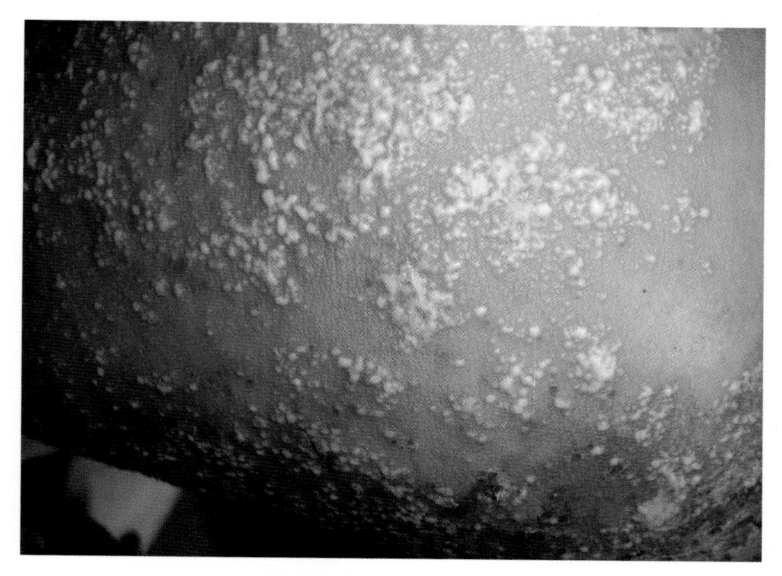

그림 30-12 전신성 농포건선

절도 동반하지 않는다. 건선 환자의 약 10~15%에서 관절염이 발생하는 것으로 알려져 있으며, 조갑병변을 동반하는 경우도 많다.

### 5) 증상의 유발 혹은 악화요인

(1) 피부외상 : Koebner 현상으로, 피부가 손상된 부위에 건선이 발생한다.

(2) 감염 : β-용혈성 사슬알균을 비롯한 세균, 곰팡이, 바이러스, 마이코박테리아 등의 여러 병원체 감염과의 연관성이 있는 것으로 보인다.

(3) 기후 : 건선은 대표적으로 겨울에 악화되고, 일조량이 많은 여름에는 호전된다. 차고 건조한 기후에서는 악화되며, 따뜻한 기후에서는 호전된다.

(4) 건조한 피부 : 건선 자체로도 피부가 건조해지고, 겨울에 특히 건조해지기 쉽다. 또한 목욕이나 사우나 등을 오래 하는 경우에도 피부건조가 심화되어 건선이 악화되는 경우가 많다.

(5) 스트레스 : 건선은 스트레스를 받고 나면 주기적으로 악화되는 경향이 관찰된다.

(6) 약물 : 조울증에 쓰이는 리튬, 심장병이나 고혈압 치료제로 사용되는 β-차단제, 결체조직질환에 쓰이는 chloroquine, 염증에 사용되는 비스테로이드성 진통제(NSAID) 등의 약물이 건선을 악화시키는 대표적인 약물이다. 특히 경구 스테로이드의 경우, 복용 중에는 건선이 호전되나 복용을 중단하면 급격히 악화되는 반동현상이 흔하다.

### 6) 건선의 동반질환

건선에서 건선 관절염이 자주 동반되는 것은 잘 알려진 일이다.

최근 건선에서 고혈압, 고지혈증, 비만, 당뇨, 대사증후군을 비롯하여 심혈관계 질환과 대사성질환의 발병률이 높다고 알려지고 있다. 이러한 동반질환의 높은 발병은 건선이 단순히 피부의 염증성 질환이라는 것을 넘어서 T세포의 활성화와 cytokine들에 의한 전신적인 만성 염증성 질환일 수 있음을 나타내고 있다.

## 4. 진단감별

### 1) 진단요점

(1) 객관적 피부증상에 비하여 가려움증의 주관적 증상이 약하며, 특징적인 피부병변을 보이므로 대부분의 경우 임상소견만으로도 진단이 가능하다.

(2) 건선의 과거력이 있거나, 건선 병변이 있으면서 관절염 증상이 동반되는데, 신체 말단의 소관절 증상이 분명한 경우에는 류마티스인자 음성일 경우는 관절병성 건선으로 진단할 수 있다.

(3) 전신의 피부로 파급되는 미만성 홍조, 침윤 및 매일 발생하는 대량의 脫屑, 표재성 림프절의 종대, 백혈구 수 증가, 뚜렷한 전신증상이 있으면 홍피성 건선으로 진단할 수 있다.

### 2) 감별질환

(1) 만성 습진 : 피부의 비후, 색소침착이 있으며, 긁은 흔적, 血痂가 관찰되기도 하며 인설은 많지 않다. 소양감이 극렬하며, 四肢 屈側部에 다발한다.

(2) 장미색잔비늘증(風熱瘡) : 발진은 붉은색을 띠는 원형 혹은 타원형의 斑片으로 나타나며, 원발진이 나타난 다음 속발진이 이어서 나타나는 子母斑現象이 관찰된다. 인설은 많지 않고, 대부분 자연 치유되는 경향이 있다.

(3) 지루피부염(白屑風) : 두피에 회백색 혹은 회갈색의 기름기 있는 미세한 인설이 관찰되며, 소양감과 탈모가 동반될 수 있다.

## 5. 치료

### 1) 현대 치료법

건선은 만성 재발성 질환이므로 우수한 효과를 내면서도 부작용이 적은 치료법이 필요하다. 치료는 크게 국소치료, 전신치료, 광치료로 구분할 수 있다. 경증에는 대개 국소치료를 시행하며, 심한 경우에는 자외선 요법을 병행하거나 전신 투여를 시행한다. 또한 여러 가지 합병증이 동반될 수 있으므로 동반되는 질환의 확인, 예방 및 조기 치료가 환자의 건강 유지에 중요하다.

(1) 국소치료 : 비타민 D 유도체, retinoid, 스테로이드

(2) 광선치료 : 단일파장 UV-B 광요법, 광화학 요법(photochemotherapy, PUVA 요법), 엑시머 레이저

(3) 전신치료 : retinoid, cyclosporine, methotrexate (MTX)

(4) 생물학적 제제

## 2) 內治法

(1) 風寒證 : 소아와 초기 발병 시, 혹은 관절염형에서 많이 볼 수 있다. 피부병변은 홍반이 선명하지 않고 백색의 인설이 비교적 두텁고 긁으면 쉽게 벗겨진다. 겨울에 증상이 심해지거나 재발하고, 여름에는 완화되거나 소실된다. 동반 증상으로는 怕冷, 관절통이 있고 소양감은 심하지 않으며 苔薄白, 脈濡滑 한다. 祛風散寒, 養血潤燥하고 상용약물로는 麻黃, 桂枝, 川烏, 蒼耳子, 白芷, 白鮮皮, 地膚子, 當歸, 鷄血藤, 烏梢蛇를 사용한다. 관절 기형으로 활동에 제한이 있는 경우는 羌活, 獨活, 桑寄生, 桑枝, 秦艽, 威靈仙을 加하고 蒼耳子, 白芷를 減한다.

(2) 風熱血熱證 : 피부병변이 계속하여 증가하고 얼굴색은 붉으며, 체 모양의 출혈점이 뚜렷하고 인설은 증가하며 소양감을 동반한다. 여름철에 증상이 심해지고 동반 증상으로 怕熱, 大便乾結, 小便黃赤, 苔薄黃, 舌質紅, 脈滑數 등이 있다. 散風淸熱, 養血潤燥하고 상용약물로는 桑葉, 野菊, 赤芍藥, 牧丹皮, 蛇舌草, 草河車, 大菁葉, 白鮮皮, 苦蔘片, 蒲公英, 澤漆을 사용한다. 治方은 犀角地黃湯加減을 사용한다.

(3) 濕熱蘊積證 : 액와부, 서혜부 등의 신체 굴측부에 잘 발생하고, 병변은 紅斑糜爛하고 가렵거나 혹은 손발바닥 부위에 농포가 있다. 대다수가 습도가 높아 눅눅한 계절에 증상이 심화되며, 겸하여 胸悶納呆, 神疲乏力하고 하지가 沈重하거나 혹은 대하가 증가하고, 苔薄黃膩, 脈濡滑數 등이 발생한다. 淸熱利濕, 和營通絡하고 상용약물로는 蒼朮, 黃柏, 萆薢, 蒲公英, 生薏苡仁, 土茯苓, 猪苓, 澤漆, 忍冬藤, 澤蘭, 丹蔘, 路路通을 사용한다. 治方은 三妙散 또는 萆薢滲濕湯加減을 사용한다.

(4) 血瘀風燥證 : 病情이 조금은 안정되고 피부병변이 확대되지 않으며, 혹은 적은 수의 새로운 皮疹이 발생한다. 단, 피부가 건조하고 小腿 전면이 두터워지거나 태선양 변화가 발생한다. 관절 신측부에 皸裂이 있고 아프며, 頭暈眼花, 面色光白, 苔薄舌淡, 脈濡細 등의 증상이 있다. 養血祛風潤燥하고 상용약물로는 生地黃, 熟地黃, 當歸, 赤芍藥, 白芍藥, 紅花, 鷄血藤, 小胡麻, 肥玉竹, 白鮮皮, 豨薟草, 炙僵蠶, 烏梢蛇를 사용한다.

(5) 血瘀證 : 일반적으로 病期가 비교적 길고 쉽게 재발하며, 몇 년이 지나도록 잘 낫지 않는다. 피부병변은 紫暗色을 띄거나 색소가 침착되며, 인설이 비교적 두텁고 조개껍질과 같은 모양을 나타낸다. 혹은 관절의 움직임이 원활하지 못하고 하며 혀에 瘀斑, 苔薄, 脈細澁 등의 증상이 발생한다. 活血化瘀, 祛風潤燥하고 상용약물로는 丹蔘, 當歸, 三稜, 莪朮, 益母草, 桃仁泥, 留行子, 槐花, 牡蠣, 蟬衣粉을 사용한다. 治方은 桃紅四物湯加減을 사용한다.

(6) 肝腎不足證 : 피부병변 부위의 홍반이 淡色을 나타내고, 인설은 많지 않다. 겸하여 腰痠肢軟하고 頭暈耳鳴하며 혹은 陽痿遺精한다. 苔薄, 혀에 齒痕斑이 있고 脈濡細 등의 증상이 발생한다. 만약 여성이 임신하였을 때는 皮疹이 소실되거나 완화되며, 산후에는 다시 皮疹이 나타나거나 악화된다. 겸하여 月經不調 등의 증상이 발생하는데, 이는 衝任不調에 속한다. 補益肝腎, 調攝衝任하고 상용약물로는 熟地黃, 當歸, 白芍藥, 制首烏, 仙茅, 仙靈脾, 黃精, 兎絲子, 蒼耳子, 地龍을 사용한다. 治方은 獨活寄生湯加減을 사용한다.

(7) 火毒聚盛證 : 대다수가 홍피성 또는 농포성에 속한다. 전신의 피부가 홍색이거나 암홍색을 나타낸다. 심하면 약간의 腫脹이 있으나 인설은 많지 않고, 피부에 작열감이 느껴지거나 혹은 소수포가 밀집되어 있는 경우도 있다. 壯熱口渴, 便乾尿赤, 苔薄舌質紅絳, 脈弦滑數 등이 동반된다. 養血淸熱解毒하고 상용약물로는 鮮生地黃, 赤芍藥, 牧丹皮, 金銀花, 蓮翹, 生山梔子, 黃芩, 紫草, 地丁, 土大黃, 生甘草를 사용한다. 治方은 淸瘟敗毒飮加減을 사용한다

### 3) 成藥, 驗方

(1) 複方靑黛丸 : 淸熱解毒, 消斑化瘀, 祛風止痒하는 효능이 있어 銀屑病을 主治한다. 靑黛, 白芷, 焦山楂, 建曲, 五味子, 白鮮皮, 烏梅, 土茯苓, 萆薢를 硏末하여 반죽하여 환으로 만든다. 100환당 생약 6~7 g을 함유하고 있으며, 1일 2회, 매회 100환씩 복용한다. 소아는 복용량을 적당히 감량하며, 30일을 1療程으로 한다. 일반적으로 2~3개월간 복용한다.

(2) 平屑湯 : 滋陰涼血, 解毒化瘀하는 효능이 있어 銀屑病을 主治한다. 生地 30 g, 玄參 15 g, 麥冬 12 g, 黃連 9 g, 黃芩 12 g, 金銀花 30 g, 大靑葉 30 g, 白花蛇舌草 30 g, 當歸 10 g, 丹參 30 g, 土鱉蟲 15 g, 大棗 5枚를 물로 달인다.

(3) 生玄飮 : 涼血解毒, 淸熱活血하는 효능이 있어 銀屑病을 主治한다. 生地 15 g, 玄參 15 g, 梔子 15 g, 板藍根 15 g, 蒲公英 10 g, 野菊花 10 g, 桔梗 10 g, 當歸 10 g, 赤芍 10 g, 花粉 10 g, 貝母 12 g, 土茯苓 12 g, 紫花地丁 12 g, 甘草 6 g을 물로 달인다.

### 4) 外治法

(1) 10% 硫黃膏 또는 雄黃膏를 환부에 매일 3회 도포한다.

(2) 二號癬藥水를 환부에 매일 3회 도포한다.

(3) 石榴皮軟膏를 환부에 매일 2회 도포한다. 石榴皮粉 15 g, 樟腦 1 g, 石炭酸 1 g, 바셀린 100 g에 소량의 파라핀유를 加한다.
(4) 恩膚霜(成藥) 등을 환부에 매일 3회 도포한다.
(5) 外洗方 : 枯礬 120 g, 花椒 120 g, 野菊花 120 g, 朴梢 500 g에 물 적당량을 가해서 끓인 후 따뜻하게 해서 매일 한 차례씩 세척한다.
(6) 藥浴法 : 苦參, 麥門冬, 桃葉 각 200 g에 물 5,000 ㎖을 가해 30분간 끓인 후 적당한 온도로 매주 4~5회 세척하는데, 급성기에는 삼간다.

### 5) 기타 치료법

(1) 體鍼治療
(2) 耳鍼療法 : 神門, 皮質下, 內分泌, 交感, 脾, 肺
(3) 刺絡療法 : 委中部 사혈
(4) 穴位注射療法 : 肺兪를 主穴로 하고 曲池, 足三里를 配穴하여 각 穴마다 當歸, 丹參液을 1.5~2 ㎖씩 주사한다.

# Ⅱ 장미색잔비늘증 Pityriasis rosea

## 1. 개요

장미색잔비늘증(장미색비강진, pityriasis rosea)에 해당하는 風熱瘡은 원인이 불명한 급성 염증성 구진비늘질환이다. 처음에는 분홍색의 인설이 있는 원발반이 발생하고, 1~2주 후에 몸통 및 사지에 2차로 광범위하게 구진 인설성 발진이 나타나며, 6~8주 후 자연 소실되는 경과를 보인다. 피부과를 내원하는 환자의 0.3~3%를 차지하는 질환이며, 주로 15~40세에서 호발한다. 남성보다는 여성에게서 약간 더 많이 발생하며, 인종간 발병률은 큰 차이는 없는 것으로 알려져 있다. 계절적으로는 주로 봄과 가을에 많이 발생한다.

한의학 문헌 《外科啓玄》에서 "肺受風熱 故皮毛間有此症也"라 하고, 또한 "初則疙瘩 痒之難忍 爬之成瘡 似疥非疥."라 하여 원인과 증상에 대해 설명하고 있다. 《外科正宗》에도 "風癬如云朶皮膚嬌嫩 抓之則白屑"이라고 설명하고 있다.

## 2. 원인 및 병기

현재까지도 장미색잔비늘증의 원인은 알려져 있지 않다. 다만 원발진, 잠복기 이후의 속발진, 일정 기간 내에 자연 소실되는 점, 계절에 따른 빈도, 드문 재발과 같은 특징적인 임상양상으로 미루어 바이러스 감염설이 제기되었다. 최근에는 단순포진 바이러스 6, 7형이 원인일 것이라는 연구가 있고 이외에도 벌레물림, 자가면역질환, 약에 의한 반응 등이 원인으로 추측되고 있다.

현대 이전에는 風熱에 感觸되어 邪氣가 腠理를 閉塞하여 발생하거나, 內熱로 인해 陰液을 상해 血熱이 燥로 化해 피부에 범람하여 발생하는 것으로 보았다.

## 3. 증상

### 1) 전구증상

환자의 약 5%에서 관찰되며, 두통, 권태감, 식욕감퇴, 관절통, 발열, 오한 및 구토, 설사, 변비와 같은 위장관 증상 등이 나타난다.

### 2) 피부병변

초기에 50~90%의 환자에게서 원발반(herald patch, primary plaque)이 나타난다. 원발반은 대부분 단발성이며, 원형 혹은 윤상의 미세한 인설이 있는 분홍색의 홍반성 반이다. 크기는 2~10 ㎝이고 주로 앞가슴에 호발하나 등, 목, 배 또는 사지에도 발생할 수 있다. 75%에서 소양감이 나타난다.

원발반이 발생한 지 7~14일이 지나면 원발반이 서서히 소실되는데, 이때 전신에 약 1㎝ 크기의 발진이 대칭적으로 가슴, 배, 팔, 등, 대퇴부, 목 등에 '크리스마스 트리' 모양으로 분포하는 속발진이 발생한다. 속발진은 장미색의 타원형 반으로, 반의 장축은 피부긴장선의 방향과 일치하며, 반의 가장자리 안쪽으로 미세한 인설이 보인다.

### 3) 호발부위

體幹部, 頸部, 四肢에 발생하며, 얼굴과 두피에는 드물고 햇빛에 노출되는 부위에는 잘 발생하지 않는다.

### 4) 경과

자연 치유성 피부발진으로, 최초 원발반이 나타나고 1~2주 후 전신적인 2차 발진이 나타나며, 발병 후 6~8주 이내에 자연 소실되는 특징이 있다.

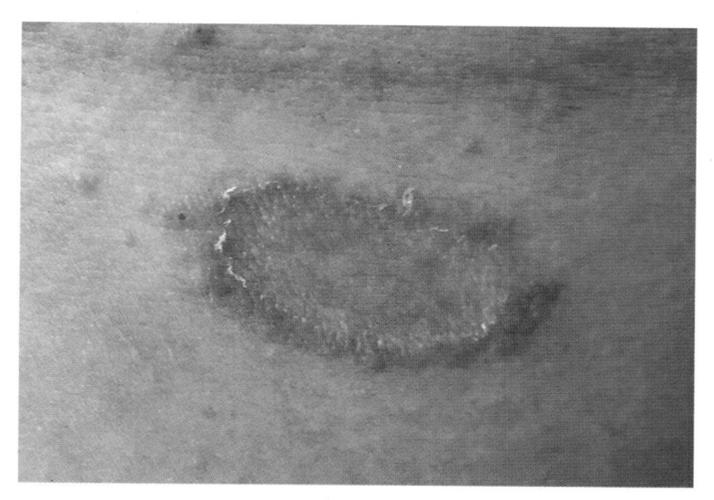

그림 30-13 장미색잔비늘증(원발반)

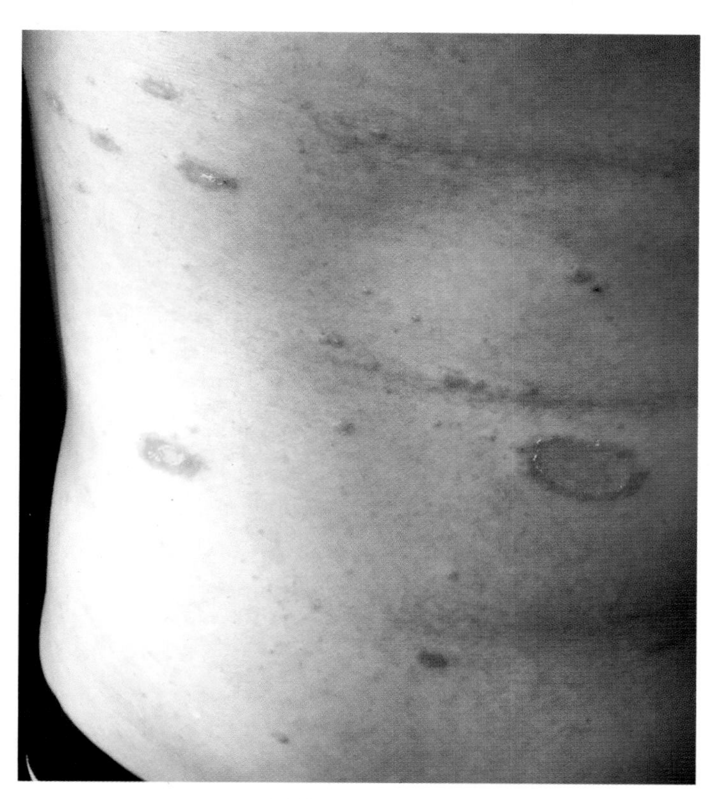

그림 30-14 장미색잔비늘증

## 4. 진단감별

### 1) 진단요점

전형적인 장미색잔비늘증은 원발반, 크리스마스 트리 형태의 분포 및 속발진의 특징으로 진단할 수 있다.

### 2) 감별질환

(1) 몸백선(圓癬) : 일반적으로 피부병변의 수가 많지 않으며, 비록 고리 모양을 하고 있으나, 그 중심부는 스스로 치유되는 경향이 있다. 발진 주위는 대개 紅暈, 구진, 수포 등이 관찰된다.

(2) 건선(白疕) : 발병 부위가 불특정하나, 四肢 伸側部, 肘膝關節 및 머리에서 많이 발견된다. 크기가 동일하지 않은 붉은색의 斑片으로 된 병변이 관찰되며, 그 상부에는 비교적 두터운 은백색의 인설이 있다. Auspitz's sign이 나타난다.

(3) 지루피부염 : 軀幹部에 산재되어 있는 홍반이 있고 기름진 인설이 관찰되며, 머리와 얼굴에 호발한다. 만약 치료하지 않으면 병변이 지속되며 자연 소실되지 않는다.

(4) 어루러기(紫白癜風) : 가슴, 등, 목, 어깨 부위에 발생하는 경우가 많다. 처음에는 담홍색이나 적자색을 띠었다가, 점차 치유됨에 따라 회백색을 띠는 斑片으로 변한다. 겨울철에는 완화되며, 여름철에 악화된다.

## 5. 치료

### 1) 內治法

(1) 風熱外搖型 : 발병이 갑작스럽고 皮疹이 선홍색이며 초기에 원발반이 생기고 점차로 전신에 퍼지면서 소양감이 심하고 발열, 두통, 인후통을 동반하며 舌質紅, 苔薄黃, 脈浮數하다. 疏風, 清熱, 止痒하는 消風散加減을 사용하며, 風熱이 偏盛하면 菊花 · 金銀花를, 소양감이 심하면 地膚子 · 白殭蠶을, 皮疹이 小腹과 다리 內側에 편중되어 있으면 苦蔘 · 白鮮皮를 加한다.

(2) 血熱風燥型 : 斑疹色이 담홍색 혹은 선홍색, 혹은 중간 정도의 황갈색을 띠며, 皮疹이 건조하고 인설이 마치 糠秕와 같다. 소양감을 동반하며 咽喉乾痛하며 舌質鮮紅, 少苔, 脈細數하다. 養血疏風, 潤燥止痒하는 凉血消風湯加減을 사용하며, 소변이 赤澁하면 木通 · 竹葉을, 大便秘結에는 麻子仁 · 何首烏를, 皮屑이 건조하고 양이 많으면 當歸 · 鷄血藤을 加한다.

### 2) 外治法

(1) 三黃洗劑 : 淸熱止痒收斂하는 효능이 있으며, 매일 3~4회 피부에 바른다.

(2) 複方蛇床子洗劑 : 收澁止痒하는 효능이 있으며, 매일 3~4회 피부에 바른다.

(3) 土茯苓 30 g, 土大黃 黃芩 黃蓮 각 20 g, 苦蔘 白鮮皮 각 15 g, 花椒 3 g을 전탕하여 환부를 매일 1회씩 씻어준다.

(4) 滑石 朴硝 각 60 g, 氷片 5 g을 細末하여 찬물로 매일 1~2회 환부에 발라준다.

### 3) 현대 치료법

(1) 비눗물, 땀 분비, 자극적인 치료는 병이 악화되어 탈락피부염으로 변할 수 있으므로 급성기에는 이들의 사용을 금한다.

(2) 가벼운 소양감 및 발진 : 칼라민 로션을 도포한다

(3) 중증 소양감 및 발진 : 항히스타민제 경구 투여, 스테로이드 국소 도포한다.

(4) 전신 심한 발진 및 탈락피부염 : 스테로이드제와 항히스타민제를 전신 투여한다.

# Ⅲ 편평태선 Lichen planus

## 1. 개요

편평태선(lichen planus)은 피부, 점막, 손톱과 모발에 표면이 편평한 구진 내지 판을 보이는 흔한 만성 염증성 질환이다. '4Ps'로 일컬어지는 병변이 특징적으로, 병변은 소양감이 동반되며(pruritic), 분홍색 내지 보라색을 띠고(purple), 편평하고 매끄러운 다각형의 표면(polygonal)을 지닌 구진(papule)으로 나타난다. 신체의 여러 부위에 침범하며 형태와 임상소견이 다양하게 나타난다. 30~60세 사이에 많이 발병하며, 여상보다 다소 젊은 나이의 남성들에게 호발한다.

한의학의 紫癜風과 유사하고, 《證治準繩 · 瘍醫》에서 "夫紫癜風者, 由皮膚生紫點, 搔之皮起而不痒痛者是也. 此皆風濕邪氣客於腠理, 與氣血相搏, 致營衛痞澀, 風冷於肌肉之間, 故令色紫也."라고 설명하였다.

## 2. 원인 및 병기

1) 현재까지도 원인은 불명으로, 정신적 요인, 바이러스 감염, 유전적 요인, 면역 이상, 약물 또는 화학물질 등이 원인으로 추정되고 있다.
2) 현대 이전에는 濕熱內蘊, 外受風邪로 風濕熱이 搏結하여 肌膚를 阻하여 발병한다고 하였다. 혹은 肝腎陰虛로 인하여 虛火上炎하여 구강, 입술, 치은 등과 같은 부위를 濡養하지 못하면 발생한다고 하였다.

## 3. 증상

전형적인 구진의 형태는 편평하고(flat-topped), 다각형이며 자주색을 띤다. 보다 자세히 관찰하면 미세한 그물 모양의 흰 선(Wickham striae)을 관찰할 수 있으며, 가끔 작은 중심부 함몰도 관찰된다. 구진들은 서로 융합되는 경향이 있으며, 병변은 보통 사지에 대칭적으로 분포한다. 사지 굴측부, 손목, 구강점막과 성기에도 호발하나, 얼굴 및 손발바닥은 잘 침범하지 않는다. 대부분 소양감이 심하며, 병변의 범위가 넓을수록 소양감도 더욱 심하다. Koebner 현상도 나타난다.

구강에 발생한 경우에는 대개 증상이 없으나 미란이나 궤양이 발생하면 통증이 심하다. 조갑을 침범하는 경우는 환자의 10~15%에서 발생하며, 조갑이 얇아지고 능선과 함몰이 생기며, 큐티클이 앞으로 자라나 손발톱판에 붙는 손발톱 익상편(군날개)이 발생한다. 조갑에만 발병하는 경우는 드물고, 대개 다른 전형적인 피부병변도 뒤이어 발생한다.

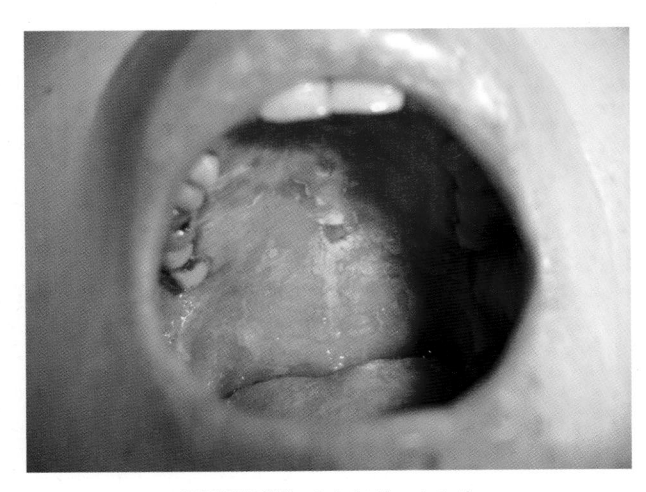

그림 30-15 편평태선(구강점막)

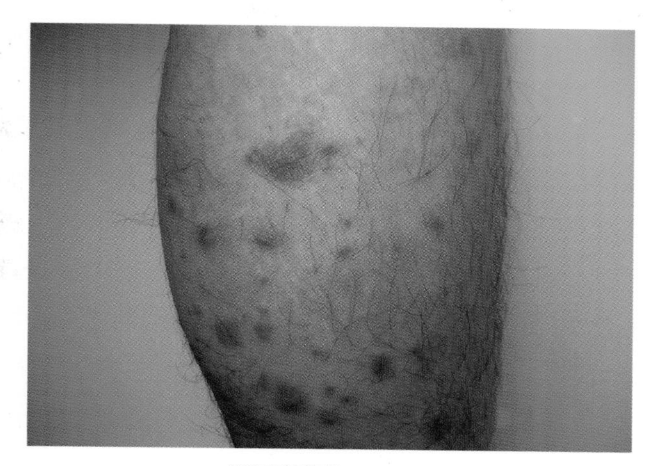

그림 30-16 편평태선

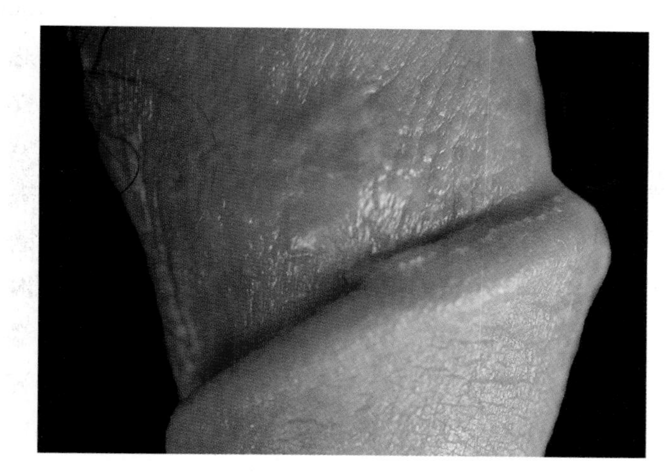

그림 30-17 편평태선(음경)

## 4. 진단감별

### 1) 진단요점

임상증상이 다양하게 나타나므로 다양한 질환과 잘 감별해야 한다. Wickham striae는 구진 표면에 흰색의 줄이 network를 이루는 것을 가리키며, 편평태선의 진단에도 도움이 되는 소견이다.

### 2) 감별질환

전신의 편평태선은 물방울건선, 장미색잔비늘증, 2기 매독, 약물에 의한 피부염 등과 감별해야 하고, 점막의 편평태선은 백색판증(leukoplakia), 홍반 루푸스, 2기 매독의 점막판, 칸디다증과 감별해야 한다. 손발톱의 편평태선은 건선, 손발톱백선과 감별해야 하고, 고리 모양의 편평태선은 고리육아종과 감별해야 한다.

(1) 신경피부염(牛皮癬) : 頸部, 四肢 伸側, 尾骶部에 호발하며, 태선양 변화가 뚜렷하게 나타난다. 다각형의 臍窩狀 구진이나 Wickham striae, 구강 및 외음부 점막이나 손톱의 병변은 없다.

(2) 건선(白疕) : 병변의 크기가 다양한 붉은색 斑疹이 나타나며, 표면은 여러 층의 은백색 인설로 덮여 있다. 인설을 긁어내면 기저부에 점상출혈을 관찰할 수 있다. Wickham striae는 없다.

## 5. 치료

### 1) 內治法

(1) 風濕熱蘊阻證 : 四肢, 軀幹에 갑자기 편평한 구진이 泛發하는데, 그 표면은 광활하고 자홍색을 띤다. 일부 환자에서는 하지에 수포가 발견되기도 하며, 극렬한 소양감을 느낀다. 惡寒發熱이 나타날 수 있으며, 舌質紅, 苔薄, 脈濡數하다. 治法은 疏風清熱, 祛濕止痒하며, 消風散에 刺蒺藜, 連翹, 苦參을 加하여 사용한다.

(2) 氣血瘀滯證 : 病程이 비교적 오래되었으며, 주로 四肢에 발생한다. 皮疹은 비후되어 있으며, 모양은 다각형 혹은 원형이다. 일부는 융합하여 片을 형성하기도 한다. 색상은 암자색을 띠거나 혹은 灰暗하다. 표면이 거칠어 마치 이끼와도 같다. 참기 어려운 극렬한 소양감을 동반하며, 舌黯 或 有瘀斑하고 脈沈弦하다. 治法은 化瘀通經, 搜風清熱하며, 처방은 烏蛇驅風湯에 王不留行, 茜草, 僵蠶, 首烏藤을 加하여 사용한다.

(3) 肝腎陰虛證 : 구강과 입술에서 많이 발견되며, 구강 부위의 皮疹은 乳白色의 점과 같은 형태 또는 그물무늬 모양으로 나타나며, 입술 부위의 皮疹은 보통 자홍색, 암홍색, 혹은 汚灰色을 띠며, 심한 경우에는 표면이 미란될 수도 있다. 頭暈, 少寐, 健忘, 咽乾, 口渴이나타날 수 있으며, 舌紅絳, 脈沈細하다. 治法은 補益肝腎, 滋陰降火하며 처방은 知柏地黃丸에 枸杞子, 杜仲, 牛膝을 加하여 사용한다.

### 2) 成藥, 驗方

(1) 雷公藤片을 1회 2片, 매일 3회 복용한다.

(2) 板芩澤方 : 板藍根 20 g, 黃芩 9 g, 白鮮皮 9 g, 地膚子 9 g, 蟬蛻 6 g, 桑枝 9 g, 菊花 9 g, 木賊草 9 g, 蒼耳子 9 g, 澤瀉 9 g. 매일 1제를 물로 달여 2회로 나누어 복용한다.

### 3) 外治法

(1) 皮損이 범발하고 소양감이 있는 경우에는 1% 薄荷三黃洗劑를 도포한다.
(2) 皮損이 국한되어 있으며, 비후되고 위축된 경우에는 黃柏霜를 도포한다.
(3) 皮損이 구강과 외음부 점막에 발생한 경우에는 환부에 靑吹口散을 도포한다.
(4) 발뒤꿈치에 궤양이 발생한 경우에는 紅油膏와 九一丹을 섞어 환부에 바른다.

### 4) 현대 치료법

대증치료를 시행한다. 원인이 되는 약물이나 화학물질은 중단하고 외상을 피하도록 한다. 점막에 생긴 병변은 구강위생과 치아관리가 필요하다.

## 6. 예후

전형적인 경우는 1~2년 동안 지속되나, 수년에 걸쳐 만성 재발성 경과를 보이는 경우도 많아 편평태선은 그 예후를 예측하기 어렵다. 발진이 전신에 발생한 경우가 국소에 발생한 경우보다 빠른 경과를 보이고, 자연치유도 빠르다. 불규칙적으로 재발하는 경우도 있으며, 구강점막 및 모낭에 발생한 편평태선은 만성으로 지속되는 경우가 많다.

# Ⅳ 탈락피부염 Exfoliative dermatitis

## 1. 개요

탈락피부염(박탈피부염, exfoliative dermatitis)은 인설을 동반하는 홍반성 병변이 전신에 발생하는 염증성 질환이다. 모든 연령대에서 발생 가능하나 주로 40~60세에서 발병하며, 남성에게서 더 흔하다.

## 2. 원인 및 병기

탈락피부염은 선행질환이나 전신질환의 이차적으로 나타난다. 선행질환으로는 건선이 가장 많으며, 아토피피부염, 해면상 피부염, 약물 과민반응, 피부 T세포 림프종 등이 있다. 약 20%의 환자에게서는 특별한 기저질환이 없다.

## 3. 증상

초기에는 전신에 밝은 홍반성 병변이 발생하고, 피부는 얇아 보이며 광택을 띤다. 홍반이 발생한 지 며칠이 지나면 비늘이 피부 屈側部로부터 전신으로 파급되며, 피부 박탈이 일어나 피부가 점차 건조해진다. 대부분 심한 소양감을 호소하고, 손발바닥의 과각화증이 많이 발생한다. 만성화되면 색소침착과 태선화를 보인다. 일반적으로 점막은 침범하지 않으나 탈모증과 조갑침범이 발생하는 경우도 드물게 있다.

## 4. 진단감별

아토피피부염 환자에 준해 최근 복용한 약물, 전신질환, 감염, 임신 등의 정보를 확인하여야 한다. 약인성 탈락피부염은 병의 진행과 회복이 빠른 경향이 있다.

## 5. 치료 및 예후

치료는 원인이 되는 선행 피부질환에 따라 시행한다. 투여 중인 약물은 가급적 중단하고 보온 · 보습에 신경을 쓴다. 피부의 약물 투과성이 높아져 있으므로 강력한 국소 스테로이드 제제는 사용하지 않도록 한다.

예후는 선행질환 및 기저질환의 예후와 밀접하게 연관되어 있다.

# V 모공성 홍색잔비늘증 Pityriasis rubra pilaris

## 1. 개요

모공성 홍색잔비늘증(모공성 홍색비강진, pityriasis rubra pilaris)은 작은 모낭성의 과각화 구진과 인설을 동반하고, 오렌지빛을 띤 붉은색 반, 손발바닥의 각질피부증(keratoderma)을 특징으로 하는 희귀한 만성 피부질환이다. 10세 미만의 소아나 40대 성인에서 흔하다.

## 2. 원인 및 병기

1) 현재까지도 정확한 원인은 아직 알려져 있지 않다.
2) 현대 이전
 (1) 風邪가 侵襲하면 脾氣가 不健하여 氣血이 不和하여 肌膚가 失養되어 발병한다.
 (2) 병이 오래되면 氣陰이 虧損되어 虛熱이 內生하여 발생한 瘀血이 肌膚를 阻하여 발병한다.
 (3) 火毒이 熾盛하면 血分을 燔灼하고, 肌膚에 흘러넘쳐 발병한다.

## 3. 증상

### 1) 제1형

가장 흔한 형태로 전형적인 경과를 보이는 성인 환자들이 해당한다. 구진은 핀머리(pinhead) 크기로, 중심부에 각질마개(keratin plug)가 관찰되는 모낭성 과각화구진이 특징이다. 구진은 머리와 목에서 시작하여 체간과 사지로 진행하며, 더 발전하면 인설을 동반하고 오렌지빛의 붉은 병변이 광범위하게 나타나고 병소 내부는 정상 피부가 뚜렷한 경계를 갖고 산재되어 있다. 대부분 손발바닥에 밀랍 같은 황색 각질피부증(waxy and yellow keratoderma)이 생기며, 발바닥의 병변은 발등으로 파급되어 샌들 형태가 된다. 조갑이 비후되고 황갈색으로 변색되며 조갑 아래에 과각화증이 생기는 현상도 드물지 않게 발견된다. 만성화되면 구강 내 볼 점막에도 레이스 모양의 백색 판이 형성된다. Koebner 현상이 관찰된다.

### 2) 제2형

성인에게서 비전형적인 양상으로 나타나는 아형이다. 주로 하지에 모낭성 과각화구진과 인설이 발생하며, 홍피증으로 발전하는 경우는 1형보다 드물다.

### 3) 제3형

1~2세에 발병하고 1형의 증상이 모두 관찰된다.

### 4) 제4형

전체 환자의 1/4 정도를 차지하며, 사춘기 전에 팔꿈치와 무릎에 경계가 명확한 과각화성 홍반성 판이 발생하여 건선과 유사한 병변을 보인다. 일부에서는 손발바닥의 뚜렷한 각질피부증을 동반한다.

### 5) 제5형

소아에서 비전형적인 증상이 나타나는 아형이다. 출생 후 수년간 발생하여 만성적으로 진행한다. 모낭성 과각화증과 함께 손발바닥의 병변은 홍반이 별로 없고 피부경화증과 유사한 형태를 보인다. 가족성 모공성 홍색잔비늘증이 해당한다.

### 6) 제6형

HIV 감염과 연관되어 있는 것으로 알려져 있다.

## 4. 진단감별

1) 건선 : 피부병변의 크기가 동일하지 않으며, 다양한 모양의 홍반이 관찰된다. 발진의 상부는 많은 양의 은백색 인설로 덮여 있으며, 인설을 긁어내면 그 아래에 물방울 모양의 점상출혈이 나타난다.

2) 편평태선 : 피부병변의 크기는 針頭大 정도이며, 자홍색의 다각형 모양의 편평한 구진이 관찰된다. 구진 표면에는 밀랍 같은 광택이 있으며, Wickham striae가 관찰된다. 모낭의 각질마개는 없다.

3) 모공각화증 : 모낭에 작은 구진이 발생하며, 주로 상완부 및 대퇴부의 伸側部에 분포한다. 오랜 시간이 지나도 구진끼리 융합하지 않는다.

4) 비타민 A 결핍증 : 피부가 건조하고, 모낭이 각화되어 발생한 구진이 밀집되어 광범위하게 나타

날 수 있다. 그러나 야맹증, 눈의 건조감, 각막연화증 등이 동반될 수 있다.

5) 지루피부염 : 모공성 홍색잔비늘증의 초기에는 지루피부염과 감별하기 쉽지 않다. 지루피부염은 모낭에 각질로 막힌 구진이 없고, 손발바닥의 각화를 동반하지 않으며, 삼출물을 동반하는 경향이 있다.

## 5. 치료

### 1) 內治法

(1) 風邪侵襲, 氣血不和證 : 피부병변의 수가 많고, 빠르게 전신으로 파급된다. 피부병변은 담홍색을 띠며, 인설은 미세하고 얇다. 피부는 건조하고, 소양감이 극렬하다. 怕冷, 全身不適을 동반하는 경우가 많다. 苔薄白, 舌質淡紅, 脈浮數하다. 治法은 疏散風邪, 調和氣血한다. 상용약물로는 桑葉, 黃菊, 荊芥, 防風, 白鮮皮, 地膚子, 苦參, 當歸, 赤芍, 黃芪, 雞血藤, 蟬蛻粉(呑), 生甘草가 있다.

(2) 陰虛內熱血瘀證 : 피부병변의 색이 黯紅하고, 피부는 비후되어 있으며, 손발바닥의 과다한 각화가 일어난 상태이다. 종종 口乾唇燥, 關節酸楚, 活動不利를 동반한다. 苔剝舌紅, 脈細數하다. 治法은 養陰清熱, 活血化瘀한다. 상용약물로는 生地, 玄參, 天花粉, 白花蛇舌草, 紫草, 虎杖, 土茯苓, 茶樹根, 杜紅花, 桃仁泥, 莪朮, 紅藤이 있다.

(3) 火毒熾盛血熱證 : 병세가 重하면 홍피증으로 발전하고, 전신의 피부가 선홍색으로 腫脹되어 있으며, 인설이 아주 많다. 發熱心煩, 口渴喜飮을 동반할 수도 있다. 苔黃膩, 舌紅絳, 脈洪數하다. 治法은 凉血清熱, 和營解毒한다. 처방은 犀角地黃湯 合 黃連解毒湯加減을 사용한다. 상용약물로는 生地, 赤芍, 牡丹皮, 紫草, 金銀花, 連翹, 生梔子, 黃芩, 黃連, 丹參, 蒲公英, 土茯苓, 生甘草가 있다.

### 2) 成藥, 驗方

① 丹參注射液을 매일 1회, 매회 4 ㎖씩 근육주사로 주입한다.

② 當歸片과 地龍片을 각 5片씩 매일 3회 복용한다.

### 3) 外治法

① 白玉膏를 매일 3~4회 환부에 도포한다.

② 青黛散을 麻油로 페이스트처럼 개어, 매일 2~3회 환부에 도포한다.

### 6. 예후

홍색피부증을 제외한 전신증상이 나타나는 경우는 드물다. 1형과 3형은 수년 이내에 비교적 쉽게 자연적으로 관해되나, 2형과 5형에서는 자연 관해는 거의 일어나지 않는다. 4형의 예후는 1형이나 2형보다 좋지는 않으나, 10대 후반에 관해되는 경우도 있다.

## Ⅵ 백색잔비늘증 Pityriasis alba

### 1. 개요

백색잔비늘증(백색비강진, pityriasis alba, 吹花癬, 單純糠疹)은 주로 소아의 얼굴과 목에 인설이 있는 저색소반을 특징으로 하는 질환이다.

한의학에서는 吹花癬과 유사하여 淸代《外科證治全書》에서는 "吹花癬, 生面上如錢, 搔痒抓之如白屑, 發於春月, 故俗名桃花癬, 婦女多有之."라고 하였다.

### 2. 원인 및 병기

현재까지도 원인은 아직 잘 알려지지 않았으며, 과도한 일광 노출 · 잦은 목욕 · 뜨거운 목욕과 관련이 있는 것으로 알려져 있다.

현대 이전에는 風熱이 肺에 鬱하면 氣의 上升을 따라 위로는 肌膚에 蘊하여 발병하거나, 飮食不潔로 蟲積이 內生하여 脾失健運하고 濕熱이 內蘊하여 肌膚로 흘러넘치면 발병한다고 보았다.

### 3. 증상

인설이 덮인 저색소반이 얼굴, 위팔, 목 및 어깨에 발생한다. 반은 경계가 명확한 원형 혹은 타원형이며, 대부분 자각증상이 없다. 주로 소아나 10대에 호발하며, 유색인종에서 뚜렷하다.

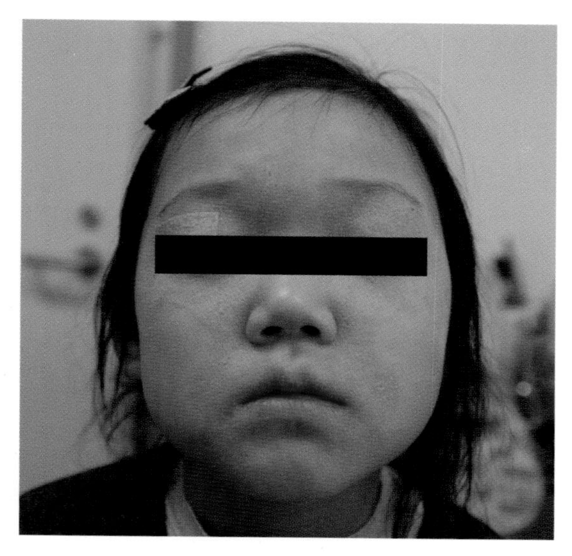

그림 30-18 백색잔비늘증

## 4. 진단감별

### 1) 진단요점

특징적인 임상소견으로 진단 가능하다. 어루러기와는 달리 긁었을 때 인설이 적다.

### 2) 감별질환

(1) 백반증(白癜風) : 흰 반이 선명하며, 경계가 뚜렷하다. 표면에는 인설이 없으며, 종종 백반 주위 피부는 색이 짙어져 있다. 특정한 호발 부위가 없다.

(2) 몸백선(圓癬) : 피부병변은 고리 모양을 하고 있으며, 병변의 중심부는 자연 치유되는 경향이 있다. 주변부로는 紅暈, 구진, 소수포 등이 관찰된다.

## 5. 치료

### 1) 內治法

(1) 風熱外襲證 : 일반적으로 봄에 많이 발생하며, 햇빛에 노출된 후 악화된다. 발진은 담홍색을 띠며, 뚜렷한 소양감이 있다. 口渴을 동반하며, 舌紅, 苔薄白, 脈數하다. 治法은 疏風淸熱하

며, 桑菊飮 혹은 銀翹散加減을 사용한다. 상용약물로는 桑葉, 荊芥, 防風, 生地, 黃芩, 桑白皮, 地骨皮, 銀花, 蒼朮, 黃菊, 生甘草가 있다.

(2) 蟲積傷脾證 : 환아의 面色이 萎黃하며, 보통 臍周腹痛과 納穀欠佳가 있으며, 담백색 또는 회백색의 반이 나타나며, 경계부가 뚜렷하지 않다. 대변검사상 장내 기생충의 충란이 발견된다. 治法은 驅蟲健脾한다. 위 처방에 苦練根皮, 使君子肉, 鶴虱, 檳榔을 加하여 사용하거나 烏梅丸을 사용한다.

### 2) 外治法

黃柏霜, 雄黃膏, 硫黃膏를 매일 2~3회 환부에 도포한다.

## 6. 예후

대개 수개월~수년 이내에 자연 치유된다. 현대에는 피부연화제, 국소 스테로이드제가 효과적인 것으로 보고되어 있다.

### 참고문헌

1) 譚新華. 何清湖. 中医外科学. 第2版. 北京: 人民卫生出版社; 2011.
2) 서울대학교 의과대학 피부과학교실. (의대생을 위한) 피부과학. 4판. 서울: 고려의학; 2017.
3) 이승철. 임상의를 위한 피부과학. 개정판. 서울: 도서출판 대한의학; 2019.
4) 전국 한의과대학 피부외과학 교재편찬위원회. 한의피부외과학. 부산: 선우; 2007.

# 第 31 章 수포성 장애

| KCD 코드 | 한글 상병명 | 영문 상병명 |
|---|---|---|
| L10-L14 | 수포성 장애 | Bullous disorders |
| L10 | 천포창 | Pemphigus |
| L10.0 | 보통천포창 | Pemphigus vulgaris |
| L10.1 | 증식천포창 | Pemphigus vegetans |
| L10.2 | 낙엽천포창 | Pemphigus foliaceus |
| L10.3 | 브라질천포창[포고-셀바젬병] | Brazilian pemphigus[Fogo Selvagem] |
| L10.4 | 홍반천포창<br>세니어-어셔증후군 | Pemphigus erythematosus<br>Senear-Usher syndrome |
| L10.5 | 약물유발 천포창 | Drug-induced pemphigus |
| L10.8 | 기타 천포창 | Other pemphigus |
| L10.9 | 상세불명의 천포창 | Pemphigus, unspecified |
| L12 | 유사천포창 | Pemphigoid |
| L12.0 | 수포성 유사천포창 | Bullous pemphigoid |
| L12.1 | 흉터유사천포창<br>양성 점막유사천포창 | Cicatricial pemphigoid<br>Benign mucous membrane pemphigoid |
| L12.2 | 소아의 만성 수포성 질환<br>연소성 헤르페스모양피부염 | Chronic bullous disease of childhood<br>Juvenile dermatitis herpetiformis |
| L12.3 | 후천성 수포성 표피박리증 | Acquired epidermolysis bullosa |
| L12.8 | 기타 유사천포창 | Other pemphigoid |
| L12.9 | 상세불명의 유사천포창 | Pemphigoid, unspecified |

수포성 장애란 세포 사이의 결합분자나 세포-기질사이를 연결하는 구조단백에 대한 자가면역에 의해 발생하는 질환이다. 천포창은 표피 내에 수포가 발생하며, 유사천포창은 표피 하부에 수포가 형성된다.

# I 천포창 Pemphigus

## 1. 개요

천포창(pemphigus, 天疱瘡)은 피부와 점막의 대표적인 자가면역성 수포질환으로, 각질형성세포 사이의 결합체 내부에 존재하는 세포유착분자인 desmoglein(desmosome에 존재하는 막관통형 당단백질)에 대한 IgG 자가면역 항체가 극세포 해리를 일으켜 표피 내에 수포를 형성하는 질환이다. 치료하지 않으면 2년 내 사망률이 50%에 이르며, 5년 내 사망률은 100%에 달하는 치명적이며 만성적인 질환이다. 주로 40~50대의 중년 이상에서 흔히 발병하며, 남녀 성비는 동일하다.

'天疱瘡'이란 수포가 전신에 파급되어 시일이 지나 瘡으로 변하여 얻어진 명칭으로 明代의《外科理例》,《瘡瘍經驗全書》에서 가장 먼저 보이며, 그 묘사된 증상을 보면 현대의 膿疱瘡에 해당한다. 明代《外科啓玄 · 天疱瘡》중에서 "遍身燎漿水疱, 痛之難忍, 皮破赤沾."이라 서술되어 있는데, 이는 천포창의 증상과 유사하다. 清代《外科大成》중의 기록은 더욱 상세한데, 예를 들어 "天疱瘡者, 初期白色燎漿水疱, 小如芡實, 大如棋子, 延及遍身, 疼痛難忍"이라 했으며, 清代《醫宗金鑑 · 外科心法要訣》에서는 "火赤瘡"이라 하는데, "初期小如芡實, 大如棋子, 燎漿水疱, 色赤者爲火赤瘡; 若頂白根赤, 名天疱瘡. 俱延及遍身, 焮熱疼痛, 未破不堅, 疱破毒水津爛不臭."라 했으며, 清代 陳遠公이 저술한《洞天奧旨》중에 또한 "蜘蛛瘡"이라 명명하였는데, 여기서 "蜘蛛瘡, 生于皮膚之上, 如水窠彷佛, 其色淡紅微痛, 三三兩兩, 或群攢聚, 宛似蜘蛛, 故以蜘蛛名之. 此瘡雖輕, 然生于皮膚, 終年不愈, 亦可憎之瘡也. 或謂沾濡蜘蛛之尿而生者, 其說非是 · 大約皆皮膚之血少而偶沾毒氣濕氣遂生此瘡耳."라 하였다.

## 2. 원인 및 병기

천포창은 주로 피부 및 점막 표면에서 표피세포들이 서로 분리되는 극세포분리(acantholysis)로 인해 표피 내 수포가 발생하고, 혈청 내 각질형성세포 표면에 대한 IgG 자가항체가 원인이 되어 발생하는 것으로 알려져 있다.

현대 이전에는 心火脾濕이 內蘊하고, 外感風熱毒邪하여 阻於皮膚하여 발생한다고 보았다. 心火旺盛한 자는 熱邪가 營血을 점작하여 熱毒熾盛한 것이 위주가 되고, 脾虛不運한 자는 心火內蘊한 것과 脾經濕熱이 交阻하여 陰水盛하고 陽火衰하여 濕邪蘊積이 심한 것이 주가 된다고 보았다. 오래되면 濕化火燥하여 灼津耗氣하여 胃液虧損하므로, 본 질병의 후기에는 氣陰兩虛, 陰傷胃敗에 이르게 된다고 보았다.

## 3. 증상

정상 피부 혹은 홍반 위에 수포가 떼지어 출현하며, 산발적으로 발생하여 전신에 파급된다. 수포의 크기는 작은 것은 콩 크기이고 큰 것은 메추리알 크기인데, 포피가 극히 얇고, 흐물흐물하고 파열된 것도 있다. 포액이 초기에는 맑았다가 점차 혼탁해지며 또는 혈액을 함유한다. 대다수가 점막에 연류되어 전신증상을 동반한다. 니콜스키 징후(Nikolsky's sign)는 양성으로 피부를 가볍게 문지르면 피부가 벗겨지는 현상이 나타난다.

대표적인 아형으로는 보통천포창과 낙엽천포창이 있다. 만성적인 경과를 보이며, 예후는 보통천포창의 경우는 불량하나, 낙엽천포창은 양호하다.

### 1) 보통천포창(pemphigus vulgaris)

가장 흔한 아형으로, 점막과 피부에 수포가 발생하는 만성 질환이다. 주로 중년 이후에 발병한다. 대부분 구강점막에서부터 수포 병변이 시작되며, 약 6개월 이내에 피부에까지 수포가 발생한다. 점막에 발생하는 수포와 미란은 구강점막뿐만 아니라 비강, 인두, 후두, 식도, 결막, 직장 및 항문에도 발생할 수 있다.

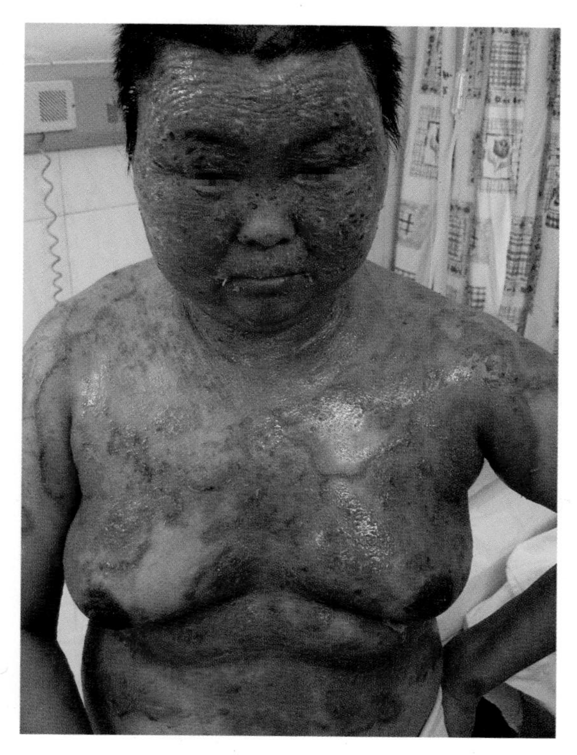

그림 31-1 보통(심상성)천포창

피부에 생기는 수포는 대개 홍반이 없는 정상 피부에 발생하며, 수포 경계부에 압력을 가하면 수포는 더욱 커진다. 이는 천포창의 특징적인 소견인 Nikolsky 징후 양성반응으로, 손가락으로 수포 주변의 정상 피부를 옆으로 밀면 수포가 확대되는 것을 말한다. 수포는 신체의 피부 어디에서든 발생

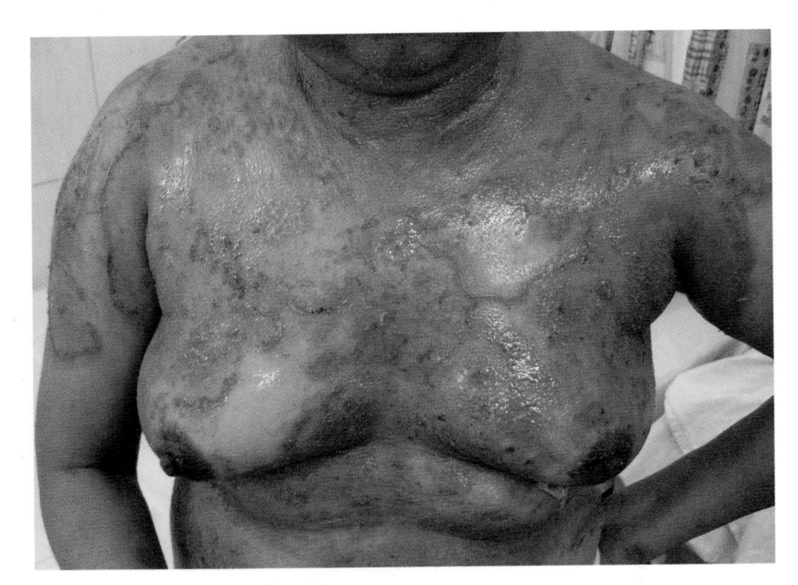

그림 31-2 보통(심상성)천포창

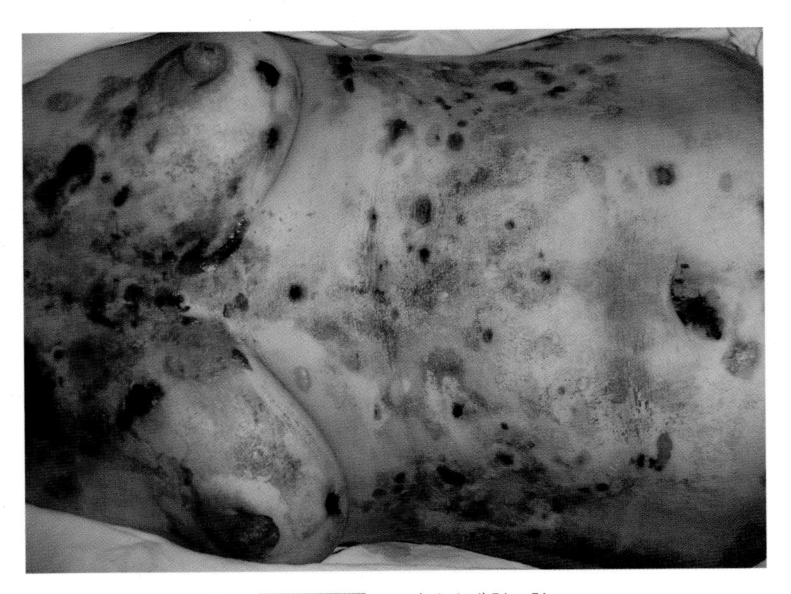

그림 31-3 보통(심상성)천포창

할 수 있으나, 등 · 엉덩이 · 발처럼 압박 및 마찰이 심한 부위에 호발한다. 수포는 부드럽고 쉽게 터지고, 터지면 미란이나 가피가 넓게 퍼지며 잘 치료되지 않는다. 자각증상으로 소양감은 거의 없으나 동통은 흔하다.

### 2) 낙엽천포창(pemphigus foliaceus)

낙엽천포창은 스치기만 해도 쉽게 박리되는 수포성 병변이 발생하며, 특징적인 임상양상으로 홍반성 판에 가피, 미란 등이 발생하며 낙엽처럼 얇고 건조한 인설이 탈락한다. 초기에는 주요 발생부위인 얼굴, 두피, 상체에 지루피부염과 같은 얇은 인설의 형태로 나타나나, 적절히 치료되지 않고 만성화되면 전신으로 병변이 파급되면서 탈락성 홍색피부증으로 발전한다. 햇빛이나 열자극에 의해 악화되며, 자각증상으로는 동통이나 작열감을 호소한다. 보통천포창처럼 Nikolsky 징후 양성반응이 나타나나, 점막 병변은 거의 발생하지 않는다.

**표 31-1. 보통천포창과 낙엽천포창의 감별**

| | 보통천포창 | 낙엽천포창 |
|---|---|---|
| 표적항원 | desmoglein 3 | desmoglein 1 |
| 조직학적 소견 | 표피 기저층 바로 위의 극세포해리 | 과립층 이하 표피 상부의 극세포해리 |
| 직접면역형광검사 | 각질형성세포 표면에 IgG, C3 침착 | 각질형성세포 표면에 IgG, C3 침착 |
| 점막 침범 | 흔함 | 드묾 |
| 예후 | 나쁨 | 좋음 |

## 4. 진단감별

1) 疱疹樣 피부염 : 피부병변은 다형성을 띠어, 홍반, 구진, 수포, 結痂 등이 동시에 존재할 수 있다. 전형적인 것은 환상 배열을 보이며, 그 주위는 뚜렷한 홍운을 띤다. 양측 어깨, 허리 및 四肢의 伸側에 호발하고, 심한 소양감을 유발한다. Nikolsky sign은 음성이다.

2) 대포성 유천포창 : 피부증상은 대부분 風丹 혹은 유사습진이 먼저 유발되고, 이후에 大疱 혹은 血痂가 주를 이루는데 겨드랑이, 腹股溝, 中腹部 혹은 사지의 굴측에 다발한다. Nikolsky sign은 음성을 띤다.

3) 대포성 다형홍반 : 피부병변으로 홍반상에 大疱 혹은 血痂 등이 발생하여 전신의 피부 혹은 점막에 파급되고, 동통 혹은 소양감을 유발한다. Nikolsky sign은 음성이다.

## 5. 치료

### 1) 內治法

(1) 熱毒熾盛型 : 대부분 급속히 발생하고, 수포가 떼지어 나타나며, 焮紅糜爛, 작열감, 혹은 紅疱, 滲血이 있을 수 있으며, 또는 감염되어 紅腫疼痛할 수 있다. 寒戰高熱, 口渴欲飮, 煩燥不安, 大便乾結, 小便黃赤, 苔黃粗, 舌質紅絳, 脈弦細而數 등의 증상이 나타나며 이는 熱毒熾盛, 燔炸營血의 증후이므로 凉血淸熱, 利濕解毒의 治法이 마땅하고, 治方으로는 犀角地黃湯加減, 상용약물은 예를 들면 生地, 赤芍, 牧丹皮, 金銀花, 連翹, 梔子, 黃芩, 生石膏(打), 白鮮皮, 地膚子, 生大黃(後下), 土茯笭, 生甘草 등이 있다.

加減法 : 神志不淸者 加 安宮牛黃丸 或 紫雪丹
腹脹嘔吐者 加 陳皮, 厚朴
大便溏泄者 加 山藥, 銀花炭 祛 生大黃, 金銀花

(2) 濕熱交阻型 : 홍반과 수포가 산재하여 떼지어 발생하는 것이 비교적 적고, 미란유즙이 비교적 많거나 이미 結痂한 것도 있어, 病程이 안정된 편이지만 증식이 있을 수도 있고, 약간의 만연도 있을 수 있으며 때론 胸悶納呆, 腹部脹滿, 大便溏薄, 苔薄黃而膩, 脈濡滑象 등 증상을 동반한다. 이는 心火와 脾濕이 交阻한 증이다. 治法으로는 淸火健脾, 利濕解毒으로 治方은 除濕胃苓湯加減이 마땅하고, 상용약물의 예시로는 黃連, 蒼朮, 白朮, 山藥, 猪苓, 茯苓, 赤小豆, 茵蔯, 監室, 乾蟾皮, 蒲公英, 車前子, 生甘草 등이 있다.

加減法 : 胸悶納呆者 加 陳皮, 鷄內金
流汁多汗者 加 滑石, 澤瀉
유두 모양의 증식물이 있는 경우 加 丹參, 夏枯草
홍반이 뚜렷한 경우 加 牧丹皮, 梔子

(3) 陰傷胃敗型 : 病情이 안정적이며, 후기에는 다수가 結痂되지만 소수의 수포가 나타날 수 있고, 체력 소모가 과다하여 身體消瘦, 神疲肢軟, 汗出口渴欲飮, 咽乾脣燥, 口角糜爛結痂, 舌淡紅 或裂紋, 苔薄 或剝離, 脈沈細虛數而無力 등의 증상을 보인다. 治法은 益氣養陰, 和胃解毒으로 하고 治方은 益胃湯加減을 응용한다. 상용약물로는 生黃芪, 人蔘, 生地, 玄蔘, 玉竹, 沙蔘, 赤芍, 金銀花, 地骨皮, 生甘草 등이 있다.

### 2) 成藥, 驗方

(1) 外科蟾酥丸을 매회 3~5粒씩 1일 2회 복용하는데, 미지근한 물로 삼킨다.

### 3) 外治法

(1) 金銀花 30 g, 地楡 30 g, 野菊 15 g, 秦皮 15 g을 전탕하여 환부를 씻는다.

(2) 靑黛散을 麻油에 섞어 도포한다.

(3) 滋水가 멈추지 않은 경우에는 靑黛散에 海螵蛸粉, 牡蠣粉을 각각 등분으로 加하여, 환부에 먼저 麻油로 습윤하게 한 다음 바르거나, 혹은 麻油에 섞어 도포한다. 매일 3~4회 시행한다.

(4) 滑石粉 30 g, 綠豆粉 15 g을 균등하게 섞은 다음 환부에 매일 수회 바른다.

(5) 綠豆粉 50 g, 氧化鋅 5 g, 樟腦 1g, 滑石粉 100 g 정도를 균등하게 섞은 다음 매일 수차례 환부에 바른다.

# Ⅱ 유천포창 Pemphigoid

## 1. 개요

유천포창(Pemphigoid)은 피부 및 점막에 표피하 수포를 형성하는 만성 수포성 질환으로서 표피 기저막대에 대하여 자가항체를 가지는 자가면역질환의 일종이다. 표피 및 점막 기저막 내에 상피하 수포 형성 및 면역글로불린 및 보체 침착을 특징으로 한다. 크게 수포성 유천포창(Bullous pemphigoid, BP)이나 점막 유천포창(Mucous membrane pemphigoid, MMP)로 구분할 수 있는데 모두 피부와 점막에 영향을 줄 수 있지만, BP의 고전적인 임상 소견은 피부에 액체로 채워진 긴장성 수포가 특징인 반면 MMP의 주요 임상 특징은 점막 침범으로 구강, 안구 결막, 코, 인두, 후두, 식도, 항문 및 생식기 점막의 일부 또는 전체를 포함하는 염증 및 침식된 점막을 특징적으로 보인다. 유천포창은 노령층에서 흔히 발생하나 유아에서도 발생할 수 있다. 노령층에서는 가끔 내부의 악성 종양과 연관이 있다. 천포창보다 2~3배 발생빈도가 높고 긴장성 수포가 특징이며, 쉽게 파열되지 않으며 NIkolsky sign은 음성이다. 흔히 서혜부 · 겨드랑이 부위 및 사지의 굴절부에 호발한다. 환자의 약 30%에서 구강점막에도 병변이 발생하며 식도 · 항문 및 질점막 등에서도 병변이 발생하나 안점막을 침범하는 경우는 거의 없다.

이는 한의학 문헌에서의 화적창(火赤瘡)과 유사하다. 《醫宗金鑒 · 外科心法要訣》에 "初起小如芡實 大如椹子 燎漿水疱 色赤者爲火赤瘡 若頂白根赤 名天疱瘡"라 기술하고 있다.

## 2. 원인 및 병기

발병 원인은 알려져 있지 않지만, 약물, 물리적 요인(유방암으로 인한 방사선 요법, 자외선 등), 피부 질환(건선, 편평 태선, 일부 감염 등), 다른 특정 질환(당뇨병, 류마티스 관절염, 궤양성 결장염, 다발 경화증 등)이 원인일 수 있다.

한의학에서 화적창은 外感酷暑로 心火을 內動한 후 心脾肺經이 邪氣를 받고 津液이 損傷되어 陰이 虛해지고 濕이 勝하여 발생한다고 보고 있다.

## 3. 증상

천포창에 비하여 흔히 보이며 老年人에게서 호발한다. 초기에는 대부분 瘙痒이 있고 이어 紅斑, 丘疹, 膨疹이 나타나는 濕疹樣 病變을 보이다가 1~3주 후에 水疱가 출현한다. 水疱는 紅斑위에 형성되며 반구형으로 융기되고 疱壁은 비교적 두텁고 緊張되어 있으며 漿液으로 차 있으며 NIkolsky sign은 음성을 보인다. 水疱는 신속하게 발전하여 1주이내에 身體에 범발적으로 파급되며 胸腹部, 腋下, 四肢屈側에 흔히 보인다. 水疱는 쉽게 破裂되지 않으며 破裂된 후에는 糜爛이 크지 않고 번지지 않으며 쉽게 愈合된다. 색소침착은 심하지 않으며 內臟 악성종양의 발생율은 정상인에 비하여 높은 편이다.

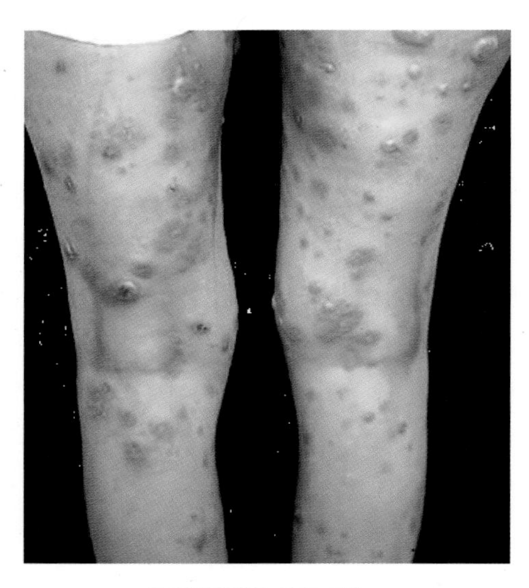

그림 31-4 유천포창

## 4. 진단감별

BP나 MMP는 60세 이상의 환자가 1) 다른 원인 없이 발생하는 긴장성 수포와 미란을 특징으로 하는 수포성 피부병, 2) 구강, 안구, 비강, 생식기, 항문, 인두, 후두 및/또는 식도 점막을 침범한 박리성 치은염 또는 점막염, 3) 설명되지 않는 가려움증, 습진성 발진 또는 판상 두드러기 중 하나 이상을 나타낼 때 강력하게 고려되어야 한다. 또한 다른 확인 가능한 원인이 없는 관련 증상 또는 징후를 나타내는 젊은 성인, 어린이 및 유아의 평가에서 고려되어야 한다.

## 5. 치료

### 1) 內治

(1) 心火熾盛한 경우는 淸利心火, 解毒凉血하는 방법으로 解毒利濕湯을 사용하여 治한다.
(2) 脾虛濕盛한 경우는 健脾除濕, 滋陰解毒하는 방법으로 滋陰除濕湯을 사용하여 治한다.

### 2) 外治

三黃洗劑로 外涂한 후 珍珠散을 扑한다.

## 6. 예후

수포는 정상피부나 홍반성 병변 위에 발생되며, 터지면 미란을 보이고 가피를 형성하나 반흔을 남기지 않고 색소침착을 나타내며 신속히 치유된다. 가벼운 가려움증을 동반하는 수도 있으나 심하지는 않다.

## 참고문헌


1) 譚新華. 何清湖. 中医外科学. 第2版. 北京: 人民卫生出版社; 2011.
2) 서울대학교 의과대학 피부과학교실. (의대생을 위한) 피부과학. 4판. 서울: 고려의학; 2017.
3) 이승철. 임상의를 위한 피부과학. 개정판. 서울: 도서출판 대한의학; 2019.
4) 전국 한의과대학 피부외과학 교재편찬위원회. 한의피부외과학. 부산: 선우; 2007.
5) Bernard P, Antonicelli F. Bullous Pemphigoid: A Review of its Diagnosis, Associations and Treatment. Am J Clin Dermatol 2017.
6) Kasperkiewicz M, Zillikens D, Schmidt E. Pemphigoid diseases: pathogenesis, diagnosis, and treatment. Autoimmunity 2012.
7) Montagnon CM, Tolkachjov SN, Murrell DF, et al. Subepithelial autoimmune blistering dermatoses: Clinical features and diagnosis. J Am Acad Dermatol 2021.
8) Schmidt E, della Torre R, Borradori L. Clinical features and practical diagnosis of bullous pemphigoid. Dermatol Clin 2011.

# 第 32 章 세균성 피부질환

| KCD 코드 | 한글 상병명 | 영문 상병명 |
|---|---|---|
| **L00-L08** | **피부 및 피하조직의 감염** | **Infections of the skin and subcutaneous tissue** |
| L01 | 농가진 | Impetigo |
| L01.0 | 농가진[모든 미생물][모든 부위] | Impetigo [any organism][any site] |
| L01.00 | 비수포성 농가진 | Non-bullous impetigo |
| L01.02 | 수포성 농가진 | Bullous impetigo |
| L01.08 | 기타 농가진<br>보크하르트농가진 | Other impetigo<br>Bockhart's impetigo |
| L01.09 | 상세불명의 농가진 | Impetigo, unspecified |
| L01.1 | 기타 피부병의 농가진화 | Impetiginization of other dermatoses |
| **L02** | **피부의 농양, 종기 및 큰종기**<br>**종기**<br>**종기증** | **Cutaneous abscess, furuncle and carbuncle**<br>**Boil**<br>**Furunculosis** |
| L02.0 | 얼굴의 피부 농양, 종기 및 큰종기 | Cutaneous abscess, furuncle and carbuncle of face |
| L02.1 | 목의 피부농양, 종기 및 큰종기 | Cutaneous abscess, furuncle and carbuncle of neck |
| L02.2 | 몸통의 피부 농양, 종기 및 큰종기 | Cutaneous abscess, furuncle and carbuncle of trunk |
| L02.3 | 둔부의 피부농양, 종기 및 큰종기 | Cutaneous abscess, furuncle and carbuncle of but-tock |
| L02.4 | 사지의 피부농양, 종기 및 큰종기 | Cutaneous abscess, furuncle and carbuncle of limb |
| **L03** | **연조직염** | **Cellulitis** |
| L03.0 | 손가락 및 발가락의 연조직염<br>손발톱의 감염<br>손발톱염<br>손발톱주위염<br>손발톱주위염 | Cellulitis of finger and toe<br>Infection of nail<br>Onychia<br>Paronychia<br>Perionychia |

| L03.1 | 기타 사지부분의 연조직염 | Cellulitis of other parts of limb |
|---|---|---|
| L03.10 | 팔의 연조직염 | Cellulitis of upper limb |
| L03.11 | 다리의 연조직염 | Cellulitis of lower limb |
| L03.2 | 얼굴의 연조직염 | Cellulitis of face |
| L03.3 | 몸통의 연조직염 | Cellulitis of trunk |

# I 세균 감염성 피부질환

세균 감염성 피부질환은 일차적으로 피부에 발생한 감염증도 있지만, 다른 장기에서 파급된 감염증이 피부에 발현되는 경우도 있다.

**표 32-1. 각 피부 구조물별 발생할 수 있는 세균 감염성 피부질환**

| 피부 구조물 | 대표적인 원인균 | 유발 감염증 |
|---|---|---|
| 표피 및 표재성 진피 | β-hemolytic Streptococcus<br>*Staphylococcus aureus* | 농가진 |
| | β-hemolytic Streptococcus | 얕은 연조직염 |
| 진피 및 피하조직 | Group A Streptococcus<br>*Staphylococcus aureus*<br>*Haemophilus influenzae*<br>*Streptococcus penumoniae* 등 | 연조직염 |
| 모낭 및 모낭 주위 | *Staphylococcus aureus* | 얕은 농포모낭염, 종기, 큰종기 |

# II 농가진 Impetigo

## 1. 개요

농가진(고름딱지증, impetigo)에 해당하는 黃水瘡, 膿疱瘡은 주로 여름철에 소아나 영유아의 피부에 잘 발생하는 표재성 화농성 감염을 말한다. 학령기 이전의 소아에 호발하고, 신생아에서는 물집 모양의 병변을 보이는 경우가 많다. 주요 피부증상은 홍반, 수포, 농포로 전염력이 매우 높아 쉽게 전염되므로 어린이집 · 유치원 또는 가정에서 전파되어 유행하며, 머리 · 얼굴 · 사지 등 노출부위에 호발하는 경향이 있다.

## 2. 원인 및 병기

수포 농가진(포도상구균 농가진)과 비수포 농가진(접촉전염농가진)으로 구분하며, 수포 농가진은 *Staphylococcus aureus*가, 비수포 농가진은 *Staphylococcus aureus* 또는 goup A β-hemolytic Streptococcus가 단독으로 혹은 혼합되어 감염되어 발생하는 것으로 알려져 있다.

현대 이전에는 여름과 가을은 기후가 炎熱하여 暑濕熱毒에 感受되어 氣機가 不暢하여 疏泄에 장애를 받아 피부를 훈증하여 형성된다고 보았으며, 만약 소아의 機體 및 피부가 연약하고 땀이 많아 濕이 重한데다가, 暑邪濕毒의 侵襲을 받으면 더욱 쉽게 발생하며 서로 전염된다고 보았다. 반복적으로 발생하면 邪毒이 傷正하여 脾氣虛弱을 일으킬 수 있다고도 보았다.

## 3. 증상

초기에는 콩에서 좁쌀 크기의 작은 반점 또는 투명한 소수포로 시작하여 점차 혼탁한 농포 혹은 수포로 변하며, 수포의 주위는 紅暈하고 쉽게 터진다. 수포가 터지면 그 자리는 홍색으로 미란, 습윤하며 장액성 분비물(黃水)이 흘러나오고, 이것이 마르면 황갈색 가피를 형성하는데 마치 설탕물이 말라붙은 것 같은 모양이 특징적이다. 때로 수포 중심부에는 가피가 형성되고 가장자리에는 고름이나 수포가 테를 두른 것처럼 남아 있어 이러한 경우는 回形 膿疱瘡이라고도 한다.

수포는 사지, 얼굴, 몸통 등 어느 부위에서나 발생 가능하며, 소양감으로 인하여 자주 긁어 신체의 다른 부위로도 전염되어 새로운 병소가 계속 발생하는 경우가 많다. 자각증상으로는 초기에 소양감을 유발하며, 수포가 파열되고 나면 糜爛作痛하고, 또한 환부 부근에 凝核腫脹疼痛을 일으킬 수 있다.

일반적으로 전신증상은 없으나 가벼운 발열이 있을 수 있으며, 심하면 전신쇠약, 고열, 오한, 설사 등이 나타날 수 있다. 드물게 매우 심한 경우로는 패혈증, 폐렴, 뇌막염 등으로 발전하여 사망할 수도 있다. 특히 화농성 연쇄상구균에 의한 농가진은 급성 사구체신염을 일으키는 경우가 많으므로 주의를 요하며, 얼굴이 붓고 소변량이 감소하면 의심해야 한다.

병정은 대략 일주일 정도이지만 환부를 긁어 膿水의 세균이 다른 곳에 파급되면 반복적인 감염으로 인해 더 길어질 수 있다.

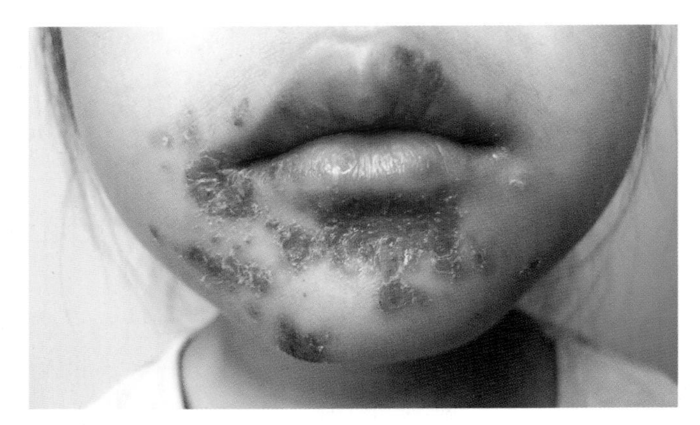

그림 32-1 접촉전염성(심상성)농가진

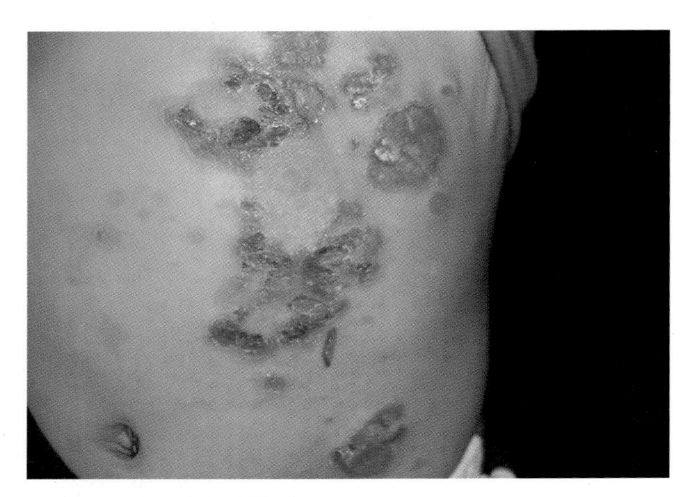

그림 32-2 접촉전염성(심상성)농가진

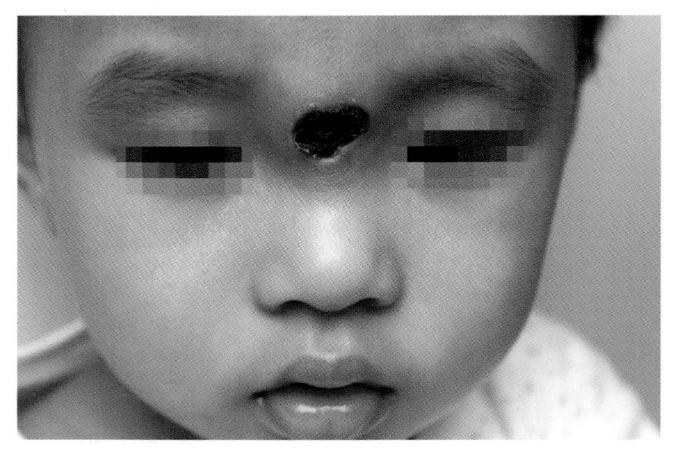

그림 32-3 고름궤양증(심농가진)

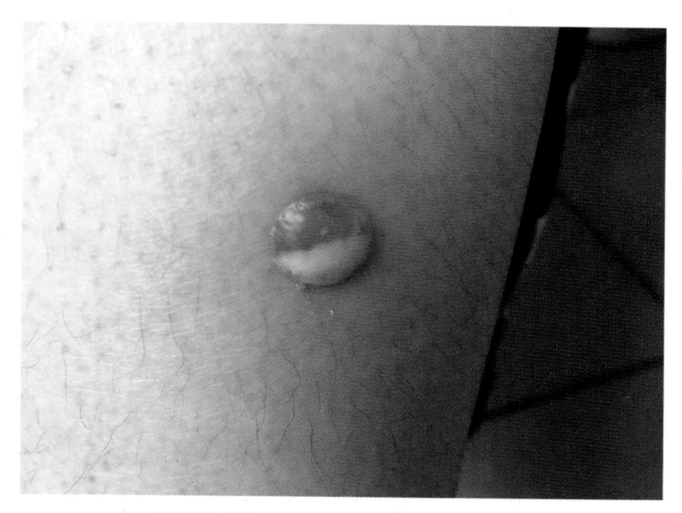

그림 32-4 수포농가진(물집고름딱지증)

## 4. 진단감별

### 1) 진단방법

병소에서 분비물이나 고름을 채취하여 Gram 염색으로 균을 발견하여 진단한다.

### 2) 감별질환

(1) 수두 : 겨울 및 봄철에 많이 유행하며, 전신증상이 뚜렷하다. 軀幹에 호발하며, 광택이 있는 수포가 주로 발견되며, 그 크기는 다양하다. 수포의 중앙부는 배꼽처럼 움푹 들어가 있으며, 수포끼리 서로 융합하지 않는다. 구심성 분포를 보이며, 구강점막도 잘 침범한다.

(2) 구진성 두드러기(水疥) : 사지와 軀幹에 호발하며, 피부병변은 팽진양 구진의 형태로 발견되는 경우가 많다. 구진의 가운데에는 수포가 융기되어 있으며, 수포가 궤파되면 소량의 삼출액이 흘러나오고, 가피가 형성되면 낫는다. 봄과 여름에 발병하는 경우가 많으며, 일반적으로 전신증상은 없다.

## 5. 치료

### 1) 內治法

(1) 暑熱外襲證 : 여름철 말에 발병하는 경우가 많으며, 수포는 흰색을 띤다. 수포액은 혼탁하고 농을 형성한다. 疱壁은 쉽게 터져 미란된다. 소양감과 통증이 있으며, 苔薄白, 脈滑數하다. 治法은 淸暑瀉熱, 解毒化濕하며, 淸暑飮加減을 사용한다.

(2) 熱毒熏蒸證 : 피부병변이 전신에 범발하며, 주로 농포와 미란이 발견된다. 發熱, 口乾, 大便秘結, 小便短黃이 나타나며, 舌質紅, 苔薄 혹은 黃膩하며, 脈滑數하다. 治法은 淸熱解毒, 淸暑化濕하며, 五味消毒飮加減을 사용한다.

(3) 濕熱互結證 : 피부병변은 대수포, 농포의 형태로 나타나며, 紅暈이 둘러싸고 있다. 포벽은 얇아 터지기 쉬우며, 터지면 黃水가 흘러나오고 주위로 파급되어 片을 형성한다. 소양감과 통증을 참기 힘들다. 발열, 림프절 종대가 나타나며, 舌質紅, 苔黃膩, 脈濡滑數하다. 治法은 淸熱利濕하며, 龍膽瀉肝湯加減을 사용한다.

### 2) 成藥, 驗方

(1) 三黃片을 매회 4.5 g씩 매일 2회 복용한다.

(2) 小兒化毒散을 매회 0.6 g씩 매일 2회 복용한다.

### 3) 外治法

(1) 靑黛散을 麻油와 섞어 환부에 매일 2~3회 도포한다.

(2) 顚倒散洗劑를 환부에 매일 4차례 도포한다. 가피가 탈락하면 곧 치유된다.

(3) 농액이 많은 경우에는 蒲公英, 野菊花, 馬齒莧 등을 적당량 전탕하여 濕敷한다.

(4) 농액이 적을 때에는 三黃洗劑에 5%의 九一丹을 다져서 환부에 매일 3~4회 바른다.

(5) 紅油膏, 九一丹을 환부에 붙일 수 있으며, 敷藥하기 전에 먼저 농포를 挑破한 후에 각각의 농포에 개별적으로 붙여야 한다.

### 4) 현대 치료법

(1) 충분한 물과 비누로 깨끗이 씻고 나서 병소를 소독하며, 가피를 제거하고 항생제 연고를 국소 도포한다.

(2) 병소가 많고 자꾸 번져 나가는 경우에는 반드시 항생제를 투여한다.

### 5) 생활관리

(1) 전염력이 매우 강하므로 발병 시 어린이집이나 유치원 등에 가지 않도록 교육한다.

(2) 환자가 사용한 옷이나 수건 등은 분리 소독한다.

## 참고문헌

1) 譚新華. 何清湖. 中医外科学. 第2版. 北京: 人民卫生出版社; 2011.
2) 서울대학교 의과대학 피부과학교실. (의대생을 위한) 피부과학. 4판. 서울: 고려의학; 2017.
3) 이승철. 임상의를 위한 피부과학. 개정판. 서울: 도서출판 대한의학; 2019.
4) 전국 한의과대학 피부외과학 교재편찬위원회. 한의피부외과학. 부산: 선우; 2007.

# 第 33 章 미코박테리움 질환

| KCD 코드 | 한글 상병명 | 영문 상병명 |
|---|---|---|
| **A15-A19** | **결핵** | **Tuberculosis** |
| **A15** | **세균학적 및 조직학적으로 확인된 호흡기결핵** | **Respiratory tuberculosis, bacteriologically and histologically confirmed** |
| **A16** | **세균학적으로나 조직학적으로 확인되지 않은 호흡기결핵** | **Respiratory tuberculosis, not confirmed bacteriologically or histologically** |
| **A17†** | **신경계통의 결핵** | **Tuberculosis of nervous system** |
| **A18** | **기타 기관의 결핵** | **Tuberculosis of other organs** |
| A18.4 | 피부 및 피하조직의 결핵<br>결핵성 경결홍반<br>부식루푸스<br>눈꺼풀의 보통루푸스†(H03.1*)<br>보통루푸스 NOS<br>피부선병 | Tuberculosis of skin and subcutaneous tissue<br>Erythema induratum, tuberculous<br>Lupus exedens<br>Lupus vulgaris of eyelid<br>Lupus vulgaris NOS<br>Scrofuloderma |
| **A19** | **좁쌀결핵** | **Miliary tuberculosis** |
| A19.0 | 하나로 명시된 부위의 급성 좁쌀결핵 | Acute miliary tuberculosis of a single specified site |
| A19.1 | 여러 부위의 급성 좁쌀결핵 | Acute miliary tuberculosis of multiple sites |
| A19.2 | 상세불명의 급성 좁쌀결핵 | Acute miliary tuberculosis, unspecified |
| A19.8 | 기타 좁쌀결핵 | Other miliary tuberculosis |
| A19.9 | 상세불명의 좁쌀결핵 | Miliary tuberculosis, unspesified |
| **A30** | **나병[한센병]**<br>**나병균에 의한 감염** | **Leprosy[Hansen's disease]**<br>**Infection due to Mycobacterium leprae** |
| A30.0 | 부정나병<br>I 나병 | Indeterminate leprosy<br>I leprosy |
| A30.1 | 결핵모양나병<br>TT나병 | Tuberculoid leprosy<br>TT leprosy |

| | | |
|---|---|---|
| A30.2 | 경계결핵모양나병<br>BT나병 | Borderline tuberculoid leprosy<br>BT leprosy |
| A30.3 | 경계나병<br>BB나병 | Borderline leprosy<br>BB leprosy |
| A30.4 | 경계나병종나병<br>BL나병 | Borderline lepromatous leprosy<br>BL leprosy |
| A30.5 | 나병종나병<br>LL나병 | Lepromatous leprosy<br>LL leprosy |
| A30.8 | 기타 형태의 나병 | Other forms of leprosy |
| A30.9 | 상세불명의 나병 | Leprosy, unspecified |
| **B92** | **나병의 후유증** | **Sequelae of leprosy** |

미코박테륨증(mycobacteriosis)은 acid-fast bacteria인 mycobacteria에 의해 발생하는 감염증을 가리킨다. 피부에서는 크게 다음과 같은 3가지 질환이 발생할 수 있다.

1. *Mycobacterium tuberculosis*(*M. tuberculosis*)에 의한 피부결핵
2. *M. leprae*에 의한 나병
3. 다양한 atypical mycobacteriosis에 의한 비결핵성 미코박테륨 감염증(non-tuberculous mycobacterial infection)

# I 피부결핵 Tuberculosis of the skin

## 1. 개요

피부결핵(tuberculosis of the skin)은 결핵균에 의한 피부감염증으로 결핵균의 유입경로, 숙주의 면역상태에 따라 다양한 임상양상으로 관찰된다. 피부결핵은 크게 *M. tuberculosis*가 직접 피부감염을 유발하여 발생하는 피부결핵과 *M. tuberculosis*에 대한 알레르기 반응으로 나타나는 결핵발진(tuberculid)에 의한 임상형으로 분류할 수 있다(표 33-1).

1차결핵은 결핵균에 대한 면역력이 형성되기 이전에 직접 결핵균이 접종되어 발생하는 피부결핵을 의미하며, 2차결핵은 이미 감염되었거나 감작된 적이 있는 사람에게서 재활성화 또는 재감염되어 발생한 피부결핵을 의미한다.

결핵발진이란 체내의 림프절과 같은 장기의 결핵병변으로부터 결핵균이 혈행성으로 전파되어, 균

의 수와 독성, 피부의 저항력과 상호작용을 일으켜 발생하는 구진 또는 결절과 같은 발진을 말한다.

표 33-1. 피부결핵과 결핵발진의 종류

| 분류 | | 질환명 | 발병기전 | 호발부위 | 기저 폐질환 동반여부 |
|---|---|---|---|---|---|
| 피부결핵 | 1차결핵 | 일차접종결핵 | 결핵균의 접종 | 접종부위 | (-) |
| | | 좁쌀결핵 | 내부전파 | 전신 | (+) |
| | 2차결핵 | 보통루푸스 | 외부감염/내부전파 | 얼굴 | (+) or (-) |
| | | 피부샘병 | 내부전파 | 목 | (+) |
| | | 사마귀모양피부결핵 | 외부감염 | 사지 | (-) |
| 결핵발진 | | 구진괴사결핵발진 | *M. tuberculosis*에 대한 알레르기 반응 | 사지 | (+) or (-) |
| | | 선병성태선 | | 몸통 | (+) |

## 2. 종류

### 1) 일차접종결핵(결핵굳은궤양, 결핵하감, primary inoculation tuberculosis)

(1) 개요

결핵에 대한 면역력이 없는 사람에게 결핵균을 접종하였을 때, 결핵균의 접종 부위에 발생하는 궤양 형태의 피부병변을 말한다.

(2) 증상

① 주로 소아에게서 얼굴, 팔, 다리 등의 외상을 받기 쉬운 노출부위에 호발한다.

② 균이 접종된 지 2~4주 뒤에 결절이 발생한 후 무통성 궤양을 형성한다. 궤양은 반흔을 남기고 서서히 호전된다. 가끔 궤양 대신 농가진이나 고름궤양(ecthyma)을 형성하기도 한다.

③ 균이 접종된 지 3~8주 뒤에는 국소 림프절염이 발생하는데 이를 일차접종복합체라고 한다.

④ 정상 면역력을 가진 경우에는 국소 증상만 나타나나, 면역력이 저하되어 있는 환자에게서는 궤양이 지속되거나 보통루푸스 또는 드물게 좁쌀결핵을 유발할 수 있다.

(3) 진단

투베르쿨린 양성반응과 병리조직검사 소견

### 2) 좁쌀결핵(파종상결핵, miliary tuberculosis)

(1) 개요

결핵균의 활성도가 높아 혈행을 따라 대량의 결핵균이 전신으로 파급되어 발생하며, 심한 결핵을 가지고 있는 환자나 면역 저하가 심한 경우에 발생한다.

(2) 증상

① 전신성으로 피부발진이 발생하며, 발진의 형태는 홍반성 반점, 구진, 농포, 결절, 자반, 궤양 등 다양하다. 성인보다 소아에서 더 흔하며, 홍역을 앓은 후 면역력 저하가 심한 경우 생길 수 있다.

② 급성기에는 작은 홍적색반, 구진, 농포, 물집 등이 무리지어 생긴 후 곧 궤양을 형성하며, 만성기에는 적자색 구진이 털집 부위에 발생하며 궤양을 형성한다.

(3) 진단

투베르쿨린 음성소견과 병리조직검사 소견

(4) 예후

불량하며 치명적이다.

### 3) 보통루푸스(lupus vulgaris)

(1) 개요

중등도 이상의 면역을 가진 사람에서 일차결핵 후에 주로 결핵균의 접종으로 발생하는 가장 흔한 피부결핵이다. 기존의 피부나 임파선결핵 환자에서 혈관이나 림프관을 통해 퍼질 때 발생한다.

(2) 증상

① 여자에게서 남자에 비해 2~3배 많이 발생하고, 얼굴과 머리에 호발한다.

② 주로 한 개~수 개의 적갈색을 띤 구진이 발생하여, 점차 융합되며 판을 형성한다. 압시경검사(diascopy)에서 특징적으로 소견으로 황갈색의 사과젤리(apple jelly) 색조를 띤 병변이 관찰되는데, 진단에 매우 중요하다.

③ 경과는 서서히 진행되나 방치하면 매우 파괴적으로, 궤양, 위축성 반흔, 드물게 편평세포암이 발생할 수 있다.

(3) 진단

투베르쿨린검사상 강한 양성소견과 병리조직검사 소견

(4) 예후

항결핵요법에 잘 반응하며, 예후는 양호하다.

### 4) 피부샘병(scrofuloderma, tuberculosis colliquativa cutis)

(1) 개요

결핵성 림프절염이나 원발결핵병변이 파괴되면서 결핵균을 포함한 삼출물이 직접 국소 피부에 전파되어, 상부 피부에 고름샛길과 고름굴을 형성하는 피부결핵이다.

(2) 증상

① 무통성의 피하결절(subcutaneous nodule)이 점차 화농하여 가피로 덮인 잠식성 궤양을 형성한다. Cold abscess로부터 농이 배출된다.
② 심부조직과 연결된 굴(fistula)이 관찰된다.
③ 소아에서 호발하며, 대부분 경부 림프절에서 발생하므로 목과 몸통에서 호발한다. 항문 주위에서 발생할 경우, 직장까지 침범하여 직장협착을 유발하는 경우도 있다.

### 5) 사마귀모양피부결핵(tuberculosis verrucosa cutis)

(1) 개요

중등도 내지 고도의 면역을 가진 사람에게서 결핵균에 국소 감염되어 발생하는 사마귀 모양의 육아종성 병변이다.

(2) 증상

① 결핵균에 대한 면역력이 강한 사람이 결핵균에 감염된 조직과 접촉하여 피부 상처를 통하여 감염되므로 손가락이나 손등(성인), 둔부(어린이)와 같이 외상을 입기 쉬운 노출부위에 호발한다.
② 무증상성의 구진 또는 농포가 융합되면서 단발성의 사마귀 모양 판을 형성한다.

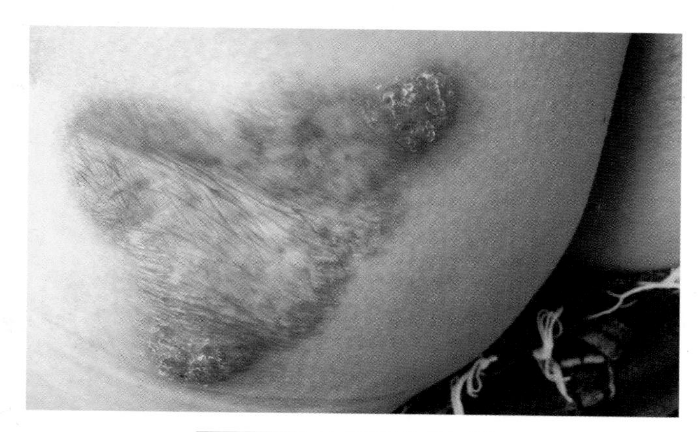

그림 33-1 사마귀모양피부결핵

### 6) 구진괴사결핵발진(papulonecrotic tuberculid)

(1) 개요

대칭으로 군집한 괴사상 구진을 특징으로 하며, 약 1/3은 내부 장기에 결핵 증상을 가지고 있다.

(2) 증상

① 인체 대칭적으로 무증상의 구진이 발생하여 괴사하면서 얕은 흉터를 남기고 소실된다. 중앙부가 함몰된(umbilicated shaped) 수두 모양의 분화구 병변이 특징적으로, 장기간 군집성으로 확산된다. 팔꿈치, 무릎, 손발의 背部 등 四肢 伸側部에 대칭적으로 발생한다.

② 아동이나 젊은층에서 호발한다.

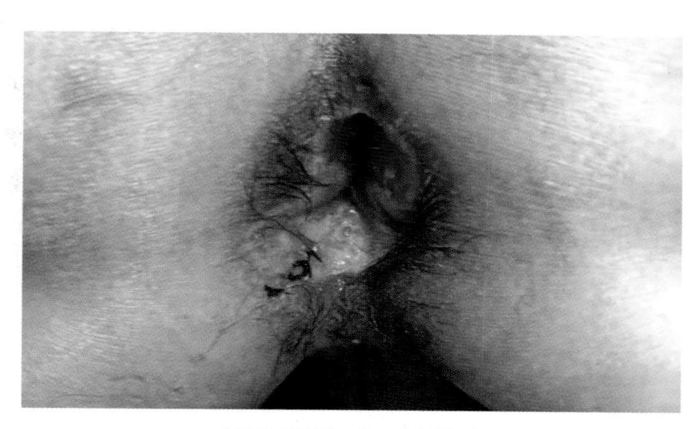

그림 33-2 피부결핵(항문)

## 3. 치료

피부결핵은 기본적으로 일반 결핵의 치료와 동일하다. 내성을 나타내지 않는 한 isoniazid (INH), rifampin, ethambutol을 1차 약제로 최소한 6개월 이상 병용 투여한다.

# Ⅱ 경결홍반 Erythema induratum

## 1. 개요

경결홍반(경화홍반, erythema induratum)에 해당하는 驢眼瘡은 크고 작은 결절들이 小腿部에 대칭적으로 생겼다가 궤양으로 변하면서 만성적인 경과를 보이는 결핵성 질환이다. 임상병리학적으로 결절혈관염(nodular vasculitis)의 소견과 함께 결핵이 원인인 경우를 가리켜 경결홍반이라고 한다. 특히 피부결핵의 한 증상인 파종상 결핵의 증상과 유사하다. 소아나 성인에서 여러 형태의 만성 결핵에서 발생할 수 있다. 경결홍반은 과거에는 결핵발진의 일종으로 간주되었으나, 최근에는 원인이 결핵과 무관하며 치료도 스테로이드에 좋은 반응을 보이기 때문에 결핵발진에서 제외하고 있는 추세이다.

한의학 문헌 중에서는 《外科證治全生》에서 "魚肚癰 患生小腿腿肚. 此乃肉緊筋橫 在一身用力之處 最痛難認 外以扎藥扎上 內以五通丸 醒消丸 每日早晚輪服. 初起立消 遲忌開刀 以藥咬穿 庶不傷筋 而無縮脚之損."이라고 설명하고 있다.

## 2. 원인 및 병기

肺腎陰虛, 寒凝氣滯로 발생한다고 하였는데, 陰血虛로 營血의 運行이 不暢한 상태에서 寒濕의 外邪가 침입한 결과 氣血의 運行이 阻滯되어 발생한다고 보았다.

## 3. 증상

주로 중년 여성의 양측 小腿 屈側部 1/3부위에 주로 발생하며, 크기가 일정치 않은 크고 작은 국한성 피하결절들이 발생하는데 피부는 약간 홍색을 띠거나 정상 피부색을 나타낸다. 이어 피하결절이 서로 융합되어 판 형태의 경결을 보이기도 하며, 때로는 자연히 소실되기도 하는데 색소침착과 흉터를 남기고 치유된다. 저절로 궤파되어 궤양을 형성하는데 궤양면은 깊고 고르지 못하며 유합된 후에 위축성 반흔이 남는다. 手足紫紺은 동상과 유사하고 환부에는 痠痛, 작열감, 보행 시 동통 등을 수반하며 病程이 길고 쉽게 재발한다.

## 4. 치료

### 1) 內治法

(1) 肺腎陰虛型 : 肌膚에 硬結斑塊가 발생하며 피부색에는 변화가 없다. 오래되면 결절이 스스로 궤파되어 淸稀한 脂水가 外溢하며 오랫동안 치유되지 않는다. 그 외 潮紅, 盜汗, 乾咳, 手足心熱, 心煩, 舌紅, 苔少, 脈細數 등의 증상이 수반된다. 補肺益腎, 活血軟堅하는 內消瘰癧丸을 활용한다.

(2) 寒凝氣滯型 : 小腿 屈側部에 여러 개의 자홍색 또는 암홍색의 경결, 결절 등이 나타나는데 漫漫히 부어오르고 脹痛이 있으며 겨울철에 호발한다. 그 외 舌黯, 苔薄白, 脈沈細澁 등의 증상이 수반된다. 溫陽散寒, 通滯軟堅하는 陽和湯을 활용한다.

(3) 氣血瘀滯型 : 硬結斑塊가 비교적 크고 피부색은 자홍색 또는 암홍색을 나타내며 脹痛이 심하고 걸을 때 小腿에 脹痛이 더욱 심하게 나타난다. 그 외 舌紫黯, 脈細澁 등의 증상이 수반된다. 理氣活血, 通絡散結하는 通絡方을 활용한다.

### 2) 外治法

(1) 궤파되기 전에는 消核膏, 化核膏 등을 도포한다.

(2) 궤파된 후에는 祛腐生肌散, 生肌玉紅膏 등을 도포한다.

### 3) 기타 치료법

(1) 灸療法 : 阿是穴 위에 마늘을 놓고 1일 1회 4壯씩 灸를 한다.

(2) 割治療法 : 환측의 風隆, 血海를 割治한다.

# Ⅲ 나병 Leprosy, Hansen's disease

## 1. 개요

나병, 혹은 한센씨병(leprosy, Hansen's disease)은 항산막대균인 나균(*Mycobacterium leprae*)에 의해 발생하는 전신 만성 전염병으로, 주로 피부, 신경, 상기도 점막, 눈 및 고환 등 신체에서 상대적으로 온도가 낮은 부위에 반진, 斑塊, 결절, 痲木, 閉汗, 얕은신경의 비대 등이 발생하고 내장기관 병변 및 지체의 기형과 불구를 일으키는 질환이다.

나병에 해당하는 大痲風 또는 痲風은 "肌膚痲木不仁" 때문에 정해진 명칭이며, "癘風"이라 칭하기도 한다. 만약 전신에 만연하면 "大風"이라 부르기도 한다. 한의학 문헌 중에서는《外科正宗 · 大痲風》에서 "其患初起 痲木不仁 次發紅斑 久則破爛 浮腫無膿 其症最惡. 故曰 皮死痲木不仁 肉死刀割不痛 血死破爛流水 筋死指節脫落 骨死鼻梁崩塌."이라 하여 증상을 설명하고 있으며,《醫宗金鑑 · 外科心法要訣 · 大痲風》에서 "一因傳染或遇生痲瘋之人 或父母夫妻家人遞相傳染."이라고 설명하고 있다.

## 2. 원인 및 병기

### 1) 현대

나병 환자는 인구 밀도가 높고 주거환경 및 영양 상태가 좋지 않은 동남아시아, 아프리카, 남아메리카에 주로 분포한다. 나병의 전파는 호흡기를 통한 공기매개 감염설이 가장 유력하다. 나균은 전염성은 높으나 병원성은 높지 않아서 부부 간 감염률이 5% 미만이다. 잠복기는 평균 3~10년으로, 다균나의 잠복기는 희균나보다 길다.

### 2) 현대 이전 원인

(1) 正盛邪實 : 體虛하여 元氣가 부족한 사람에게서 저항력의 감퇴로 인한 風癘邪氣의 感觸으로 발생한다.

(2) 正虛邪戀, 虛實夾雜 : 風癘의 邪氣는 皮毛에 침입하여 經絡의 흐름을 阻滯하므로 氣血을 凝滯시키고 營衛가 不利하면 피부, 기육, 근육으로의 滋養이 喪失되므로 肌膚不仁, 閉汗, 手足拘攣 등의 증상이 나타나며, 毒邪가 피부로 外發하여 斑塊를 형성하고 안으로 臟腑를 손상시켜 虛損症을 유발한다.

## 3. 증상

### 1) 나병의 분류

나병은 1996년 Ridley와 Jopling이 임상증상, 세균학적, 조직학적 및 면역학적 소견들을 종합적으로 고려하여 제안한 분류법을 토대로 5가지 형태로 분류한다(표 33-2).

**표 33-2. 나병의 분류**

| Type | 면역상태 | 병변 개수 | 말초신경 비후 | 감각이상 |
|---|---|---|---|---|
| TT<br>(Tuberculoid leprosy) | 매우 강함 | 1~3개 | 병소 근처<br>신경에서 심함 | 감각 저하,<br>마비 가능 |
| BT<br>(Borderline tuberculoid leprosy) | 비교적 강함 | 10~20개<br>비대칭성 | 병소 근처에서 다수 | 마비 초래<br>(지각마비는 덜함) |
| BB<br>(Borderline leprosy) | 중간 | BT〈BB<br>비대칭성 | 다수,<br>약하게 침범 | 심하지 않음 |
| BL<br>(Borderline lepromatous leprosy) | 약함 | BB〈BL<br>비대칭성 | 초기부터 진행, 비대칭적 | 심하지 않음 |
| LL<br>(Lepromatous leprosy) | 매우 약함 | 다수<br>대칭성 | 말기에 발생,<br>전신적으로 발생 | 심하지 않음,<br>말기에 마비 가능 |

#### (1) 결핵양형 나병(tuberculoid leprosy)

① 정의 : 면역이 가장 강한 경우 발생한다.

② 증상 : 피부병변으로 경계가 뚜렷한 반 혹은 구진이 발생하며, 구진이 점차 커지면서 판이 형성되면 중심부 구진이 소실되며 가장자리만 융기된다. 구진은 대개 1~3개 정도로 적게 발생한다. 이외에도 국소적인 탈모, 감각저하 및 발한장애 등이 발생한다.

#### (2) 나종형 나병(lepromatous leprosy)

① 정의 : 면역이 가장 약한 경우 발생한다.

② 증상

㉮ 피부병변 : 피부발진은 전신에 광범위하게 발생하며, 주로 다수의 결절이 생긴다. 처음에는 반점으로 시작하여 점차 구진이나 결절을 형성한다. 시간이 흐르면 서로 융합되어 판을 형성한다.

㉯ 특징적인 피부소견

㉠ 사자모양 얼굴 : 피부가 비후되고 주름이 융합되어 형성된다.

㉡ 눈썹탈모(madarosis) : 속눈썹과 눈썹이 탈락하며, 특히 외측 1/3에서 발생한다.

㉢ 피부건조증 : 신경장애로 땀 분비가 전반적으로 저하되어 피부가 건조해진다.

㉰ 지각마비 : 나병이 진행되면 지각이 저하되어 외상과 화상을 쉽게 입는다.

㉱ 사지기형 : 감각신경장애로 발생하는 잦은 외상, 화상 후 천공, 궤양으로 인해 기형(deformity)과 구축(contracture)이 발생한다. 장기간 방치하면 상피세포암으로도 발전할 수 있다.

㉲ 안면기형 : 신경마비와 함께 안면윤곽을 이루는 뼈와 연골이 파괴되어 발생한다.

㉠ 코 : 코가 주저앉으며(saddle nose, depressed nose) 천공도 발생 가능하다.

㉡ 눈 : 7번 뇌신경의 zygomatic branch가 마비되면 눈을 감을 수 없는 토끼눈증(兎眼, lagophthalmos)이 발생한다. 또한 5번 뇌신경의 ophthalmic branch가 마비되면 각막의 감각이 저하되어 각막혼탁이 발생하여 실명에까지 이른다.

㉳ 기타 전신증상 : 성대이상, 고환 및 부고환염(epididymo-orchitis), 폐렴, 폐결핵, 신경통, 사구체신염, 신부전 등

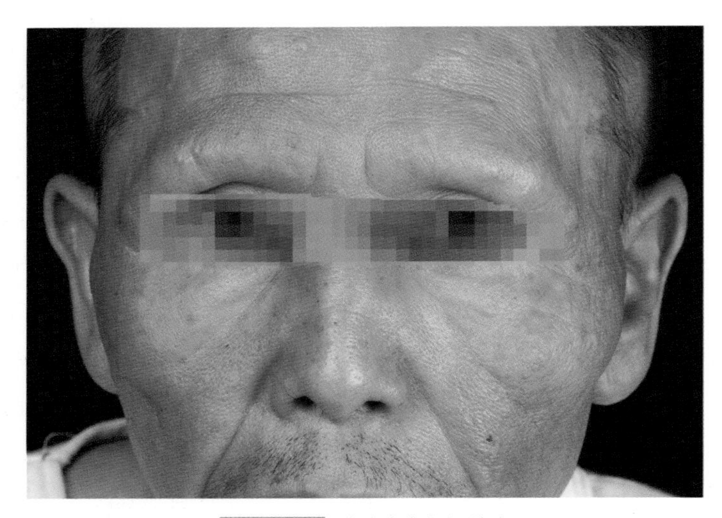

그림 33-3 나병에서의 눈썹탈모

### (3) 중간군 나병(borderline leprosy)

① 정의 : 면역이 중간 정도일 때 발생하는 나병

② 증상 : T형과 L형의 중간형으로, T형과 L형의 증상이 모두 출현할 수 있는 형태이다. 증상의 유사한 정도에 따라 전형적인 BB형 외에 T형에 더 가까우면 BT형, L형에 더 가까우면 BL형으로 세분하기도 한다. 나반응이 잘 발생되는 유형으로, 신경손상에 의해 기형이 잘 발생할 수 있는 형태이다.

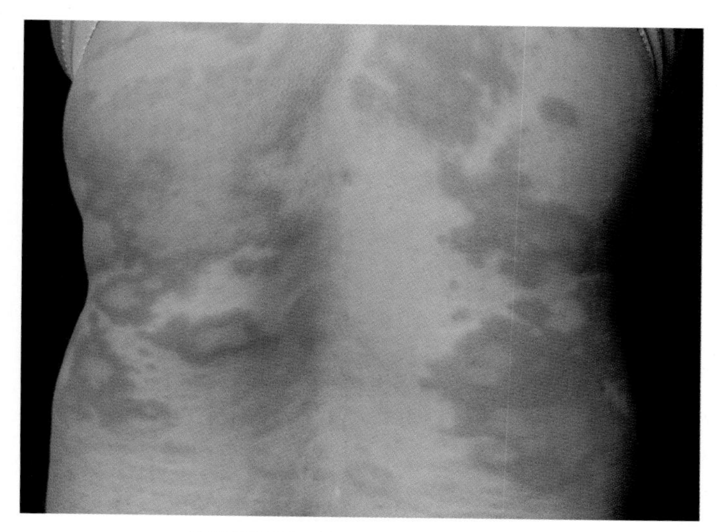

그림 33-4 2형 나반응을 동반한 BL

## 2) 임상양상

나병은 나균에 대한 환자의 세포면역(cellular immunity) 상태에 따라 임상 양상이 다양하게 나타난다. 주 침범 부위는 피부와 신경이며, 치료하지 않으면 다양한 전신증상과 기형이 발생한다. 초기 증상은 주로 신경의 침범에 의해 나타나며, 말초신경 부위가 저리거나, 압통, 지각마비, 땀없음증, 신경비대가 나타난다. 오래되면 손상된 신경이 지배하는 근육의 위축과 마비가 초래되며, 그에 따른 기형, 불구 및 감각마비로 인한 궤양과 같은 심한 영양성 장애가 결과적으로 초래된다. 자율신경 또한 침범되므로 땀이 나지 않아 피부가 건조하고 거칠다.

나병에서 나타나는 피부병변은 유형에 따라 초기 저색소성 반에서 홍반성 반까지 다양한 크기, 모양 및 개수가 나타난다. 나타날 수 있는 피부병변으로는 저색소반, 홍반 또는 판, 다수의 결절, 광범위 침윤 등이 얼굴, 팔, 다리, 엉덩이에 나타나며 사자얼굴, 코 천공, 고환 위축, 눈썹 빠짐 등의 특징적인 소견이 나타날 수 있다.

### (1) 자각증상

수개월에서 수년에 걸친 잠복기를 지나 발병하나, 평균 2~5년의 잠복기를 거치며 全身不便, 肌肉과 關節酸痛, 피부점막의 이상감각 등의 전구증상이 나타난다.

### (2) 피부증상

① 원형, 타원형의 淺色斑이 보이고 이어서 인설, 위축, 땀 분비 장애 등이 나타난다.

② 색소반은 갈색 또는 종려색을 띤다.
③ 홍반은 작고 많으며 경계부가 모호하고 대칭적으로 분포한다.
④ 속립 크기의 구진이 고리 모양의 배열을 보인다.
⑤ 斑塊는 초기에 선홍색을 보이나 점차 암홍색 또는 자홍색을 나타낸다.
⑥ 크기가 일정치 않은 결절이 부분적으로 집단을 이루어 사자 모양의 얼굴을 한다.
⑦ 홍반 위에 포진이 발생하고 궤파된 후 천표성 궤양을 형성한다.
⑧ 궤양은 足根 혹은 小腿 하부에서 주로 보이며 쉽게 유합되지 않고 재발이 잦다.
⑨ 위축은 四肢 또는 軀幹에서 보이며 뚜렷한 감각장애가 나타난다.
⑩ 모발과 눈썹의 외측 1/3부위에서 탈락이 일어나며 심한 경우 눈썹, 턱수염, 겨드랑이털, 음모 등에서도 탈락이 나타난다.
⑪ 땀 분비에 장애가 나타난다.

### (3) 신경손상

① 척골신경, 대이개신경, 비골신경, 정중신경, 요골신경 등에서 신경염이 호발하여 신경통과 신경비대를 보인다.
② 刺痛, 灼痛, 개미가 기어다니는 느낌(蟻行感), 소양감 등의 감각장애가 나타난다.
③ 사지의 운동장애가 발생하며 갈퀴손(claw hand, 鳥爪手), 원숭이손(ape hand), 족하수(foot drop), 擧尾, 눈 감기, 휘파람 불기, 볼 부풀리기 등의 동작에 장애를 보인다.
④ 피부건조, 피부탄력 감소, 청색증, 위축, 솜털의 탈락, 손발톱이 세로로 갈라지거나 두터워짐 및 탈락 등이 나타난다.

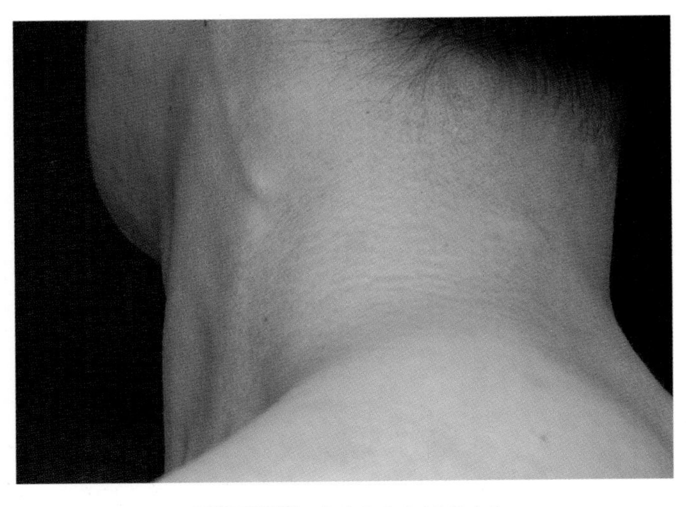

그림 33-5 나병에서의 신경비대

(4) 기타 증상

실명, 녹내장, 후두부종 등이 보이며 남성에서는 고환 또는 부고환의 종대 혹은 위축이 나타나고, 여성에서는 月經紊亂, 經閉, 성욕감퇴 등이 나타난다.

(5) 나반응(lepra reaction)

나반응은 나균에 대한 급성 면역반응으로, 임상적으로 병소의 발적, 부종, 압통과 함께 신경염에 의한 신경의 부종과 통증, 압통, 기능상실 등이 나타난다. 고열, 권태감, 전신통 등의 전신증상을 수반할 수 있으며 독특한 나병결절홍반이 얼굴과 사지에 나타나기도 한다. 나반응에서는 신경손상이 빠르고 심하므로 조기 진단과 치료가 매우 중요하다.

## 4. 진단감별

### 1) 진단요점

(1) 감각이 소실된 피부병변이 있다.

(2) 신경의 비대와 압통이 있다.

(3) 피부도말검사로 나균을 확인해야 한다. 피부도말검사는 병변 부위, 귓불, 비점막, 하지 전면, 손가락, 엉덩이 등에서 칼로 조직액을 채취하여 Ziehl-Neelsen법으로 염색한 후 광학 현미경으로 나균의 유무를 검사한다.

### 2) 감별질환

(1) 체부백선(圓癬) : 피부병변은 원형을 띠며, 그 가운데는 자연 치유된다. 피부의 감각은 정상이며, 신경도 종대되어 있지 않다. 피부병변은 陰暗潮濕하고 땀이 많은 부위에 호발하며, 소양감이 있다. 대다수의 경우에서 여름에 악화되고 겨울에 완화된다.

(2) 백반증(白駁風, 白癜風) : 초기 중증 나병에서 나타나는 白斑과 감별해야 한다. 백반증의 경우 색소가 완전히 脫失되어 있으며, 경계가 명확하다. 감각의 변화는 없으며, 체표면의 솜털이 희게 변한다.

(3) 어루러기(紫白癲風) : 초기 중증 나병의 胸背部 白斑과 감별해야 한다. 어루러기는 胸背部에서 많이 발견되며, 피부병변은 겨울에 완화되고 여름에 악화된다. 가벼운 소양감을 자각한다.

## 5. 치료

### 1) 內治法

(1) 正盛邪實型 : 병변이 皮毛經絡에 국한되어 있으며 皮毛에 斑疹, 斑塊, 솜털의 탈락 등이 나타난다. 발생하는 피진은 적고 경계가 명확하며 반의 색은 淺白色이고 痲木, 閉汗 등이 나타나는데 오래되면 반진은 자홍색으로 변한다. 그 외 舌紫, 脈澁 등의 증상이 수반된다. 驅風理濕, 活血解毒, 溫經通絡하는 萬靈丹, 掃風丸, 大麻風丸, 麻風丸 등을 활용한다.

(2) 正虛邪戀型 : 병변이 皮毛經絡에 국한되지 않으며 臟腑도 손상시킨다. 斑塊의 침윤이 광범위하게 나타나는데 경계는 분명치 않으며 灰黃色을 띠고 수염과 눈썹이 탈락한다. 그 외 口乾, 咽燥, 手足心熱, 盜汗, 脈細數 등이 수반되거나 肢冷, 陽萎, 尿後餘瀝不盡, 四肢無力, 自汗, 脈細尺弱 등의 증상이 수반된다. 扶正活血通絡하는 四六湯, 新首烏酒, 苦蔘散, 蒼耳濃縮丸 등을 활용한다.

(3) 虛實夾雜型 : 斑疹斑塊의 경계가 분명한 부분도 있고 그렇지 않은 부분도 있으며 자색을 띤다. 그 외 手足紫紺, 刺痛不移, 面紫混腫, 舌紫, 脈澁 등의 증상이 수반된다. 活血通絡, 扶正祛邪하는 活血通絡丸을 활용한다.

### 2) 外治法

(1) 病程이 짧고 궤양이 있으나 瘡面이 깨끗하며 腐肉이 없는 경우에는 生肌膏, 冬靑膏 등을 도포한다.

(2) 病程이 길고 腐肉이 많은 경우에는 麻風潰瘍膏를 도포한다.

### 3) 기타 치료법

(1) 體鍼療法 : 曲池, 神門, 中渚, 合谷, 內關, 申脈, 太淵, 照海, 絶骨, 崑崙, 心兪, 脾兪, 胃兪.

(2) 刺絡療法

① 委中, 尺澤, 太衝.

② 曲池, 血海, 三陰交, 尺澤, 委中.

### 4) 현대 치료법

(1) 임상형에 따라 항나제는 clofazimine, dapsone, rifampicin 등을 투여한다.

(2) 나반응의 경우에는 항나제 투여를 계속하면서 치료한다.

### 5) 식이요법

(1) 식사는 영양가가 높은 것으로 하고 신선한 야채를 많이 먹는다.

(2) 담배와 음주는 금하며 지나친 노동과 운동을 삼간다.

## 참고문헌


1) 譚新華. 何清湖. 中医外科学. 第2版. 北京: 人民卫生出版社; 2011.
2) 서울대학교 의과대학 피부과학교실. (의대생을 위한) 피부과학. 4판. 서울: 고려의학; 2017.
3) 이승철. 임상의를 위한 피부과학. 개정판. 서울: 도서출판 대한의학; 2019.
4) 전국 한의과대학 피부외과학 교재편찬위원회. 한의피부외과학. 부산: 선우; 2007.

# 第 34 章 진균증

| KCD 코드 | 한글 상병명 | 영문 상병명 |
|---|---|---|
| **B35-B49** | **진균증** | **Mycoses** |
| **B35** | **백선증**<br>**황선** | **Dermatophytosis**<br>**Favus** |
| B35.0 | 수염 및 두피 백선<br>턱수염백선증<br>독창(禿瘡)<br>두피백선증<br>진균성 모창 | Tinea barbae and tinea capitis<br>Beard ringworm<br>Kerion<br>Scalp ringworm<br>Sycosis, mycotic |
| B35.1 | 손발톱백선<br>피부사상균손발톱염<br>손발톱의 백선증<br>손발톱진균증<br>손발톱백선증 | Tinea unguium<br>Dermatophytic onychia<br>Dermatophytosis of nail<br>Onychomycosis<br>Ringworm of nails |
| B35.2 | 손백선<br>손의 백선증<br>손백선증 | Tinea manuum<br>Dermatophytosis of hand<br>Hand ringworm |
| B35.3 | 발백선<br>무좀<br>발의 백선증<br>발백선 | Tinea pedis<br>Athlete's foot<br>Dermatophytosis of foot<br>Foot ringworm |
| B35.4 | 체부백선<br>몸의 백선증 | Tinea corporis<br>Ringworm of the body |
| B35.6 | 사타구니백선<br>도비가려움<br>사타구니백선증<br>사타구니백선 | Tinea inguinalis [Tinea cruris]<br>Dhobi itch<br>Groin ringworm<br>Jock itch |
| **B36** | **기타 표재성 진균증** | **Other superficial mycoses** |
| B36.0 | 어루러기<br>황색백선<br>어루러기 | Pityriasis versicolor<br>Tinea flava<br>Tinea versicolor |

| | | |
|---|---|---|
| **B37** | **칸디다증** | **Candidiasis** |
| B37.0 | 칸디다구내염<br>구강아구창 | Candidal stomatitis<br>Oral thrush |
| B37.1 | 폐칸디다증 | Pulmonary candidiasis |
| B37.2 | 피부 및 손발톱 칸디다증<br>칸디다손발톱염<br>칸디다손발톱주위염 | Candidiasis of skin and nail<br>Candidal onychia<br>Candidal paronychia |
| B37.3† | 외음 및 질의 칸디다증(N77.1*)<br>칸디다외음질염<br>모닐리아외음질염<br>질아구창 | Candidiasis of vulva and vagina<br>Candidal vulvovaginitis<br>Monilial vulvovaginitis<br>Vaginal thrush |
| B37.4 | 기타 비뇨생식기 부위의 칸디다증 | Candidiasis of other urogenital sites |
| B37.40† | 칸디다 방광염 및 요도염(N37.0*) | Candidal cystitis and urethritis |
| B37.41† | 칸디다귀두염(N51.2*) | Candidal balanitis |
| B37.48 | 기타 비뇨생식기 부위의 칸디다증 | Other urogenital candidiasis |
| B37.8 | 기타 부위의 칸디다증 | Candidiasis of other sites |
| B37.80 | 칸디다식도염 | Candidal esophagitis |
| B37.88 | 기타 부위의 칸디다증 | Other sites of candidiasis |
| B37.9 | 상세불명의 칸디다증<br>아구창 NOS | Candidiasis, unspecified<br>Thrush NOS |
| **B38** | **콕시디오이데스진균증** | **Coccidioidomycosis** |
| B38.3 | 피부콕시디오이데스진균증 | Cutaneous coccidioidomycosis |
| **B39** | **히스토플라스마증** | **Histoplasmosis** |
| **B40** | **분아균증** | **Blastomycosis** |
| **B41** | **파라콕시디오이데스진균증** | **Paracoccidioidomycosis** |
| **B42** | **스포로트릭스증** | **Sporotrichosis** |
| **B44** | **아스페르길루스증** | **Aspergillosis** |
| **B45** | **크립토콕쿠스증** | **Cryptococcosis** |
| **B47** | **진균종** | **Mycetoma** |

# I 피부진균증 Mycoses

## 1. 개요

곰팡이균(진균)에 의한 피부감염증을 말하며, 감염 부위에 따라 표재 곰팡이증과 심재 곰팡이증으로 분류된다. 표재 곰팡이증(superficial mycosis)은 피부의 각질층이나 부속기인 모발, 손발톱 등 체표면의 케라틴에 기생하는 곰팡이 감염증으로 매우 흔하다. 원인균에 따라 분류하면 백선(피부사상균증, dermatophytosis), 칸디다증(candidiasis, candidosis), 어루러기(전풍, pityriasis versicolor) 등이 있다. 심재 곰팡이증(deep mycosis)은 진피, 피하지방층 및 내부 장기에 침범하여 감염을 일으키는 곰팡이 질환으로 드물게 발생한다. 종류는 피하곰팡이병과 전신곰팡이병이 있고 피하곰팡이병은 외상에 의해 직접적으로 감염되는 경우로 스포로트리쿰증(sporotrichosis), 크립토콕쿠스증(cryptococcosis) 등이 있다. 전신곰팡이병은 혈행성으로 전파되며, AIDS · 암 · 장기이식 등에 의한 면역저하 상태에서 발생하는 기회곰팡이병(opportunistic mycoses)이 있다.

## 2. 검사법

### 1) 직접도말검사

주로 10~20% KOH 용액을 사용하여 실시한다. 유리 슬라이드 위에 적당량의 피부 검체, 즉 병변 부위의 각질이나 털, 또는 손발톱 부스러기를 올려놓고 시약을 1~2방울 떨어뜨린 뒤 cover glass로 덮고 알코올 램프로 가열하여 각질을 녹인 다음, 약간 어둡게 하여 관찰한다.

피부사상균은 굵기가 균일하고 중간에 중격(septum)이 있는 균사(hyphae)의 형태로 보이며, 칸디다는 싹을 내는(budding) 난원형의 포자 및 격벽이 없는 거짓균사(pseudohyphae)가 특징적이다. 어루러기균의 경우는 크기가 큰 포자와 굵고 짧은 균사가 섞여 있으며, '스파게티와 미트볼'이라고 한다.

### 2) 진균배양검사

병변에서 채취한 검체를 배지 위에 접종하여 25℃에서 배양한다. 피부사상균의 경우 2~4주 후에 원인균이 배양되며, 칸디다인 경우는 며칠 내로 배양된다.

### 3) 우드등(Wood lamp) 검사

암실에서 피부병변에 우드등을 비추었을 때 일부 진균증에서 형광을 나타내는데, 두피백선에서는 황록색의 형광이 나타나며, 어루러기는 황갈색의 형광이 관찰된다.

# Ⅱ 백선증 Dermatophytosis

백선증이란 피부사상균(dermatophyte)에 의한 피부와 부속기의 감염증을 말한다.

감염 부위에 따라 두피백선(tinea capitis), 얼굴백선(tinea faciei), 수염백선(tinea barbae), 체부백선(tinea corporis), 사타구니백선(tinea cruris), 손백선(tinea manus), 발백선(tinea pedis), 손발톱백선(tinea unguium) 등이 있다. 두피백선은 대부분 아동기에 발생하고 체부 및 사타구니백선은 경계가 뚜렷하고, 중심부는 스스로 치유되는 경향이 있다. 손 · 발백선은 수포, 인설, 미란 등의 임상양상을 보이며, 대부분 濕熱이 왕성한 계절에 호발한다. 손발톱백선은 손발톱의 비후 · 회백색 변화 · 기형 등을 야기한다.

## Ⅱ-1. 두피백선 tinea captitis

### 1. 개요

두피백선(tinea capitis)에 해당하는 白禿瘡은 두피와 모발의 백선증으로 학령기 남자 아이들에서 흔히 발생하며 면도칼, 빗, 모자, 수건 등을 통하여 전염되는 백선증이다. 한의학 고전 문헌 중《諸病源候論 · 白禿候》에서 "白禿之候 頭上白点斑剝 初似癬而上有白皮屑 久則生痂瘺成 ……頭髮禿落 故謂之白禿也."라고 白禿의 증상을 설명하였고,《外科正宗 · 白禿瘡》에서 "白禿瘡因剃髮腠理洞開 外風襲入 結聚不散 致氣血不潮 皮肉乾枯 發爲白禿. 久則髮落 根無榮養 如禿斑."이라고 설명하였다.

### 2. 원인 및 병기

1) 현재 국내에서는 *Microsporum canis*가 주 원인균으로 알려져 있으며, 이는 대개 애완동물과의 접

촉을 통해 감염되는 균이다. *Trichopyton tonsurans*에 의한 경우도 보고된 바 있는데, 주로 사람 간 신체접촉에 의해 발생한다고 알려져 있다.

2) 현대 이전에는 外感風燥를 원인으로 보았으며, 臟腑의 不和로 氣虛하고 腠理가 固密하지 못하면 外邪가 侵襲하는데 邪毒의 侵襲으로 氣血이 鬱滯하고 血의 滋養이 失調되면 피부와 모발이 건조해지며 쉽게 탈락된다고 하였다.

## 3. 증상

두피에 크고 작은 회백색의 탈설반이 발생하고 점차로 확산되어 片을 형성한다. 모발이 건조해지고 쉽게 끊어지고 쉽게 탈락되나 동통은 없으며, 모발의 뿌리에 백색의 균초가 나타나는 것이 특징이다. 소양감이 있고 소수의 환자에서는 경미한 홍종, 구진, 농포, 가피 및 동통이 나타난다. 흔히 치유되지 않고 오래 가는 경우도 있으나 치료하지 않아도 청년기가 되면 자연히 치유되는 경우도 있다. 새로운 모발이 자라면 흔적을 남기지는 않으나, 속발성 감염이 발생한 경우에는 흔적이 남으며 환부의 모발이 영구히 재생되지 않는다. 때로는 심한 염증반응에 의해 압통이 있는 농포가 형성되며, 농이 배출되고 일시적으로 광범위한 탈모 및 경부 림프절병증이 나타나기도 하는데 이를 백선종창(kerion, 禿瘡, 膿癬)이라고 한다.

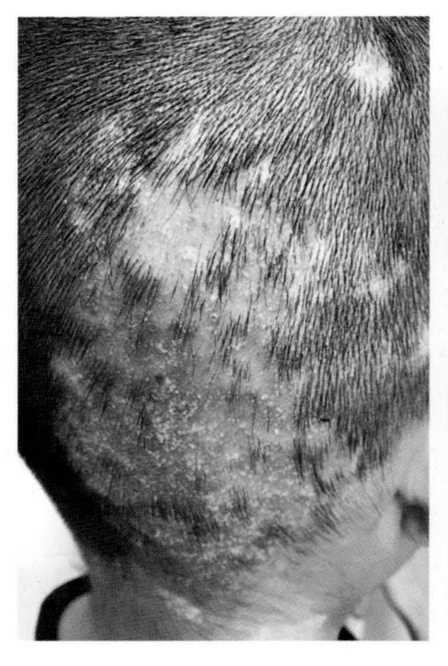

그림 34-1 두피백선(백선종창)

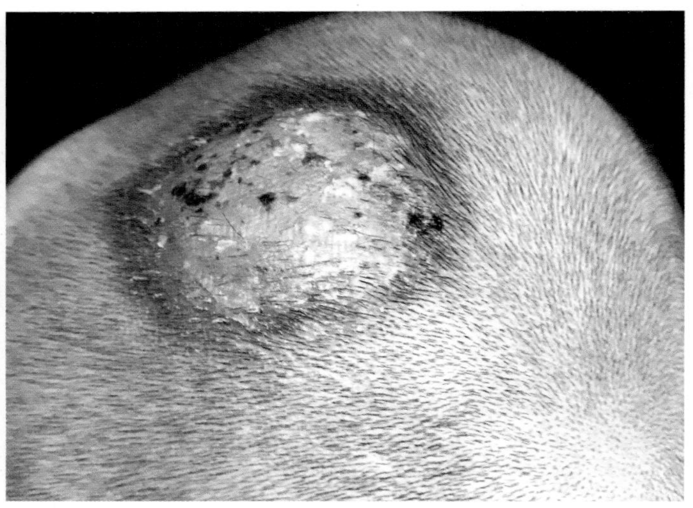

그림 34-2 두피백선(백선종창)

## 4. 진단감별

### 1) 진단요점

암실에서 우드등 검사를 시행하면 *M. canis*에 의한 감염인 경우 황녹색의 형광이 검출된다. 직접 도말검사 및 진균배양검사를 시행할 때는 병변부의 모발을 뽑아 시행한다.

### 2) 감별질환

(1) 건선(白疕, 銀屑病) : 피부병변은 비교적 두꺼운 은백색의 인설이 있는 斑片으로 되어 있으며, 발진의 경계부는 암홍색을 띠며, 경계가 뚜렷하다. 머리카락이 다발로 묶여 있는 것처럼 보이나, 탈락하지는 않는다. 긁어서 인설을 제거하면 삼출 혹은 출혈점을 관찰할 수있고 동시에 四肢 伸側部에서는 같은 모양의 병변이 관찰될 수 있다.

(2) 지루피부염(白屑風) : 청년층에서 많이 발견되며, 흰색의 인설이 겹겹이 쌓여 날린다. 탈모도 발생할 수 있으나, 모발이 끊어지는 현상은 없다.

(3) 원형탈모증(油風) : 대개 갑자기 발병하며, 동전 모양으로 모발이 탈락하고 탈모 부위에 광택이 있으나 인설은 없다.

## 5. 치료

### 1) 內治法

(1) 外感風燥型 : 두피에 회백색의 인설이 발생하고 점차로 확산되어 片을 형성한다. 환부의 모발은 암회색을 띠며 쉽게 끊어지고 탈락된다. 모발의 뿌리에는 백색 균초가 나타나며 소양감이 있다. 舌紅, 苔薄白, 脈浮. 疏風潤燥, 殺蟲止痒하는 牛蒡解肌湯, 防風通聖散 등을 활용한다.

### 2) 外治法

환부와 주위의 모발을 제거하고 白礬水 혹은 野菊, 黃柏의 전탕액이나 苦蔘湯으로 세척하고 一掃光, 雄黃膏, 硫黃膏 등을 도포한다. 1주 후 두발이 거칠게 자라면 족집게를 이용하여 환부의 모발을 완전히 제거하고 상기 약물을 계속 도포한다.

### 3) 기타 치료법

(1) 體鍼療法

① 主穴 : 曲池, 合谷을 1일 1회 2~3주 刺鍼한다.

② 配穴 : 肝兪, 腎兪, 足三里.

# Ⅱ-2. 체부백선 tinea corporis

## 1. 개요

체부백선(tinea corporis)에 해당하는 圓癬은 대퇴부, 손발, 두피, 모발, 손발톱을 제외한 편평한 피부에 발생하는 백선증이다. 한의학 문헌 중 《諸病源候論》에서 "圓癬之狀 作圓文隱起 四畔赤 亦痒痛是也 其里亦生蟲."이라고 하였고, 《外臺秘要 · 卷三十》에서 "病源癬病之狀 皮肉癮疹如錢文 漸漸增大 或圓或斜 痒痛有匡郭 里生蟲 搔之有汁."이라고 증상을 설명하고 있다.

특히, 陰股部의 피부가 접히는 부위에서 시작하여 양측성으로 대퇴 상부에 반월형의 경계가 명확한 판을 형성하며 때로는 생식기나 회음부로 확대될 수 있는 질환을 사타구니백선(완선, 고부백선, tinea inguinalis, tinea cruris)이라고 한다. 사타구니백선은 병변의 색깔은 붉은색에서 갈색으로 다양하고, 습기가 많은 부위이므로 인설이 뚜렷하지 않은 수가 많다. 경계부는 약간 융기되어 있고 구진, 소수포 등이 배열된 활동성 병변을 나타내는 점은 輪狀의 체부백선과 동일하다. 사타구니백선은 자주 재발하는 경향이 있는데 고온의 환경, 발한, 밀착된 의복, 기계적 마찰, 비만 등이 유발요인이 된다.

## 2. 원인 및 병기

1) 체부백선은 *T. rubrum*에 의해 주로 발생하며, *M. canis*나 *T. mentagrophytes*에 의한 체부백선은 애완동물과의 접촉으로 발생한다고 알려졌다. 사타구니백선도 주로 *T. rubrum*이 원인균으로, *T. mentagrophytes*나 *E. floccosum*도 원인균이 되는 경우가 있다. 체부백선 및 사타구니백선 모두 본인의 손발무좀이나 손발톱무좀에서 전염된 경우가 많다.
2) 현대 이전에는 비만하여 痰濕이 盛한 체질에서 肌膚의 腠理가 固密하지 못하여 風濕熱의 外邪가 侵襲하고 肌膚에 蘊積하여 발생하거나, 濕鬱이 오래되어 濕熱로 傳變되어 內蘊한 상태에서 風濕熱의 毒邪에 感觸되면 熱毒이 熾盛해져 피부를 灼傷하고 腐肉되어 농포, 미란, 結痂 등을 유발한다고 하였다.

## 3. 증상

체간, 얼굴, 목에 호발하며 초기에는 붉은색의 구진 혹은 丘疱疹이 군집 형태로 발생한다. 점차 주위로 확산되어 원형, 반고리형, 동심원 형태의 홍반을 형성하며 주변과의 경계는 명확하다. 중심부는 점차로 회복되면서 주변부는 융기되어 붉은색 구진, 丘疱疹 등이 군집 형태로 나타나고 얇은 인설이 형성되며 소양감이 아주 심하게 나타난다.

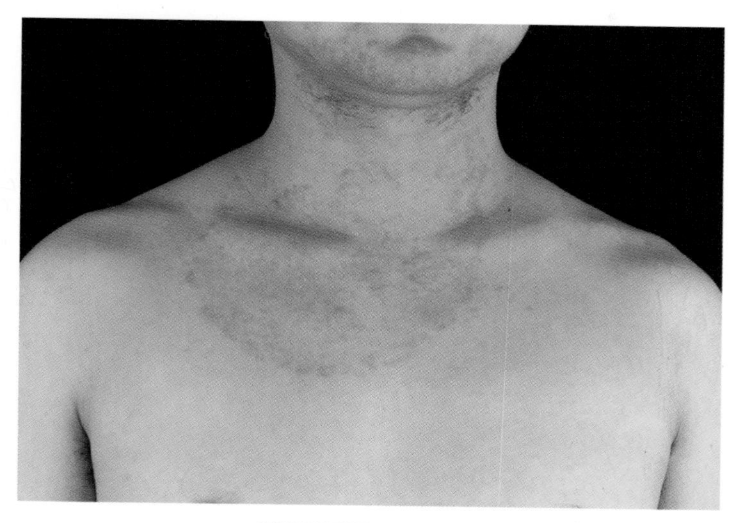

그림 34-3 체부백선

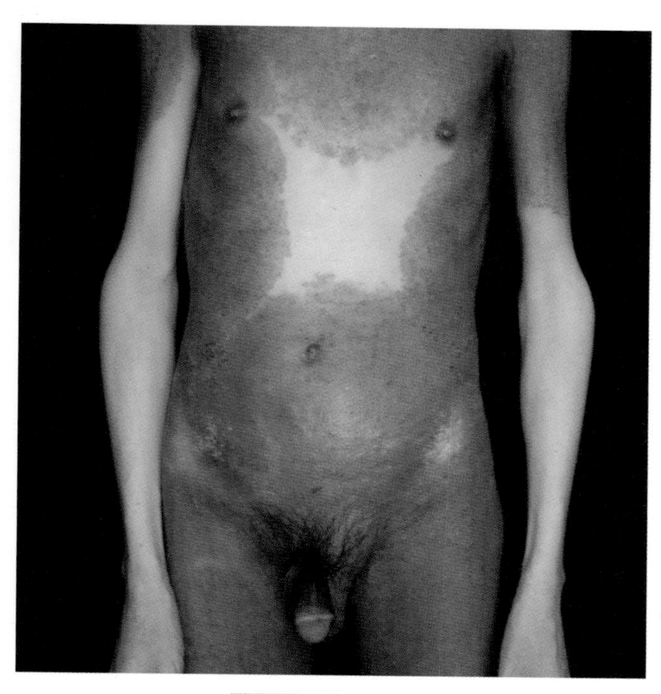

그림 34-4 체부백선

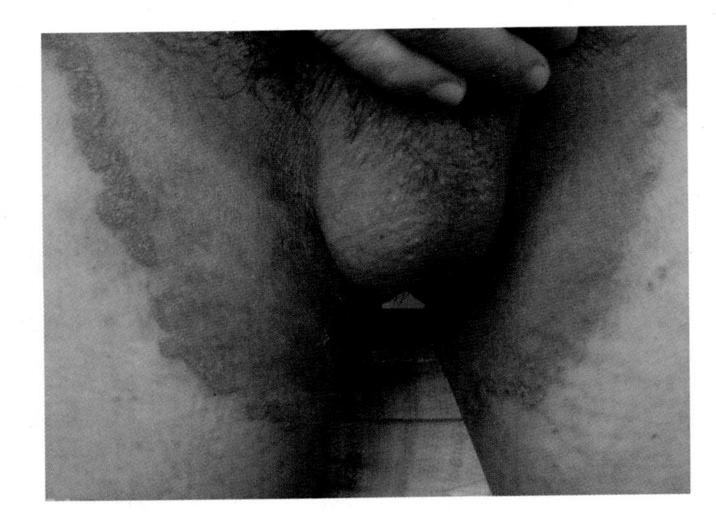

그림 34-5 샅백선

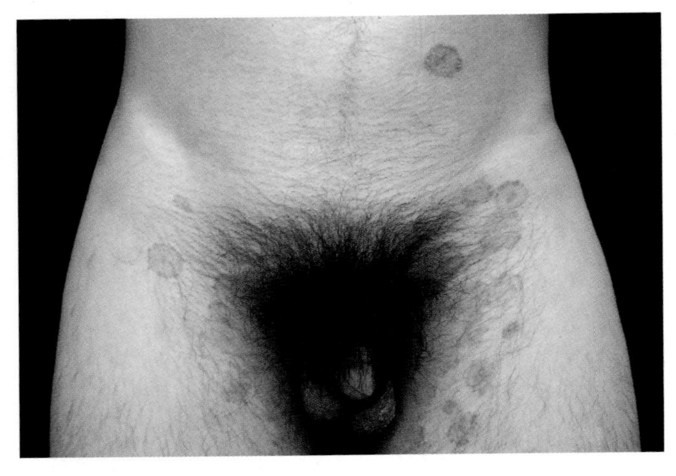

그림 34-6 샅백선

## 4. 진단감별

1) 장미색잔비늘증(風熱瘡) : 가슴 및 옆구리, 대퇴 내측면에 발생하는 경우가 많고, 斑疹의 수가 비교적 많다. 발진의 장축은 皮紋과 일치하며, 원발진과 속발진으로 구분된다. 발진은 원형 또는 타원형이며, 옅은 장미색을 띤다. 병변의 중앙부가 자연 치유되는 경향은 나타나지 않는다. 급성의 경과를 보이고, 수 주내 완치되며 쉽게 재발하지 않는다.

2) 건선(白疕) : 발진은 때때로 고리 모양으로 관찰되는데, 기저부는 담홍색으로 침윤되어 있다. 그

위에는 여러 겹의 층으로 된 백색 인설이 덮고 있는데, 인설들은 층층이 쌓여 융기되어 있으며, 인설을 벗겨내면 붉게 침윤된 표면과 출혈점이 드러나며, 수포는 없다. 겨울철에 악화되고 여름철에 완화된다. 頭頂部, 四肢 伸側部와 관절면에 호발한다.

3) 지루피부염(白屑風) : 피지분비가 왕성한 부위에 호발한다. 피부병변은 아급성 염증의 형태를 보이며, 표면에는 油膩하고 미세한 인설이 있다. 소양감이 있으며, 진균검사상 음성이다.

4) 신경피부염(牛皮癬) : 선명한 광택이 있는 구진이 관찰된다. 피부는 두껍고 거칠며, 극렬한 소양감 등의 증상이 나타난다. 진균검사상 음성이다.

5) 고정형 약진(中藥毒) : 약물을 사용한 과거력이 있으며, 발진은 입 주위, 외음부와 같은 피부와 점막이 서로 만나는 부위 및 四肢, 軀幹部에 고정되어 호발한다는 특징이 있다. 매번 시작된 부위로부터 다른 부위로 확대된다. 발진의 모양은 원형이나 난원형이며, 선홍색 또는 자홍색의 반으로 斑片으로 나타난다. 진균검사상 음성이다.

## 5. 치료

### 1) 內治法

(1) 風濕蘊膚型 : 병변이 점차로 확산되며 소양감이 아주 심하다. 그 외 舌淡紅, 苔白膩, 脈滑 등의 증상이 수반된다. 祛風利濕殺蟲하는 治癬方을 활용한다.

(2) 濕熱毒聚型 : 꽃무늬 홍반이 나타나고 농포, 미란, 가피 등이 나타난다. 그 외 舌紅, 苔薄, 脈數 등의 증상이 수반된다. 淸熱殺蟲하는 連翹敗毒丸을 활용한다.

### 2) 外治法

① 顚倒散, 普癬水를 도포한다.

② 硫黃膏, 雄黃膏, 紅油膏, 二黃一白散 등을 도포한다.

③ 미란면에서 삼출액이 많으면 靑黛散, 五倍散, 花蕊石散 등을 도포한다.

### 3) 기타 치료법

梅花鍼療法 : 병변부위에 梅花鍼으로 鼓刺한다. 소양감이 심한 경우에는 灸法을 加한다.

## Ⅱ-3. 손백선 tinea manuum

### 1. 개요

손백선(tinea manuum)에 해당하는 鵝掌風은 주로 *T. rubrum*과 같은 병원성 사상진균의 감염으로 손에 발생하는 백선증이다.

손바닥이 거칠고 갈라져 마치 거위의 발바닥과 같아서 부르는 명칭인 鵝掌風은 明代《外科啓玄 · 鵝掌風》에서 처음 등장한다. 《外科正宗 · 鵝掌風》에서 상세한 기록이 있는데, 예를 들며 "鵝掌風은 足陽明胃經의 火熱에 血燥한데다 外部로 寒凉을 받아 凝結하여 피부의 枯槁를 일으킨 것이다. 또는 腫瘡의 餘毒이 未盡하여도 발생할 수 있다. 초기에는 紫斑白點이 일어나고, 오래되면 피부가 枯厚되고 파열된다."라고 하였다. 清代의《醫宗金鑑 · 外科心法要訣 · 鵝掌風》에서는 "掌心風"이라 하고 "아무 이유 없이 손바닥이 가렵고 피부가 벗겨지고 심하면 枯裂하고 微痛한 것을 掌心風이라 하는데, 이는 脾胃有熱, 血燥生風하여 피부를 營養하지 못해 발생한 것이다."라고 하였다.

### 2. 원인 및 병기

1) *T. rubrum*에 의한 경우가 가장 흔하며, *T. mentagrophyte, E. floceosum* 등도 원인균이 될 수 있다.
2) 현대 이전에는 濕熱이 內蘊된 상태에서 風邪에 感觸되어 風濕의 邪氣가 피부에 蘊結하여 발생하거나, 病程이 오래되고 風熱로 인하여 燥化되면 營血이 손상되고 陰液이 耗損된 결과 肌膚가 失養되어 발생한다고 하였다.

### 3. 증상

대개 각화형 발백선과 동일한 임상양상으로 나타난다. 크고 작은 수포가 발생하는데 내용물은 맑고, 수포가 파열되면 소량의 삼출액이 배출되며 바로 건조되고 흰 인설이 나타난다. 오래되면 피부가 건조하여 거칠어지며 두터워지고 갈라져 통증이 나타나며 굴신이 어렵다. 여름철에 증상이 심해지고 겨울철에는 감소하며 오래되면 치료가 어렵다. 수포가 발생하면 소양감이 아주 심해진다. 습진과 달리 대개 편측 손바닥에서만 병변이 관찰되며, 발에 과다각화형의 발백선을 동반하는 경우가 많다.

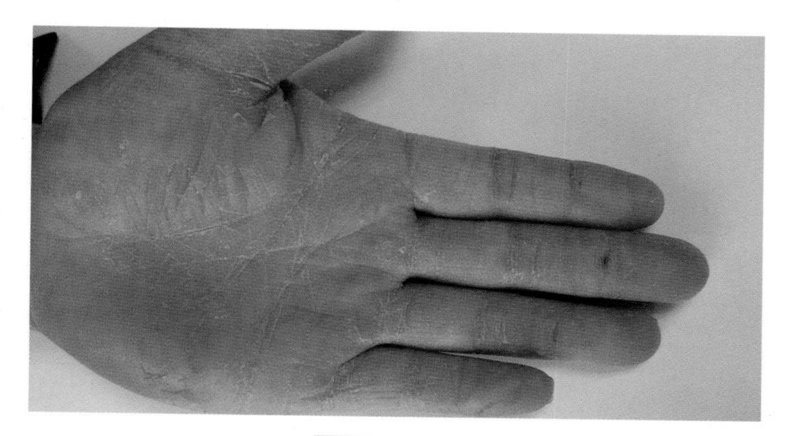

그림 34-7 손백선

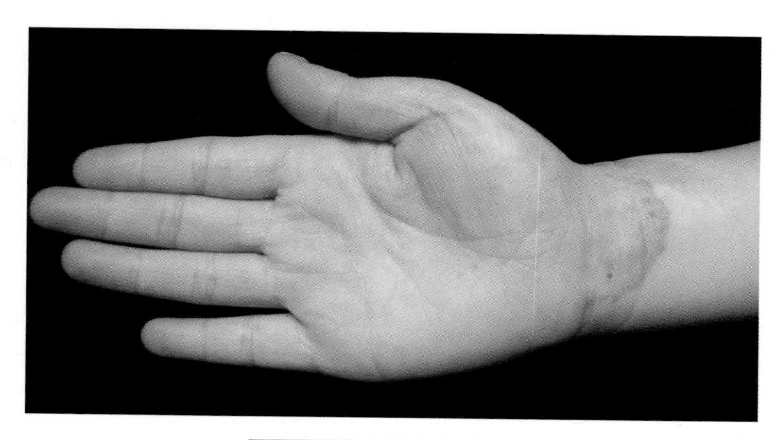

그림 34-8 손백선과 체부백선

## 4. 진단감별

1) 손습진(瘑瘡) : 보통 양 손에 대칭적으로 발생하며, 피부병변의 형태는 다양하다. 경계가 명확하지 않으며, 반복적으로 발생할 수 있다. 진균검사상 음성이다.
2) 한포진(田螺疱) : 손가락 측면 가장자리에 대칭적으로 발생하며, 밀집된 소수포의 형태로 주로 관찰된다. 수포는 잘 터지지 않고 보통 무리지어 나타난다. 일반적으로 1~2개월 이내에 자연 치유된다.
3) 손발각화증(掌跖角化病) : 대부분 유아기에 발병하며, 손바닥과 발바닥에 대칭적인 각화와 갈라짐이 발생한다. 수포와 같은 염증반응은 보이지 않는다.

## 5. 치료

### 1) 內治法

(1) 風濕蘊膚型 : 손바닥과 손가락에 내용물이 맑은 수포가 발생하고 건조되면 脫屑이 일어난다. 경계가 뚜렷하며 점차로 확산되어 손가락 사이에 潮紅, 濕爛 등이 나타난다. 그 외 舌紅, 苔白或膩, 脈滑 등의 증상이 수반된다. 祛風除濕하는 消風散을 활용한다.

(2) 血虛風燥型 : 손바닥의 피부가 두터워지고 거칠어지며 건조하여 균열이 일어난다. 수포는 뚜렷하지 않고 건조되면 脫屑이 발생한다. 그 외 舌淡紅, 苔薄, 脈細 등의 증상이 수반된다. 養血潤燥하는 當歸飮子를 활용한다.

### 2) 外治法

(1) 二礬湯을 전탕하여 熏洗한다.

(2) 水疱型은 10%의 빙초산에 1일 2회 10분씩 浸泡한다.

(3) 糜爛型은 雄黃膏, 皮脂膏 등을 도포한다.

(4) 脫屑型은 瘋油膏, 紅油膏 등을 도포한다.

### 3) 기타 치료법

(1) 體鍼療法

① 勞宮, 少府, 大陵, 合谷, 後谿.

② 內關, 合谷을 提揷法으로 瀉한다.

# Ⅱ-4. 발백선 tinea pedis

## 1. 개요

발백선(tinea pedis)에 해당하는 脚濕氣은 백선증 가운데 가장 빈번히 관찰되는 유형으로 성인 남성에게 흔하며, 무좀(athlete's foot)이라고도 한다.

한의학 문헌 중《外科啓玄 · 水漬脚丫爛瘡》에서 "久雨水濕 勞苦之人跣行 致令足丫濕爛成瘡疼痛難行."이라고 원인에 대하여 설명하였고,《醫宗金鑑 · 外科心法要訣》에서 "臭田螺由胃經濕熱下注而生 · 脚丫破爛 其患甚小 其痒搓之不能住痒 必搓至皮爛流腥臭水覺痛時 其痒方止 次日依然作痒 經年不愈 極其纏綿."이라고 원인과 증상에 대하여 설명하였다.

## 2. 원인 및 병기

1) *T. rubrum*에 의한 경우가 가장 흔하며, *T. mentagrophyte, E. floceosum*도 원인균이 될 수 있다. 발무좀 환자와 직접적인 피부접촉을 통하여 감염되거나 공동 수영장이나 목욕탕의 바닥, 발수건, 신발 등을 통하여 감염될 수 있다.

2) 현대 이전 원인

(1) 濕熱下注 : 濕毒의 外邪에 感觸되어 經絡을 따라 발로 下注하고 鬱結되어 濕熱로 傳變된 결과 발생한다.

(2) 血虛風燥 : 腎虛하여 下焦의 經絡이 空虛하거나 下焦濕熱이 오래된 결과 燥盛하여 陰液이 耗傷되면 피부의 滋養이 失調되어 발생한다.

## 3. 증상

발무좀은 주로 성인 남자에게 호발하고 발가락과 발바닥에 주로 발생하며 여름에 심해진다. 임상 양상에 따라 손발가락사이형(지간형), 잔물집형(소수포형) 및 건조비늘형(각화형)의 세 가지 형태로 구분할 수 있다.

손발가락사이형(interdigital type)은 발가락 사이에 비늘, 짓무름(maceration) 및 균열이 생기는데 4번째와 5번째 발가락 사이에 호발하고 불쾌한 발냄새를 동반할 수 있다. 잔물집형(vesicular type)은 발바닥 및 발의 옆부분에 가려움증이 있는 홍반성 잔물집이 생긴다. 건조비늘형(dry squamous type)

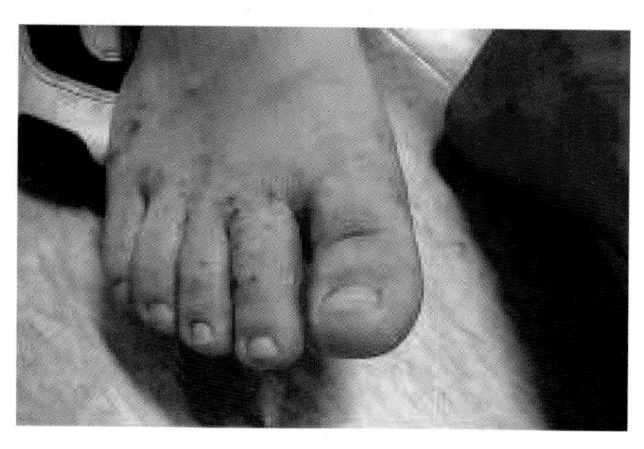

그림 34-9 수포형 발백선

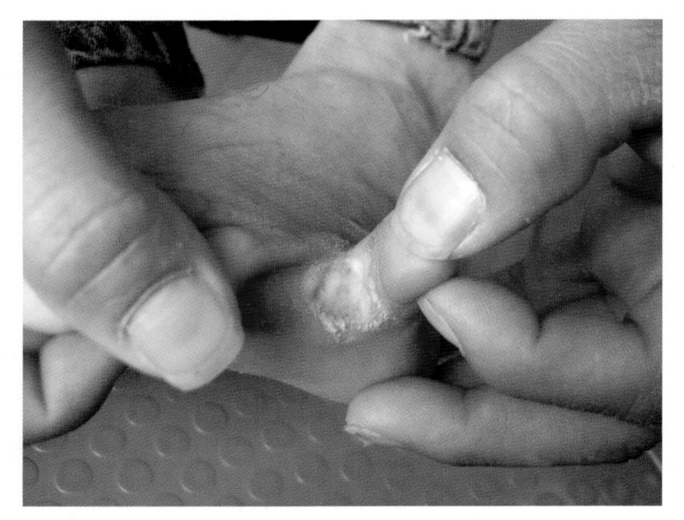

그림 34-10 지간형 발백선

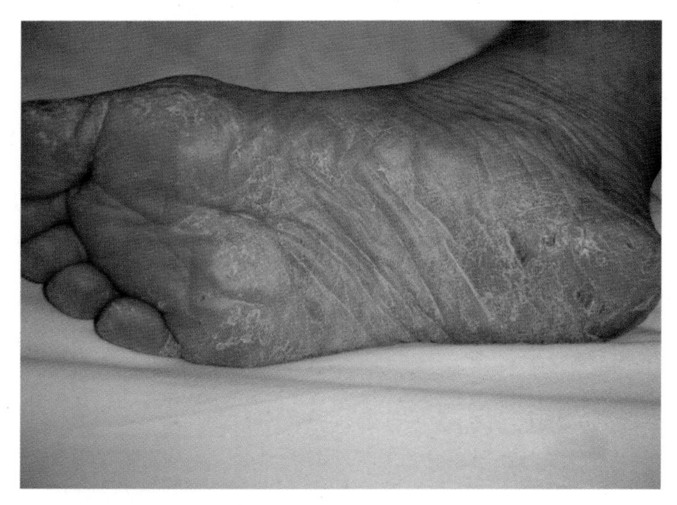

그림 34-11 건조비늘형 발백선

은 발바닥에서 광범위한 비늘과 약간의 홍반이 관찰되며 치료에 잘 반응하지 않고 만성으로 진행한다. 이 세 가지 임상유형은 혼합되어 나타나는 경우가 많으며, 세균에 의하여 2차 감염이 되어 염증이 생기기도 한다.

## 4. 치료

### 1) 內治法

(1) 濕熱下注型 : 발가락 사이의 피부가 물에 불은 것과 같이 되며 腐白하고 미란된다. 진물이 흐르고 고약한 냄새가 나며 마찰이 되어 피부가 갈라지면 燥濕한 鮮肉이 노출된다. 궤파된 피부 표면을 통하여 2차 감염이 발생하면 피부가 벗겨지고 미란되어 焮赤腫脹하며 동통으로 걷기 힘들다. 舌紅苔少 혹 搏黃, 脈濡數하다. 清熱利濕, 解毒消腫하는 五神湯을 활용한다.

(2) 血虛風燥型 : 오랫동안 낫지 않으며 발가락 사이에 심한 소양감이 있는 경우, 부종이 있으면서 진물이 흐르는 경우, 건조하고 가려우면서 피부가 벗겨지고 심하면 갈라져 동통이 있기도 한다. 舌淡紅, 苔少, 脈虛細하다. 補腎益氣, 養血潤燥하는 犀角散, 升麻消毒飮 등을 활용한다.

### 2) 外治法

(1) 합병증이 없는 손발가락 사이나 잔물집형의 발무좀에는 항진균제 연고를 4~6주간 도포한다.

(2) 발가락 사이에 짓무름과 균열 및 까짐이 있고 진물이 날 때는 과망간산칼륨 용액(1:50,000 $KMnO_4$)이나 Burow 용액으로 냉찜질을 하여 우선 병변부를 건조시킨 다음 항진균제 연고를 도포한다.

(3) 건조비늘형(각화형)의 발무좀에서 각질층의 비후가 심하면 국소 항진균제의 흡수가 저해되고, 각질층의 영양분을 매개로 성장하는 진균 군락이 증가하여 항진균제의 치료 효과가 감소한다. 그러므로 10~20% 살리실산이나 요소 연고를 사용하여 먼저 각질을 제거한 후 항진균제 치료를 시행하는 것이 효과적이다.

(4) 급성 염증이 있거나 2차 세균감염이 있을 때는 경구용 항생제의 투여와 함께 희석된 과망간산칼륨용액(1:50,000 $KMnO_4$)으로 냉찜질을 하여 염증을 가라앉힌 다음 항진균제 연고를 도포한다.

(5) 甘草, 薏苡仁 煎湯水 혹은 白礬水로 세척한다.

(6) 수포가 주된 피부병변인 경우는 漏蘆湯으로 씻는다.

(7) 피부가 물에 부은 것처럼 腐白하면 石榴皮水로 씻고 花蕊石散, 龍骨散 등을 도포한다.

(8) 미란, 紅腫, 삼출이 있는 경우에는 靑黛散, 眞君妙貼散 등을 도포한다.

(9) 피부가 건조하고 벗겨지며 갈라지는 경우에는 瘋油膏, 潤肌膏, 紅油膏, 透骨丹, 雄黃膏 등을 도포한다.

#### 3) 기타 치료법

(1) 體鍼療法

① 主穴 : 合谷, 後谿, 中渚, 八邪.

② 配穴 : 大陵, 三陰交, 太谿.

## Ⅱ-5. 손발톱백선 tinea ungium

### 1. 개요

손발톱백선(조갑백선, tinea ungium)에 해당하는 鵝爪風은 손발톱 및 손발톱 하부에 발생하는 진균증으로, 대부분 손발에 백선증이 동반된다. 한의학 문헌 중 《外科證治全書》에서 "卽油灰指甲 用白鳳仙花搗涂指甲上 日日易之 待至風仙過時 灰甲卽好."라고 설명하였다.

### 2. 원인 및 병기

1) 피부사상균의 일종인 *T. rubrum*이 가장 흔한 원인균이며, *T. mentagrophytes*도 원인이 되는 경우가 있다.

2) 현대 이전

(1) 濕毒內蘊 : 鵝掌風이나 脚濕氣의 濕毒이 內蘊하여 血運의 不暢으로 발생한다.

(2) 血燥失養 : 肝血虛로 爪甲이 失榮된 상태에서 外邪에 感觸되어 발생한다.

### 3. 증상

손백선이나 발백선을 오래 앓은 환자에게 주로 발생한다. 가장 흔하게 나타나는 형태는 원위부 손발톱진균증(distal subungual onychomycosis)으로, 진균이 손발톱판의 말단 밑 피부에 감염되어 각질의 과다증식을 일으키는 증상이다. 이에 따라 손발톱의 말단 부위가 광택을 잃고 점차로 두터워지거나 혹은 위축되어 손발톱밑바닥(nail bed)과 분리가 된다. 심한 경우에는 손발톱에 구멍이 생기고 결손이 발생하며 조갑판이 약해져 파손되어 손발톱의 모양이 변형된다. 기타 毒邪의 感觸이 있을 경우에는 농을 형성한다.

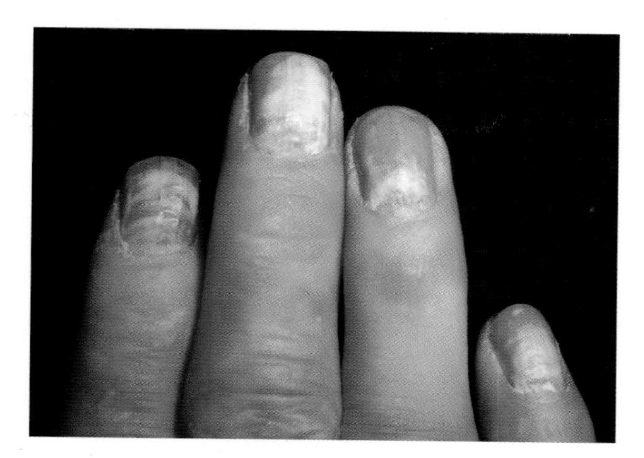

그림 34-12 손톱백선

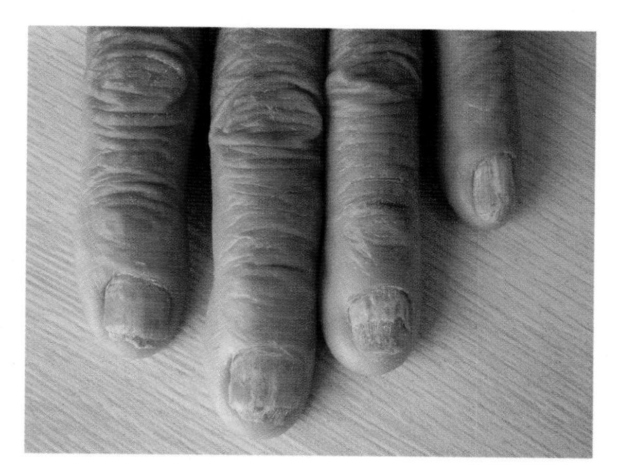

그림 34-13 손톱백선

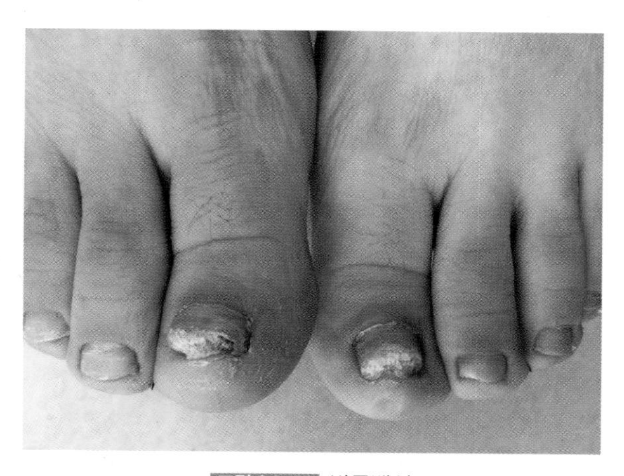

그림 34-14 발톱백선

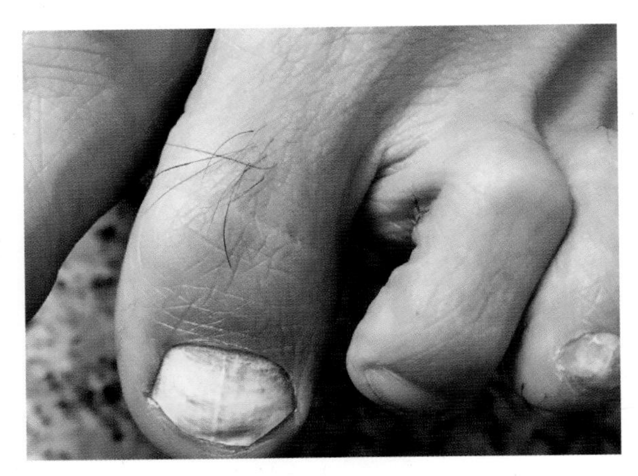

그림 34-15 발톱백선

## 4. 진단감별

### 1) 진단요점

정상 조갑과 병적 조갑의 경계부에서 검체를 채취하여 직접도말검사 및 진균배양검사를 실시한다.

### 2) 감별진단

(1) 조갑취약증(脆甲症) : 손발톱이 질기고 단단하지 않으며, 쉽게 부러지고 갈라지는 경우가 많다. 血虛 및 장기간 염기성 용액을 다루는 일을 한 경우 등과 관련성이 있다.

(2) 손발톱비후증(厚甲症) : 손발톱이 두꺼워지는 질환으로, 손발톱 혹은 손발가락 말단에 외상을 입었거나, 건선, 습진과 같은 일부 피부질환이 있을 때 함께 발생한다. 환부에서는 여러 피부질환의 전형적인 병변도 관찰할 수 있으며, 손발톱 내부에 진균은 없다.

(3) 손발톱변색(甲變色症) : 손발톱 위에 비정상적인 색깔의 점상 혹은 선상의 반점이 있으며, 심하면 백색손발톱(白甲)이나 흑색손발톱(黑紋甲)처럼 손발톱 전체가 변색된다. 특정한 약물을 복용하는 것과 관련성이 있다.

## 5. 치료

### 1) 內治法

(1) 血燥失養型 : 甲板의 色澤이 不榮하고 두터워지거나 혹은 위축되고 구멍이 생기며 결손이 발생하여 조갑의 변형을 일으킨다. 舌淡, 苔少, 脈細하다. 補養肝血하는 補肝丸, 當歸補血丸, 養血榮筋丸 등을 활용한다.

(2) 현대치료 : 경구용 항진균제를 복용한다.

### 2) 外治法

醋泡方, 鵝掌風浸泡劑로 1일 1회 30분 정도 浸泡한 후 甲殼이 부드러워지면 칼로 긁어낸다.

### 3) 기타 치료법

灸療法 : 병변이 있는 손발톱의 주위와 중심부에 직접 혹은 간접으로 灸를 한다.

# Ⅲ 어루러기 Tinea versicolor, Pityriasis versicolor

## 1. 개요

어루러기에 해당하는 紫白癜風은 땀이 많은 젊은층에서 호발하며, 앞가슴, 등, 몸통의 양측, 겨드랑이, 팔꿈치 등에 많이 발생한다.

紫白癜風은 紫斑과 白斑이 교차되어 발생한다는 의미이고, 여름에 땀이 날 때 피진이 선명하여 "汗斑"이라고도 한다. 明代 《外科正宗 · 紫白癜風》에서 "紫白癜風은 一體二種이다."라 하였다. 《外科證治全書 · 紫白癜風》에서는 "紫白癜風은 초기에 반점이 片狀을 이루어 遊走하며 오래되면 온몸에 만연된다. 초기에는 소양, 동통이 없지만 오래되면 약간의 소양감을 갖는다. 땀으로 젖은 의복이 몸에 밀착된 상태에서 마르면 暑濕이 毛竅에 侵滯하여 발생한다."라고 하였다.

## 2. 원인 및 병기

### 1) 현대

대부분의 정상 성인 피부에 존재하는 친지질성(lipophilic) 효모류 상재균인 *Malassezia furfur*가 원인균이다. 이 균은 본래 비병원성으로, 정상인의 피부에 상주하다가 덥고 습윤한 환경, 지루성 피부, 면역결핍, 과다한 발한, 스테로이드 사용 등의 유발인자가 있으면 병원성을 나타내어 발병한다.

### 2) 현대 이전

(1) 素熱夾濕 : 평소 體熱한데 風濕의 外邪가 侵襲하여 皮膚腠理에 鬱滯한 결과 氣血이 凝滯하고 汗孔이 閉塞되어 발생한다.

(2) 暑濕蘊膚 : 땀에 젖은 옷을 착용하고 햇볕을 받아 暑濕의 邪氣가 毛竅에 侵襲한 결과 汗孔이 閉塞되어 발생한다.

## 3. 증상

진한 갈색 혹은 흑갈색의 고운 인설이 덮인 반점으로 나타난다. 그 크기는 처음에는 작은 점 형태이나 점차 커져 콩 크기에서 손바닥 크기까지로 확대된다. 처음에는 목, 앞가슴 부위에서 시작하여 나중에는 배, 위팔, 허벅지 부위에 이르기까지 만연하며, 경계는 뚜렷하고 표면에 비강진 형태의 인

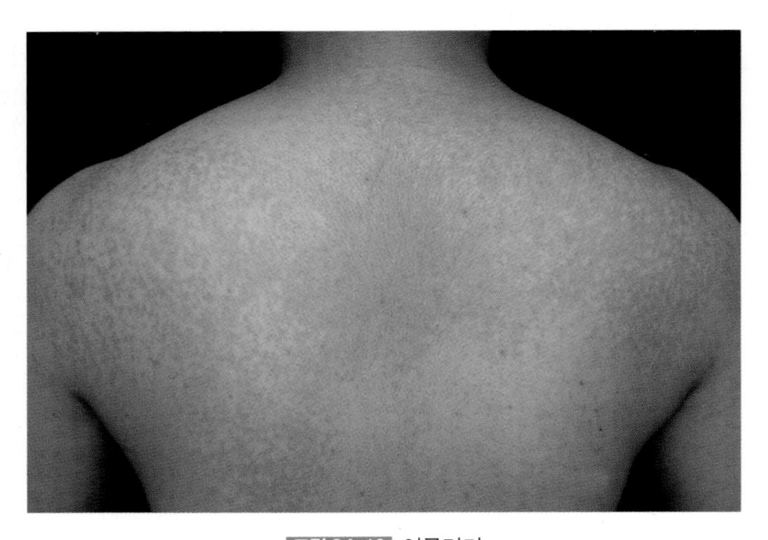

그림 34-16 어루러기

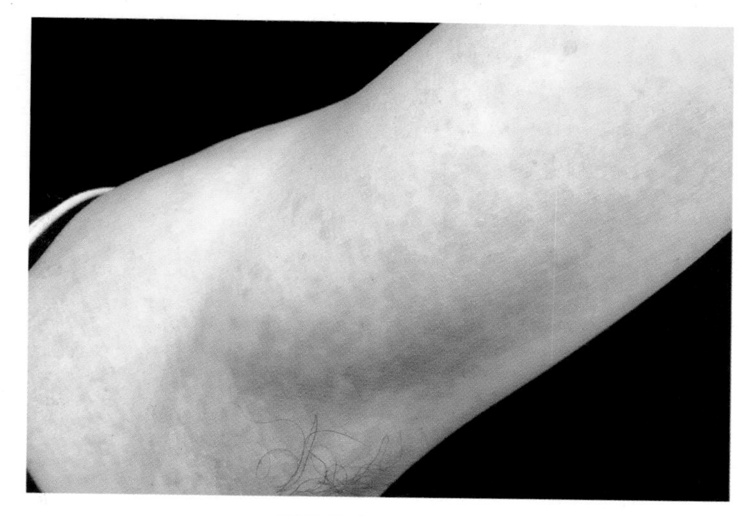

그림 34-17 어루러기

설이 나타난다.

일반적으로 자각증상은 없으며 약간의 소양감이 나타나는데 땀을 흘리면 소양감이 더욱 심해진다. 피부병변이 오래 지속되면 효모균에 의하여 그 부위의 멜라닌 색소 형성이 억제되어 희끗희끗한 저색소반으로 관찰될 수도 있다. 환자들은 주로 얼룩덜룩한 반점이 외관상 보기 흉하여 내원하는 경우가 많다. 경과는 완만하며 겨울철에는 경감되고 여름철에는 심해지는 경향이 있다.

## 4. 진단감별

### 1) 진단

임상소견과 KOH 도말검사로 진단한다. KOH 도말검사에서는 짧은 길이의 균사들과 많은 포자들이 뭉쳐 "스파게티와 미트볼"이라고 불리는 특징적인 형상으로 관찰된다. 진균배양검사나 PCR 검사로도 진단할 수 있다.

### 2) 감별질환

(1) 백반증(白駁風, 白癜風) : 피부 증상은 순백색의 반으로 나타나고, 백반 부위의 모발 역시 백색으로 경계가 뚜렷하다. 피부 주위의 색은 짙고, 소양감이나 동통과 같은 자각증상은 없으며 전염성도 없다.

(2) 장미색잔비늘증(風熱瘡) : 피진은 담홍색을 띠고, 피부병변은 길게 늑골 방향을 따라 배열된다. 자각적인 소양감이 극심하고, 1~2개월이 지나면 자연적으로 치유된다.
(3) 편평태선(紫癜風) : 편평한 구진이 손목 屈側部, 아래팔, 陰股部, 腰臀部 및 구강 점막에 호발하며, 그 모양은 다각형이며, 광택이 있는 자색을 띤다. 보통 소양감을 동반한다.
(4) 기미 : 얼굴에 많이 발생하며, 쌀겨 같은 인설은 없다.

## 5. 치료

### 1) 內治法

(1) 暑濕蘊膚型 : 피부에 담홍색, 적자색, 棕黃色 혹은 담갈색의 斑片이 나타나며 서로 융합되어 片을 형성한다. 그 위에 비강진 형태의 인설이 형성되며 가벼운 소양감이 나타난다. 설홍, 맥활삭하다. 淸熱解毒, 散風利濕하는 淸熱解毒丸, 防風通聖散, 消風散, 萬靈丹, 胡麻丸, 加味羌活湯, 浮萍茯苓丸 등을 활용한다.

### 2) 外治法

(1) 병변이 광범위하지 않으면 광범위 항진균제 연고를 2주간 도포한다.
(2) 密陀僧散, 雌雄四黃散, 顚倒散 등을 도포한다.
(3) 硫黃, 白礬을 물에 타서 목욕한다.

# Ⅳ 칸디다증 Candidiasis, Candidosis

## 1. 개요

칸디다증은 인체의 구강, 질 및 위장관에 존재하는 정상 균종인 *Candida albicans*에 의해 주로 발생한다. 칸디다증은 숙주의 국소 면역기능이 저하된 경우에 피부, 점막, 손발톱을 비롯한 내부 장기에 기회감염을 일으켜 발생하므로, 장기간의 항생제 사용, 기저귀 착용, 비만, 당뇨병, 잦은 물일 등과 같은 유발인자를 제거해야 완치할 수 있다. 구강칸디다증을 "鵝口瘡"이라고 불렀는데, 이는 입 안에 생기는 하얀 막과 같은 片이 마치 거위의 입(鵝口)과 닮아 붙여진 이름이다.

## 2. 증상

### 1) 피부점막칸디다증(mucocutaneous candidiasis)

피부, 위장관 및 비뇨기(genitourinary tract)에 흔히 존재하는 칸디다 균이 온도나 습도가 잘 유지되는 점막이나 겹치는 피부 등에서 상처가 생기면 감염원으로 작용하여 일으키는 경우이다.

#### (1) 피부칸디다증(cutaneous candidiasis)

① 칸디다간찰진(candidal intertrigo) : 습하고 피부가 겹치는 곳에 발생하는 칸디다 감염증이다. 소양감을 동반하는 홍반성 병변이 나타나며, 환부가 촉촉해지면서 벗겨지며 흰 가장자리를 보인다. 액와부, 유방 아래, 손발바닥 사이 등에서 잘 발생한다. 손가락 중에서는 3지와 4지 사이, 발가락 중에서는 4지와 5지 사이에서 호발한다.

② 항문주위칸디다증(perianal candidiasis) : 항문 주위에 가려움증이나 작열감을 동반하는 홍반과 습윤성 변화가 나타난다.

③ 칸디다조갑주위염(candidial paroncychia, Periungual candidiasis) : 주로 손톱주위염으로 잘 발생하며 재발하는 경향이 있다. 부종과 함께 통증을 동반하기도 하며, 누르면 손톱에서 농이 배출되기도 한다. 물과 자주 접촉하는 주부나 가정부, 목욕탕 및 식당 종사자, 어부 등에서 호발한다.

④ 칸디다손발톱진균증(candidial onychomycosis) : 손발톱이 두꺼워지고 변형되거나 부스러진

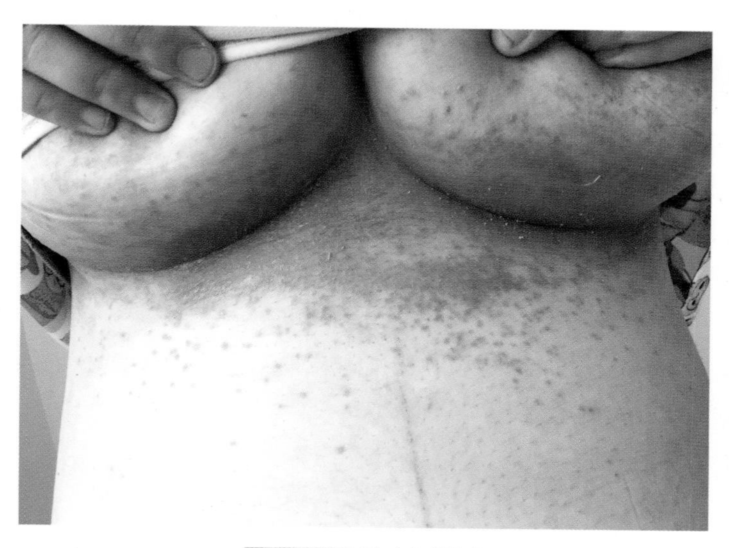

그림 34-18 칸디다간찰진

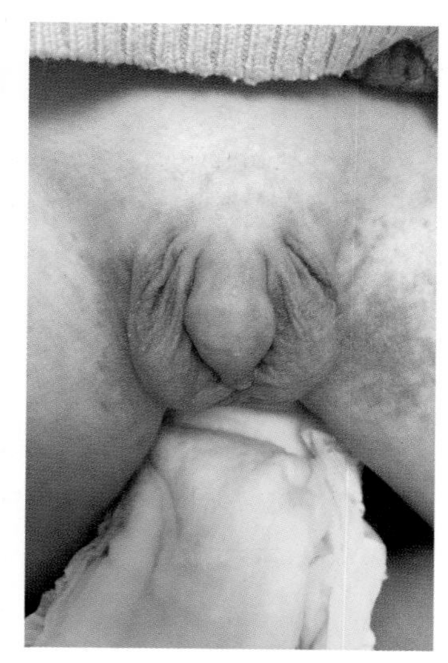

그림 34-19 칸디다간찰진

다. 백선균에 의한 손발톱무좀과 유사한 임상양상을 보이므로 진균배양검사로만 감별할 수 있다.

⑤ 기저귀 칸디다증(diaper candidiasis) : 유아의 대변에 있는 칸디다균이 기저귀 착용으로 밀폐된 부위에 감염되어 발생하는 질환으로, 항문 주위에서 시작하여 서혜부로 파급된다.

(2) 점막칸디다증(mucous candidiasis)

① 구강칸디다증(oral candidiasis) : 아구창(thrush)이라고도 잘 알려진 질환으로, 칸디다증 중에서 가장 흔하다. 신생아, 심한 당뇨나 만성 질환, AIDS, 스테로이드 장기 복용 등으로 면역력이 저하된 환자에게서 호발한다. 흰색 가막(위막, pseudomembrane)이 구강 점막이나 혀에 붙어 있는 것이 특징적인 소견이다. 미란성 판이 발생하며 떨어져 나가면 통증이 발생한다.

② 음부칸디다증(genital candidiasis, vulvovaginal candidiasis) : 임신부나 당뇨가 있는 성인 여성에게서 호발한다. 우유 커드 모양의 하얀 막으로 덮여 있는 미란성 홍반이 나타나며, 질 분비물이 증가한다. 남성에게서는 귀두와 포피에서 발적과 미란이 발생한다.

## 2) 만성피부점막칸디다증(chronic mucocutaneous candidiasis)

(1) 정의 : 유소아기에 만성적으로 재발하는 칸디다증

(2) 원인 : 선천적으로 혹은 후천적으로 면역결핍이나 내분비 이상으로 발생하거나, 가족적으로 혹은 산발적으로 발생할 수 있다.

(3) 증상 : 심한 아구창을 비롯하여 다양한 피부칸디다증이 발생할 수 있다. 일반적인 칸디다증과 달리 두꺼운 가피로 덮여 있어서 사마귀양 병변이 나타나기도 한다. 치료에 잘 반응하나 쉽게 재발한다. 사마귀, 백선증과 같은 다른 감염성 질환도 동반하는 경우가 많다.

## 3) 전신칸디다증(systemic candidiasis)

(1) 정의 : 심각한 면역결핍으로 전신에 발생하는 칸디다증

(2) 원인 : 스테로이드제와 같은 면역억제제, 항암제, 항생제, 수술, 장기이식과 같은 의인성 요인과, AIDS, 백혈병, 림프종, 호지킨병, 재생불량성빈혈, 복막투석과 같은 기저질환으로 발생할 수 있다. 심한 외상이나 영양실조 등에 의해서도 발생할 수 있다.

(3) 증상 : 다양한 전신증상이 나타나는데, 원인 불명의 발열, 근육통, 폐침윤, 위장관 출혈, 신부전, 뇌막염, 골수염, 복막염 등이 나타난다. 피부증상으로는 홍반, 구진, 농포, 자반, 궤양 등 다양한 병변이 나타난다.

### 3. 진단감별

1) 진균배양 : 균을 접종한 지 5일 이내에 크림색 혹은 백색의 집락이 관찰되고, 술 익은 냄새가 난다.
2) 직접검경 : 검체물을 채취하여 KOH 용액 또는 파커잉크와 함께 슬라이드 위에서 도말하여 현미경으로 관찰한다. 관찰 소견은 소시지 모양의 잘록한 가상균사(pseudohyphae)가 특징적이며, 길고 폭이 균일한 균사가 관찰된다.
3) 피부칸디다증은 주병변 주위에 흩어져 있는 위성병변(satellite lesion)이 진단에 중요하다. KOH 도말검사로 쉽게 확진할 수 있다.

## V 심부피부진균증 Deep dermatomycosis

심부피부진균증은 크게 피하감염(subcutaneous infection)과 전신감염(systemic infection)으로 구분할 수 있다. 피하감염으로는 스포로트릭스증(sporotrichosis), 크립토콕쿠스증(cryptococcosis), 색소분아진균증(chromoblastomycosis), 흑색진균증(phaeohyphomycosis), 진균종(mycetoma) 등이 있으며, 전신감염은 다시 병원성 진균감염증과 기회 진균감염증으로 분류한다. 병원성 진균감염증에는 히스토플라즈마증(histoplasmosis), 콕시디오이데스 진균증(coccidioidomycosis), 파라콕시디오이데스 진균증(paracoccidiomycosis) 등이 있으며, 기회 진균감염증에는 칸디다증(candidiasis), 크립토콕쿠스증(cryptococcosis), 아스페르길루스증(aspergillosis), hyphomycosis 등이 있다.

#### 참고문헌

1) 譚新華. 何清湖. 中医外科学. 第2版. 北京: 人民卫生出版社; 2011.
2) 서울대학교 의과대학 피부과학교실. (의대생을 위한) 피부과학. 4판. 서울: 고려의학; 2017.
3) 이승철. 임상의를 위한 피부과학. 개정판. 서울: 도서출판 대한의학; 2019.
4) 전국 한의과대학 피부외과학 교재편찬위원회. 한의피부외과학. 부산: 선우; 2007.

# 第 35 章 바이러스성 피부질환

| KCD 코드 | 한글 상병명 | 영문 상병명 |
|---|---|---|
| A60 | **항문생식기의 헤르페스바이러스[단순헤르페스]감염** | **Anogenital herpesviral [herpes simplex] infection** |
| A60.0 | 생식기 및 비뇨생식관의 헤르페스바이러스감염 | Herpesviral infection of genitalia and urogenital tract |
| A60.01† | 남성 비뇨생식기관의 헤르페스바이러스감염 (N51.-*) | Herpesviral infection in male genitalia and urogenital tract organs |
| A60.04† | 여성 비뇨생식기관의 헤르페스바이러스감염 (N77.0-N77.1*) | Herpesviral infection in female genitalia and urogenital tract organs |
| A60.1 | 항문주위피부 및 직장의 헤르페스바이러스감염 | Herpesviral infection of perianal skin and rectum |
| A60.9 | 상세불명의 항문생식기의 헤르페스바이러스감염 | Anogenital herpesviral infection, unspecified |
| B00 | **헤르페스바이러스[단순헤르페스] 감염** | **Herpesviral [herpes simplex] infections** |
| B00.1 | 헤르페스바이러스 소수포피부염<br>얼굴단순헤르페스<br>입술단순헤르페스<br>인체(알파)헤르페스바이러스2에 의한 귀의 소수포성 피부염<br>인체(알파)헤르페스바이러스2에 의한 입술의 소수포성 피부염 | Herpesviral vesicular dermatitis<br>Facialis herpes simplex<br>Labialis herpes simplex<br>Vesicular dermatitis of ear due to human(alpha) herpesvirus 2<br>Vesicular dermatitis of lip due to human(alpha) herpesvirus 2 |
| B00.2 | 헤르페스바이러스 치은구내염 및 인두편도염<br>헤르페스바이러스인두염 | Herpesviral gingivostomatitis and pharyngotonsillitis<br>Herpesviral pharyngitis |
| B01 | **수두** | **Varicella[chickenpox]** |
| B01.0† | 수두수막염(G02.0*) | Varicella meningitis |
| B01.1† | 수두뇌염(G05.1*)<br>수두후뇌염<br>수두뇌척수염 | Varicella encephalitis<br>Postchickenpox encephalitis<br>Varicella encephalomyelitis |
| B01.2† | 수두폐렴(J17.1*) | Varicella pneumonia |

| | | |
|---|---|---|
| B01.8 | 기타 합병증을 동반한 수두 | Varicella with other complications |
| B01.9 | 합병증이 없는 수두<br>수두 NOS | Varicella without complication<br>Varicella NOS |
| **B02** | **대상포진**<br>**대상포진**<br>**띠헤르페스** | **Zoster [herpes zoster]**<br>**Shingles**<br>**Zona** |
| B02.0† | 대상포진뇌염(G05.1*)<br>대상포진수막뇌염 | Zoster encephalitis<br>Zoster meningoencephalitis |
| B02.1† | 대상포진수막염(G02.0*) | Zoster meningitis |
| B02.2† | 기타 신경계통 침범을 동반한 대상포진 | Zoster with other nervous system involvement |
| B02.3 | 대상포진눈병 | Zoster ocular disease |
| B02.7 | 파종성 대상포진 | Disseminated zoster |
| B02.8 | 기타 합병증을 동반한 대상포진 | Zoster with other complications |
| B02.9 | 합병증이 없는 대상포진<br>대상포진 NOS | Zoster without complication<br>Zoster NOS |
| **B05** | **홍역**<br>**홍역** | **Measles**<br>**Morbilli** |
| B05.0† | 뇌염이 합병된 홍역(G05.1*)<br>홍역후뇌염 | Measles complicated by encephalitis<br>Postmeasles encephalitis |
| B05.1† | 수막염이 합병된 홍역(G02.0*)<br>홍역후수막염 | Measles complicated by meningitis<br>Postmeasles meningitis |
| B05.2† | 폐렴이 합병된 홍역(J17.1*)<br>홍역후폐렴 | Measles complicated by pneumonia<br>Postmeasles pneumonia |
| B05.3† | 중이염이 합병된 홍역(H67.1*)<br>홍역후 중이염 | Measles complicated by otitis media<br>Postmeasles otitis media |
| B05.4 | 장합병증이 동반된 홍역 | Measles with intestinal complications |
| B05.8 | 기타 합병증을 동반한 홍역<br>홍역 각막염 및 각막결막염†(H19.2*) | Measles with other complications<br>Measles keratitis and keratoconjunctivitis |
| B05.9 | 합병증 없는 홍역<br>홍역 NOS | Measles without complication<br>Measles NOS |
| **B06** | **풍진** | **Rubella [German measles]** |
| B06.0† | 신경학적 합병증을 동반한 풍진 | Rubella with neurological complications |
| B06.8 | 기타 합병증을 동반한 풍진<br>풍진관절염†(M01.4*)<br>풍진폐렴†(J17.1*) | Rubella with other complications<br>Rubella arthritis<br>Rubella pneumonia |
| B06.9 | 합병증이 없는 풍진<br>풍진 NOS | Rubella without complication<br>Rubella NOS |

| | | |
|---|---|---|
| B07 | 바이러스사마귀<br>단순사마귀<br>보통사마귀 | Viral warts<br>Simplex verruca<br>Vulgaris verruca |
| **B08** | **달리 분류되지 않은 피부 및 점막병변이 특징인 기타 바이러스감염** | **Other viral infections characterized by skin and mucous membrane lesions, NEC** |
| B08.1 | 전염성 물렁종 | Molluscum contagiosum |
| B08.4 | 발진을 동반한 엔테로바이러스소수포구내염<br>수족구병 | Enteroviral vesicular stomatitis with exanthem<br>Hand, foot and mouth disease |

# I 단순포진 Herpes simplex

## 1. 개요

단순포진(헤르페스바이러스 소수포피부염, herpes simplex)에 해당하는 熱瘡은 발열 후 혹은 고열 중에 발생하는 일종의 급성 피부병이다. 입술, 鼻孔 주위, 뺨, 외음부 등 피부점막의 경계부에 호발하며, 피부증상으로는 군락을 이루는 수포가 발생하고 서로 융합될 수 있다. 대부분 일주일 이내에 완전 치유되며, 쉽게 재발하는 경향이 있다.

## 2. 원인 및 병기

### 1) 현대

원인 바이러스는 단순포진 바이러스(herpes simplex virus, HSV)로 이는 주로 입 주위를 침범하는 1형과 주로 생식기 부위를 침범하는 2형으로 구분할 수 있다. HSV는 감염된 세포 또는 조직액과 직접 접촉하거나 이를 흡입함으로 전파된다. HSV는 처음에는 피부점막에 감염되었다가 숙주의 신경절 내부의 신경세포에 잠복감염 상태로 존재하는데, 면역기능이 저하되면 다시 피부점막에 임상증상을 유발하여 재발률이 높다.

### 2) 현대 이전

인체 상부에 발생하는 경우는 주로 外感風熱時毒이 肺, 胃 二經에 머물러 熱毒이 熏蒸하여 발생하고, 인체 하부에 발생하는 경우는 주로 肝, 膽 二經에 濕熱下注하여 발생한다고 보았다. 반복하여 發作하는 경우는 脾胃의 運化가 失和되어 風熱之邪가 체내로 침입하여 발생하거나, 혹은 久病으로 인하여 熱邪가 傷津하여 陰虛內熱하여 발생한다고 보았다.

## 3. 증상

바이러스에 감염되고 처음 발병한 경우를 원발단순포진(primary herpes simplex)라고 하며, 이후 잠복한 바이러스가 재활성화되어 발병하면 재발단순포진(recurrent herpes simplex)이라고 한다. 잠복감염 상태의 HSV를 활성화시키는 요인으로는 상기도 감염 등의 발열성 질환, 햇빛, 정서적 스트레스, 수술, 월경 등으로 인한 호르몬 변화 등이 있다.

원발단순포진은 대부분 무증상이거나 증상이 경미한 경우가 많으나, 일부는 발열, 두통, 근육통, 무기력감 등의 전신증상과 궤양을 동반하는 심한 피부병변이 나타난다. 재발단순포진은 원발포진에 비하여 전구증상이 미약하여 병변이 국소적이며, 지속 기간도 짧아 보통 1~2주 후면 자연 치유되는 경우가 많다.

피부병변의 양상은 초기에는 홍반 위에 군락을 이루는 소수포가 일어나는데, 포액은 투명하나 2~3일 후에 점차 혼탁해진다. 수포가 파열된 후에는 미란되고, 4~5일 후에 가피가 형성되어 점차 건조해지며, 가피가 탈락한 후에 치유되지만 경미한 색소침착이 남는다. 자각증상으로는 발병 전 환부의 피부에 發緊, 燒灼, 痒痛感이 있으며, 심한 사람은 頷下와 頸部에 凝核腫痛이 유발될 수 있다.

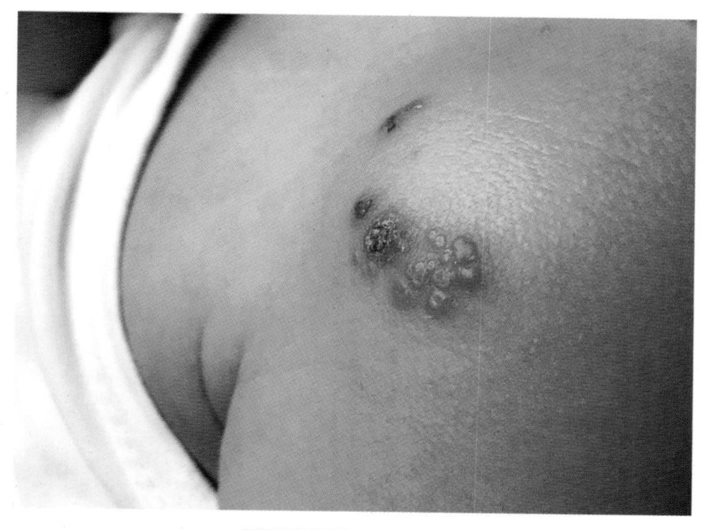

그림 35-1 단순포진

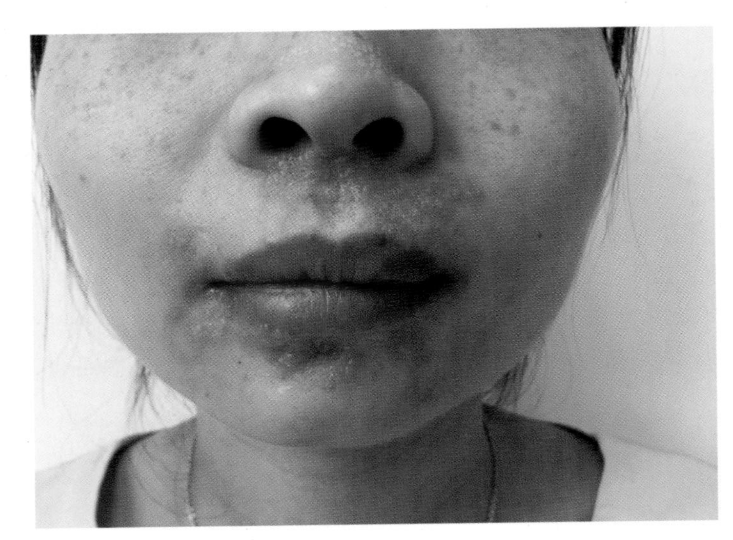

그림 35-2 단순포진

## 4. 분류

헤르페스바이러스 소수포피부염은 발생 부위 및 기전에 따라 원발잇몸입안염, 재발입술포진, 성기포진, 신생아 단순포진, 접종 단순포진, 면역억제 환자에서의 단순포진, 카포시수두모양발진 등으로 분류할 수 있다.

### 1) 원발잇몸입안염(원발치은구내염, primary gingivostomatitis)

얼굴에 발생하는 단순포진은 주로 HSV-1에 의해 발병한다. 감염된 사람과 직접적으로 접촉하여 바이러스가 체내에 들어오면 5~10일의 잠복기를 거쳐 증상이 발현되나, 대개 무증상으로 지나가며 약 1%에서만 잇몸입안염의 형태로 나타난다. 통증을 동반한 수포들이 융기하는데, 쉽게 터지므로 백색의 막으로 덮인 미란 혹은 궤양이 주로 관찰된다. 전신증상으로 고열, 림프절병증 및 인두염이 흔히 동반된다. 주로 아동 및 청소년에게서 발생하며, 1~2주의 경과를 거쳐 자연 치유된다.

### 2) 재발입술포진(recurrent herpes labialis)

단순포진의 가장 흔한 형태로, 감각신경절에 잠복해 있던 바이러스가 재활성화되어 신경을 따라 피부로 이동하여 피부에서 바이러스가 증식하며 증상이 발현된다. 군집을 이루는 소수포들이 주로 입술 주위에 융기하며, 때로는 뺨, 코, 눈 주위에도 발생할 수 있다. 소수포가 생기기 하루 전에 전조 증상으로 작열감이나 소양감이 나타날 수 있으며, 4~5일 후 가피가 생성되는데 전체 경과는 10일

정도이다.

### 3) 성기포진(genital herpes, herpes progenitalis)

성매개성 질환의 하나로, 젊은 성인에서 호발한다. 원발성 감염은 85% 정도가 HSV-2에 의하여 발생한다. 원발성기포진은 성접촉 5~7일 후 소수포들이 무리지어 성기 부위에 발생하여 미란을 일

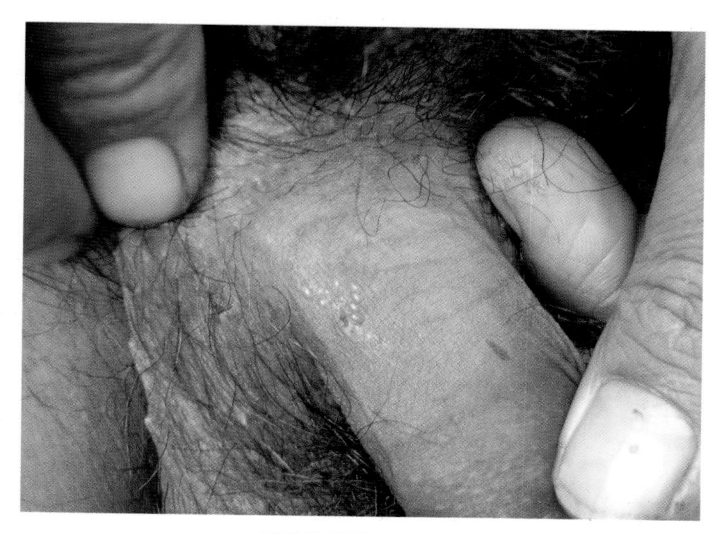

그림 35-3 성기포진

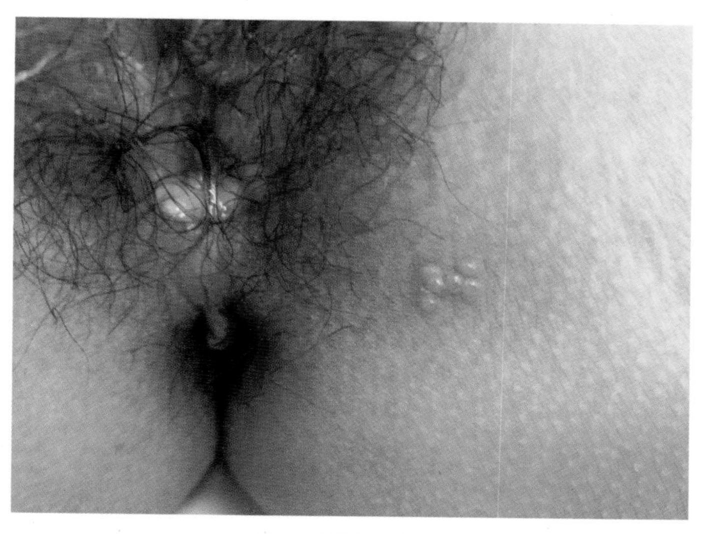

그림 35-4 성기포진

으키며, 심한 통증 · 소양감 · 배뇨곤란 · 질 또는 요도 분비물을 동반하고 피부병변은 2~4주간 지속된다. 재발성기포진은 전구증상으로 작열감이나 소양감이 있으며, 주로 외부 생식기 부위에 소수포들이 무리지어 발생하나 원발감염보다 병변의 넓이가 작고 1~2주 내로 치유된다. 포진은 남성에게서는 주로 음경포피, 귀두, 음경, 요도에 주로 발생하며, 여성에게서는 음순, 음문, 음핵, 자궁경부에 주로 발생한다.

## 5. 진단감별

### 1) 진단요점

특징적인 임상소견과 병력으로 대부분 진단이 가능하며, 다음과 같은 방법들을 보조적으로 사용할 수 있다.

(1) 쟁크검사(Tzank test) : 간편하고 신속한 검사 방법으로, 다핵거대세포가 관찰되면 양성이다.

(2) 면역형광검사 : 간편하고 신속하면서도 HSV 감염과 VZV 감염을 감별할 수 있는 장점이 있다.

(3) 바이러스 배양 : 가장 확실한 방법이나, 시간이 많이 걸리는 단점이 있다.

### 2) 감별진단

(1) 대상포진 : 피부증상은 군락을 이루는 여러 개의 수포가 감각신경절이 지배하는 피부분절을 따라 띠 모양으로 배열된다. 수포 군집 사이의 피부는 정상 피부이며, 刺痛이 뚜렷하다.

(2) 농가진 : 피부증상은 홍반, 수포 및 농포가 주로 나타나며, 황색의 膿痂가 형성된다. 피부증상이 광범위하게 나타나는 사람에게서는 전신증상이 동반될 수 있으며, 전염성을 갖는다.

## 6. 치료 및 예후

대부분 병변을 깨끗하고 건조하게 유지하는 것만으로 자연치유가 된다. 병변이 오래 지속되거나 합병증 가능성이 있는 경우에 항바이러스제제를 사용한다.

### 1) 內治法

(1) 風熱外襲證 : 피부병변이 口角, 唇緣, 鼻孔 등의 부위에 다발하며, 혹은 兩頰에도 발생한다. 灼熱刺痛이 있으며, 발진은 구진이 주이다. 口乾, 心煩, 大便結, 小便黃 같은 증상이 동반되며 舌質紅, 苔薄黃, 脈弦滑數하다. 治法은 疏風淸熱, 化濕解毒하며 辛夷淸肺飮加減을 사

용한다.

(2) 濕熱下注證 : 外生殖器에서 발생하고 小便紅赤, 변비 등이 동반되며 舌質紅, 苔黃膩, 脈滑數하다. 治法은 淸熱利濕하며 龍膽瀉肝湯加減을 사용한다.

(3) 脾胃積熱證 : 등 부위에서 많이 보이며 재발한다. 소화불량, 변비, 唇赤 등이 동반되며, 舌紅, 苔黃膩, 脈滑數하다. 治法은 淸瀉脾胃之積熱하며 竹葉石膏湯加減을 사용한다.

(4) 陰虛內熱證 : 병정이 비교적 길고, 자주 재발하며 다년간 치유가 되지 않는다. 咽乾, 唇燥, 口渴引飮, 心煩 등이 동반되며 舌絳, 脈細數하다. 治法은 滋陰淸熱하며 知柏地黃湯加減을 사용한다. 增液湯에 板藍根, 馬齒莧, 紫草, 生薏苡仁 등도 상용한다.

### 2) 成藥, 驗方

(1) 上消丸을 매일 3회, 1회 1粒씩 복용한다. 牛黃解毒片을 매일 3회, 1회 6片씩 복용한다.

(2) 板藍根冲劑를 매일 3회, 1회 3g씩 복용한다. 반복하여 發作하는 경우에는 知柏地黃丸을 매일 3회, 1회 6g씩 3개월간 연속하여 복용한다.

(3) 淸解片을 매일 3회, 1회 5 g씩 복용한다.

(4) 馬齒莧合劑 : 馬齒莧 30 g, 板藍根 15 g, 紫草 10 g, 敗醬草 10 g. 매일 1제를 물로 달여 먹는다.

### 3) 外治法

(1) 馬齒莧 30 g, 冰片 10 g(後下)을 물로 전탕하고 식을 때까지 기다린다. 거즈에 약물을 묻혀 매일 12회, 1회 15분간 습포를 시행한다.

(2) 얼굴에 발생한 경우에는 1~2% 龍膽紫溶液, 紫金錠, 靑黛散에서 선택하여 환부에 바르는 것도 가능하다.

(3) 口角에 발생한 경우에는 靑吹口散油膏를 도포할 수 있다.

(4) 포진성 각막염, 안결막염에는 acyclovir 안약을 매일 3~4회 점안한다.

# Ⅱ 수두 Varicella, Chickenpox

## 1. 개요

수두(varicella, chickenpox, 水痘)는 대상포진과 같이 헤르페스 바이러스군(Herpesviridae)에 속하

는 varicella-zoster 바이러스에 의해 발생하는 급성 수포성 질환이다. 면역이 없는 사람에게서 발생하는 원발성 감염으로, 대부분 소아에서 발생하고 계절적으로는 봄, 겨울에 주로 유행한다.

주로 호흡기를 통한 공기 매개, 혹은 수두나 대상포진 환자와 직접 접촉하여 감염된다. 전염성이 매우 높은 질환으로, 발진 발생 1~2일 전부터 마지막 물집에 가피가 형성될 때까지 소요되는 7일 정도 동안 전염력이 있다. 특히 소아의 경우 집안에 수두 환자가 있으면 수두에 대한 면역이 없는 형제가 수두에 걸릴 확률은 87%에 달한다. 자연적으로 회복되며 일반적으로 재발하지 않는다.

한의학에서는 《嬰童百問》에서 "發熱一二日 出水疱則消者 名爲水痘."라고 설명하였고, 《幼科準繩》에서 "小兒有正痘與水痘之不同 皮薄如水疱卽破易乾 而出無漸次 白色或淡紅 冷冷有水漿者 謂之水痘 此表證 發于肺也. 發熱一二日而出. 出而卽消 易出易靨 不宜溫燥 但用輕劑解之."라고 증상과 치료에 대하여 언급하였다.

## 2. 원인 및 병기

Varicella-zoster 바이러스가 원인이다.

현대 이전에는 風熱時邪에 外感되어 濕熱內蘊으로 肌表에 鬱滯되어 발생한다고 보았다.

## 3. 증상

잠복기는 약 2주이며, 소아에게서는 전구증상이 나타나지 않거나 가벼운 전구증상이 나타난 후 홍반성 반점과 구진이 발생한다. 발진은 처음에는 얼굴과 머리에 발생하고 점차 체간부와 사지로 파급되는 원심성 병변이 나타나는데, 구강점막에도 발생한다.

피부발진은 24시간 내에 홍반의 중심부 상부에 3~4 ㎜ 크기의 소수포가 발생하는 특징적인 소견을 보이고 '장미꽃잎 위의 이슬방울' 혹은 '물방울모양 수포'라고 부른다. 3~4일 동안 병변은 급속히 변화하여 차례차례로 새로운 병변이 발생하는데, 홍반은 곧 수포나 농포로 변하고 이어서 가피를 형성한다. 이때, 발진이 돋는 시기가 일정하지 않아 한 시점에 구진, 수포, 가피와 같은 여러 단계의 병변이 동시에 존재하는 경우가 많은 것이 특징이고 수두의 진단에 매우 중요한 임상양상이 된다. 피부병변은 급속히 변화하여 6일까지는 모든 병변에 가피가 형성되며 1~3주 후 탈락한다. 합병증이 없는 한 반흔을 남기는 예는 드물다.

수두에는 몇 가지 특수한 형태도 존재한다.

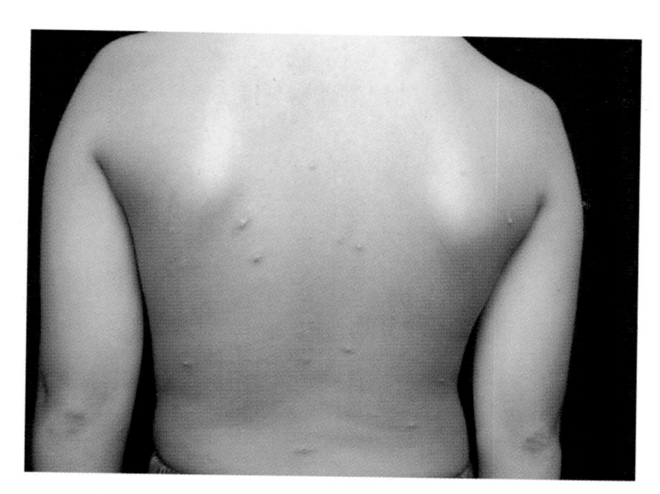

그림 35-5 수두

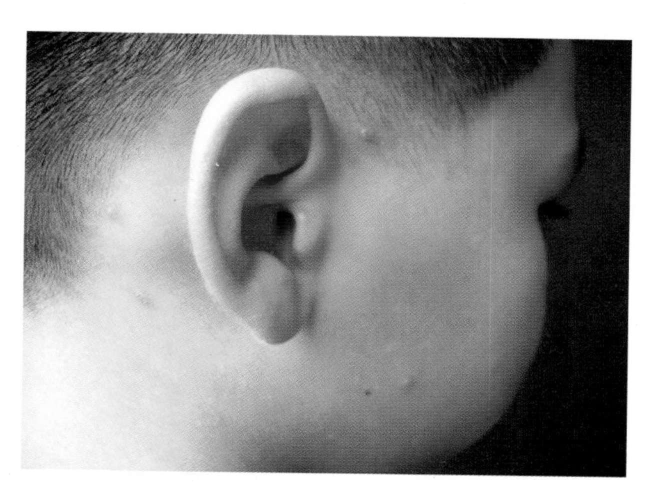

그림 35-6 수두

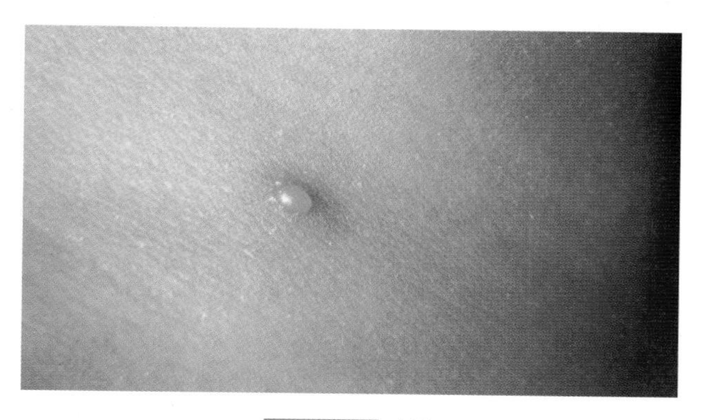

그림 35-7 수두

### 1) 성인에서의 수두

전구증상으로 두통, 전신통, 심한 요통, 무기력감 등이 흔히 나타나며, 1주일 이상 발진이 지속되면서 더 많은 병변이 발생하여 소양감도 더욱 극심하고, 고열, 관절염, 전신 쇠약감과 같은 전신증상도 소아보다 더욱 심하다. 일부에서는 폐렴이나 뇌염이 동반되어 사망할 수 있다.

### 2) 면역저하 환자에서의 수두

AIDS, 백혈병, 항암치료 중인 환자 등 면역력이 저하된 환자에게서도 제반 증상이 심하게 나타날 수 있다. 내부 장기를 침범하거나, 사망에 이를 수도 있다.

### 3) 선천수두증후군(congenital varicella syndrome)

임신 중 수두 바이러스에 감염되면 산모와 태아 모두에게 위험하다. 특히 임신 8~20주의 산모가 수두에 감염되면 1~2%에서 피부의 흉터, 사지발육부전 및 눈과 중추신경계의 이상을 동반하는 아이를 출산할 수 있다.

## 4. 진단감별

### 1) 진단

수두는 일반적으로 특징적인 임상소견으로 쉽게 진단 가능하다. 진단 방법으로는 Tzanck 도말검사, 병변에서 varicella-zoster 바이러스의 배양분리 또는 직접 면역형광법 등이 있다.

### 2) 감별질환

(1) 농가진 : 여름, 가을 등 炎熱한 계절에 주로 발생하고, 홍반성 수포로 시작하여 점차 농포로 변화하고, 마지막에는 고름딱지가 형성된다. 대부분 얼굴과 四肢 등 노출부위에 호발한다.

(2) 구진성 두드러기(水疥) : 구진, 수포, 팽진과 같은 피부병변이 나타나며, 이차감염으로 인하여 농포가 발생할 수 있다. 치유된 후에는 색소침착을 남기며, 3~4일 뒤에 소실되었다가 다른 부위에서 융기할 수 있다. 극심한 소양감이 있으나 전신증상은 없다.

(3) 대상포진(纏腰火丹) : 피부병변이 일측성으로 신경분포를 따라 분포하며, 병변은 인체의 正中線을 넘어 침범하는 경우는 거의 없다. 작열감과 심한 통증을 동반한다.

## 5. 치료

### 1) 內治法

(1) 水痘는 氣分偏熱하여 수가 많지 않으며 수포는 투명하여 그 색깔이 이슬방울과 같으며, 2~3일이면 소실되어 열이 없거나 혹은 경미한 발열이 있고 苔薄白, 脈浮數하다. 挾濕者는 苔白膩, 脈滑數한다. 辛凉透表, 疏風淸氣의 治法을 쓰고, 銀翹散加減을 응용한다. 상용되는 약물은 荊芥, 薄荷, 竹茹, 浮萍, 金銀花, 連翹, 生甘草 等이다. 加減法으로 挾濕者에는 生薏苡仁, 茯苓을 加한다.

(2) 赤痘는 血分偏熱하여 수가 많으며 수포는 붉은색을 띠며, 수포 주위가 紅暈하거나 血疱가 생긴다. 일주일 정도가 경과하여도 소실되지 않고, 發熱煩躁하고 열이 심하여 抽搐하며, 苔乾黃, 舌紅絳하다. 凉血解毒의 治法을 쓰고, 淸營湯加減을 응용한다. 상용되는 약물은 生地黃, 丹皮, 赤芍, 丹蔘, 金銀花, 紫草, 大靑葉, 生甘草 等이다.

(3) 감염이 심하면 壯熱煩渴하고 수포의 색깔은 紫黯하며, 小便短赤, 大便乾, 舌苔黃而厚, 脈洪數 등의 증상이 있다. 淸瘟敗毒飮加減을 응용한다. 상용되는 약물은 水牛角, 生地黃, 牡丹皮, 赤芍, 生石膏, 知母, 川連, 板藍根, 生山梔, 黃芩, 玄蔘, 連翹, 生甘草 등이다.

### 2) 外治法

(1) 일반적으로 외용약은 사용하지 않으며, 개별적으로 미란되어 화농된 것은 麻油에 靑黛散을 잘 섞어 도포하거나 靑黛膏를 바른다.

(2) 구강이 미란된 경우는 靑吹口散으로 매일 3~4회 입안에 吹한다. 결막염이 있는 환자는 0.1%의 疱疹淨眼藥水(成藥)로 매일 3~4회씩 점안한다.

## 6. 예후

일반적으로 예후는 양호하며, 1~2주면 치유된다. 소아의 경우는 양호한 예후를 보이나, 신생아 수두 중 생후 10~12일 이전에 발생한 경우는 증상이 심하고 사망할 수도 있다. 소양감으로 인해 긁은 부위가 이차감염이 일어나 화농되는 경우가 가장 흔한 합병증이며, 긁은 부위에 흉터가 생기거나, 감염이 심한 경우 壯熱煩渴, 痘色紫暗 등이 나타나면 예후가 불량하다.

# III 대상포진 Herpes zoster

## 1. 개요

대상포진(herpes zoster)은 수두에 감염된 적이 있거나 과거에 수두 예방접종을 한 사람에서 세포면역체계의 변화로 인해 감각신경절에 잠복해 있던 varicella-zoster 바이러스(VZV)가 재활성화되어 감각신경절이 지배하는 피부에 일측성으로 수포성 발진과 동통을 나타내는 질환으로 주로 성인에 발생한다. 즉, 수두와 같이 타인으로부터 감염되어 생기는 질환이 아니라 과거에 침입한 바이러스에 의해 생기는 질환이다. 그러나 수두와 동일하게 VZV가 원인이므로 수두에 걸리지 않았던 사람은 대상포진 환자와 접촉하면 수두가 발생할 수 있다.

대상포진은 일반적으로 고령층일수록 발생빈도가 높고 증상도 심하며, 면역기능이 저하된 환자에서도 잘 발생하기 때문에 Hodgkin병, 림프종, 악성종양, HIV 감염자 및 면역억제제 투여 환자에게서도 발생빈도가 높다. 계절적으로는 봄, 여름에 다발한다. 대상포진을 앓았던 사람은 대부분 재발하지 않으나, 소수의 환자에서는 재발한 경우도 있다.

纏腰火丹, 또는 蛇串瘡과 유사하여 《證治準繩》에서 "火帶瘡……由心腎不交 肝火內熾 流入膀胱纏于帶脈 故如束帶."라고 원인을 설명하고 있으며, 《醫宗金鑑 · 外科心法要訣》에서 "纏腰火丹俗名蛇串瘡 有乾濕不同 紅黃之異 皆如累累珠形."이라고 특징을 설명하고 있다.

## 2. 원인 및 병기

1) 情志內傷으로 肝氣鬱結이 오래되어 肝經의 火毒이 피부에 外溢하여 발생한다.
2) 脾失健運하여 蘊濕化熱되어 濕熱이 피부에 搏結하여 발생한다.
3) 年老體虛하여 血虛肝旺 혹은 勞累하여 毒邪에 感受되거나 또는 濕熱毒盛하여 氣血이 凝滯되어 발생한다.

## 3. 증상

보통 피부병변 발생 수일 전부터 동통과 감각이상이 선행된 후에 침범된 감각신경절이 지배하는 피부분절(dermatome)에 국한되어 신체 한쪽에만 띠 모양으로 홍반 위에 구진이 발생한다. 구진은 빠른 속도로 녹두~黃豆 크기의 수포로 변하며, 3~5개의 군락을 이루어 한 곳 혹은 여러 곳에 모여 있다. 수포 군락의 사이사이에는 정상 피부를 유지한다. 주로 요협부, 흉부, 얼굴, 대퇴 내측면 등에 호발하며, 일반적으로 신체의 정중선을 넘지 않는 경우가 대부분이다. 양쪽으로 발생하는 경우는 매우 드물며, 재발하는 경우도 1~4%에 불과하다. 수포 내의 액체는 초기에는 투명하였다가 5~6일 후에 혼탁한 액체로 변한다. 심한 환자는 瘀點, 혈포 혹은 괴사가 있으며, 증상이 경미한 사람은 수포가 발생하지 않을 수도 있다. 대개 홍반 위에 발생한 군집성 소수포는 수일 이내 농포가 되며, 가피가 형성되면 호전된다. 평균 2~3주의 경과를 취하며, 일반적으로 한 달을 넘지 않는다.

가장 흔히 침범되는 피부분절은 흉부 및 뇌신경 부위이다. 가슴신경(thoracic nerve)이 가장 많이 침범당하기 때문에 50% 이상이 몸통에 생기며, 20% 정도에서 얼굴에 발생하는데 특히 제 5뇌신경인 삼차신경(trigeminal nerve)의 제1분지인 안신경(ophthalmic nerve)이 지배하는 이마에 흔히 나타난다.

자각증상으로는 극심한 통증이 본 병의 주요 특징이다. 발병 전에 먼저 찌르는 듯한 통증을 느낀 후에 수일 후에 수포가 일어난다. 혹은 疼痛과 수포가 동시에 나타나기도 하고 먼저 수포가 일어난 후에 疼痛이 발생하기도 한다. 疼痛의 緩急輕重은 사람에 따라 다르며 일반적으로 30세 이하에서는 통증이 경미하거나 통증이 없는 경우도 있으나, 나이가 많은 사람일수록 疼痛이 심하게 나타나고 지속시간이 길어 심지어 반 년 이상일 경우도 있다.

전신증상으로는 국소 림프절의 腫脹이 흔하고, 쇠약감과 경미한 발열이 동반된다. 발병 전 혹은 수포가 일어날 때, 경도의 발열, 피곤, 소화불량 등의 증상을 동반한다.

이마의 대상포진은 삼차신경의 상지에 침범되어 증상이 심하면 안구에 손상을 미쳐 시력에 영향을 줄 수 있으며, 심지어는 실명할 수 있다. 암 환자가 만약 본 질환에 이환되면 고열과 두통을 동반할 수 있으며, 심지어는 사망에 이른다.

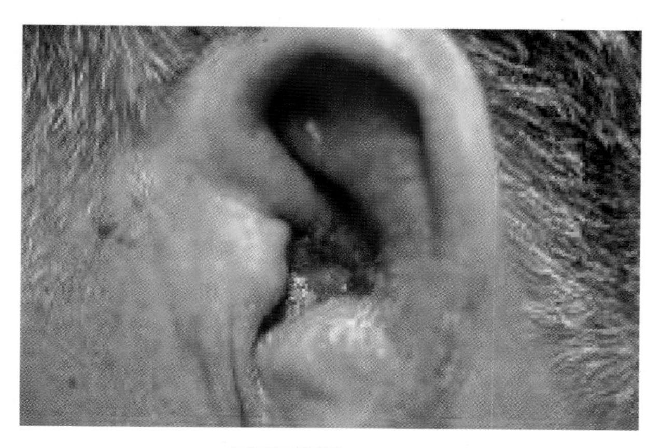

그림 35-8 대상포진

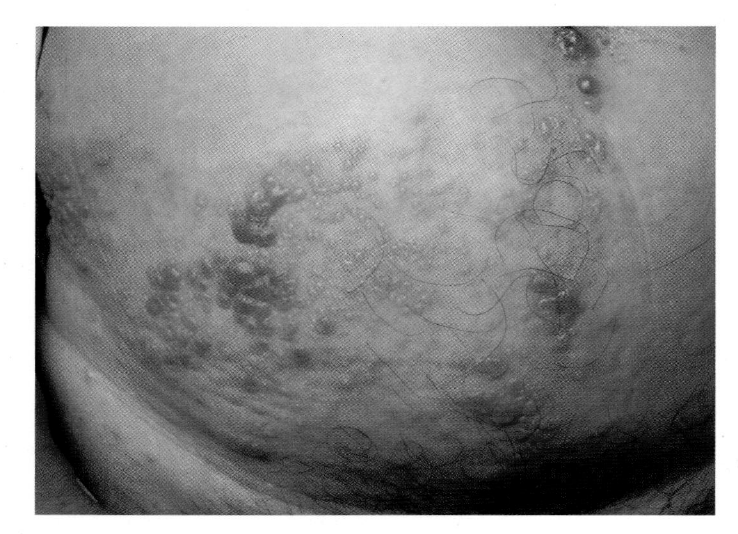

그림 35-9 대상포진

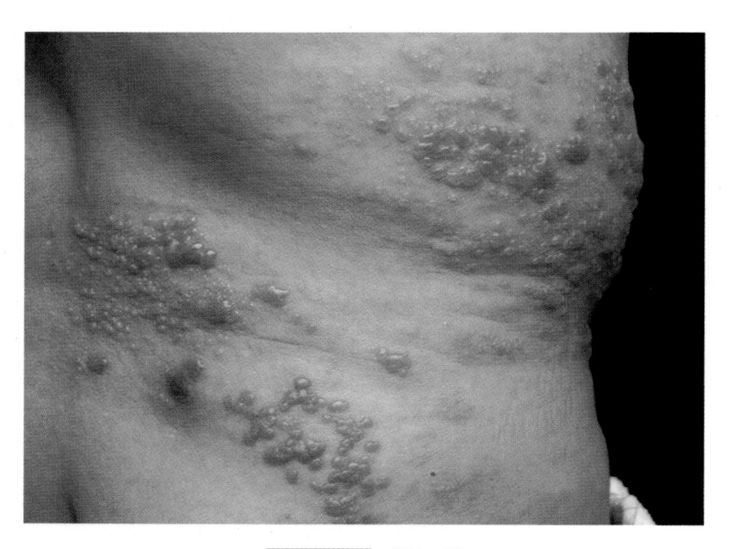

그림 35-10 대상포진

## 4. 분류

### 1) 전신대상포진(generalized herpes zoster)

대상포진은 대부분 1~2개의 인접한 피부분절에 국한되어 발생하나, 혈액을 따라 바이러스가 확산되는 경우 침범된 피부분절 외에도 수두 모양의 소수포가 전신에서 발생할 수 있다. 처음에는 대상포진이 발생한 후 1주일 이내에 몇 개의 수두 모양 발진이 생기고, 점차 그 수가 증가한다. 전신에서 25~50개 이상의 소수포가 발견되는 경우를 전신대상포진이라고 하며, 주로 고령자 · 악성 종양 · AIDS 등 면역력이 저하되어 있는 환자군에서 주로 발병한다.

### 2) 눈대상포진(herpes zoster ophthalmicus)

VZV가 삼차신경의 제1분지인 안신경(V1)을 침범한 경우로, 전 대상포진의 약 5~10%를 차지한다. 안신경을 침범당한 경우에는 20~70%에서 눈에도 병변이 나타나는 것으로 알려져 있다. 이때는 수포성 발진이 눈 위에서 頭頂部까지 편측성으로 나타난다. 만약 각막에도 수포가 발생하면 瘢痕이 발생하여 실명에 이를 수 있다.

### 3) Ramsay-Hunt 증후군

Ramsay-Hunt 증후군은 제7뇌신경인 안면신경(facial nerve)에 있는 슬신경절(geniculate ganglion)이 침범된 경우로, 안면신경과 청신경이 침범당하여 안면신경마비와 청각의 이상, 이명, 귀통증, 현기증 등이 나타나며, 얼굴, 목, 구강, 외이 및 고막 등에 전형적인 대상포진 병변이 동반된다.

### 4) 운동신경의 침범(motor nerve involvement)

본디 대상포진은 감각신경을 침범하는 질환이나, 약 3%에서는 드물게 근처의 운동신경을 침범하는 경우도 있다. 예를 들면 제 3엉치신경(sacral nerve)을 침범하면 하복부의 이상을 보이는 신경인성 방광(neurogenic bladder)이 발생할 수 있다.

### 5) 포진후신경통(postherpetic neuralgia)

피부병변이 호전된 이후에도, 혹은 병변이 발생한 지 3~4개월이 경과하였음에도 통증이 지속되는 경우로 환자의 8~15%에서 발생한다. 연령이 증가할수록 발생 빈도가 높아져서 60세 이상 환자에서는 12~15%에서 포진후신경통이 생긴다. 대부분 1년 내에 소실되나 일부에서는 수년 이상 지속된다.

## 5. 진단감별

### 1) 진단

임상적으로 특징적인 임상양상을 보이므로 비교적 진단이 용이하지만, 수포성 발진이 발생하기 이전에는 疼痛을 초래하는 늑막염, 심근 경색증, 담석증, 충수돌기염, 신석증 등과 혼동하기 쉽다.

발진이 선상으로 발생한 단순포진과 임상적으로 감별이 어려운데 바이러스의 배양을 통하여 단순포진과 감별할 수 있으며 기타 검사방법은 수두와 동일하다.

### 2) 감별질환

(1) 단순포진(熱瘡) : 피부, 점막의 경계부에 다발하고, 鍼頭에서 녹두 크기의 수포가 군락을 이루어 발생하며, 1주일 이내에 치유되지만 쉽게 재발한다.

(2) 접촉피부염 : 접촉 부위에 국한되어 피부홍조, 종창, 수포 등이 나타나고, 변연부가 선명하며 뚜렷한 과민물질에 대한 접촉력이 있다.

## 6. 치료

### 1) 현대 치료

목표는 통증 감소, 바이러스 확산 억제 및 이차적인 세균감염이나 포진후신경통 등의 합병증 예방이다. 항바이러스제로는 acyclovir, famciclovir, valacyclovir를 투여한다. 초기 수포병변에는 냉찜질(wet dressing)이나 calamine 로션 도포가 통증 감소 및 수포병변을 건조시키는 데 유용하다.

### 2) 內治法

(1) 肝經火盛 : 頭面, 胸脇部의 대상포진에 해당하며, 單側性으로 신경을 따라 분포하며, 자각적인 熱刺痛이 있다. 동반되는 전신증상은 그 정도가 다양하고 口苦咽乾, 煩躁納減, 小便黃, 大便秘結이 있으며, 舌質紅, 苔黃, 脈弦數하다. 淸肝火, 利濕熱의 治法을 응용하며, 龍膽瀉肝湯에 紫草, 板藍根을 加味한다. 顔面部에 발생한 것은 牛蒡, 野菊花를 加味하고, 眼部에 발생한 것은 穀精珠, 草決明을 加味하고 血疱가 있는 경우 牡丹皮, 赤芍藥을 加味한다.

(2) 脾經濕熱 : 복부, 대퇴부의 대상포진에 해당하며, 口不渴, 胃脘脹悶, 不思飮食하고 舌淡體胖, 苔薄白 或 白膩, 脈濡數 或 滑數하다. 健脾利濕淸熱의 治法을 응용하고, 除濕胃苓湯에 鴨跖草를 加味한다.

(3) 氣滯血瘀 : 환부의 피부병변은 대부분 사라진 상태로 結痂가 脫落하나, 다만 통증이 여전하거나 은은한 통증이 지속되며, 기침 또는 활동 시 통증이 가중된다. 心煩, 夜寐不安이 있으며 舌質紫黯, 苔白, 脈細澁하다. 理氣活血, 重鎭止痛의 治法을 응용하고, 桃紅四物湯加減이나 逍遙散에 丹蔘, 玄胡索, 磁石, 牡蠣, 珍珠母를 加味한다.

### 3) 成藥, 驗方

(1) 증상이 경미한 환자는 龍膽瀉肝丸을 1일 2회 매회 6 g씩 복용한다. 혹은 苦膽草片을 매일 3회 4片씩 복용하고 또는 板藍根 혹 大靑葉 30 g을 전탕하여 차 대신 복용한다.

(2) 當歸를 細末하여 매번 1 g씩, 소아는 반으로 감량하여 매 4~6시간마다 복용하면 통증이 멎을 수 있으며, 3~4일이 지나면 딱지가 생긴다. 혹은 當歸浸膏片(成藥)을 1일 3회 매회 4~5편씩 복용하면 活血止痛할 수 있다.

(3) 牛黃解毒片을 1일 3회 매회 3g씩 복용하거나, 板藍根沖劑를 1일 3회 매일 10 g씩 복용한다.

### 4) 鍼灸治療

(1) 內關, 陽陵泉, 足三里를 取穴하고, 국부 주위에는 臥鍼하여 平刺하고 매일 1회 30분간 留鍼한다. 疼痛日久할 때는 支溝를 加한다.

(2) 耳鍼의 肝區 및 神門穴에 埋鍼을 통증이 소실될 때까지 한다.

## 7. 예후

피부발진의 치유 기간은 환자의 나이, 발진의 심한 정도, 면역 상태에 따라 결정되는데, 일반적으로 약 3주가 걸린다. 치유 후에는 재발하지 않지만, 일부에서는 재발하기도 한다.

# Ⅳ 사마귀 Viral wart

## 1. 개요

사마귀(wart, verruca)에 해당하는 疣目은 인간유두종바이러스(human papilloma virus, HPV)에 의해 발생하고 어느 부위에도 발생 가능하지만 주로 노출 부위인 손, 발, 다리, 얼굴 등이나 성접촉 부위인 성기에서 호발한다. 보통사마귀, 편평사마귀, 발바닥사마귀, 성기사마귀 등으로 분류된다.

한의학 문헌 중 《諸病源候論》에서 "疣目者 人手足邊忽生如豆 或如結筋 或五个或十个相連肌里 粗强于肉 謂之疣目."이라고 설명하고 있으며, 《外科正宗》에서 "枯筋箭 ……初起如赤豆大 枯点微高 日久破裂 出筋頭 蓬松枯槁."라고 증상을 설명하였고, 《五十二病方》에서는 사마귀를 灸法으로 치료한다고 나와 있다.

## 2. 원인 및 병기

### 1) 바이러스

사마귀는 두 가지 경로로 전염되는데, HPV에 감염된 사람과 직접적으로 접촉하였을 때 피부의 미세한 균열을 통해 감염되거나, 자가접종(autoinoculation)에 의해 감염될 수 있다. 전염성 물렁종(molluscum contagiosum)는 Poxviridae과에 속하는 molluscum contagiosum virus (MCV)에 의하여 발생한다.

### 2) 현대 이전

(1) 風熱毒盛 : 情志失調로 肝血이 상하여 血이 筋을 滋養하지 못한 상태에서 風熱毒邪가 肌膚, 筋肉에 侵犯하여 발생한다.

(2) 肝鬱痰凝 : 肝鬱로 氣血이 不暢하고 津液이 不運하여 肌膚에 結聚되어 痰을 형성한 상태에서 風熱毒邪가 肌膚, 筋肉에 침범하여 발생한다.

(3) 腎氣不營 : 肝火가 盛하고 腎水가 상하면 水不函木하게 되고 그 결과 筋이 失養한 상태에서 風熱毒邪가 肌膚, 筋肉에 침범하여 발생한다.

## 3. 분류와 증상

### 1) 보통사마귀(심상성 사마귀, verruca vulgaris, common wart, 尋常疣, 千日瘡)

(1) 주로 소아의 손에 생기는 가장 흔한 사마귀로, 표면이 거칠고 우둘투둘한 구진의 형태이다. 손등이나 손톱 주위 이외에도 신체 어느 부위에나 발생 가능하다. 소아에 발생한 보통사마귀의 경우 2/3에서 2년 내에 자연 소실되나, 손발톱 주위에 발생한 사마귀는 장기간 방치하면 손발톱의 변형을 초래할 수 있다.

(2) 피부병변 : 초기에는 좁쌀 크기에서 점차 팥 크기로 커지며 표면이 돌출되어 반원형 혹은 다각형으로 융기되며, 회갈색 혹은 污黃色이며 표면은 꽃술 모양을 한다. 적은 것은 1~2개이며, 많은 것은 수십 개이고, 어떤 때에는 군집 형태를 띠는 경우도 있다. 어떤 경우 原發의 母疣가 치유되면 속발되는 小疣는 스스로 소실되거나 탈락한다.

(3) 발생부위 : 호발 부위는 손가락, 손등, 두면부에도 발생할 수 있다. 손톱 가장자리에 생기는 것은 손톱 하부로 파급될 수 있어 커질 때에는 손톱이 들어올려질 수 있다. 두피, 손가락 또는 발가락 사이에 생긴 것은 하나 혹은 여러 개가 쌓여 손가락 모양의 돌기를 이루어 첨단은 각질 형태를 띠는데 이를 指狀疣라고 한다. 발바닥 혹은 발가락 사이에 생긴 것은 각화성 구진의 형태로,

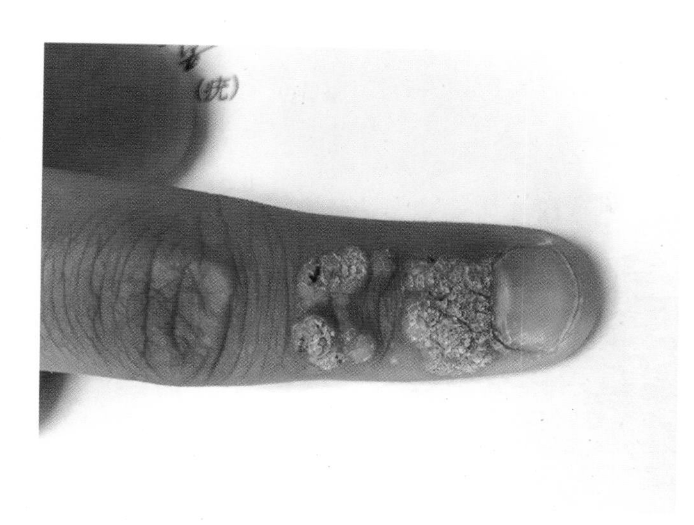

그림 35-11 보통사마귀

중앙이 약간 함몰되어 표면이 조조하고 주위에는 약간의 황색 각질 덩어리를 갖는다. 주로 외상 부위에 발생하는 것을 跖疣라고 한다. 眼瞼, 頸項部에 생기며 갈색 혹은 담홍색을 띠고 쉽게 탈락하지만 끊임없이 새로 생기고, 중 · 노년의 부인에서 많이 발견되는 것을 絲狀疣라 한다.

(4) 자각증상 : 대다수에서 자각증상은 없으며, 손으로 누르면 疼痛이 발생하고, 짜거나 혹은 마찰한 후에는 쉽게 출혈한다.

## 2) 편평사마귀(verruca plana, flat wart, 扁平疣, 扁瘊)

(1) 피부병변 : 표면이 편평한 정상 피부색, 담홍색 혹은 갈색의 구진 형태로 그 크기는 鍼頭, 쌀 혹은 黃豆 정도이다. 부분적으로 산재하거나 떼지어 군락을 이루고 혹은 서로 융합하여 어떤 것은 搔抓한다. 긁은 자국을 따라 자가 접종되어 선 모양으로 나타날 수도 있다. 구진 개수는 적으면 수십 개, 많으면 수백 개 이상일 수 있다. 주로 소아나 청소년에게서 발생하지만, 성인에게서도 발생할 수 있다.

(2) 발생부위 : 주로 얼굴 손, 팔에 호발한다.

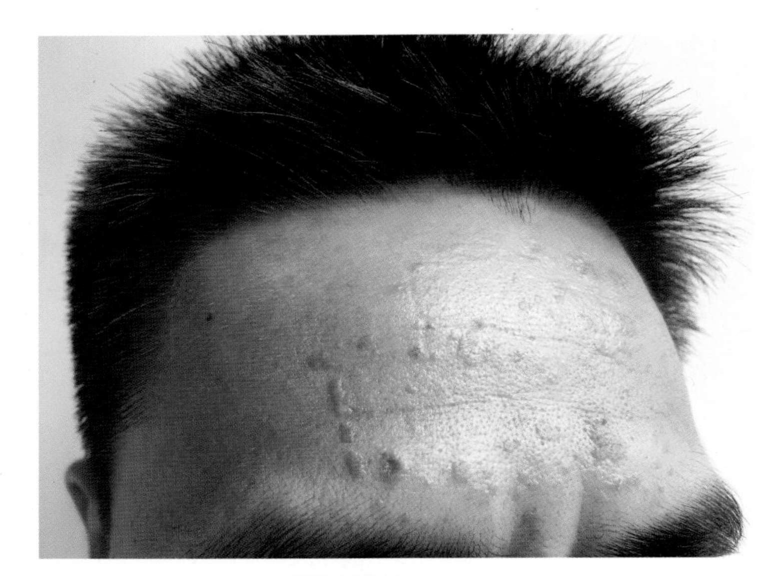

그림 35-12 편평사마귀

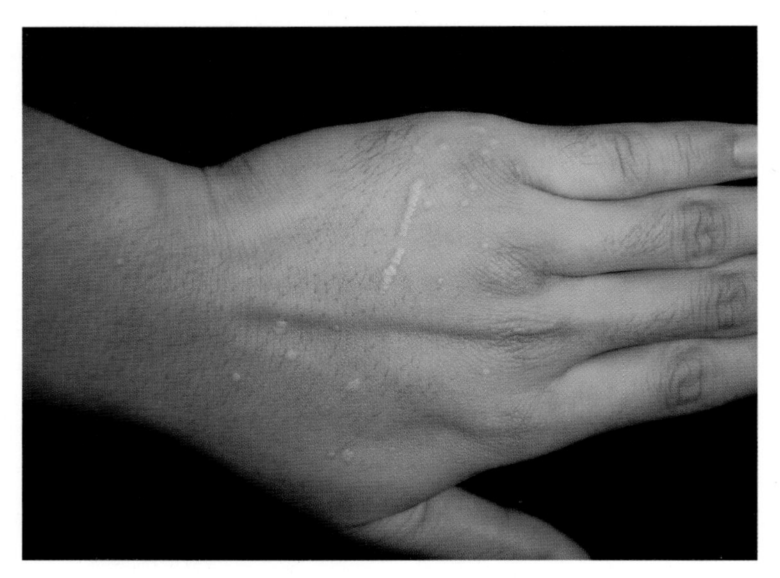

그림 35-13 편평사마귀

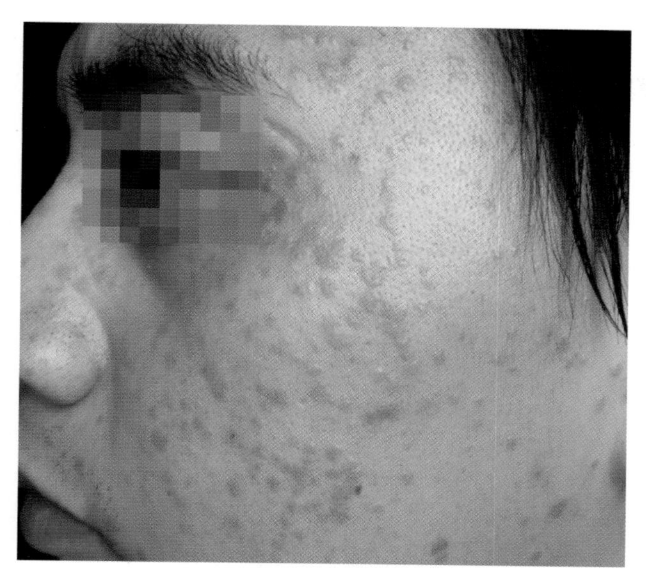

그림 35-14 편평사마귀

### 3) 발바닥사마귀(verruca plantaris, plantar wart, 跖疣)

(1) 피부병변 : 보통사마귀의 일종이나 압력을 받는 발바닥에 생기기 때문에 돌출되지 않고 판을 형성하는 경우가 많다. 다수의 병변이 모여 큰 판을 형성하는 경우에는 모자이크 사마귀라고 부른다. 보행 시 통증이 유발되어 환자들이 티눈으로 오인하고 내원하는 경우가 많다.

(2) 감별질환 : 티눈이나 굳은살과 감별해야 한다. 면도칼로 병변의 각질층을 깎아 내면 사마귀에서는 확장된 모세혈관 내의 혈전 때문에 붉거나 검은 반점들이 보인다. 티눈이나 굳은살은 압통이 있으나, 사마귀는 옆에서 잡는 형태로 눌러야 더 아프다.

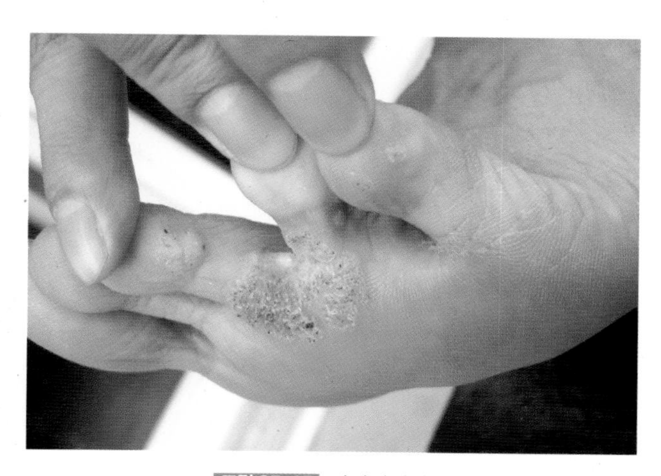

그림 35-15 발바닥사마귀

### 4) 성기사마귀(첨규 콘딜로마, genital wart, condyloma acuminatum, 尖銳濕疣)

(1) 성기사마귀와 자궁경부, 외음부 및 조갑 주위에 생기는 암과는 높은 연관성이 있을 수 있다. 여성에서 HPV-16과 HPV-18은 자궁 경부암과의 관련성이 있다.

(2) 피부병변 : 양배추의 일종인 콜리플라워 모양의 사마귀가 습한 부위에서 발견된다. 성인에서 발생하는 성기사마귀는 대부분 성매개성 질환으로, 전염력이 강하여 단 한번의 성접촉으로도 50% 정도에서 병변이 발생할 수 있다. 만약 소아에서 성기사마귀가 관찰될 경우에는 아동학대를 의심해야 하나, 자기접종 혹은 가족과의 밀접한 접촉에 의해 생길 수도 있다.

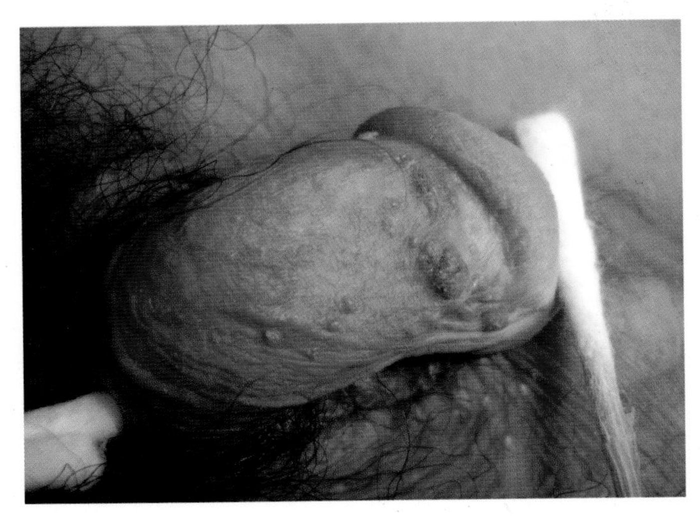

그림 35-16 성기사마귀

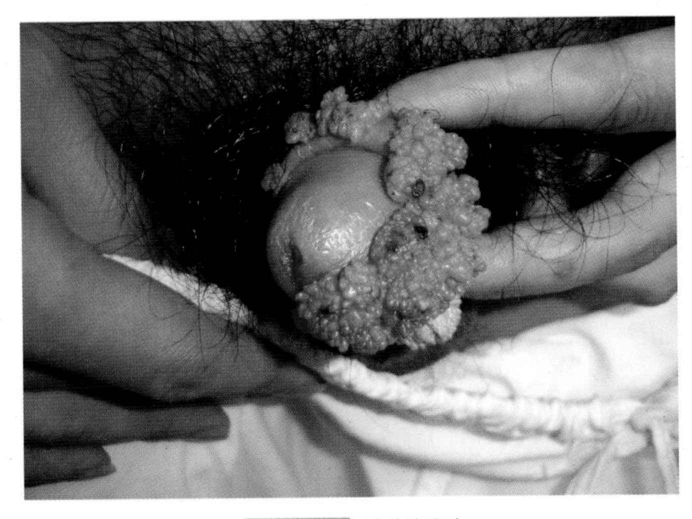

그림 35-17 성기사마귀

### 5) 전염성 물렁종(물사마귀, 전염성 연속종, molluscum contagiosum, 傳染性軟疣, 鼠乳, 水瘊)

(1) Poxviridae과에 속하는 molluscum contagiosum virus (MCV)에 의하여 발생한다.

(2) 피부병변 : 어느 부위에서나 발생하며, 2~5 ㎜ 크기의 매끈한 표면을 갖는 피부색 또는 하얀 반구형의 구진이 개별적으로 산재하여(discretely) 발생한다. 특징적인 소견으로 구진의 중앙이 배꼽처럼 움푹 들어가 있는데(umbilication) 이는 임상에서 진단하는 데 매우 중요한 소견이다. 구진의 頂端을 挑破하면 치즈양의 백색 물질을 짜낼 수 있으며, 완치 후에는 흉터를 남기지 않는다. 구진의 개수는 수 개에서 수백 개까지 다양하다. 병변은 2~4개월이 지나면 소실되나, 자가접종 등에 의하여 계속해서 새로운 병변이 생겨나므로 전체적인 경과는 6~9개월 정도이며, 때로는 수년간 지속될 수도 있다.

(3) 발생부위 : 점막을 포함하여 신체 어디에서든 발생할 수 있다. 대부분 소아에서 발생하는데, 특히 아토피피부염이 있는 소아에서는 소양감으로 인해 피부를 긁어 광범위한 병변을 보일 수 있으며, 이차적인 세균감염도 흔히 발생한다. 성인의 경우에는 하복부나 성기 주위에 호발하는데, 이는 성매개 질환의 일종으로도 볼 수 있다.

(4) 자각증상 : 대부분 자각증상은 없으나, 약 10%에서는 구진 주위에 습진양 병변이 나타날 수 있으며, 간혹 소양감이 있을 수도 있다. 이로 인하여 긁거나 전신에 전염되어 피부병변이 증가할 수 있다.

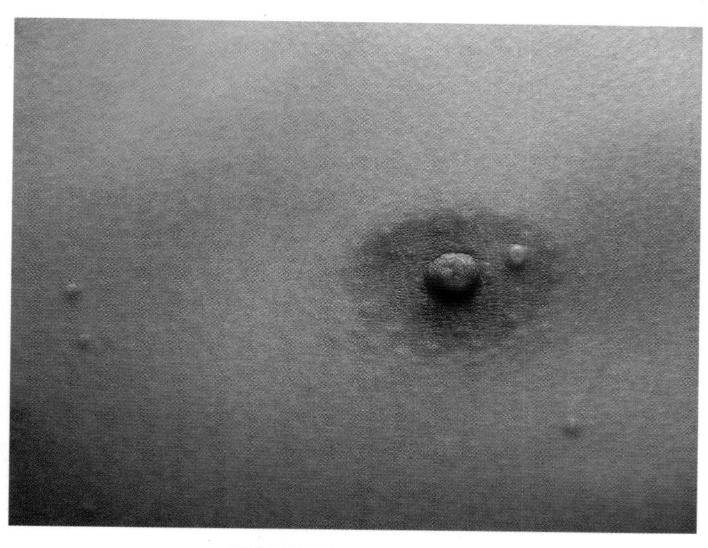

그림 35-18 전염성 물렁종

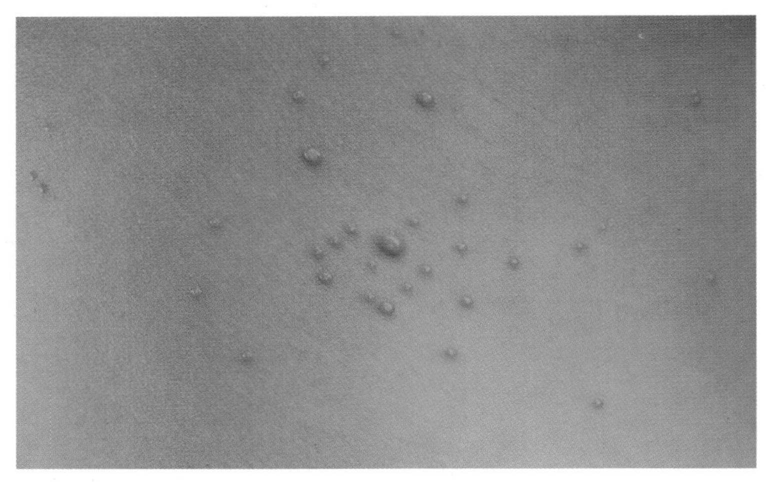

그림 35-19 전염성 물렁종

## 4. 진단감별

### 1) 진단요점

대부분 임상소견으로 진단하며, 병리조직검사가 도움이 된다.

### 2) 감별질환

(1) 보통사마귀

① 사마귀모양모반(疣狀痣): 대부분 유년기에 발병하는 질환으로, 선상으로 발생하며 종종 신경 분포를 따라 배열되어 있다. 표면은 평활하거나 거칠며, 혹은 가시와 같은 모양을 하고 있다. 병변은 회갈색 또는 회황색을 띤다.

② 전염성 물렁종(鼠乳) : 병변은 가시 모양이 아닌 반구형이며, 표면은 밀랍 같은 광택이 있다. 가운데에는 배꼽처럼 생긴 함요처가 있으며, 병변을 긁어 나오는 비지 같은 물질을 염색을 시행하고 현미경으로 관찰하면 물렁종소체를 발견할 수 있다.

③ 티눈(鷄眼) : 발바닥 혹은 발가락 사이의 압력을 받기 쉬운 부위에 다발하며, 원추형의 각질 증식으로 손상을 일으키며, 보행하거나 누르면 통증이 심해지지만, 손으로 누르면 통증은 그리 심하지 않으며, 鍼으로 挑하여도 출혈은 없다.

(2) 편평사마귀

① 주근깨(雀斑) : 유전성이 있으며, 여성에게서 많이 나타나며, 일광 노출과 관련성이 높다. 증상

은 여름에 심해지고 겨울에는 경감되는데 일반적으로 피부 표면 위로 돌출되지 않는다.

② 한관종(汗管瘤) : 여성에게서 비교적 많이 발견되며, 상안검 또는 가슴 상부에 호발한다. 작은 쌀알 정도 크기의 소결절이 관찰되며, 결절은 여름철에 더욱 심하게 융기한다. 색상은 정상 피부색을 띤다.

(3) 전염성 물렁종

① 보통사마귀(千日瘡) : 표면이 거칠고 평평하지 않으며, 꽃술 모양이다. 비록 유두 모양으로 된 것들도 있으나, 구진 한가운데에 배꼽처럼 생긴 함요처는 없다.

② 편평태선 : 전염성 물렁종과 마찬가지로 가운데가 오목한 구진이 관찰되나, 屈側面에 호발하며 구진은 자홍색을 띤다.

③ 물렁종(軟疣) : 초기에는 작고 편평한 모양 혹은 구형으로 융기된 구진이나 혹 모양으로 나타나나, 가운데에 배꼽 모양의 함요처가 없으며 두부 찌꺼기 같은 흰색의 물질도 유출되지 않는다.

④ 한관종(汗管瘤) : 쌀알 크기의 소결절이 발견되며, 밀집하여 나타나는 경우가 흔하다. 황갈색을 띠며 단단하다. 眼瞼, 코, 頸部 등의 부위에서 쉽게 발견된다. 대부분 여성에게서 발병하며, 여름에 심해진다.

(4) 성기사마귀

① 진주양구진(陰莖珍珠疹) : 진주와 비슷한 백회색, 담홍색을 띠며 크기가 작고 고른 소구진이 음경소대 양측 또는 冠狀溝에 가지런히 정렬되어 나타날 수 있다. 구진은 서로 융합하지 않으며, 자각증상도 없다.

② 편평콘딜로마(扁平濕疣) : 2기 매독의 전형적인 표현형이며, 피부병변은 편평하고 두터워져 있으며 약간 딱딱하다. 매독혈청반응에서도 강한 양성을 보인다.

③ 편평세포암(鱗狀細胞癌) : 피부병변이 불규칙적이며, 전암성 병변의 과거력이 있다. 국부의 침윤이 뚜렷하고, 오래 치료해도 낫지 않으며, 궤양이나 감염이 발생하기 쉽다. 림프절 종대를 유발하며, 조직학적 검사로 진단할 수 있다.

## 5. 치료

### 1) 內治法

(1) 보통사마귀

사마귀의 수가 적은 경우에는 일반적으로 치료하지 않거나 內治法을 사용하지 않으며, 수가 많거나 피부병변이 전신에 광범위한 경우에 적용한다.

① 肝膽風熱證 : 治法은 淸肝瀉火하며, 龍膽瀉肝湯加減을 사용한다.

② 腎氣不榮證 : 治法은 滋補腎水하며, 六味地黃湯加減을 사용한다.

(2) 편평사마귀

① 風熱證 : 治法은 散風和營, 淸熱解毒하며, 銀翹散加減을 사용한다.

② 風濕證 : 治法은 解表除濕, 宣利肺氣하며, 除濕胃苓湯加減을 사용한다.

③ 血瘀證 : 治法은 活血化瘀, 軟堅散結하며, 桃紅四物湯加減을 사용한다.

(3) 전염성 물렁종

이자적인 감염이 없을 경우 대부분 자연 치유되므로 반드시 치료가 필요하지는 않으나, 소양감 혹은 자가접종으로 병변이 급증할 수 있고 혹은 다른 아동에게 전파될 수 있으므로 치료해 주는 것이 좋다.

① 邪毒滯結證 : 治法은 淸肝解毒하며, 龍膽瀉肝湯에 大靑葉, 板藍根, 牡蠣, 磁石, 珍珠母 등을 加하여 쓴다.

(4) 성기사마귀

① 濕熱下注證 : 治法은 淸熱利濕, 化濁散結하며, 龍膽瀉肝湯에 夏枯草, 玄參, 牡蠣, 浙貝, 菖蒲, 虎杖, 板藍根 등을 加하여 사용한다.

② 濕濁互結證 : 治法은 利濕化濁, 散結祛穢하며, 萆薢滲濕湯 合 消瘰丸에 虎杖, 石菖蒲, 薏苡仁 등을 加하여 사용한다.

③ 陰虛濁結證 : 治法은 滋陰淸熱, 利濕化濁하며, 知柏地黃丸에 薏苡仁, 石菖蒲, 萆薢, 虎杖 등을 加하여 사용한다. 만약 腎虛濕濁에 편중되어 있으면 濟生腎氣丸加味도 사용할 수 있다.

④ 氣虛邪戀證 : 治法은 扶正祛邪, 化濁散結하며, 歸脾丸에 石菖蒲, 萆薢, 虎杖, 薏苡仁 등을 加하여 사용한다.

### 2) 成藥, 驗方

(1) 보통사마귀

① 紫藍方 : 馬齒莧 60 g, 板藍根 大靑葉 각 30 g, 生苡仁 紫草根 赤芍 紅花 각 15 g을 물에 달여 복용한다. 매일 1제를 2회로 나누어 복용한다.

② 四石桃紅湯 : 靈磁石 生牡蠣 代赭石 珍珠母 각 30 g, 桃仁 紅花 赤芍 각 10 g, 陳皮 5 g을 물로 달여 복용한다. 매일 1제씩 복용한다.

③ 治瘊方 : 熟地 當歸 赤芍 白芍 川芎 桃仁 紅花 莪朮 白朮 香附 각 6 g, 制首烏 夏枯草 板藍根 각 15 g, 生牡蠣 龍骨 각 30 g을 물로 달여 복용한다. 매일 1제씩 복용한다.

(2) 편평사마귀

① 馬齒莧合劑 (中國中醫科學院廣安門醫院方) : 馬齒莧 60 g, 大青葉 15 g, 紫草 10 g. 敗醬草 10 g. 매일 1제를 물로 달여 1일 2회로 나누어 복용한다.

② 克疣方 (上海龍華醫院方) : 桑葉 6 g, 野菊花 6 g, 蒲公英 30 g, 大青葉 30 g, 馬齒莧 15 g, 土伏苓 30 g 赤芍 9 g, 紅花 9 g, 生牡蠣 30 g(先煎), 靈磁石 30 g(先煎), 制大黃 9 g. 매일 1제를 물로 달여 1일 2회로 나누어 복용한다.

③ 生薏苡仁을 성인은 60 g, 소아는 30 g를 죽으로 만들거나 혹은 전탕하여 2~3주 동안 사마귀가 脫落할 때까지 복용하거나 板藍根 30 g 또는 澤瀉 30 g 혹은 紫草 15 g, 生苡米를 전탕하여 차 대신 매일 한 첩씩 한 달간 연속해서 복용한다.

### 3) 外治法

(1) 보통사마귀

① 五妙水仙膏療法 : 약액을 10분마다 疣體에 한 번씩 도포하는데, 일반적으로 4~5회 시행한다.

② 水晶膏療法 : 生石灰 15 g에 포화 수산화나트륨 용액을 넣고 섞은 다음 糯米 3 g을 넣고 24시간이 경과한 후에 飽脹된 糯米를 흙탕물처럼 될 때까지 찧어, 100 ㎖당 熟石灰末 4 g을 넣고 묽은 죽처럼 만들어 바른다. 사마귀 주위의 정상 피부에 닿지 않도록 주의한다. 2~3일마다 1회 도포하면 수일 후에는 疣體가 탈락한다.

③ 鴉膽子療法 : 먼저 疣體를 소독한 다음 刺破하여 혈액을 유출시킨다. 鴉膽子 30 g의 外殼을 제거하고 仁을 取하여 찧어 부순 후, 소량을 사마귀 위에 올리고 거즈로 덮어 고정한다. 1주일이 지나면 스스로 脫落한다.

④ 碘酒注射法 : 먼저 피부를 소독한 다음 2% 요오드팅크를 주사기로 母疣의 기저부에 주사한다. 사마귀의 크기에 따라 0.1~0.3 ㎖를 주입하며, 1회만에 치료된다.

⑤ 推疣法 : 뚜렷하게 돌출된 피부손상 정도가 적은 사마귀에 적용한다. 疣體의 根部에 면봉이나 솜으로 감싼 큐렛을 피부에 30° 각도를 이루게 대고 균일한 힘으로 사마귀를 민다. 어떤 것들은 바로 脫落하기도 한다. 제거한 부위는 표면을 압박하여 지혈시키고 거즈로 묶는다. 만약 남아 있는 疣體가 있으면 1개월 후에 다시 1회 시행한다.

⑥ 結紮法 : 頭大蒂小한 사마귀나 絲狀疣를 견사나 머리카락을 이용하여 묶는다. 점점 조여 들어가면 脫落시킬 수 있다.

(2) 편평사마귀

① 洗疣方 : 馬齒莧 30 g, 蒼朮 露蜂房 白芷 각 10 g, 苦參 陳皮 각 15 g, 蛇床子 12 g, 細辛 6 g을 약 300 ㎖의 물로 달인 것을 가열한 다음, 환부의 피부가 담홍색이 될 정도로 반복하여 문질러 씻는다.

② 克疣制劑 : 木賊草 香附 각 15 g, 白芥子 烏梅 五倍子 枯礬 각 10 g, 露蜂房 8 g, 生牡蠣 30 g을 물로 달여 환부를 씻는데, 용법은 상기한 洗疣方과 동일하다.

③ 點疣法 : 면봉에 鴉膽子油를 소량 묻혀 사마귀 위에 조심스럽게 점적한다. 약액이 주위 피부에 접촉하지 않도록 하며, 점적 후에는 물에 닿지 않도록 한다. 세수를 하지 않은 지 2~3일이 지나고 검은색 가피가 생기면 脫落한다.

(3) 전염성 물렁종

① 針挑法 : 먼저 75% 에탄올로 시술 부위를 소독한 다음, 소독한 바늘로 구진의 頂端을 挑破하여 치즈 같은 물질을 짜내고 난 다음, 挑破한 부위를 면봉에 요오드팅크를 묻혀 바른다.

② 塗點法 : 페놀 용액을 면봉에 소량 묻혀 사마귀 위에 점처럼 찍어 바른다. 3일에 1번 시행하며, 1~3회 시행하여 가피가 떨어지면 치유된다.

③ 斑蝥膏 : 斑蝥 12.5 g, 雄黃 2 g을 細末이 되도록 찧어 약간의 蜂蜜과 함께 고루 섞어 膏를 만들어 사마귀 위에 올려놓고 반창고로 고정한다. 환부에 약간의 紅腫疼痛이 있거나 수포가 발생할 수 있으며, 10~15시간이 경과하면 피부에서 사마귀가 탈락한다.

④ 汎洗方 : 大青葉, 板藍根 각 30 g을 물로 달여 환부에 도포한다.

⑤ 刮疣法 : 시술 부위를 소독한 후 큐렛으로 疣體를 긁어내 제거한다. 疣體를 긁어낸 부위에 출혈이 있으면 면봉으로 눌러 지혈한다. 이후 瘡面에 珍珠粉을 도포한다.

(4) 성기사마귀

① 外洗方 : 土茯苓, 大青葉, 板藍根, 蒲公英, 明礬 각 10 g을 전탕하여 매일 1~2회 熏洗한다.

② 祛疣方 : 적당량의 鴉膽子油를 작은 대나무 주걱이나 탐침을 이용하여 매일 2~3회 환부에 소량 도포한다. 사마귀가 脫落하면 중지하고, 정상 피부나 점막을 손상시키기 않도록 주의한다.

### 4) 기타 치료법

(1) 보통사마귀

① 針刺法 : 絲狀疣에 적용한다. 짧은 침을 사마귀의 측방 기저부 0.5 ㎝ 좌우에 刺入하는 방법을 사용할 수 있으며, 격일 또는 3일에 1회 시행하며, 3~5회 시행하면 脫落한다.

② 艾灸法 : 먼저 疣體를 소독한 다음, 豆大 크기의 艾絨을 사마귀 위에 올려놓고 불을 붙인 후

底部까지 타들어 갈 때까지 기다리면 탁탁 튀는 소리가 난다. 잠들기 전 또는 기상 후에 灸法을 1회 시행하며, 2~3일 후에 핀셋이나 작은 칼로 疣體를 움직이면 脫落한다.

(2) 편평사마귀

① 鍼刺法 : 列缺, 合谷, 足三里를 瀉法으로 매일 1회 刺鍼하고 30분간 留鍼한다.

② 耳鍼療法 : 肺, 皮質下, 肝 등의 耳穴에 매일 1회 시술하고 15분간 留鍼한다.

(3) 발바닥사마귀

① 挖除法 : 먼저 칼끝으로 사마귀와 정상 피부의 경계면에 칼집을 낸 다음 겸자로 사마귀의 중앙을 집은 후 잡아당긴다. 이때 하나의 疏鬆한 軟蕊가 보이지만 軟蕊의 주위가 때때로 쉽게 제거되지 못하여 재발하는 경우가 많아 腐蝕藥을 도포해야 하는데, 千金散 혹은 鷄眼膏(成藥)를 도포하면 되고, 시간은 일반적으로 5~7일 정도가 무난하다. 만약 기간이 너무 길면 피부가 너무 깊게 부식되어 환부의 유합에 영향을 미친다.

② 電灼法 : 국부에 소독 및 마취를 시행한 후에 전기소작을 시행한다. 이때 너무 깊게 하지 않는 것이 좋은데, 이는 환부의 유합에 영향을 미치고 큰 흉터를 남기기 쉽기 때문이다.

### 5) 현대 치료법

(1) 깊지 않은 병변의 치료는 전기 소작술이나 $CO_2$ 레이저를 이용하고, 깊은 병변의 치료는 액화질소를 이용한 냉동요법을 활용한다.

(2) Diphenylcyclopropenone (DPCP)요법 : 접촉피부염을 일으키는 DPCP 패치로 면역계를 자극하여 환자의 신체 스스로 치유 능력을 획득하게 하는 면역요법은 편평사마귀의 치료에서 약 60%의 효과를 나타낸다.

(3) 20~25% 포도필린 용액(podophyllin resin) : 특히 음부사마귀 치료에 많이 이용된다. 그러나 임부와 유아에서는 신경독성으로 인하여 금기이다.

(4) 국소 요법 : Salicylic acid, trichloroacetic acid, retinoid(대개는 경구요법), imiquimod, bleomycin 또는 5-fluorouracil (FU)(국소 도포나 병변 내 주사)

(5) Cimetidine 고용량 경구요법 : 면역조절 작용으로 사마귀를 치료할 수 있다.

## 6. 예후

편평사마귀의 자연 치유율이 가장 높으며, 보통사마귀도 시간이 경과함에 따라 자연 치유되는 경우가 많다. 보통사마귀의 경우, 수년 내에 2/3가 자연 치유되었다는 보고가 있다.

## V 홍역 Measles, Rubeola

### 1. 개요

홍역(measles, rubeola)에 해당하는 痲疹은 Paramyxoviridae과에 속하는 measles virus에 의해 발생하는 바이러스성 질환으로, 고열과 상기도 점막 및 눈 점막에 카타르 증상을 일으키면서 입 안 점막과 전신 피부에 발진이 돋으며 전신 중독증상을 나타내는 전염력이 매우 강한 소아 급성 발진성 전염병이다. 늦겨울과 이른 봄에 잘 생기며 한 번 앓으면 일생 동안 면역이 생겨 다시 앓지 않는다.

### 2. 원인 및 병기

疫癘邪氣의 侵襲을 받아서 생긴다고 보았다.

### 3. 증상

홍역은 호흡기를 통해 전파되며, 주로 영아나 이른 나이의 소아에서 잘 발생한다. 홍역의 경과는 크게 3기로 나눌 수 있다.

1) 전구기 : 10~11일의 잠복기를 거쳐 상기도 점막 및 눈 점막에 심한 카타르(catarrhal) 증상이 출현하는데, 이때 고열, 기침, 가래, 콧물, 결막염, 전신 쇠약감, 두통, 근육통 등의 전구증상이 3~4일간 지속된 후 발진이 시작된다. 홍역의 진단에 가장 중요한 점막발진(enanthem)인 코플릭 반점(Koplik's spot)은 피부발진(exanthem)이 나타나기 2일 전에 발생한다. Koplik 반점은 아래 어금니 근처의 구강점막이나 잇몸에서 직경 1 ㎜ 크기의 하얀 반점(punctuate)으로 나타나며, 다른 구강점막으로 퍼진 후 발진이 생긴 3일째에 소실된다.
2) 발진기 : 카타르 증상이 악화되면서 홍역의 특징적인 피부발진이 발생한다. 발진은 머리카락 경계선과 귀 뒤에서 시작하여 점차 원심성으로 파급되는데, 1일째에는 얼굴, 2일째에는 몸통, 3일째에는 사지로 급속히 퍼져나간다. 발진은 분홍색의 좁쌀 같은 반점 내지 구진이 서로 융합한 형

태로 시작하는데, 처음에는 산재하여 발생하다가 점차 융합되어 합쳐지며 이러한 형태를 취하는 발진을 홍역양(morbilliform) 발진이라고 한다. 발진은 5~6일간 지속된다.

3) 회복기 : 발진이 돋은 다음 1~2일 지나 열이 내리면서 피부발진이 소실되며, 이에 따라 전신증상도 소실된다. 발진이 돋았던 자리에는 거밋한 색소침착이 생기며 쌀겨와 같은 비듬이 앉는다. 발진은 인설에 덮이면서 나타날 때와 같은 순서로 사라진다.
합병증으로는 폐렴, 소화불량 혹은 대장염, 인후두염, 중이염, 뇌염, 심부전 등이 후에 나타날 수 있다.

## 4. 진단감별

홍역은 고열, 결막염, Koplik 반점, 상기도 증상(결막염, 콧물 등) 및 특징적인 피부발진과 같은 임상증상으로 진단 가능하다. 혈액검사에서는 백혈구 및 림프구가 감소하고 LDH가 상승한 소견이 나타난다.

'홍역양 발진(morbilliform eruption)'은 피부과에서 흔히 사용되는 용어로, 전격성 홍반성 피부발진이 전신에 출현하는 경우를 일컫는다. 홍역양 발진이 나타나는 대표적인 경우는 약물에 대한 이상반응으로 발생하는 약진(drug eruption)과 아동에게서 바이러스 감염에 의한 발열과 동반되는 피부발진(열꽃)이 있다.

## 5. 치료

1) 風熱證(전구기) : 38~39℃의 열이 나며 콧물을 흘리면서 재채기를 한다. 눈이 충혈되며 눈곱이 끼고 설사를 한다. 입안점막과 뺨 점막에 좁쌀아 크기의 흰 반점이 몇 개 돋는다. 혀끝은 붉고 舌苔는 薄黃하며 脈은 浮數하고 지문은 떠있다. 辛凉한 성질의 약으로 발진이 잘 돋게 하는 治法을 사용하며, 加味升麻葛根湯이나 加味銀翹散을 전탕하여 매일 3회 복용한다. 가래가 많으면 杏仁, 前胡, 桔梗을, 토하면 竹茹를 더 넣어 쓴다.

2) 熱毒證(발진기) : 열이 39℃로 오르면서 귀 뒤, 눈썹 위, 얼굴, 목, 가슴, 몸통, 팔다리 순서로 좁쌀~수수알 크기의 발진이 돋으며 맥이 없고 몹시 보채며 잘 자지 못한다. 혀는 붉고 舌苔는 厚黃하고 脈은 數하다. 붉은색 지문이 깊게 보인다. 清熱解毒하고 발진이 잘 나오게 하는 治法을 사용하며, 加味清解透表湯이나 清熱解表湯을 전탕하여 매일 3~4회 복용한다.

3) 氣陰虛證(회복기) : 열이 빨리 내리면서 돋았던 발진들이 사그러들고 그 자리에 거뭇거뭇한 색

소침착이 남으며 쌀겨 같은 비듬이 떨어진다. 혀는 연붉고 舌苔는 적으며 脈細數無力하고 지문은 담홍색이다. 正氣를 도와주고 陰을 자양하는 방법으로 沙蔘麥門冬湯을 전탕하여 매일 3~4회 복용한다.

## Ⅵ 풍진 Rubella, German measles

### 1. 개요

풍진(rubella, German measles, 風疹)은 영아 및 유아에게서 발생하는 전신 발진성 질환으로, Togaviridae과의 rubella virus에 의해 발생하며 5~6세의 소아에서 다발한다. 봄, 겨울에 유행하며 호흡기로 전염되어 발생하고 1~3주의 잠복기를 갖고, 한번 발병으로 면역을 얻어 평생 재발하지 않는다. 임신 초기에 풍진에 이완되면 태아의 발육에 영향을 미쳐 태아 기형을 유발할 수 있다.

### 2. 원인 및 병기

風熱時邪에 外感되어 氣血과 相搏하여 肌表에 鬱滯되어 발생한다고 하였다.

### 3. 증상

풍진은 2~3주의 잠복기를 거쳐 1~5일간 미열, 권태감, 인두통, 두통, 콧물, 림프절 비대, 오심, 구토 등의 증상을 보인다. 흔히 안구를 옆으로 혹은 위로 움직일 때 통증이 동반된다. 통상적으로 1~2일 이후에 바로 분홍색 혹은 붉은색의 홍역양 발진이 먼저 얼굴에서 시작하여 아래로 급속히 파급되어 24시간 내로 전신에 분포하게 된다. 발진은 손바닥, 발바닥에는 파급되지 않는다. 발진은 독립적으로 발생한 후에 융합되어 약간의 소양감이 생긴다. 2일 이내에 발열이 소실되고, 발진은 2일째에 얼굴에서부터 소실되기 시작하여 3일째에는 거의 소실되며 脫屑은 발생하지 않는다. 이와 같이 급속히 병변이 소실되는 점이 홍역과의 감별점이다.

25%에서는 입천장에 작고 붉은 반점 혹은 점상출혈이 나타나는데, 이를 Forchheimer 징후라고 한다. 발진과 함께 절반 정도에서는 耳後 혹은 枕骨下에 림프절염이 동반되는데, 약간의 압통이 있는

凝核腫大의 형태로 나타난다. 임신 1기 산모에서 발병하는 경우에는 선천성 풍진 증후군(congenital rubella syndrome)이 나타날 수 있다.

## 4. 진단감별

### 1) 진단요점

풍진의 발진은 다른 바이러스성 질환에서 나타나는 발진과 유사하여 피부발진의 양상만으로는 진단하기 어렵다. 따라서 바이러스 배양이나 혈청학적 검사를 해야 확진 가능하다.

### 2) 감별질환

(1) 홍역 : 발진이 발생하기 전에 발열, 재채기, 콧물, 기침 등의 전신증상이 더욱 뚜렷하고, 눈이 충혈되며 구강점막에 회백색의 Koplik 반점이 있으며, 발진이 비교적 완만하여 3~4일을 경과해야 전신, 손바닥, 발바닥에 분포한다. 발진기에는 심한 中毒症狀이 있다. 발진이 소실된 이후에는 脫屑 증상이 있다.

(2) 성홍열 : 발진이 발생하기 전에 고열 등의 전신증상이 있으며, 인후통 및 딸기 모양의 혀가 특징이다. 발진은 전신성, 미만성의 猩紅色 반점으로 나타나며, 소실된 뒤에 두드러진 脫屑을 보인다. 혈중 백혈구 수치가 증가한다.

## 5. 치료

### 1) 內治法

舌質紅, 苔薄白의 證이 보이면 疏風清熱透熱의 治法을 사용하고, 상용하는 약물은 桑葉, 菊花, 蟬衣, 牛蒡子, 金銀花, 生甘草, 桔梗, 板藍根 등이다.

### 2) 外治法

일반적으로 外治法은 사용하지 않는다.

# Ⅶ 수족구병 Hand-foot-mouth disease

## 1. 개요

수족구병(손발입병, hand-foot-mouth disease, 手足口病)은 Picornaviridae과에 속하는 coxackievirus A16이 가장 흔한 원인으로, 일종의 계절성, 유행성 질환이자 발열과 발진을 동반하는 전염성 피부질환이다. 주로 여름에 발생하고, 2~10세의 소아에서 주로 발생하지만, 성인에서도 발생할 수 있다.

## 2. 원인 및 병기

1) Picornaviridae과에 속하는 coxackievirus A16이 원인 바이러스이다.
2) 현대 이전에는 風熱時行邪氣에 感受되어 熱毒이 肺, 胃 二經에 阻碍되서 肌膚에 蘊鬱되어 발생한다고 보았다.

## 3. 증상

소아의 손, 발, 구강 내에 수포가 발생하는 것을 특징으로 한다. 2~5일의 잠복기가 지난 후 경미한

그림 35-20 수족구병 (손)

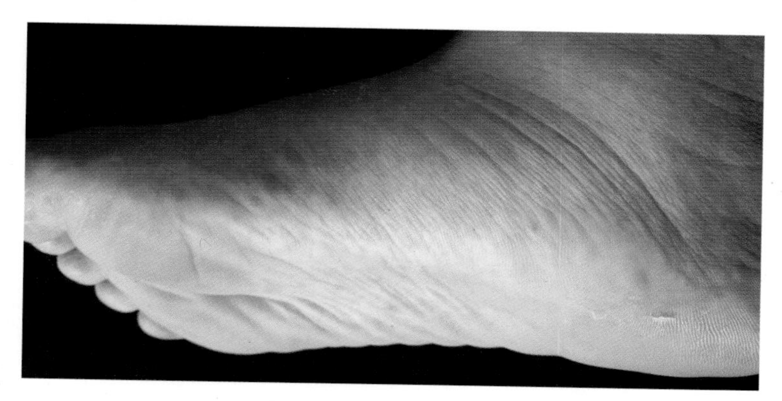

그림 35-21 수족구병 (발)

발열과 함께 홍반으로 둘러싸인 수포(small blisters with red halo)가 입 점막, 손 · 발바닥의 skin line과 일치한다는 점이 특징적이다. 통상적으로 약 1주일의 경과를 취한다. 구강병변은 수족구병 환자의 90%에서 발생하는데, 2/3에서는 피부에도 홍반으로 둘러싸인 타원형의 소수포가 발생한다. 소수포는 손바닥을 비롯한 손에서 흔히 나타나며, 발바닥을 포함하는 발이나 엉덩이에도 생길 수 있다.

## 4. 진단감별

### 1) 감별질환

(1) 포진성 인협염 : 咽顎과 편도선에 鍼頭 크기의 수포가 산재하고, 뚜렷한 발열 증상이 있으나 손발의 발진은 발생하지 않는다.

(2) 포진성 치간구강염 : 입술 · 잇몸 · 구강점막 위에 2~5 ㎜의 소수포가 산재해 있으나, 손발의 발진은 발생하지 않는다.

(3) 재발성 단순포진 : 대부분 소수포가 떼지어 발생하며, 일반적으로 전신증상이 없다.

(4) 다형홍반 : 발진은 수종성 홍반이며, 홍채 모양의 병변이 있다.

## 5. 치료

대부분 증상이 경미하여 치료가 필요하지 않다. 수일 내로 병변이 사라지며, 1주일 정도 지나면 자연 치유된다.

### 1) 內治法

風熱毒邪로 인한 것이기 때문에 消風淸熱解毒의 治法을 사용하고, 消風散加減方을 응용한다.

(1) 상용약물 : 荊芥, 防風, 牛蒡, 蟬衣, 生地, 知母, 生石膏, 制蒼朮, 黃栢, 木通 등이다.

(2) 藥物加減 : 熱毒熾盛에는 大靑葉, 板藍根, 紫草를 加하고, 口舌生瘡에는 天花粉, 蘆根을 加하며, 小便短赤에는 車前草, 六一散을 加하고, 大便乾結에는 生大黃(後下) 혹은 芒硝를 加한다.

### 2) 外治法

일반적으로 대증치료를 하는데, 국부 점막의 손상에는 漱口方으로 구강을 漱滌하거나 혹은 野薔薇花露을 환부에 바르고 다시 錫類散 또는 靑吹口散으로 구강에 外吹하가나, 또는 1~2%의 龍膽紫를 바른다. 피부의 수포에는 三黃洗劑 혹은 蘆甘石洗劑를 바른다.

### 참고문헌

1) 譚新華. 何清湖. 中医外科学. 第2版. 北京: 人民卫生出版社; 2011.
2) 서울대학교 의과대학 피부과학교실. (의대생을 위한) 피부과학. 4판. 서울: 고려의학; 2017.
3) 이승철. 임상의를 위한 피부과학. 개정판. 서울: 도서출판 대한의학; 2019.
4) 전국 한의과대학 피부외과학 교재편찬위원회. 한의피부외과학. 부산: 선우; 2007.

# 第 36 章 성매개병

| KCD 코드 | 한글 상병명 | 영문 상병명 |
|---|---|---|
| **A50–A64** | **주로 성행위로 전파되는 감염** | **Infections with a predominantly sexual mode of transmission** |
| **A50** | **선천매독** | **Congenital syphilis** |
| A50.0 | 증상성 조기선천매독 | Early congenital syphilis, symptomatic |
| A50.1 | 잠복성 조기선천매독 | Early congenital syphilis, latent |
| A50.2 | 상세불명의 조기선천매독 | Early congenital syphilis, unspecified |
| A50.3 | 만기 선천매독성 눈병증<br>만기 선천매독성 간질각막염†(H19.2*)<br>달리 분류되지 않은 만기 선천매독성 눈병증†(H58.8*) | Late congenital syphilitic oculopathy<br>Late congenital syphilitic interstitial keratitis<br>Late congenital syphilitic oculopathy NEC |
| A50.4 | 만기 선천성 신경매독[연소성 신경매독]<br>연소성 마비성 치매 | Late congenital neurosyphilis [juvenile neu- rosy- philis]<br>Dementia paralytica juvenilis |
| A50.5 | 기타 증상성 만기선천매독<br>클러톤관절†(M03.1*)<br>허친슨치아<br>허친슨세증후<br>만기 선천성 심혈관매독†(I98.0*)<br>만기 선천매독성 관절병증†(M03.1*)<br>만기 선천매독성 골연골병증†(M90.2*)<br>매독성 안장코 | Other late congenital syphilis, symptomatic<br>Clutton's joints<br>Hutchinson's teeth<br>Hutchinson's triad<br>Late congenital cardiovascular syphilis<br>Late congenital syphilitic arthropathy<br>Late congenital syphilitic osteochondropathy<br>Syphilitic saddle nose |
| A50.6 | 잠복성 만기선천매독 | Late congenital syphilis, latent |
| A50.7 | 상세불명의 만기선천매독 | Late congenital syphilis, unspecified |
| A50.9 | 상세불명의 선천매독 | Congenital syphilis, unspecified |
| **A51** | **조기매독** | **Early syphilis** |
| A51.0 | 생식기의 일차매독<br>매독성 굳은궤양 NOS | Primary genital syphilis<br>Syphilitic chancre NOS |

| | | |
|---|---|---|
| A51.1 | 항문의 일차매독 | Primary anal syphilis |
| A51.2 | 기타 부위의 일차매독 | Primary syphilis of other sites |
| A51.3 | 피부 및 점막의 이차매독<br>편평콘딜로마 | Secondary syphilis of skin and mucous membranes<br>Condyloma latum |
| A51.4 | 기타 이차매독 | Other secondary syphilis |
| A51.5 | 잠복성 조기매독 | Early syphilis, latent |
| A51.9 | 상세불명의 조기매독 | Early syphilis, unspecified |
| **A52** | **만기매독** | **Late syphilis** |
| A52.0† | 심혈관매독<br>심혈관매독 NOS(I98.0*) | Cardiovascular syphilis<br>Cardiovascular syphilis NOS |
| A52.1 | 증상성 신경매독<br>매독성 파킨슨증†(G22*)<br>매독성 (척수로) 관절병증†(M14.6*)<br>척수매독 | Symptomatic neurosyphilis<br>Syphilitic parkinsonism<br>Syphilitic (tabetic) arthropathy<br>Tabes dorsalis |
| A52.2 | 무증상신경매독 | Asymptomatic neurosyphilis |
| A52.3 | 상세불명의 신경매독 | Neurosyphilis, unspecified |
| A52.7 | 기타 증상성 만기매독<br>매독에서의 사구체질환†(N08.0*) | Other symptomatic late syphilis<br>Glomerular disease in syphilis |
| A52.8 | 잠복성 만기매독 | Late syphilis, latent |
| A52.9 | 상세불명의 만기매독 | Late syphilis, unspecified |
| **A53** | **기타 및 상세불명의 매독** | **Other and unspecified syphilis** |
| A53.0 | 조기인지 만기인지 상세불명의 잠복매독<br>잠복매독 NOS<br>매독혈청반응 양성 | Latent syphilis, unspecified as early or late<br>Latent syphilis NOS<br>Positive serological reaction for syphilis |
| A53.9 | 상세불명의 매독<br>매독균에 의한 감염 NOS<br>매독(후천) NOS | Syphilis, unspecified<br>Infection due to Treponema pallidum NOS<br>Syphilis(acquired) NOS |
| **A57** | **무른궤양** | **Chancroid** |

성매개병은 주로 성접촉에 의하여 전염되는 질환들을 말하며, 여러 원인균에 의한 다양한 증상들이 피부를 비롯한 전신에서 발생할 수 있기 때문에 정확한 진단과 치료가 중요하다.

# I 매독 Syphilis

## 1. 개요

매독(syphilis)에 해당하는 楊梅瘡은 스피로헤타(spirochete)의 일종인 매독균(*Treponema pallidum*)에 감염되어 발생하는 만성 전신성 성병이다. 페니실린이 등장하며 2000년대 초반까지 발병률이 크게 감소하였으나, 최근 HIV 감염, 비정상적인 성행위, 약물중독 등으로 다시 증가하는 추세이다.

매독균의 감염과 전파는 성관계를 통해 이루어지므로 초기에는 생식기 부위에 국한되어 증상이 나타나나, 점차 신체 장기에 전반적으로 침입하여 염증성 질환을 유발할 수 있다. 한편 모체에서 태아에게로 매독균이 수직 전파되는 경우도 있다. 성관계로 감염된 경우를 後天梅毒, 모체의 감염으로 태반을 통해 태아에게 전염되어 발생하는 先天梅毒, 성관계를 통하지 않고 접촉 · 수혈 · 치료 등의 과정 중에 감염되는 無辜梅毒으로 나누어진다.

한의학 문헌 중《外科正宗 · 楊梅瘡論》에서 "夫楊梅瘡者, ……以其形似楊梅; 又名時瘡, 因時氣乖變邪氣湊襲; 又名棉花瘡, 自期綿綿難絶, 有此三者之稱. 總由溫熱邪火之化, 但氣化傳染者輕, 精化欲染者重 · 故氣化乃脾肺受毒, 其患先從上部見之, 皮膚作痒, 筋骨不疼, 其形小且乾; 精化乃肝腎受毒, 其患先從下部見之, 筋骨多疼, 小水淋澀, 其形大而且硬."이라고 설명하고 있다. 경과에 따라 楊梅斑, 楊梅疹, 楊梅痘, 翻花楊梅瘡, 楊梅結毒이라고도 불린다.

## 2. 원인 및 병기

### 1) 원인

매독균의 감염은 주로 1기, 2기, 조기 잠복매독 환자와 직접적인 성접촉을 갖는 것으로 일어나는 것으로 밝혀졌으며, 드물게는 임신 중 태반을 통해 수직 감염되거나 수혈, 출산 및 수유 중에 감염되기도 한다. 성접촉에 의하여 매독이 전염될 확률은 1기나 2기 매독에서 50~75%이며, 무증상 환자 혹은 혈청학적 검사에서 음성으로 나타나는 환자에게서도 30%에서 전염될 수 있다. 매독균으로 인해 생성된 피부궤양에 직접 접촉할 때도 감염될 수 있다. 피부궤양은 성기, 질, 항문, 직장 등에 잘 발생하지만 입술, 구강 내에도 발생할 수 있다. 그러나 매독 환자가 사용한 화장실, 문 손잡이, 수영장, 욕조, 식기 등을 통해서는 전파되지 않는다.

### 2) 현대 이전

(1) 精化染毒 : 불결한 성관계로 인하여 전염되는 것으로 陰器에 梅瘡毒氣가 직접 감염되어 발생한다. 肝脈이 陰器를 循行하고, 腎이 二陰에 開竅하므로 染毒이 직접 肝腎으로 侵犯하게되며 아울러 衝, 任, 督脈을 상하게 한다. 또한 바깥으로는 陰器를 상하게 하여 피부손상이 심하고 단단해지며, 안으로는 골수, 관절, 臟腑에까지 침범하여 여기저기에서 발생하게 된다.

(2) 氣化染毒 : 성관계를 통해서가 아닌 환자와의 직접적인 접촉, 수유, 동침, 함께 식사하는 행위 등을 통해 梅瘡毒氣에 감염되어 脾肺 二經에 邪毒이 침입하여 발생한다. 瘡은 가볍고 작으며 건조하다.

(3) 胎傳遺毒 : 부모가 매독을 앓고 있어 태아에게까지 毒氣를 남기는 것이다. 먼저 부모가 매독을 앓다가 임신하거나 임신 중에 모체가 매독에 감염되어 毒氣가 모체를 통하여 태아에게 전염된다. 전자는 稟受라 하여 병이 重하고, 후자는 染受라 하여 병이 가볍다.

## 3. 분류와 증상

매독은 감염 시기에 따라 후천매독과 선천매독으로 구분할 수 있다.

후천매독은 1기 매독, 2기 매독, 잠복매독, 3기 매독으로 분류하고, 선천매독은 생후 2년 이내에 증상이 발현되는 조기 선천매독과, 생후 2년 이후에 나타나는 만기 선천매독으로 구분한다. 매독의 병기별 대표적인 증상으로 1기 매독은 매독균의 침범 부위에 발생하는 무통성 궤양, 2기 매독은 피부발진과 점막의 병적 변화, 3기 혹은 후발매독은 눈, 심장, 대혈관, 뼈, 관절 등을 비롯한 다양한 내부 장기 침범, 신경매독은 뇌막 자극, 뇌혈관 침범이 있다.

### 1) 후천매독(acquired syphilis)

#### (1) 1기 매독(primary syphilis, chancre)

감염 후 10~90일(평균 3주)이 지나면 매독균이 침범한 성기 부위, 항문 주위, 구순부, 유두, 손가락 등의 부위에 암홍색을 띠는 1~2 ㎝ 정도 豆大 크기의 가렵지 않고 무통성이며, 둥글고 작은 결절이 생긴다. 이 결절은 궤양으로 발전하는데, 이를 굳은궤양(硬性下疳, 下疳瘡, chancre)이라고 하며 1기 매독의 주요 증상이다.

굳은궤양은 주로 성기에 발생하고, 궤양의 주변부는 약간 융기되어 있으며, 궤양의 바닥은 비교적 깨끗하고 약간의 장액으로 덮여 있다. 동시에 굳은궤양이 발생한 지 7~8일 후 70~80%의 환자에서 서혜부 림프절이 종대되는데 단단하고 압통은 없다. 이것을 梅毒性 橫痃이라 한다.

위 증상들은 1~6주가 지나면 특별한 치료가 없이도 자연 소실되며, 치료를 받지 않은 환자의 약 반수는 제 2기 증상을 나타내고, 나머지 반수는 잠복기로 진행한다.

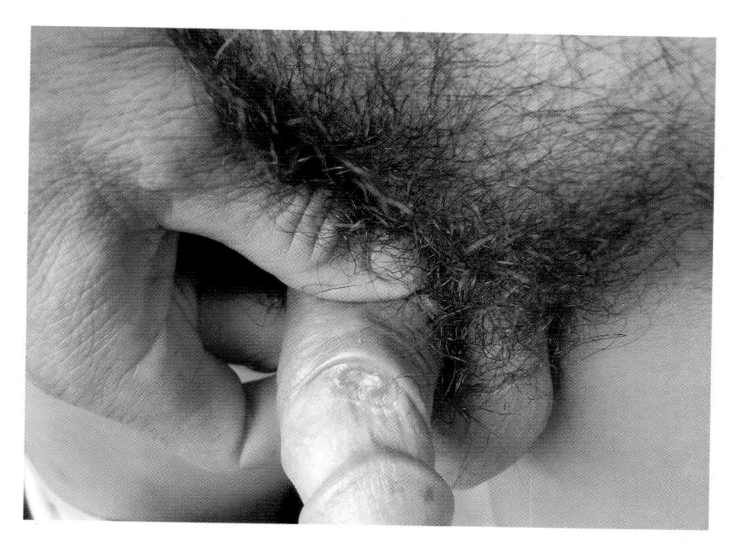

그림 36-1 1기 매독(굳은궤양)

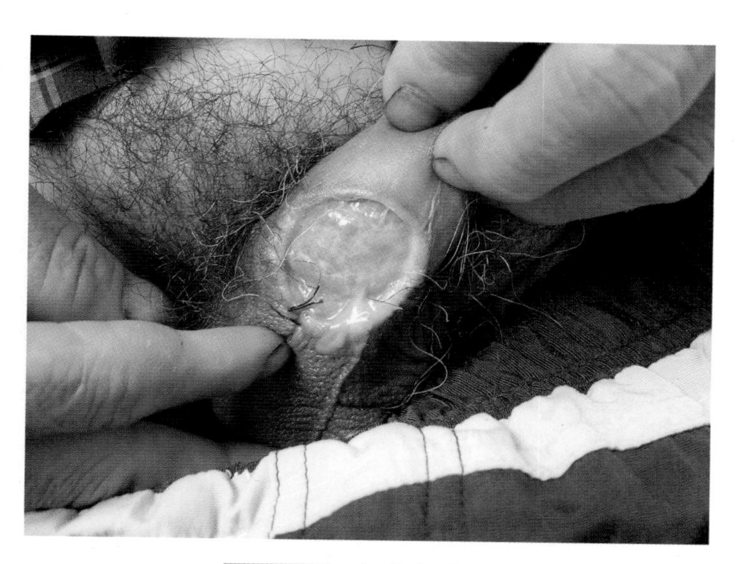

그림 36-2 1기 매독(굳은궤양)

(2) 2기 매독(secondary syphilis, syphilid)

2기 매독은 피부발진과 점막의 병적인 증상이 특징으로, 1기 매독 발병 후 3~12주 후 국소 림프절에서 증식한 매독균이 혈액과 림프를 통해 전신에 파급되며 2기 매독이 시작된다.

2기 매독 환자의 80% 이상에서 발생하는 피부발진은 1기 매독의 증상인 무통성 궤양이 치유되면서 나타나거나, 또는 치유된 후 수주가 지난 후에 나타난다. 전구증상으로는 미열과 불쾌감, 인후통, 두통, 근육통, 림프절염, 체중감소 등이 있다. 임상양상은 장미색잔비늘증, 다형홍반, 농포진과 유사하여 발진은 전신에 걸쳐 발생하는데, 특히 손바닥과 발바닥에 나타나는 발진은 매독의 특징적인 증상이다.

발진은 소양감을 동반하지 않으며, 주로 반점, 반구진, 구진의 형태로 나타난다. 일반적으로 초기 매독진은 주로 반점으로 나타나고 전신에 대칭으로 분포하나, 후기 매독진은 단단한 구진이 전신에 분포하며, 주로 손발바닥에 고리 모양으로 나타난다. 이외에도 농포성 매독진, 결절성 매독진, 편평콘딜로마(condyloma lata), 매독성 탈모증(alopecia syphilitica), 매독성 경부 백피증(leukoderma coli syphiliticum)과 같은 피부병변들도 관찰될 수 있다.

발진뿐만 아니라 전신증상도 다양하게 나타나는데 압통을 동반한 전신 림프절병증, 점막병변, 간염, 위염, 신장염, 근염, 신경이상 등이 나타날 수 있다. 2기 매독의 약 40%는 2~12주 후 흉터를 남기지 않고 자연 치유되나, 60%는 잠복매독으로 진행한다.

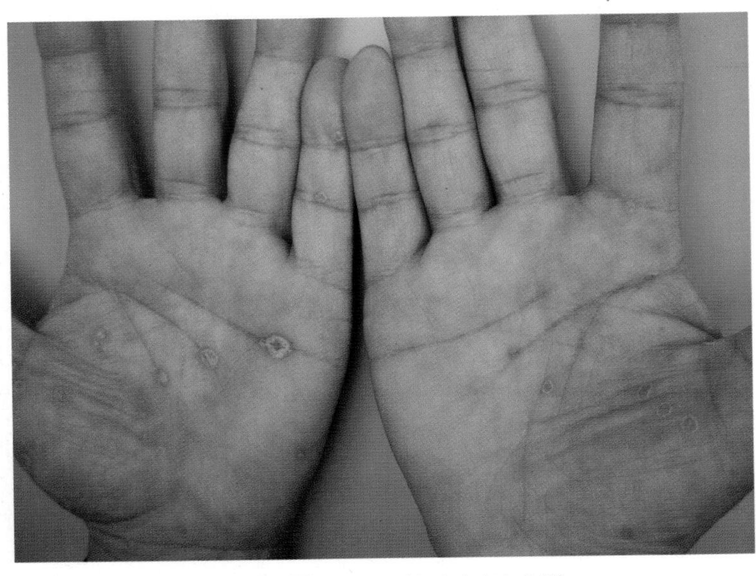

그림 36-3 2기 매독(손발바닥의 홍반)

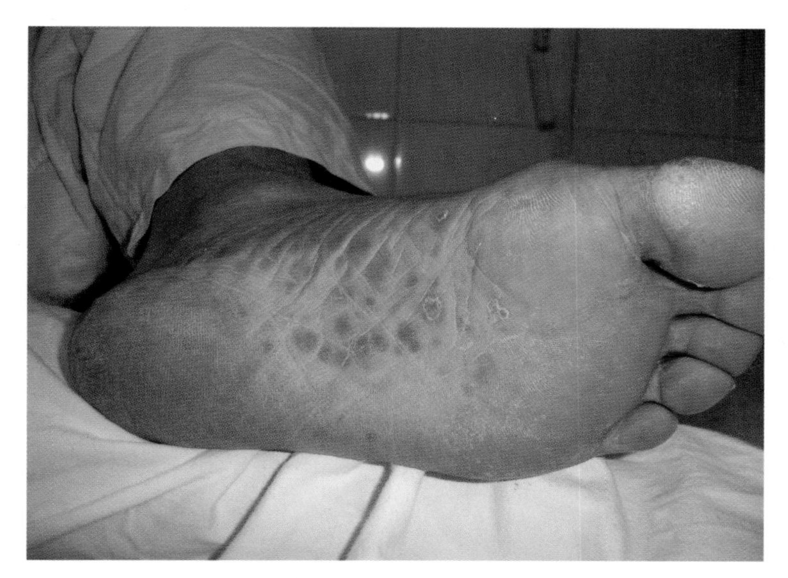

그림 36-4 2기 매독(손발바닥의 홍반)

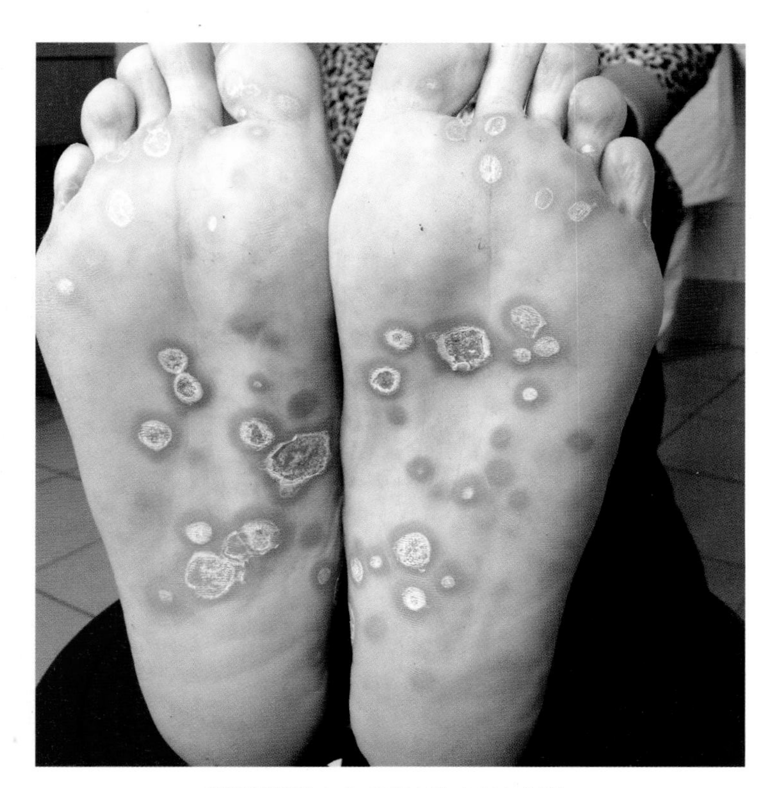

그림 36-5 2기 매독(손발바닥의 홍반)

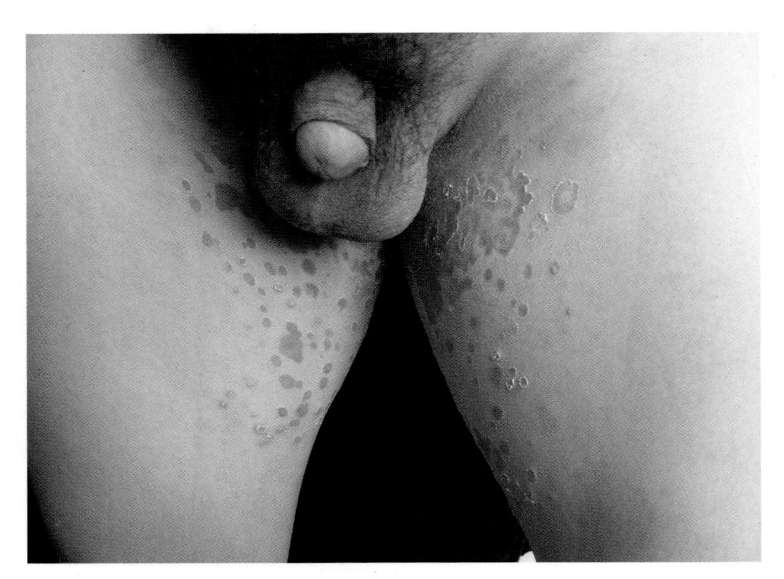

그림 36-6 2기 매독(홍반)

(3) 2기 復發梅毒

3~5년 내에 여러 차례 발진이 생겨 융합되어 대부분 고리 모양을 띠고 不痛不痒하는데, 모두 자연 소실된다.

(4) 잠복매독(latent syphilis)

잠복매독은 1기와 2기 매독의 증상이 소실된 후에 시작되며, 치료를 받지 않으면 체내에 매독균이 계속 남아 있을 수 있다. 이러한 잠복 상태는 수년까지도 지속될 수 있다.

잠복매독은 무증상으로 매독혈청검사에만 양성반응을 보이며, 뇌척수액 검사에서는 이상 소견이 없는 매독을 말한다. 조기 잠복매독 환자의 약 25%에서 병변이 재발하며, 치료하지 않은 잠복매독 환자의 약 2/3 정도는 잠복매독으로 지속되고, 약 1/3 정도는 2~20년이 지나서 3기 매독으로 진행한다.

(5) 3기 매독/후발매독(tertiary or late syphilis)

3기 매독, 혹은 후발매독은 처음 감염된 후 약 5~10년이 지나고 발병하며, 심지어 20년 이후에도 발병할 수 있다. 이 시기의 증상은 주로 중추 신경계, 눈, 심장, 대혈관, 간, 뼈, 관절 등 다양한 장기에 매독균이 침범하여 발생하는 내부 장기 손상으로 인해 나타난다.

3기 매독은 양성 3기 매독, 신경매독, 심장 혈관성 매독으로 구분할 수 있다.

① 양성 3기 매독(benign tertiary syphilis, late benign syphilis) : 고무종(gumma)이 흔하게 나타나며, 피부를 비롯한 내부 장기에서 비압통성 결절로 시작하여 자라면서 파괴성 종양을 형성한다. 처음에는 단단하나 진행함에 따라 고무 같은 촉감으로 느껴진다.
② 신경매독(neurosyphilis) : 대뇌와 척수의 실질과 혈관에 침범한다. 무증상인 경우와 신경증상으로 매독성수막염, 전신진행마비, 척수매독, 시신경위축, 뇌척수의 고무종 등이 발생할 수 있다.
③ 심장혈관성 매독(cardiovascular syphilis) : 대동맥의 혈관벽에 침범하여 고무종이나 만성염증, 또는 폐쇄성 병변 등을 유발한다. 대동맥염, 판막부전, 관상동맥 협착 등을 일으킨다.

### 2) 선천매독(congenital syphilis)

임신 전 기간을 통하여 태반을 통한 매독 감염이 가능하다. 1기 또는 2기 매독이 있는 산모의 50%에서 태아에서 매독이 발병하고, 25%는 혈청검사만 양성, 25%는 감염소견을 모이지 않는다. 태반을 통한 매독 감염은 조산, 사산, 선천매독, 신생아 사망을 초래한다.

## 4. 진단감별

### 1) 진단요점

매독의 진단은 매독 병변조직에서 매독균을 직접 검출하거나, 혈청검사 · 뇌척수액 검사 · 병리조직검사 등을 통해 진단할 수 있다. 균에 대한 검사는 무통성 궤양부위에서 얻어진 검체를 암시야 현미경으로 매독균을 확인하는 것이다. 혈청검사에는 선별검사와 매독균에 특이적인 확진검사가 있다.

매독의 선별검사로는 비매독균 검사인 VDRL (venereal disease research laboratory) 검사와 RPR (rapid plasma reagin) 검사가 있다. 이 검사들은 결과를 신속하게 알 수 있다는 장점이 있으나, 단점으로 실제로 매독이 아니지만 검사 결과가 양성으로 나오는 위양성이 나타나는 경우가 많다. 여러 가지 바이러스 감염증이나 임파종, 결핵, 결체조직 질환, 임신 등의 경우에서 위양성이 나타날 수 있다.

### 2) 감별질환

(1) 1기 매독 : 1기 매독과 감별해야 할 질환으로는 무른궤양(chancroid, 軟下疳, 妬精瘡), 외상에 의한 궤양, 고정형 약진, 음부 헤르페스 등이 있는데, 굳은궤양(硬下疳)은 잠복기가 길고 통증이 없는 얕고 단단한 궤양이 대개 단발로 나타난다는 점에서 무른궤양과 감별할 수 있다.
(2) 2기 매독 : 2기 매독은 피부병변의 구체적인 형태와 해당하는 피부병을 결합하여 구별해야 한

다. 2기 매독과 감별해야 하는 질환으로는 장미색잔비늘증, 편평태선, 물방울 건선, 바이러스 발진, 약물발진, 동전모양피부염, 첨규 콘딜로마, 모낭염 등이 있는데, 무려 40여 종의 피부질환이 매독의 피부병변과 유사하다. 장미색 비강진은 병변이 피부할선 방향으로 분포한다는 점으로 감별 가능하며, 편평 콘딜로마는 산딸기 혹은 닭볏 모양의 첨규 콘딜로마와는 다르게 편평하고 매끈한 양배추 모양인 점으로 감별할 수 있다.

(3) 3기 매독 : 3기 매독에서는 결절양 혹은 고무양 병변이 나타나는데, 이는 나병, 홍반성 루프스, 결절홍반, 궤양, 종양 등과 감별해야 한다.

## 5. 치료

### 1) 예방

매독 환자와의 성적인 접촉을 피하는 것이다.

### 2) 현대 치료법

1기, 2기, 그리고 초기 잠복매독의 경우 페니실린 근육주사를 한번 맞는 것으로 치료가 가능하다. 후기 잠복매독인 경우 중추신경계 침범이 없는 한 일주일에 한 번씩 페니실린을 주사하는 치료법을 3주 동안 시행한다.

### 3) 內治法

(1) 濕熱下注型(1기 매독) : 발병이 비교적 급하고 환부가 發紅腫脹하며 간혹 灼熱疼痛이나 輕度의 潰爛이 있다. 그 외 발열, 오한, 小便難澀, 苔膩, 脈滑數 등의 증상이 수반된다. 淸熱利濕解毒하는 龍膽瀉肝湯, 淸血搜毒飮 등을 활용한다.

(2) 毒熱內蘊型(2기 매독) : 귀두, 음경 혹은 대 · 소음순이 潰爛되어 瘡을 형성하는데, 膿汁에서 臊臭가 나고 국부가 紅紫色을 띠며 灼熱痛이 있다. 그 외 보행이 불편하며 小便이 淋澁熱痛하고 大便秘結하며 心煩口乾, 舌質紅, 苔黃厚, 脈弦數 등의 증상이 수반된다. 瀉火解毒, 佐以化瘀하는 黃連解毒湯合五味消毒飮, 三仙驅梅丸 등을 활용한다.

(3) 陰虛火旺型(3기 매독) : 환부가 紅腫, 潰爛하고 午後發熱, 口乾咽燥, 心煩, 多夢하며 大便秘結, 小便短赤하고 간혹 음경에 통증이 있으며 舌質紅, 苔薄黃 或少苔, 脈細數 등의 증상이 수반된다. 滋陰降火하는 知柏地黃湯을 활용한다.

### 4) 外治法

(1) 防風, 蒼耳子, 地骨皮, 荊芥, 苦蔘, 細辛 각 3兩을 넣고 달인 물에 환부를 담그고 세척한다.

(2) 杏仁 14個, 輕粉 4g, 龍腦 2釐를 섞어 가루로 만들어, 猪膽汁이나 香油에 혼합하여 바른다.

(3) 1기 매독에는 黑豆 50 g, 甘草 赤皮葱 각 30 g, 槐條 60 g을 물로 달여 환부를 매일 2차례 30분씩 세척한다.

(4) 3기 매독에 石菖蒲 金銀藤 각 30 g, 地骨皮 20 g, 荊芥 防風 羌活 何首烏 甘草 각 10 g을 물로 달여 환부를 세척한다.

### 5) 기타 치료법

(1) 體鍼療法

① 主穴 : 大椎, 肩井, 曲池, 陽陵泉, 氣海, 八髎穴.

② 配穴 : 肩髃, 內關 委中, 環跳, 崑崙.

## 6. 경과 및 합병증

매독균에 감염된 지 10~90일 정도의 잠복기(평균 21일)가 지나면 1기 매독이 발생한다. 1기 매독에 의한 증상은 저절로 호전되나, 1~6개월 정도 지나면 2기 매독의 증상이 나타난다. 이후 매독의 증상이 겉으로 나타나지 않는 잠복 감염 상태로 진행하는데, 초기 1~2년을 초기 잠복감염, 그 이후를 후기 잠복감염이라 부른다. 시간이 경과하여 3기 또는 후발매독의 증상이 나타나는데, 10% 정도의 환자에서 심혈관계 합병증이 발생하고 7% 정도의 환자에서 신경 매독이 나타난다.

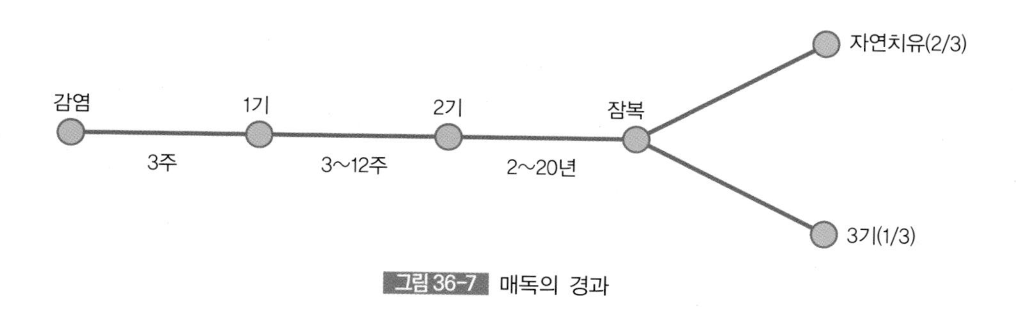


그림 36-7 매독의 경과

## Ⅱ 무른궤양 Chancroid

### 1. 개요

무른궤양(연성하감, chancroid)은 그람 음성균인 *Hemophilus ducreyi*에 의해 발생하는 성매개병으로, 아시아, 아프리카, 라틴아메리카에서 많이 발생하며 특히 생활 수준이 낮은 지역일수록 발생 빈도가 높다.

### 2. 증상

#### 1) 증상

성접촉 후 약 10일의 잠복기를 거쳐 성기에 홍반성 구진이 발생하여 농포로 변하면서 심한 통증을 동반한 궤양(1 ㎜~2 ㎝ 등 다양한 크기)이 발생한다. 궤양을 만지면 부드러운 느낌이 든다. 삼출성 궤양에 손을 대면 쉽게 출혈된다.

#### 2) 호발 부위

(1) 남성 : 성기 말단부

(2) 여성 : 외음부, 자궁경부, 항문 주위 등

#### 3) 통증을 동반한 림프절 종대

궤양 발생 2~3주 경에 편측성으로 사타구니 림프절 종대가 발생하며 화농성으로 농을 배출하는 경우가 많다. 전신감염은 없다.

## 참고문헌


1) 譚新華. 何清湖. 中医外科学. 第2版. 北京: 人民卫生出版社; 2011.
2) 서울대학교 의과대학 피부과학교실. (의대생을 위한) 피부과학. 4판. 서울: 고려의학; 2017.
3) 이승철. 임상의를 위한 피부과학. 개정판. 서울: 도서출판 대한의학; 2019.
4) 전국 한의과대학 피부외과학 교재편찬위원회. 한의피부외과학. 부산: 선우; 2007.

# 第37章 곤충 및 기생충성 피부질환

| KCD 코드 | 한글 상병명 | 영문 상병명 |
|---|---|---|
| **A75** | **발진티푸스** | **Typhus fever** |
| A75.3 | 리케차 쯔쯔가무시에 의한 발진티푸스<br>쯔쯔가무시병(진드기매개)<br>쯔쯔가무시열 | Typhus fever due to Rickettsia tsutsugamushi<br>Scrub(mite-borne) typhus<br>Tsutsugamushi fever |
| **B85-B89** | **이감염증, 진드기증 및 기타 감염** | **Pediculosis, acariasis and other infestations** |
| **B85** | **이감염증 및 사면발이증** | **Pediculosis and phthiriasis** |
| B85.0 | 머릿니에 의한 이감염증<br>머릿니감염 | Pediculosis due to Pediculus humanus capitis<br>Head-louse infestation |
| B85.1 | 몸니에 의한 이감염증<br>몸이감염 | Pediculosis due to Pediculus humanus corporis<br>Body-louse infestation |
| B85.2 | 상세불명의 이감염증 | Pediculosis, unspecified |
| B85.3 | 사면발이증<br>사면발이감염<br>사면발이감염 | Phthiriasis<br>Infestation by crab-louse<br>Infestation by Phthirus pubis |
| B85.4 | 혼합 이감염증 및 사면발이증<br>항목 B85.0-B85.3 중 둘 이상에 분류될 수 있는 감염 | Mixed pediculosis and phthiriasis<br>Infestation classifiable to more than one of the categories B85.0-B85.3 |
| **B86** | **옴**<br>**옴진드기가려움증** | **Scabies**<br>**Sarcoptic itch** |
| **B87** | **구더기증** | **Myiasis** |
| B87.0 | 피부구더기증<br>포복구더기증 | Cutaneous myiasis<br>Creeping myiasis |
| B87.1 | 상처구더기증<br>외상성 구더기증 | Wound myiasis<br>Traumatic myiasis |

| | | |
|---|---|---|
| B87.2 | 안구구더기증 | Ocular myiasis |
| B87.3 | 비인두구더기증<br>후두구더기증 | Nasopharyngeal myiasis<br>Laryngeal myiasis |
| B87.4 | 귀구더기증 | Aural myiasis |
| B87.8 | 기타 부위의 구더기증<br>비뇨생식기구더기증<br>장구더기증 | Myiasis of other sites<br>Genitourinary myiasis<br>Intestinal myiasis |
| B87.9 | 상세불명의 구더기증 | Myiasis, unspecified |
| **B88** | **기타 감염** | **Other infestations** |
| B88.0 | 기타 진드기증<br>진드기피부염<br>털진드기유충증 | Other acariasis<br>Acarine dermatitis<br>Trombiculosis |
| B88.1 | 모래벼룩증[모래벼룩감염] | Tungiasis [sandflea infestation] |
| B88.2 | 기타 절지동물감염<br>감충증 | Other arthropod infestations<br>Scarabiasis |
| B88.3 | 외부거머리증<br>거머리감염 NOS | External hirudiniasis<br>Leech infestation NOS |
| **B89** | **상세불명의 기생충병** | **Unspecified parasitic disease** |

사람에게 피부질환을 유발하는 동물 기생충은 주로 원충류, 편충류, 선충류, 곤충류, 진드기 등이며, 이들에 의한 피부증상은 매우 다양하다.

## I 옴 Scabies

### 1. 개요

옴(scabies)에 해당하는 疥瘡은 옴진드기(疥蟲, *Sarcoptes scabiei* var. *hominis*)에 의해 발생하는 전염성이 매우 강한 일종의 접촉성 피부질환이다. 피부 표면에 회백색, 연한 흑색, 혹은 피부색을 띠는 굴이 있는데 대략 0.5 ㎝ 정도의 가늘고 약간 구부러진 선 모양의 융기를 보이며, 침으로 挑破하면 유동하고 있는 백색의 옴진드기를 발견할 수 있다.

한의학 문헌 중《諸病源候論》에서 "疥瘡多生于手足之間, 染漸生至于身體, 痒有膿汁. 乾疥者, 但痒, 搔之皮起作乾痂. 濕疥者, 小瘡皮薄, 常有汁出, 幷皆有蟲 · 小兒多因乳養之人病疥,

而染着小兒也."라고 설명하였고, 《外科眞詮 · 疥瘡》에서 "疥瘡先從手丫生起, 繞遍周身, 瘙癢無度 · 有乾 · 濕 · 蟲 · 砂 · 膿五種之分 · 雖由傳染而來, 總因各經蘊毒, 兼受風濕所致. ……外治乾疥用輕桃丸, 濕疥搽臭靈丹. ……輕桃丸 : 輕粉一錢, 白薇二錢, 防風一錢, 蘇葉一錢 · 共研細末, 用油胡桃肉三錢, 同猪板油搗成丸如彈子大, 搽瘡上一 · 二日卽癒 · 臭靈丹 : 硫黃末, 油核桃, 生猪油一兩, 水銀一錢, 共搗膏楂."라 하여 疥瘡의 종류와 특징, 치료법을 설명하고 있다.

## 2. 원인 및 병기

(1) 주로 직접 옴 환자와 밀접하게 접촉하거나, 혹은 드물게 환자가 사용한 후 아직 소독되지 않아 오염된 의복, 이불, 용품 등을 사용하여 발생하거나, 또는 옴진드기가 기생하고 있는 동물로부터 전염되어 발생한다. 성적 접촉도 중요한 요인이 될 수 있다고 한다.
(2) 현대 이전에는 외부로부터 蟲邪에 감염되고 동시에 風濕이 蘊結하면 蟲毒과 濕熱이 相搏하여 肌膚에 結聚되어 발생한다고 보았다.

## 3. 증상

### 1) 피부증상

옴진드기의 암컷이 파는 굴(隧道, burrow)가 진단에 매우 중요하다. 암컷 성충은 피부에서 수컷과 교미 후 주로 야간에, 피부 각질층의 과립층 경계부에 하루에 0.5~5 ㎜ 길이의 터널을 파면서 매일 2~3개씩 알을 낳는다. 굴은 입구에 작은 인설이 있고, 옴진드기가 있는 반대쪽 터널 끝에는 미세한 융기가 있으며, 회색, 회백색, 연한 흑색, 혹은 피부색의 선상 병변으로 관찰되는데, 육안으로도 관찰 가능하나 확대경을 이용하면 찾을 수 있다. 유아 혹 소아에서는 굴의 끝에 수포나 농포가 형성될 수도 있다. 바로 치료하지 않으면 온몸에 긁힌 자국, 結痂, 흑색 반점이 퍼지며, 심지어 농포를 일으킬 수도 있다.

옴은 숙주의 나이, 환경, 면역상태 등에 따라 임상양상이 다양할 수 있다. 결절옴이 발생하면 3~5 ㎜ 크기의 홍색 결절이 액와부, 음낭, 음경 등의 부위에 옴 치료가 끝나고도 수개월 동안 남을 수 있다. 노르웨이옴(Norwegian scabies, crusted scabies)은 면역이 저하되어 있거나 수용시설에 있는 환자에게서 발생하고 손가락 사이, 손바닥, 두피, 얼굴 등에 매우 두꺼운 각질과 가피가 심하게 나타나는데, 외관상 건선과 비슷하며 그 내부에서는 수많은 옴진드기가 발견된다.

### 2) 호발부위

옴 병변은 특징적으로 피부가 겹쳐져서 따뜻한 부위에 호발하는데, 손가락 사이, 肘關節 · 腕關節의 屈側部, 액와부 전연, 少腹部, 외음부, 臀溝, 대퇴부 내측 등이 해당한다. 여성에게서는 유방 하부 및 유두에서도 병변을 발견할 수 있으며, 남성에게서는 음경 및 음낭에서 병변과 소양감을 동반한 결절을 발견할 수 있다. 유아는 성인과 달리 안면부, 두피, 손바닥, 발바닥에서도 발생할 수 있다.

### 3) 자각증상

자각증상으로는 주로 야간에 심한 소양감을 호소하여 수면에도 영향을 미친다. 이 소양감은 감염 후 약 4~6주간의 잠복기를 지나고서 인체가 옴진드기가 배출하는 분비물에 과민반응을 나타내기 때문에 발생한다. 재감염된 경우에는 소양감이 즉시 나타나기도 하며, 처음부터 다수의 진드기에 감염되면 잠복기가 1주 이내로 짧아지기도 한다. 적절한 치료가 이루어지지 않고 병변이 오래 지속된 경우에는 소양감으로 환자 본인이 환부를 긁어서 발생한 습진성 병변 및 2차적인 세균감염도 발생할 수 있다.

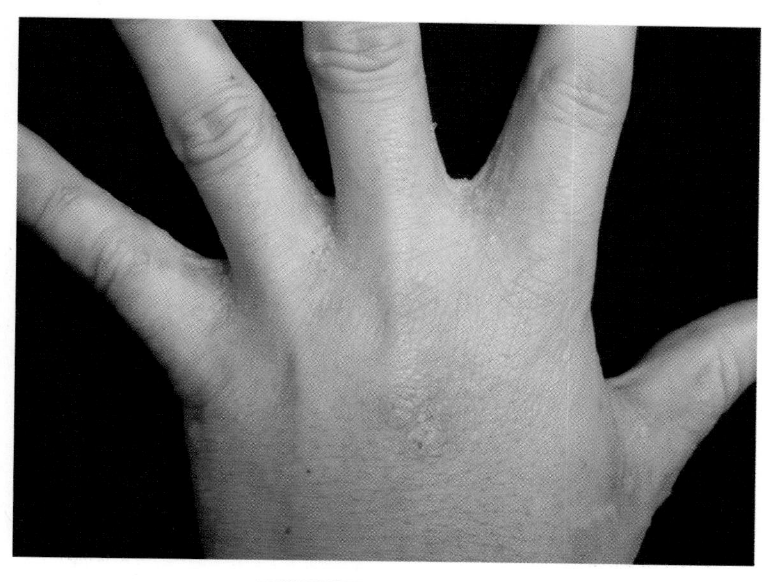

그림 37-1 옴 (손가락 사이)

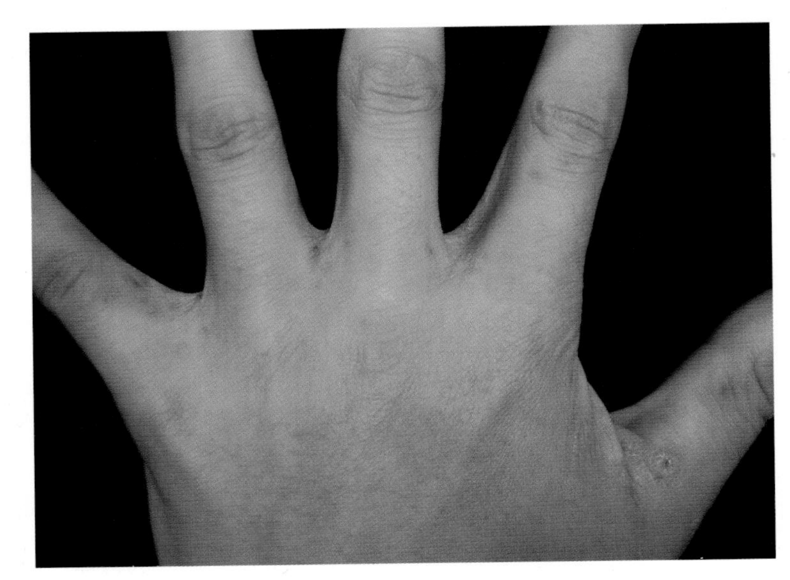

그림 37-2 옴(손가락 사이)

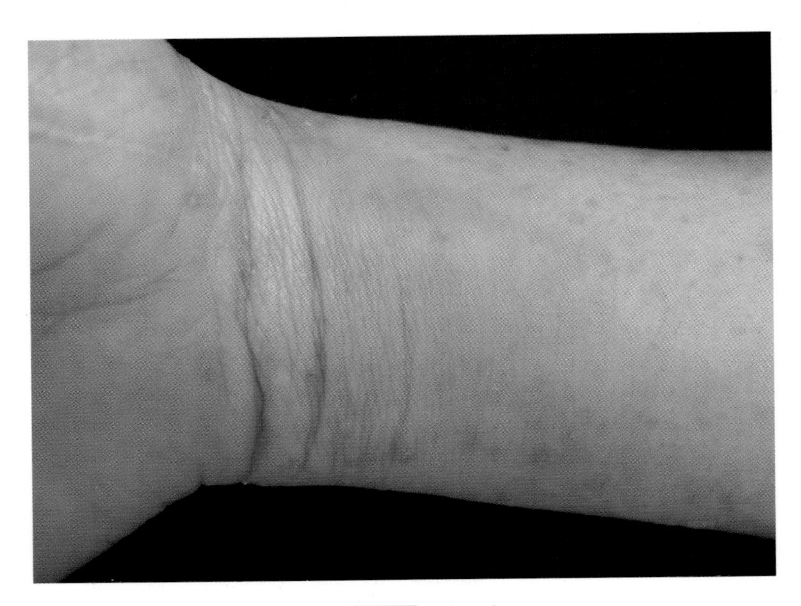

그림 37-3 옴(손목)

## 4. 진단감별

### 1) 진단요점

(1) 옴 환자와 접촉한 과거력이 있다.

(2) 한 가족 안에서 두 명 이상이 함께 소양감을 호소한다.

(3) 병변의 특징적 분포와 야간에 심해지는 소양감이 있다. 손가락 사이, 손목 屈側部, 사타구니 內上側 및 음낭에 호발하며, 일반적으로 頭面部에는 잘 발생하지 않는다.

(4) 피부병변은 針尖 크기의 미홍색 구진으로 관찰되며, 전형적인 경우는 회백색의 선상으로 된 특징적인 굴을 발견할 수 있다. 옴진드기가 낮에는 굴의 양 끝에 숨어 있다가 밤이 되거나 혹은 열자극이 있으면 활동하기 시작하는데, 이때 소양감이 발생한다.

(5) 진단은 옴진드기를 찾으면 이에 근거하여 내릴 수 있다. 찾아내는 방법은 저배율의 현미경으로 옴진드기와 그 알을 찾거나, 또는 針尖으로 굴의 양 말단이 위치한 피부를 찔러 살살 긁어낸다. 긁어낸 물질을 검은색의 평평한 판 위에 올려놓고 관찰하였을 때, 만약 하나의 작은 흰 점과 같은 것이 움직인다면 그것이 바로 옴진드기이다.

(6) 만약 옴진드기를 찾을 수 없다면, 옴의 유행 상황, 접촉력, 피부병변이 발생한 부위 및 병변의 형태를 면밀히 분석해야 한다.

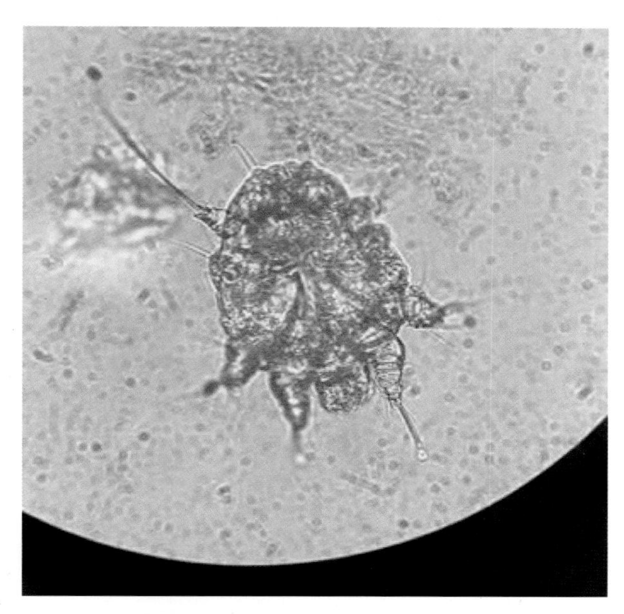

그림 37-4 검경으로 확인한 옴진드기

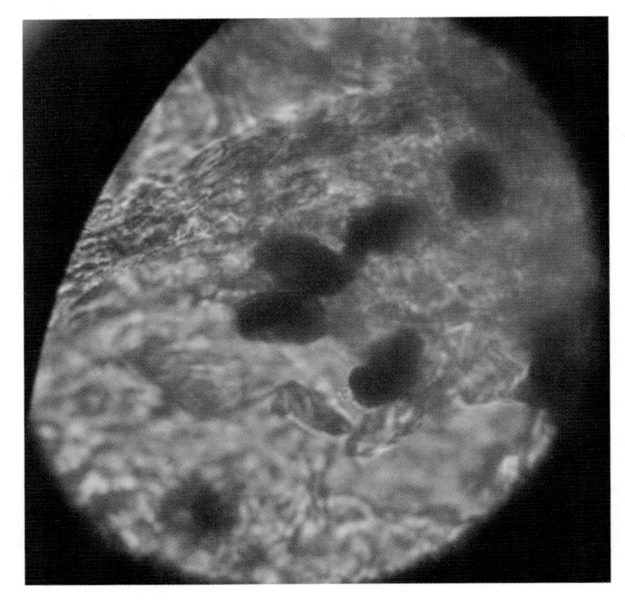

그림 37-5 검경으로 확인한 옴진드기 배설물

### 2) 감별질환

(1) 범발성 습진 : 모든 연령대에서 발병 가능하며, 전염성은 없다. 피부병변은 다양하게 나타나며, 급성기에는 붉게 부어오르며 소양감이 생기며, 삼출물이 흐르고 피부가 짓무른다. 만성기에는 피부가 두껍고 거칠어진다.

(2) 가려움 : 발병 초기에는 정상적인 피부를 보이며, 四肢 伸側部에 호발하나 심한 경우에는 전신에 만연할 수 있다. 자각증상으로 소양감이 있으며, 오래되면 긁은 상처와 血痂를 관찰할 수 있다. 옴에서 나타나는 특유의 구진 · 수포와 굴은 관찰되지 않는다.

(3) 구진성 두드러기 : 아동에게서 많이 발견되며, 봄과 가을철에 많이 발생한다. 피부병변은 주로 홍반과 팽진의 형태로 나타나며, 병변의 모양은 방추형과 비슷하다. 발진의 꼭대기에는 소구진이나 소수포가 있다. 軀幹과 四肢에 호발하며, 소양감이 있고 재발이 쉽다.

(4) 이감염증 : 이로 인해 발병하며, 피부증상은 국부의 소양감과 血痂와 같은 형태로 나타난다. 이 또는 이의 충란을 종종 발견할 수 있다.

## 5. 치료

일반적으로 內治는 시행하지 않고 外治 위주로 치료하며, 만약 病情이 오래되고 體弱不耐者의 경우에는 內治로 보조할 수 있다.

### 1) 內治法

(1) 濕熱蘊蒸證 : 초기에 수포가 泛發하며, 抓破하면 滋水가 흐른다. 소양감이 극심하고, 口乾咽苦, 便結溲赤하며, 苔薄黃 脈滑하다. 治法은 清熱除濕, 殺蟲止痒하며, 처방은 消風散 合 黃連解毒湯加減을 사용한다.

(2) 血虛風燥證 : 병이 오래되고 體弱하며, 皮膚乾燥, 抓破出血, 結痂難脫하고, 舌尖紅 脈細하다. 治法은 養血潤燥, 殺蟲止痒하며, 처방은 當歸飮子加減을 사용한다.

### 2) 外治法

(1) 국소 도포제인 permethrin, crotamiton, lindane 중에서 국소 permetrin 5% 국소 크림이 효능과 안전성 면에서 옴 치료의 1차 약물로 추천되고 있다. 목욕 후 permethrin 크림을 목 이하 전신에 골고루 도포한다. 특히 손, 손톱 및 살이 겹치는 부위에 옴이 잘 기생하므로 이 부위에는 더욱 꼼꼼히 도포해야 한다. 대개 한 차례 overnight 도포로 거의 치료되지만, 재발을 막기 위하여 최소한 1주일 간격으로 한 차례 더 overnight 도포한다. 영아나 소아(2개월 이상에서 처방 가능)에서 성인과 달리 두피와 얼굴에도 잘 기생하므로 이런 부위까지 약물을 도포해야 한다.

(2) 성인의 경우 10~20% 硫黃軟膏를, 영유아의 경우 5% 硫黃霜劑를 바를 수 있다.

(3) 花椒 9 g, 枯礬 15 g, 地膚子 30 g을 물에 달여 熏洗하고 나서 硫黃粉 20 g을 熟豬油에 개어 환부에 도포한다.

### 3) 기타 치료법

(1) 體鍼療法 : 曲池, 八邪, 血海, 百蟲窠, 陰陵泉, 八風穴.

(2) 耳鍼療法 : 肝, 脾, 神門.

(3) 灸療法 : 騎竹馬穴에 灸를 하거나 艾捲灸를 한다.

## 6. 생활관리

1) 환자와의 접촉을 피하고, 접촉했을 경우 증상이 나타나는지 주의 깊게 살핀다.

2) 증상의 유무와 관계없이 환자 본인 외에도 동거하는 가족 및 성적 접촉이 있었던 사람을 동시에 치료한다.

3) 머리부터 발끝까지 전신에 골고루 외용제를 도포한다.

4) 속옷 및 침구류를 삶아 빨거나 다림질을 한다.
5) 습진양 병변이나 2차 세균감염이 있으면 이에 대한 치료도 병행한다.
6) 치료를 시작한 지 2주가 경과해도 계속 소양감이 심하면 치료의 실패나 재감염을 의심하고 그 원인을 규명해야 한다.

### 7. 예후

옴감염증은 초기에 적절한 치료를 받으면 수주일 내에 호전된다. 그러나 수주 또는 수개월간 치료하지 않을 경우, 이차 세균감염으로 인한 농가진, 농창, 종기, 연조직염 등이 발생할 수 있다.

## Ⅱ 쯔쯔가무시병 Tsutsugamushi disease, Scrub typhus

### 1. 개요

쯔쯔가무시병(tsutsugamushi disease, scrub typhus)은 세포 내에 기생하는 세균인 리케차(rickettsia)가 유발하는 질환이다. 털진드기의 유충은 숙주인 설치류에 기생하거나 잔디밭 및 논밭에 있다가 사람을 문다. 유충은 성충으로 변태하는 과정에서 동물의 조직액이 필요한데, 이 시기에 사람이 *Orientia tsutsugamushi*에 감염된 유충에게 물리면 감염된다. 우리나라를 비롯한 일본, 서남아시아, 호주 등은 쯔쯔가무시병의 풍토병 지역(endemic area)으로, 국내에서는 대개 유충이 발생하는 시기인 9~11월에 발생하였다가 12월 이후에는 급격히 사라진다. 드물게는 봄에도 발생할 수 있다.

### 2. 원인 및 병기

털진드기에 기생하는 리케차인 *Orientia tsutsugamushi*가 원인균으로, 이 리케차에 감염된 털진드기 유충이 사람을 물면 감염된다.

## 3. 증상

1) 전신증상 : 털진드기 유충에 물린 후 10일 내외의 잠복기(6~18일)를 거친 후 발열, 심한 두통, 근육통 등이 발생하며, 심한 경우 폐렴도 발생할 수 있다.
2) 반구진(maculopapular eruption) : 전신증상과 함께 전신에 피부발진이 발생한다. 발진은 몸통에서 발생한 후 사지로 파급되며, 다발성으로 발생한다. 드물게는 얼굴이나 손발바닥에서도 발생할 수 있다.
3) 괴사딱지(eschar) : 진단에 가장 중요한 소견으로, 진드기에 물린 자리에 진한 색의 가피로 덮인 홍반성 궤양이 발생하는데, 이를 괴사딱지라고 한다. 피부가 겹치는 사타구니, 겨드랑이, 넓적다리, 음낭, 몸통, 엉덩이 같은 부위에서 잘 발견되며, 약 2/3 이상의 쯔쯔가무시병 환자에게서 발생한다.

## 4. 진단감별

### 1) 진단요점

(1) 병력을 확인하여 1~3주 전에 야외활동이 있었는지를 파악한다.
(2) 특징적인 괴사딱지를 발견하면 쉽게 진단할 수 있다. 괴사딱지는 자각증상이 없고, 피부가 겹치거나 속옷으로 가려지는 부위, 환자가 노출을 꺼리는 부위에 호발하므로 전신의 피부를 세밀하게 관찰해야 한다. 특히 국내에서는 가을철에 출혈성 신증후군, 렙토스피라병, 발진열 등 쯔쯔가무시병과 유사한 임상 양상을 보이는 질환들도 유행하므로, 괴사딱지의 발견 여부가 진단에 특히 중요하다.

### 2) 검사방법

(1) 일반 검사실 소견 : 백혈구 증가 또는 감소, 간효소 수치 상승, 혈뇨나 단백뇨 등
(2) 혈청학적 검사 : 항체가 생성되기 전인 급성기에는 위음성을 보일 수 있다.
(3) 간접형광면역항체법, 효소면역분석법(ELISA)도 진단에 활용할 수 있다.

## 5. 치료

현대에는 기본적으로 7~14일간 항생제를 투여한다.

1) Doxycycline 또는 tetracycline : 쯔쯔가무시병의 특효약으로, 48시간 이내에 증상이 호전된다.
2) Rifampicin : doxycycline에 내성이 생긴 경우에 투여한다.
3) 임신부는 azithromycin, roxithromycin 등 macrolide계 항생제를 투여한다.

## 6. 합병증

1) 신경계 합병증 : 뇌수막염, 뇌염, 뇌척수염 등
2) 내부 장기부전 : 급성호흡부전증후군, 신부전, 심근염, 심근경색, 췌장염

### 참고문헌

1) 譚新華. 何清湖. 中医外科学. 第2版. 北京: 人民卫生出版社; 2011.
2) 서울대학교 의과대학 피부과학교실. (의대생을 위한) 피부과학. 4판. 서울: 고려의학; 2017.
3) 이승철. 임상의를 위한 피부과학. 개정판. 서울: 도서출판 대한의학; 2019.
4) 전국 한의과대학 피부외과학 교재편찬위원회. 한의피부외과학. 부산: 선우; 2007.

# 第38章 색소 이상증

| KCD 코드 | 한글 상병명 | 영문 상병명 |
|---|---|---|
| **L80** | **백반증** | **Vitiligo** |
| L80.0 | 머리의 백반증 | Vitiligo of head |
| L80.1 | 몸통의 백반증 | Vitiligo of truck |
| L80.2 | 상지의 백반증 | Vitiligo of upper limb |
| L80.3 | 하지의 백반증 | Vitiligo of lower limb |
| L80.8 | 기타 부위의 백반증 | Vitiligo of other sites |
| L80.8 | 다발 부위의 백반증 | Vitiligo of multiple sites |
| L80.9 | 상세불명의 백반증 | Vitiligo, unspecified |
| **L81** | **색소침착의 기타 장애** | **Other disorders of pigmentation** |
| L81.0 | 염증후과다색소침착 | Postinflammatory hyperpigmentation |
| L81.1 | 기미 | Chloasma |
| L81.2 | 주근깨 | Freckles |
| L81.3 | 밀크커피색반점 | Café au lait spot |
| L81.4 | 기타 멜라닌과다색소침착 | Other melanin hyperpigmentation |
| L81.4 | 흑색점 | Lentigo |
| L81.5 | 달리 분류되지 않은 백피증 | Leukoderma, NEC |
| L81.6 | 멜라닌형성이 감소된 기타 장애 | Other disorders of diminished melanin formation |
| L81.7 | 색소성 자반피부병 | Pigmented purpuric dermatosis |
| L81.7 | 뱀모양혈관종 | Angioma serpiginosum |
| L81.8 | 색소침착의 기타 명시된 장애 | Other specified disorders of pigmentation |
| L81.8 | 철색소침착 | Iron pigmentation |
| L81.8 | 문신색소침착 | Tattoo pigmentation |
| L81.9 | 색소침착의 상세불명 장애 | Disorder of pigmentation, unspecified |

# I 백반증 Vitiligo

## 1. 개요

백반증은 피부 표피층에 존재하는 멜라닌세포의 소실에 의해 다양한 크기와 형태의 백색반들이 피부에 나타나는 후천성 저색소 질환 중 가장 흔한 대표적 질환이다. 병변은 국소성 혹은 전신성 분포를 보일 수 있으며, 크게 융합된 형태로 합쳐질 수도 있다. 中醫 文獻 상 '白癜', '白癜風'이라 칭하였다. 隋《諸病源候論》에 처음으로 수록되었고, 宋《聖濟總錄》에는 輕重을 나누었음을 알 수 있다. 淸《醫宗金鑒》에서 "風邪가 皮膚에 相搏되어 氣血失和된 所致"라 하였고, 淸《醫林改錯》에서는 "血瘀於皮裏"라 하였다.

추정 유병률은 성인과 어린이 모두 0.1~2% 내외에서 발생하는 비교적 흔한 질환으로 인종, 민족 또는 사회 경제적 여건과 관계없이 남녀 모두에게 영향을 미친다. 유아기부터 후기 성인기까지 모든 연령대에서 나타날 수 있으며, 생후 2~30세 이전에 최고 발생률을 보인다. 백반증 환자의 약 1/3은 어린이이고, 성인 환자의 70~80%는 30세 이전에 백반증이 발생하는 경향을 보인다. 약 1/3의 백반증에서 가족력을 나타낸다.

## 2. 원인 및 병기

정확한 원인은 불분명하며 임상적으로 가족력을 보이는 경우가 많아 유전적 소인이 의심되고 있다. 하지만 정확한 유전 양상은 밝혀져 있지 않다. 현재까지 제기되고 있는 병인들 중에는 면역설, 신경 체액설, 멜라닌세포 자가파괴설이 가장 유력하다. 스트레스 등의 정신적 내지는 신체적 장애, 외상에 의한 쾨브너 현상이나 여름철 과도한 햇볕에 노출된 후 산화 스트레스 등이 백반증 발생 또는 악화에 관련되기도 하는데 한의학에서는 情志內傷으로 肝氣鬱結한데, 風邪를 받아 挾濕搏于肌膚하여 氣血失和되거나 혹은 氣滯血瘀되어 血不滋養肌膚하여 백반이 형성된다고 보고 있다.

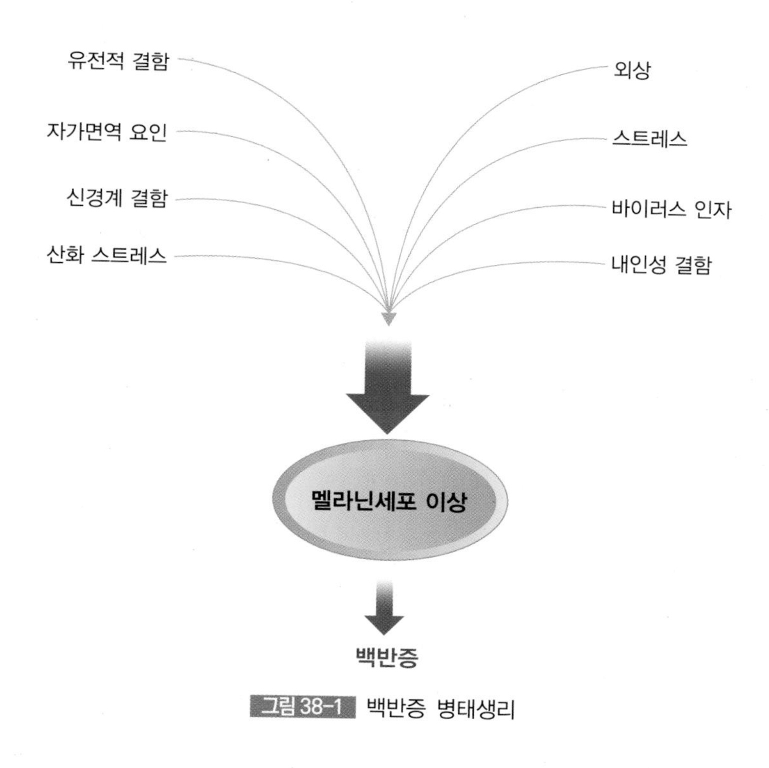


그림 38-1 백반증 병태생리

## 3. 증상

### 1) 일반적 특징

일반적으로 염증의 임상적 징후가 없는 무증상 탈색 백색 반점(macules) 혹은 반(patch)을 나타낸다. 심한 일광 화상, 임신, 피부 외상 및 정서적 스트레스가 질병 발병 전에 나타날 수 있다. 병변은 얼굴과 눈, 입주변, 생식기 및 손 주변 영역에 흔하지만 신체 어느 곳에서나 나타날 수 있다. 피부병변의 크기는 수 밀리미터에서 수 센티미터까지 다양하며 일반적으로 주변의 정상 피부와 잘 구분되는 경계를 가진다. 종종 탈색된 모발이 병변 피부에 존재한다. 머리털, 눈썹 및 속눈썹의 탈색을 보이는 백모증(poliosis)은 백반증의 징후일 수 있다.

반복적인 기계적 외상(마찰), 긁힘, 만성 압력과 같은 기타 유형의 신체적 외상은 알레르기 또는 자극성 접촉 반응과 함께 목, 팔꿈치, 발목과 같은 부위에 백반증을 유발할 수 있는데 이것은 동형반응으로 불리는 Koebner 현상으로 백반증 환자의 20~60%에서 보고된다.

백반증 환자를 대상으로 분석한 연구에 의하면 12세 이전의 소아기 발병 환자는 종종 백반증, 조기 회색 모발, 쾨브너 현상의 가족력이 있다. 반면에, 청소년기 또는 성인기 초기에 백반증이 발병한 환자는 자가 면역 질환의 개인 또는 가족력을 자주 보이며, 안면말단형(acrofacial type)이 흔하다.

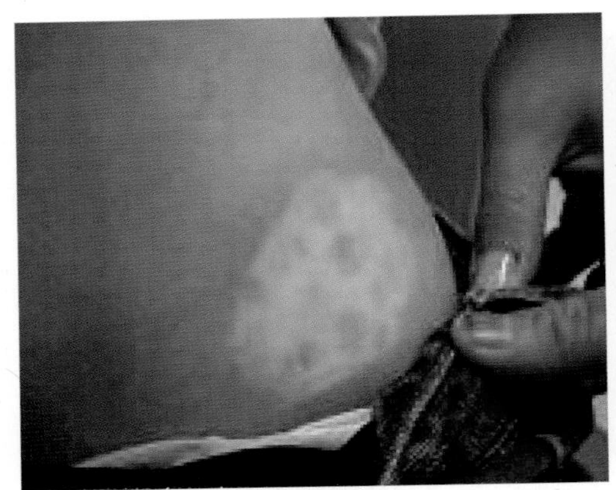
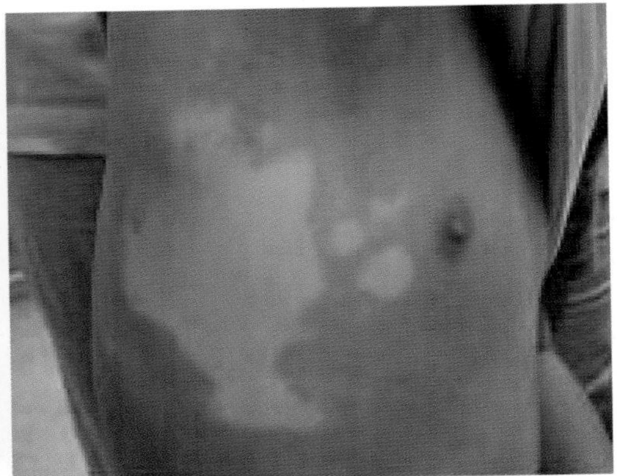
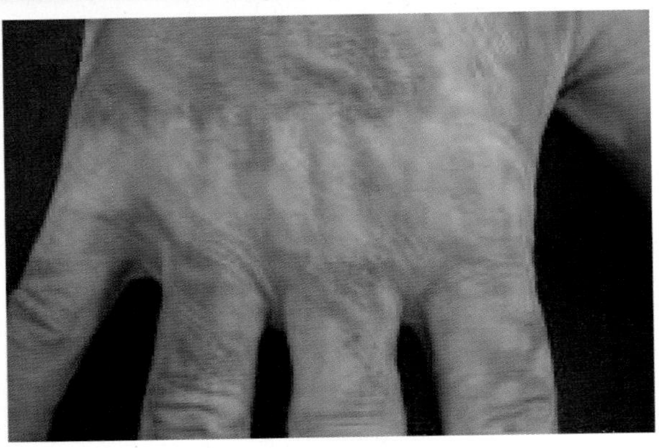

그림 38-2 백반증 환부 사진

## 2) 임상 분류

임상적으로 백반의 형태와 분포범위, 치료나 예후에 따라 분류하고 있다. 여러 분류 방법 중 2012년에 Vitiligo global issues consensus conference에서 제안된 백반증 분류 체계에 따르면, 백반증은 비분절형(non-segmental vitilogo, NSV) (가장 흔함)과 분절형(segmental vitiligo, SV)의 두 가지 범주로 분류된다. 비분절형(NSV)은 피부 병변의 분포에 따라 보통형(generalized or common), 말단안면형(acrofacial), 점막형(mucosal, 구강과 성기 점막에 병변이 발생하는 경우), 범발형(universal), 혼합형(mixed) 등 하위 유형으로 나뉘어진다.

비분절형 백반증(NSV)은 범발형 또는 말단안명형이 가장 흔하다. 보통형은 신체 표면의 여러 영역에 걸쳐 무작위 분포로 발생하는 양측성, 종종 대칭성으로 탈색된 백색반이 특징이다. 보통형은 어린 시절 또는 성인기 초기에 시작될 수 있으며 종종 압력, 마찰, 외상을 받는 부위에서 발생한다. 탈색된 반은 얼굴, 몸통, 사지에 일반적이다. 말단안면형은 말단 사지 혹은 안면에 국한된 탈색반을 보이며, 나중에 다른 신체 부위를 포함하여 일반적인 백반증을 유발할 수 있다. 점막형은 일반적으로 구강 또는 생식기 점막에 증상이 나타나는 형태이다. 범발형은 피부의 완전한 혹은 거의 완전한 탈색을 말한다. 일부 피부 부위와 머리카락은 부분적으로 탈색이 안된 정상상태로 남을 수 있다. 대개 범발형은 보통형이 진행되어 발생한다.

분절형 백반증(SV)은 일반적으로 피부분절을 따라 발생하며, 가장 흔하게 삼차 신경절 분포를 따라 발생한다. 가장 흔한 유형의 백반증이지만 분절형은 대부분 아동기에 시작된다. 탈색 부위는 일반적으로 1년 이내에 안정화되며 영향을 받은 피부 분절 이상으로는 거의 퍼지지 않는다. 대개 모낭의 조기 침범(백모증)을 보인다.

## 4. 진단감별

대부분의 경우 백반증의 진단은 염증이나 조직 변화가 없는 상태에서 정상 피부로 둘러싸인 뚜렷한 경계를 가진 후천적 균일한 흰색 반점의 임상적 발견을 기반으로 이루어진다. 병력 청취 시 발생 연령, 발병에 앞서 있었던 요인 또는 이벤트, 피부 병변과 관련된 증상, 병변의 진행 또는 확산 경과, 시간 경과에 따른 병변의 변화, 동반되는 질병의 유무, 약물 복용력, 직업 이력, 화학 물질 노출 여부, 백반증 및 자가 면역 질환의 가족력 등을 점검할 필요가 있다.

신체 진찰을 할 때 필요 시 우드등(약 365 nm 파장의 자외선 A 빛을 방출하는 휴대용 장치)을 사용하여 백반증을 진단할 수 있는데, 우드등 아래에서 탈색된 부분이 밝은 청백색 형광을 방출하여 뚜렷하게 구분된다.

많은 피부 질환에서 백반증과 유사한 저색소 부위를 보인다. 백반증과 유사질환을 감별하기 위해서는 피부 질감과 완전 탈색 여부를 평가하는 것이 중요하다. 백반증은 인설이나 피부질감 변화와 관련이 없지만, 드물게 일부 환자에서 융기된 홍반성 경계를 보이는 염증성 백반증이 발생할 수도 있다.

백반증과 자주 혼동되는 저색소 질환으로 탈색모반, 백색비강진, 특발성 물방울양 멜라닌저하증, 어루러기, 빈혈반, 테모양모반(halo nevus), 부분백색증(piebaldism), 백색증(albinism) 등이 있다. 이들 백반증 이외의 저색소 질환 중 치료를 필요로 하지 않고 치료에 반응하지 않는 질환들도 있으므로 백반증으로 오진하고 장기간 치료하는 것은 환자와 의사 모두에게 바람직하지 않다.

## 5. 치료

이 질병은 흔하며 진단하기는 쉽지만 치료가 어려워 다양한 한의 치료 처방들이 있다. 급성기와 안정기로 구분한 후 내복약과 더불어 외용제를 병행할 경우 보다 나은 치료 효과를 볼 수 있다.

### 1) 內治

(1) 血熱風熱證 : 급성기에 해당한다. 병의 진행이 빠르고 피부 알레르기 병력이 있을 수 있다. 백반증은 분홍색으로 증가하며 주변의 정상피부로 이행되어 확대되고 경계가 불분명하다. 주로 이마, 얼굴, 코, 입술 등에 흔히 나타나며 국소 부위의 피부에서 간혹 가벼운 소양감을 호소할 수 있으며 정서적으로 예민하거나 입이 마르고 소변색이 붉을 수 있다. 舌質紅苔薄黃, 脈細數하다. 凉血活血, 淸熱祛風 爲主로 하며, 凉血地黃湯加減 등을 常用한다.

(2) 肝腎不足證 : 안정기에 해당한다. 유전 경향이 있고 고정된 호발부위가 없으며 국소 혹은 범발성 모두 가능하다. 백반이 고정되고 경계가 선명하며 탈색이 분명하다. 백반 내 모발이 흔히 백색으로 변하고 백반 변연의 피부색이 어둡고 병정이 길다. 안색이 창백하고 현기증, 이명, 허리와 무릎의 시큰거림, 통증을 호소할 수 있다. 舌苔薄 舌胖有齒痕 脈細弱하다. 補益肝腎, 凉血活血祛風 爲主로 하며, 二仙湯合四物湯加味 등을 常用한다.

### 2) 外治

중국의 문헌 고찰에서 다빈도 94가지의 백반증 치료 한약 외용제제를 확인할 수 있는데 제형의 종류는 팅크제, 크림, 연고, 파우더 등으로 다양하지만 이 중 팅크제가 59가지(63%)로 가장 많다. 다빈도 한약은 보골지, 백지, 토사자, 홍화, 자질려, 오매 당귀, 하수오, 방풍, 단삼, 백선피, 독활, 골쇄보, 황기, 치자 등이 있다.

현대 실험 및 임상 연구결과에 근거한 한약의 약리 효능을 분석해보면 황기, 당삼, 산수유, 백출, 복령 등은 면역조절 작용을 나타내며, 한련초, 무화과, 단피, 자질려, 사상자, 보골지, 자초, 지황, 골쇄보, 여정자, 세신 등은 tyrosinase를 활성화시키는 것으로 알려져 있으며, 透骨草(파리풀), 한련초 등은 melanocyte 형성을 촉진하는 것으로 알려져 있다. 또한, 보골지, 백지, 독활, 무화과즙, 마치현, 결명자, 강황, 사삼 등은 광과민성을 증가시키는 효능을 가지고 있으며, 당귀, 도인, 단삼, 홍화, 천궁, 적작약 등은 혈액의 미세순환을 개선시키는 것으로 알려져 있다.

### 3) 其他療法

(1) 耳鍼 : 肺, 神門, 內分泌, 腎上腺

(2) 梅花鍼 : 局部를 梅花鍼을 刺激하여 外用藥으로 바르고 문지른다. 白斑 주위를 비교적 강한 자극을 주어 皮膚損傷이 擴大되는 것을 防止한다.

### 6. 예후

백반증은 예측하기 힘든 경과를 보이는 만성 질환이다. 환자에 따라 다양한 치료 경과 및 예후를 보일 수 있으며, 임상적 분류에 따라 치료 방법이나 예후가 달라질 수 있다. 대개 국소형이 전신형보다 치료 예후가 좋고 점막형은 대체로 예후가 불량한 편이다. 이른 나이에 발병하는 백반증 환자일수록 신체 표면적이 더 넓고 질병 진행률이 증가하는 경향이 있다.

## Ⅱ 기미 Chloasma, Melasma

### 1. 개요

기미는 멜라닌세포에서 생성되는 멜라닌이 과도하게 생성되어 표피와 진피에 축적되는 흔한 후천성 만성 재발성 과다 색소 침착 피부 질환이다. 기미는 여성, 특히 가임기 여성에서 흔하고, 태양에 많이 노출되는 신체 부위, 특히 얼굴에서 흔하다.

中醫 文獻에는 宋《太平聖惠方》에 처음 기록되었으며 "面皯䵟"이라 불렀다. 明《外科正宗》에 "黧黑斑"이라 命名하였다. 淸《醫宗金鑒》에서 본병이 青壯年에 호발하고, 그 중 여성 환자가 많음을 설명하였다.

### 2. 원인 및 병기

유전적 소인, 햇빛 노출(자외선 및 가시 광선 포함), 호르몬 요인(임신, 호르몬 요법, 경구 피임약 사용 포함)이 기미의 주요 유발 요인이다. 기미 발생과 관련된 추가 요인으로는 일부 화장품, 특정 의약품(ex. 광과민제 및 항경련제), 아연 결핍 등이 있다.

한의학에서는 腎氣不足, 飮食不調, 肝鬱氣滯, 血虛不能滋養肌膚, 火毒結滯于內 등을 병인으로 보고 있다.

일반적으로 기미 병변의 표피는 증식이 없는 과잉 활성 멜라닌 세포를 보인다. 멜라닌 세포 수는 병변 및 주변 피부에서 비슷하지만 영향을 받은 피부의 멜라닌 세포는 더 크고 멜라노좀을 더 많이 포함하며, 기저층으로 확장할 수 있는 수상 돌기가 점점 더 많이 나타난다. 병변 피부에서 케라티노 사이트는 건강한 피부에 비해 멜라노좀의 수가 증가되어 있다. 기미 병변에서는 표피 기저막의 파괴, 림프구 침윤, 비만세포 증가, 진피 탄력섬유증, 혈관신생 증가 등의 병리조직학적 특징을 보인다.

## 3. 증상

기미는 일반적으로 햇볕에 노출된 피부에 불규칙한 밝은 갈색에서 회갈색의 반점과 반 형태로 나타난다. 병변은 일반적으로 대칭이며 이마, 코, 뺨, 윗입술 부위 및 턱에 영향을 미칠 수 있다. 기미의 일반적으로 얼굴 분포 패턴에 따라 안면중심형, 관골형, 하악형으로 구분할 수 있다. 안면중심형 기미는 일반적으로 이마, 뺨, 코, 윗입술 및 턱 부위에 영향을 미친다. 관골형은 주로 옆쪽 뺨 영역을 포함하며, 하악형은 아래 턱선에 영향을 미친다. 역학적으로 안면중심형과 관골형이 흔하고 하악형은 상대적으로 드문 편이다.

대다수의 기미 환자에서 일반적으로 무증상이다. 그러나 한 연구에서는 가려움증, 따끔거림, 건조함, 홍반 또는 모세혈관확장증과 홍반을 동반 한 혈관신생 증가를 특징으로 하는 염증성 기미를 나타낼 수도 있다.

임상적으로 기미는 만성적이고 재발하는 경과를 보인다. 임신 후 자발적인 관해가 발생할 수 있지만, 임신 관련 기미는 출산 후 수 개월 이상 지속될 수 있다. 기미를 유발하는 사건과는 별개로, 경미하거나 강렬한 태양 노출로 재발이 발생한다. 호르몬 요법과 관련된 기미는 치료가 중단된 후에도 남아있을 수 있다. 염증이 있는 기미는 염증이 없는 기미에 비해 기존 치료법을 사용할 경우 증상이 악화될 수도 있다.

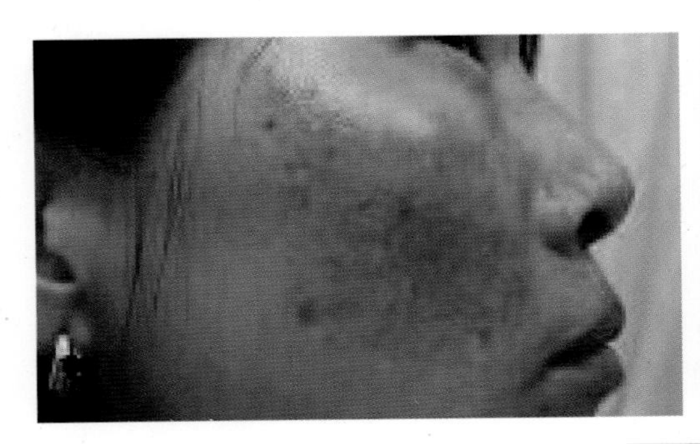
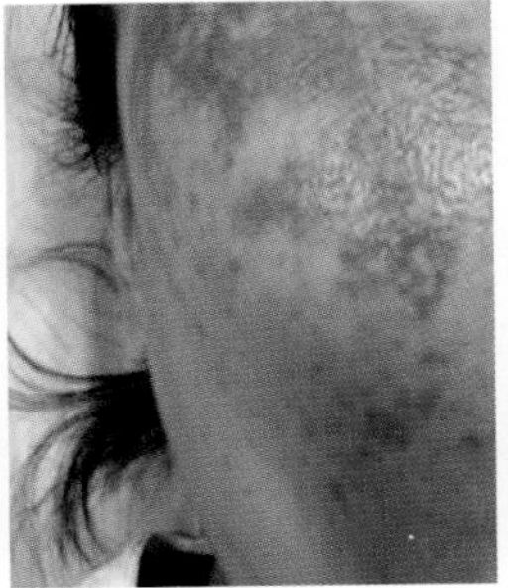
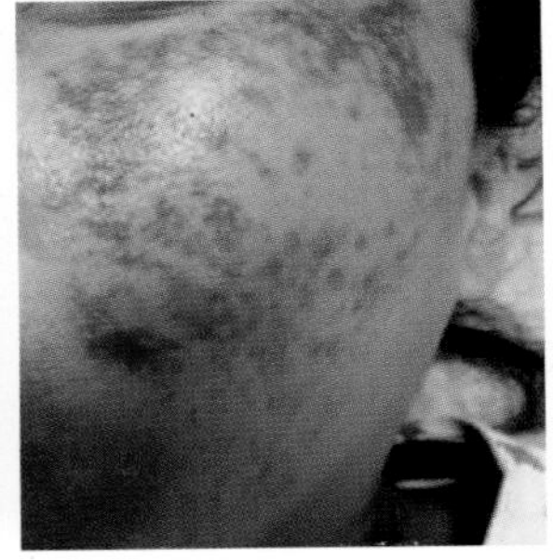

그림 38-3 기미

## 4. 진단감별

기미는 일반적으로 임상 양상에 따라 진단되며 멜라닌의 위치에 따라 표피형, 진피형, 혼합형으로 분류된다. 그러나 대부분의 경우 표피와 진피에 함께 색소침착이 있다. 진단을 뒷받침하는 병력 요소에는 임신 또는 경구 피임약 사용과 관련된 발병, 기미의 가족력, 광독성 약물 노출 등이 있다.

우드등 검사는 특히 피부톤이 밝은 개인(Fitzpatrick phototypes I ~ III)에서 색소의 위치를 식별하는 데 도움이 될 수 있다. 표피형은 종종 테두리가 강조된 한정된 색소침착으로 나타나는 반면, 진피형은 일반적으로 외곽이 잘 보이지 않고 우드등 조명 아래에서 강조되지 않는다. 또한, 피부경 검사는 기미를 진단하고 색소 침착 수준을 확인하는 데 도움이 될 수 있다.

기미는 주근깨와 감별이 필요하다. 주근깨는 대개 색소반점이 비교적 작고 산재형으로 분포하며 융합하지 않고 성장기 여성에게서 자주 발생하며 가족력을 지닌다. 그 외 Hori's nevus, Riehl's melanosis, lichen planus pigmentosus, fixed drug eruptions, discoid lupus erythematosus, postinflammatory hyperpigmentation 등과 감별이 필요하다.

## 5. 치료

### 1) 內治

(1) 腎虧所致者는 後期에 많고, 腰痠肢軟, 頭昏耳鳴, 顔色黑暗, 苔剝脉濡 등의 증상을 수반한다. 滋補腎陰을 爲主로 하며 生熟地(各), 山萸肉, 山藥, 仙靈脾, 枸杞子, 女貞子, 旱蓮草, 當歸, 白芍, 川芎 등을 常用한다.

(2) 肝鬱血虛, 毒滯而成者는 初期에 많고, 性情急躁, 納呆泛惡, 潮紅刺痒, 日晒更甚, 五心煩熱, 苔薄舌紅, 脈象細數등의 症狀을 수반한다. 疏肝解鬱, 養血清熱해야 하며, 柴胡, 當歸, 赤白芍(各), 黃芪, 熟地, 鷄血藤, 銀花, 黃芩, 生山梔, 野菊花 등을 常用한다.

### 2) 外治

茯苓粉을 患部에 바르고 문지른다.

### 3) 豫防

일광노출을 피한다.

### 6. 예후

기미는 피부톤이 어두운 여성에게 더 흔하다. 시간이 지남에 따라 태양광이나 기타 광원으로부터 잘 보호하면 사라지거나 몇 개월 이내에 치료에 반응하기도 하지만 사람에 따라 영구적으로 지속되는 경우도 있다. 표피형의 기미가 진피형에 비해 치료에 반응이 좋은 편이다. 빈번하게 발생하는 흔한 질병으로 한의학에서는 주로 舒肝健脾補腎과 活血化瘀, 淸熱利濕하는 한약을 위주로 치료하며 임상에서 일정한 치료 효과를 볼 수 있다.

## Ⅲ 주근깨 Fleckles

### 1. 개요

주근깨는 주로 일광노출 부위의 피부에 주로 생기는 황갈색의 작은 색소성 반점을 말하며 한의학에서는 작반(雀斑)이라고 하여 面部에 芝麻가 散在된 형태로 雀卵의 色과 같아 命名한 것이 이와 유사하다. ephelides와 lentigines의 일반 용어인 주근깨(freckles)는 햇빛의 영향을 받는다. 구분하자면 ephelides는 대부분 유전적으로 결정되지만 햇빛에 의해 유도되는 반면 lentigines는 태양 노출과 피부의 광 손상에 의해 유도된다. 본 질환은 청춘기이후의 소녀에 다발하나 아동기에 발병되는 경우도 있다. 주로 백인종 특히 금발과 적발인 사람에게 흔하며 황인종에게는 흔하지 않은 것으로 알려져 있다.

### 2. 원인 및 병기

유전적 요인과 환경적 요인의 영향을 받는 것으로 생각되고 있지만, 특히 상염색체 우성 유전에 의하여 주로 발병하는 것으로 알려져 있기 때문에 한의학에서는 先天의 腎水不足으로 陰虛火邪上炎한데, 일광노출 후 熱毒이 內蘊되어 皮內에 鬱滯되어 형성되는 것으로 보고 있다. 조직병리학적으로 병변 부위의 표피 멜라닌의 증가를 보이며 멜라닌 세포의 수는 정상이다.

## 3. 증상

褐色斑點이 얼굴에 散在하여 鍼頭와 같으며 혹은 微粒같고, 대개 원형이며 타원형도 있다. 경계가 명확하고, 평탄하며, 紅腫하지 않고, 脫屑도 없다. 密集되며 혹 散在되나, 融合되어 片을 형성하지 않는다. 여름 일광노출 후에 현저하며 겨울에 일광을 피하면 감소하는 것이 특징이다. 雀斑은 대개 面部에 많이 보이나 頸部, 手臂, 手背, 小腿에도 발생할 수 있다. 심지어 腰背, 胸脇에도 자잘하게 분포된 褐色斑點이 있을 수 있다. 그러나 手掌, 足底에는 없고, 어떠한 자각증상도 없다.

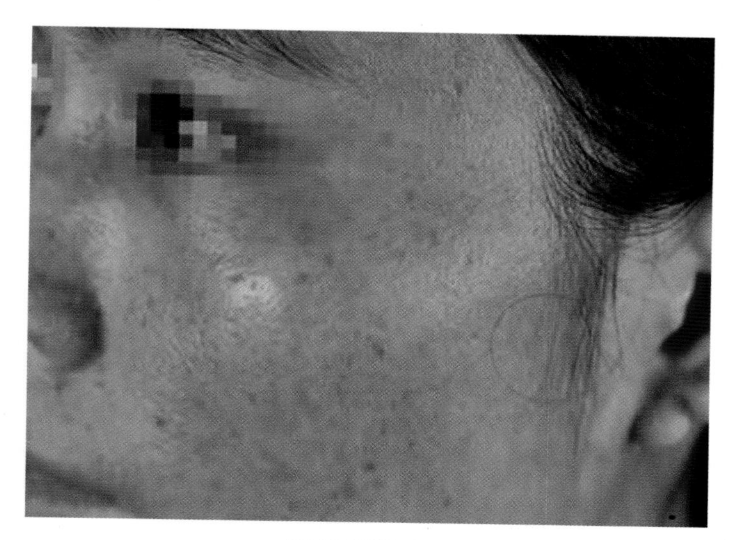

그림 38-4 雀斑

## 4. 진단감별

주근깨의 진단은 육안적 진찰과 더불어 병력 청취를 통해 가능하다. 주근깨는 대개 색소반점이 비교적 작고 산재형으로 분포하며 융합하지 않고 성장기 여성에게서 자주 발생하며 가족력을 지닌다. 이를 통해 기미와 감별이 가능하다. 그 외 Hori's nevus, Riehl's melanosis, lichen planus pigmentosus, fixed drug eruptions, discoid lupus erythematosus, postinflammatory hyperpigmentation 등과 감별이 필요하다.

## 5. 치료

건강에 영향을 미치지 않아 치료를 필요하지 않는 경우가 대부분이지만 미용적 측면에서 치료를 원하는 환자가 많다.

### 1) 內治/ 外治

일반적으로 유전적 경향이 뚜렷하여 내복약으로 치료 효과를 보기는 어렵다. 세정 시 玉容散을 적용할 수 있다.

### 2) 주의사항

강렬한 일광노출을 피한다.

## 6. 예후

본 질환은 피부가 비교적 흰 여성에 많이 나타나고, 남자에도 발생할 수 있다. 일반적으로 출생 시에는 없다가 5세 이후에 나타난다. 學齡前에는 발생이 적고, 思春期에 뚜렷하게 증가되어 成年이 된 후에는 대개 진행하지 않는다. 주근깨는 유전적 경향이 뚜렷하여 내복약으로 치료효과를 보기 어렵다. 신체 건강 상 영향을 주지는 않으며 미용 목적으로 외치 요법을 실시할 수 있다. 외치 요법 시에는 피부 자극으로 인한 외상과 과민반응이 일어날 수 있으므로 주의가 필요하다.

### 참고문헌


1) 杨登科. 汪黔蜀. 白癜风的中医辨证论治. 皮肤病与性病. 2011.
2) 梁碧欣, 袁娟娜, 吴元胜, 张冰, 杨娟. 当代中医辨治白癜风用药规律分析. 辽宁中医药大学学报. 2013.
3) 왕핑, 장창 저. 박은성, 권수현 역. 실전피부과 500문. 1st ed. Kyungsan: Omniherb; 2012.
4) 전국 한의과대학 피부외과학 교재편찬위원회. 한의피부외과학. 부산: 선우; 2007.
5) 张青 葛宝和. 针灸治疗白癜风概况. 湖南中医杂志. 2014.
6) 张春艳, 许爱娥. 治疗白癜风的中药外用制剂总结分析. 中华中医药学刊. 2012.
7) 主編. 谭新华, 何清湖. 중의외과학 2nd ed. 북경: 인민위생출판사; 2016.
8) Christian Praetorius, Richard A. Sturm, Eirikur Steingrimsson. Sun-induced freckling: ephelides and solar lentigines. Pigment Cell Melanoma Res. 2014.
9) Ezzedine K, Eleftheriadou V, Whitton M, van Geel N. Vitiligo. Lancet. 2015.
10) Malhotra N, Dytoc M. The pathogenesis of vitiligo. J Cutan Med Surg. 2013.

11) Mohammed GF, Gomaa AH, Al-Dhubaibi MS. Highlights in pathogenesis of vitiligo. World J Clin Cases 2015.
12) Mu EW, Cohen BE, Orlow SJ. Early-onset childhood vitiligo is associated with a more extensive and progressive course. J Am Acad Dermatol 2015.
13) Ogbechie-Godec OA, Elbuluk N. Melasma: an Up-to-Date Comprehensive Review. Dermatol Ther (Heidelb) 2017.
14) Rajaratnam R, Halpern J, Salim A, Emmett C. Interventions for melasma. Cochrane Database Syst Rev 2010.
15) Rodríguez-Arámbula A, Torres-Álvarez B, Cortés-García D, et al. CD4, IL-17, and COX-2 Are Associated With Subclinical Inflammation in Malar Melasma. Am J Dermatopathol 2015.
16) Shankar K, Godse K, Aurangabadkar S, et al. Evidence-based treatment for melasma: expert opinion and a review. Dermatol Ther (Heidelb) 2014.
17) Soon-Hyo Kwon, Jung-Im Na, Ji-Young Choi, Kyoung-Chan Park. Melasma: Updates and perspectives. Exp Dermatol. 2019.
18) Tamega Ade A, Miot LD, Bonfietti C, et al. Clinical patterns and epidemiological characteristics of facial melasma in Brazilian women. J Eur Acad Dermatol Venereol 2013.
19) Vinay K, Bishnoi A, Parsad D, et al. Dermatoscopic evaluation and histopathological correlation of acquired dermal macular hyperpigmentation. Int J Dermatol 2017.

# 第39章 피부혈관 질환

| CD 코드 | 한글 상병명 | 영문 상병명 |
|---|---|---|
| **I73** | **기타 말초혈관질환** | **Other peripheral vascular diseases** |
| I73.0 | 레이노증후군 | Raynaud's syndrome |
| I73.0 | 레이노 병 | Raynaud's disease |
| I73.0 | 레이노 괴저 | Raynaud's gangrene |
| I73.0 | 레이노 현상(이차성) | Raynaud's phenomenon(secondary) |
| I73.1 | 폐색혈전혈관염[버거병] | Thromboangiitis obliterans[Buerger] |
| **D69** | **자반 및 기타 출혈성 병태** | **Pupura and other haemorragic conditions** |
| D69.0 | 알레르기자반증 | Allergic purpura |
| D69.0 | 아나필락시스모양 자반 | Anaphylactoid purpura |
| D69.0 | 헤노흐(-쇤라인)자반 | Henoch(-Schonlein) purpura |
| D69.0 | 출혈성 비혈소판감소성 자반 | Haemorrhagic nonthrombocytopenic purpura |
| D69.0 | 특발성 비혈소판감소성 자반 | Idiopathic nonthrombocytopenic purpura |
| D69.0 | 혈관성 자반 | Vascular purpura |
| D69.0 | 알레르기성 혈관염 | Vasculitis, allergic |
| **I89** | **림프관 및 림프절의 기타 비감염성 장애** | **Other noninfective disorders of lymphatic vessels and lymph nodes** |
| I89.0 | 달리 분류되지 않은 림프부종 | Lymphoedema, NEC |
| I89.0 | 림프관확장증 | Lymphangiectasis |
| I89.1 | 림프관염 | Lymphangitis |
| I89.1 | 림프관염 NOS | Lymphangitis NOS |
| I89.1 | 만성 림프관염 | Chronic lymphangitis |
| I89.1 | 아급성 림프관염 | Subacute lymphangitis |

# I 레이노증후군 Raynaud Syndrome

## 1. 개요

레이노 현상(RP, raynaud phenomena)은 저온이나 정서적 스트레스에 대한 과장된 혈관 반응으로 血管神經機能의 紊亂으로 발생하는 肢端 小動脈의 陳發性 痙攣으로 발생하는 疾患을 말한다. 임상적으로 손가락 피부의 뚜렷한 색 변화로 나타난다. 정상적인 혈관 반응의 국소적 결함으로 인해 말초 동맥 및 피부 세동맥의 비정상적인 혈관수축으로 인해 발생하는 것으로 여겨진다.

이러한 증상이 관련 장애 없이 단독으로 발생하는 경우 레이노 현상은 1차로 간주되는데 이에 비해 2차 레이노 현상은 전신 홍반성 루푸스 및 전신 경화증 (경피증)과 같은 관련 질병과 관련되어 나타난다.

레이노 현상은 한의학 문헌에서의 사지역냉(四肢逆冷)과 유사하다. 한의학 문헌 기술 중《諸病源候論》에서 "經脈所行, 皆起于手足, 虛勞則血氣衰損, 不行溫其四肢, 故四肢逆冷也."라고 설명하고,《血證論》에서 "雜病四肢厥冷, 爲脾腎陽虛不行達于四末, 四逆湯主之."라고 四肢逆冷의 원인과 처방에 대해 설명하고 있다.

손가락의 간헐적인 창백, 청색증, 충혈, 그리고 무감각이 특징이며, 젊은 부인에서 흔히 보이는 한랭과민에 의한 일차적인 질환으로 감정적인 자극이나 혹은 한랭 자극에 의해서 나타난다. 주로 양측성이고 1% 이하에서 괴저가 발생할 수 있다. 교원, 혈관질환에 동반되기 쉽다.

## 2. 원인 및 병기

1차 및 2차 레이노 현상이 있는 환자는 저온에 노출되면 레이노 현상이 유발된다. 대개 따뜻한 온도에서 더 낮은 온도로 상대적으로 이동하는 동안 발생한다. 에어컨과 같은 가벼운 추위 노출이나 식료품점의 냉장 식품 코너의 추위로 유발될 수 있다. 발작은 손가락에서 국부적으로 발생하지만, 손이나 발 부위를 따뜻하게 유지하더라도 일반적인 신체 오한에 의해 유발될 수 있다. 또한 교감 신경계의 자극(예: 감정적 스트레스, 갑작스러운 놀람) 후에도 발생할 수 있다.

한의학에서는 稟賦不足으로 陽氣가 虛하고 겸하여 寒邪에 感觸되어 血脈이 凝滯하여 四肢의 溫煦失調로 발생하거나, 情志의 不遂로 肝氣가 鬱結되어 疏泄이 失調되면 氣機가 문란해지고 氣滯血瘀가 발생하여 陽氣가 四肢로 이르지 못하여 발생하거나, 肝血이 不足하여 血의 溫養이 不良하여 발생한다고 보고 있다.

## 3. 증상

젊은 여성에게서 흔히 양측의 肢體末端에 好發하는데 手指에 가장 많이 발생하고 足趾, 耳郭, 鼻尖, 舌尖, 頬頦의 順으로 발생한다. 초기에는 皮膚가 蒼白해지고 手指가 서늘해지며 刺痛, 知覺異常, 痲木이 나타나며 硬結感으로 手指의 屈伸이 不利해지고 이후 皮膚가 腫脹되고 紫黑色을 띠며 刺痛, 跳動感이 수반된다. 점차로 緩解되면 국소적으로 따뜻해지고 皮膚色이 紅色으로 변하며 跳動感이 증가되면서 정상으로 회복된다. 추운 날씨에 발작이 증가하고 症狀도 비교적 심해지며, 심한 경우에는 潰瘍을 형성한다.

## 4. 진단감별

레이노 현상(RP)을 진단하기 위한 재현 가능한 표준 진단 기준에 대한 의견은 확립되지 않았지만 저온에 노출된 후 창백해지거나 청색증을 보이는 두 가지 색의 변화 이력이 있을 경우 진단할 수 있다. 대개 한 손가락에서 시작하여 양손에서 대칭적으로 다른 손가락으로 퍼지는 경향을 보이며 검지, 중지, 약지가 가장 빈번하게 발생한다. 특히 1차성 레이노 현상에서는 엄지 손가락의 침범은 드물다. 따라서 엄지 손가락에 병변을 보이는 경우 이차성으로 나타나는 경우가 많으므로 원인 감별이 필요하다. 과도한 한랭 민감성, 혈관의 외부 압박, 말초 신경병증, 복합 부위 통증 증후군(complex

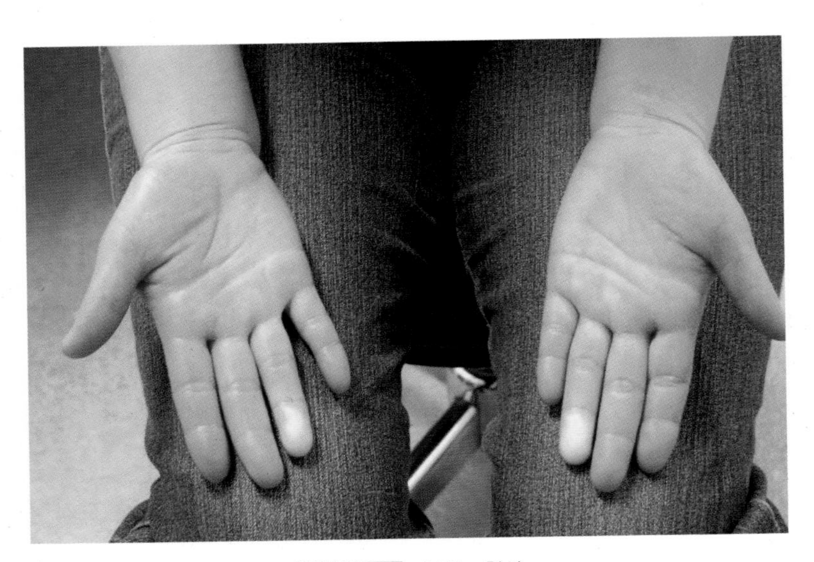

그림 39-1 레이노 현상

regional pain syndrome, CRPS), 폐쇄성 혈관 질환, 첨두증, pernio(아동), 급성 특발성 청색 손가락, 홍색사지통증(erythromelalgia, EM) 및 종양성 선골 혈관 증후군 등과 감별이 필요하다.

## 5. 치료

### 1) 內治法

(1) 脾腎兩虛型 : 四肢의 末端이 冷하여 얼음을 만지는 것과 같으며 痲木과 疼痛이 있고 가벼운 경우에는 潮紅腫脹하며 심한 경우에는 蒼白하거나 혹은 紫黑色으로 변한다. 그 외 肢冷疼痛, 脣甲色靑, 腰膝無力, 面色光白, 食少, 大便溏薄, 舌淡, 脈沈細 등의 症狀이 수반된다. 溫補脾腎, 驅寒通絡하는 附子理中湯, 當歸四逆湯 등을 활용한다.

(2) 氣鬱不舒型 : 四肢가 蒼白하고 紫黑色을 띠다 점차로 潮紅色으로 변하며 痲木, 脹痛이 나타난다. 그 외 胸脇脹滿, 喜太息, 情緖抑鬱易怒, 舌淡紅, 苔薄白, 脈弦 등의 症狀이 수반된다. 疏肝開鬱하는 四逆散, 逍遙散 등을 활용한다.

(3) 氣血兩虛型 : 四肢의 末端이 얼음처럼 冷하고 紫黑色으로 변하며 僵硬해진다. 그 외 畏寒無力, 少氣懶言, 面色光白, 舌淡紅, 苔少, 脈沈細無力 등의 症狀이 수반된다. 益氣溫陽, 養血通絡하는 養血益氣湯 등을 활용한다.

### 2) 外治法

(1) 潰瘍과 壞疽가 없는 경우는 桂枝, 川烏, 川椒, 艾葉 등의 溫經祛寒通絡하는 藥物을 煎湯하여 泡洗한다.

(2) 紅腫하며 潰瘍이 있는 경우는 金銀花, 蒲公英, 馬齒莧, 虎杖根, 五倍子 등의 淸熱解毒消腫하는 藥物을 煎湯하여 洗滌한다.

(3) 潰瘍이 오래도록 회복되지 않는 경우는 養陰生肌散을 外敷한다.

### 3) 其他療法

(1) 體鍼療法

① 合谷, 八邪, 手三里, 外關, 八風, 三陰交, 足三里, 絶骨.

② 中脘, 關元, 脾兪, 腎兪.

(2) 艾條灸法 : 足三里, 關元, 氣海.

(3) 溫針療法 : 內關, 外關, 太淵, 三陰交, 太溪.

## 6. 예후

증상이 경미하고 일과성으로 나타났다가 사라지는 것이 보통이므로 특별한 검사가 항상 필요한 것은 아니지만, 일부 환자에게서 교원섬유 질환의 초기 증상으로 나타나거나 시간이 경과하면서 전신 경화증, 전신홍방선 루프스와 같은 질환이 속발될 수 있으므로 레이노 현상의 추정 진단을 받은 모든 환자는 이차 장애를 나타내는 임상 증상 및 징후를 식별하기 이해 신중하게 평가해야 한다.

# Ⅱ 알레르기 자반증 Allergic Purpura, Anaphylactoid Purpura, Henoch(–Schonlein) Purpura

## 1. 개요

알레르기성 혈관염, 알레르기 자반증, 과민성 혈관염은 종종 식별할 수 없는 외인성 물질에 대한 면역 반응 또는 과민 반응에 의해 2차적으로 피부 혈관벽의 삼투성이 증가하여 피부 및 점막에 발생한 모세혈관 출혈을 지칭하는 것으로 皮膚, 粘膜, 혹 其他 器官에 毛細血管 및 細小動脈에 나타나는 一種의 혈관염을 지칭하는데 사용되는 용어로 흔히 사용되는 용어이지만 약물유발 혈관염, 피부 백혈구 세포성 혈관염, 피부 소혈관염 등의 명칭과 논란의 여지가 있다.

本 疾患의 特徵은 皮膚나 粘膜에 紫紅色의 斑片이 出現하고 항상 關節 症狀 및 腹痛, 腎臟 病變이 동반된다. 男性, 兒童 및 靑年에게 多發하며 病程은 대개 4~6주 정도로 쉽게 再發한다.

한의학 문헌에서의 포도역(葡萄疫)과 유사하다.

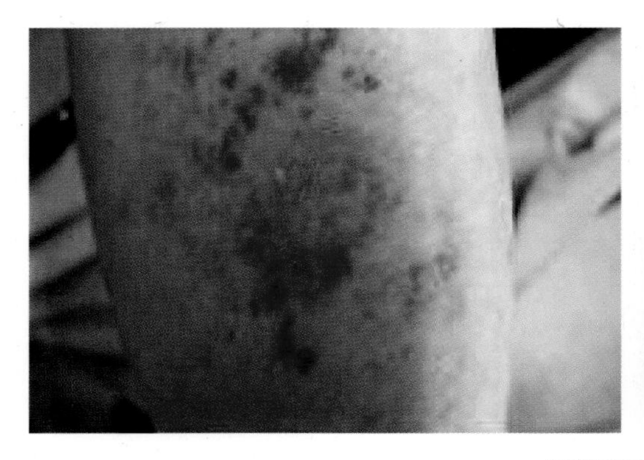

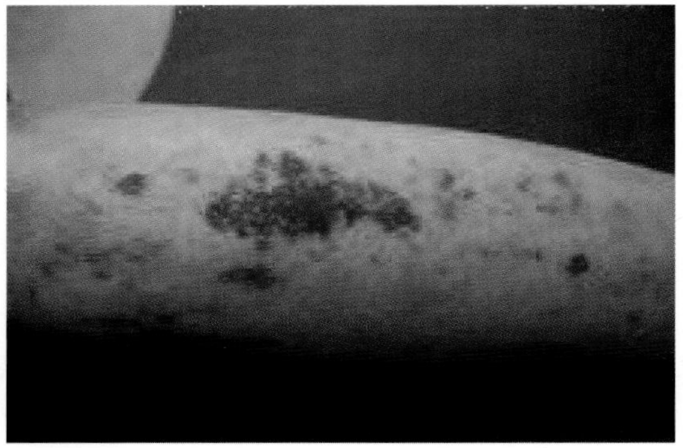

그림 39-2 자반증

한의학 문헌 중《外科正宗 · 葡萄疫》에서 "葡萄疫, 其患多生于小兒, 感受四時不正之氣, 鬱于皮膚之散, 結成大小青紫斑點, 色若葡萄, 發在遍體頭面, 及爲腑證. 邪毒傳胃, 牙根出血, 久則虛人, 斑漸毒退, 初期宜羚羊角散淸熱凉血, 久則歸脾湯滋益其內."라고 증상과 원인, 치료법에 대해 설명하고 있으며,《醫宗金鑒 · 外科心法要訣》에서 "此證多因嬰兒感受癘疫之氣, 鬱于皮膚凝結而成. 大小青紫斑點, 色狀若葡萄, 發于遍身, 惟腿脛居多."라고 설명하고 있다.

## 2. 원인 및 병기

알레르기성(과민성) 혈관염은 합텐으로 반응하여 면역 복합체 침착을 초래하는 약제에 대한 면역 반응으로 나타나는 것으로 생각하고 있다. 대부분의 경우, 유발 항원이 명확히 확인되지 않아 특발성으로 진단되는 경우가 많다. 그 외 특정 약물에 의해 유발되거나 감염, 악성 종양 또는 기타 전신 질환과 관련하여 발생할 수 있다.

한의학적으로 外感風熱의 邪氣가 肌表에 侵犯해 血分에 積滯되고 血熱이 妄行하여 발생하거나, 濕熱의 邪氣가 侵犯하거나 혹은 脾氣의 運化機能이 失調되어 濕熱이 內生하고 濕熱과 氣血이 相搏하여 血熱이 熾盛한 결과 外部로는 肌膚로, 안으로는 絡道 및 關節 혹은 腸胃에 蘊結되어 發生하거나, 脾腎不足으로 運化機能이 失調되어 氣化가 안되면 統攝機能이 失調되어 血이 脈外로 넘쳐서 發生한다고 보고 있다.

## 3. 증상

처음에는 皮膚 表面에 작고 分散된 瘀點이나 瘀斑이 나타나 눌러도 없어지지 않고 四肢의 伸側에 好發하는데 對稱性 분포를 하며, 특히 小腿部에 많이 나타난다. 重한 경우는 臀部나 軀幹部까지 泛發한다. 紫癜이 서로 융합해서 큰 片狀의 瘀斑을 형성한다. 또한 水疱나 潰瘍이 발생하며 發熱과 不快感, 頭痛, 食慾不振 등이 동반된다. 關節痛은 항상 나타나는 症狀으로 처음에는 瀰滿性으로 手臂나 小腿 疼痛으로 시작해서 關節 주위에 腫脹이 나타나고 여러 關節에 侵犯하는데, 대부분 膝關節 및 踝關節로 몇 주 후에 消失되며 關節의 變形은 나타나지 않는다. 胃腸 症狀으로는 腹痛, 嘔吐, 出血 및 심한 경우 穿孔까지 나타난다. 약 50% 정도에서 腎臟 損傷이 나타나는데 輕度의 腎炎이 나타나고 最後에는 腎機能이 弱化된다. 本 疾患의 病程은 4~6주 정도이며 항상 再發하기 때문에 수개월에서 수년간 持續도기도 한다.

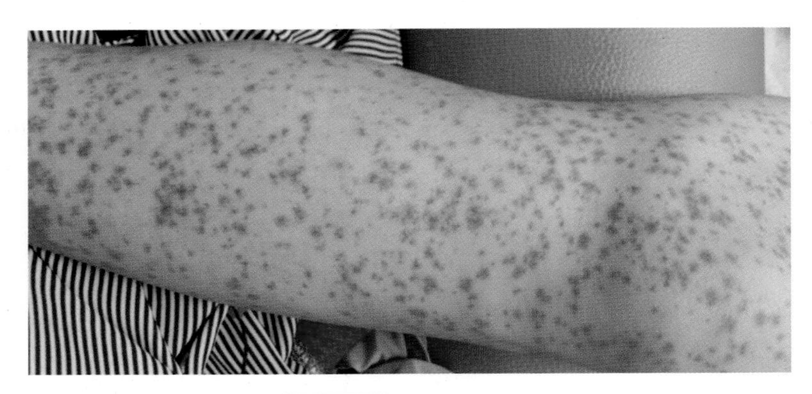

그림 39-3 알레르기자반증

## 4. 진단감별

과민성 혈관염의 진단은 촉지되는 자반병 및 점상출혈의 임상 소견에 근거하여 진단할 수 있다. 약물이나 감염과 같은 문제를 일으키는 물질의 과거력, 백혈구 세포성 혈관염을 특징으로 하는 생검된 피부 병변 및 유사한 질병 징후가 나타날 수 있는 기타 전신 상태의 배제가 필요하다.

과민성 혈관염에 대한 ACR(American college of rheumatology) 기준으로 ① 나이 >16세, ② 증상에 대한 일시적인 문제가 될 수 있는 약물의 사용, ③ 만져지는 자반병, ④ 반구진 발진, ⑤ 세동맥 또는 정맥 주위에 호중구가 있는 피부 병변의 생검 결과 등으로 이러한 기준 중 3가지 이상이 있으면 혈관염이 있는 성인에서 과민성 혈관염으로 진단할 수 있다. 다만, 이 기준은 과민성 혈관염을 면역글로불린 A 혈관염(IgA vasculitis; Henoch-Schönlein purpura [HSP])과 구별하지는 못하며, 면역글로불린 A 혈관염은 피부 병변에 IgA 침착을 특징으로 하며 소아에서 흔하다.

## 5. 치료

### 1) 內治法

(1) 風熱傷營型 : 斑色이 초기에는 鮮明하고 점차로 紫色으로 변하며 비교적 稠密하게 분포한다. 그 외 瘙痒感, 發熱, 頭痛, 舌苔薄黃, 脈浮數 등의 症狀이 수반된다. 凉血活血祛風하는 凉血五根湯을 활용한다.

① 瘙痒이 심하면 白殭蠶, 防風을 加한다.

② 大便乾한 경우에는 生大黃, 梔子를 加한다.

(2) 濕熱蘊阻型 : 紫斑이 주로 下肢에 많이 나타나는데, 膝踝關節 腫脹이 보이며 黑紫色의 血疱 및 糜爛이 나타나고 항상 심한 腹痛, 惡心嘔吐가 동반되며 심한 경우 便血 및 黑便이 나타난다. 그 외 尿血, 腰痛, 舌苔黃膩, 脈滑數 등의 症狀이 수반된다. 淸熱凉血하고 化濕通絡하는 犀角地黃湯加三妙散을 활용한다.

① 腹痛, 黑便 : 制大黃, 黃芩炭, 生地楡, 炒元胡를 加한다.

② 惡心嘔吐 : 生薑, 黃連을 加한다.

③ 尿血 : 大小薊, 生蒲黃을 加한다.

(3) 脾腎不足型 : 病程이 비교적 길고 반복해서 再發하며, 斑色은 淡紫色을 띠고 寒을 만나면 심해지고 腰酸痛, 尿血 등이 동반되는데 疲勞하면 심해진다. 그 외 面色蒼白, 頭暈, 耳鳴, 舌質淡 或暗淡, 脈細弱 등의 症狀이 수반된다. 健脾補腎하는 人蔘健脾丸合六味地黃丸을 활용한다.

### 2) 外治法

三黃洗劑나 如意金黃膏를 활용한다.

### 3) 其他療法

(1) 體鍼療法 : 曲池, 足三里, 氣海, 內關, 天樞, 築賓, 飛揚.

(2) 耳鍼療法 : 腎上腺, 脾, 內分泌, 肺, 枕.

## 6. 예후

혈액이나 혈장이 피부 및 점막 하, 내장 장막 하, 관절강 내로 침투할 때 다양한 증후군을 유발한다. 중의학에서는 단순형 자반증은 증상이 경미하여 凉血活血養血, 淸熱化濕祛風劑를 응용하여 좋은 효과를 보고하고 있고, 내장 손상이 병발한 경우는 부작용을 피하기 위해 한의학과 서양의학을 통합하여 치료하도록 권고하고 있다.

# Ⅲ 폐색혈전혈관염(버거병) Thromboangitis obliterans (Buerger Disease)

## 1. 개요

폐색혈전혈관염(thromboangiitis obliterans – Buerger's disease)은 사지(상부 및 하부)의 중소 동맥 및 정맥에 가장 흔하게 영향을 미치는 비동맥경화성, 분절성, 염증성 질환이다. 20~40대의 男性에서 多發하며 寒冷한 지역에서의 發病率이 높고 吸煙과 관계가 밀접하다. 四肢에 虛血을 일으키는 血管閉塞性 疾患을 總稱해서 말한다.

이는 한의학 문헌에서의 탈저(脫疽)와 유사하다.

한의학 문헌 중《靈樞 · 癰疽篇》에서 "發於足指, 名脫癰, 其狀赤黑, 死不治, 不赤黑, 不死. 不衰, 急漸之, 不則死矣."라고 설명하였고,《諸病源候論》에서 "……發於足指, 名曰脫疽 · 其狀赤黑死, 不赤黑不死 · 治之不衰, 急漸去之活也, 不漸者死矣."라고 증상을 설명하였으며,《外科發揮》에서 "此證因膏梁厚味, 酒面炙煿, 積毒所致; 或不愼房勞, 腎水枯渴; 或服丹石補藥. 致有先渴而後患者, 有先患而後渴者, 皆腎水涸, 不能制火也."라고 脫疽의 원인을 설명하고 있다.

## 2. 원인 및 병기

상지와 하지의 중소 동맥과 정맥에 영향을 미치는 분절성 염증성, 비동맥경화성, 폐쇄성 혈관 질환으로 담배 노출과의 강한 연관성에도 불구하고 이 질병의 일반적인 병태생리는 아직 잘 알려져 있지 않다.

병리학적으로 급성기, 아급성기, 만성기 3단계의 진행 경과로 설명할 수 있다. 급성기에 염증성 혈전은 동맥과 정맥의 말단부에서 발생하며 다형핵 백혈구, 미세농양, 다핵 거대 세포가 존재할 수 있지만 섬유소성 괴사 소견을 보이지 않는다. 아급성 단계는 중소 규모의 동맥과 정맥에서 혈전이 점진적으로 형성되는 특징을 보인다. 현저한 염증성 침윤은 혈전 내에 존재하지만 혈관벽에는 상대적으로 적다. 만성기에서는 염증이 더 이상 존재하지 않고 조직화된 혈전과 혈관 섬유증만 남게 된다.

담배를 피우는 것이 질병의 시작, 지속 및 재발의 핵심 요소일 수 있지만 혈전 혈관염의 발병 기전에서 흡연의 구체적인 역할은 알려져 있지 않다. 면역조직화학적 분석에서 염증 및 면역학적 발병기전을 보인다.

한의학적으로 다음과 같은 병기에 의해 발생할 수 있다.

1) 강이나 눈길을 걷거나 濕地에 오래 머물러 있으므로 해서 寒濕이 外襲하여 陽氣를 損傷시키고 脈中에 客하면 寒邪로 인하여 氣機가 阻滯되고 그 결과 氣滯血瘀하여 肌肉이 腐熟된다.
2) 情志가 不暢하고 鬱怒하여 肝의 疏泄機能이 失調되면 氣血의 運行이 通暢치 못하여 氣血瘀滯로 발생한다.
3) 膏粱珍味, 辛辣炙煿한 음식을 過食하여 脾胃의 健運機能이 失調되면 濕이 內生하고 오래되어 濕熱로 轉變되어 下注한 결과 筋脈에 留滯하여 발생한다.
4) 稟賦不足하거나 房勞過多 혹은 勞役過度하여 肝腎의 陰津이 損傷되면 筋骨의 滋養이 失調되고 火毒이 蘊積되어 발생한다.
5) 본래 虛弱하여 氣血이 부족하면 氣血의 運行이 無力해지고 肢體의 筋脈이 失養된 결과 血閉不通하여 발생한다.

## 3. 증상

下肢에 好發하며 초기에 寒冷感이 있고 쉽게 疲勞感을 느끼며 患部의 皮膚가 일시적 혹은 지속적으로 蒼白하거나 紺色으로 변하고 灼熱感과 疼痛을 자각하며 이어 末端 부위에 痲木, 疼痛이 나타난다. 步行時 疼痛이 加重되고 休息時 감소하며 動脈 부위의 搏動이 微弱해지거나 消失되고 四肢逆冷이 나타나는데 夜間에 疼痛이 더욱 심해진다. 皮膚가 紫黑色으로 변하며 乾燥해지고 肌肉이 점차로 萎縮되어 潰瘍과 壞疽가 발생한다. 末端 부위에서 시작되어 점차 위로 확산이 되며 疼痛이 심해지고 壞疽된 末端 부위가 脫落되는데 潰瘍은 남은 채로 愈合이 되지 않는다.

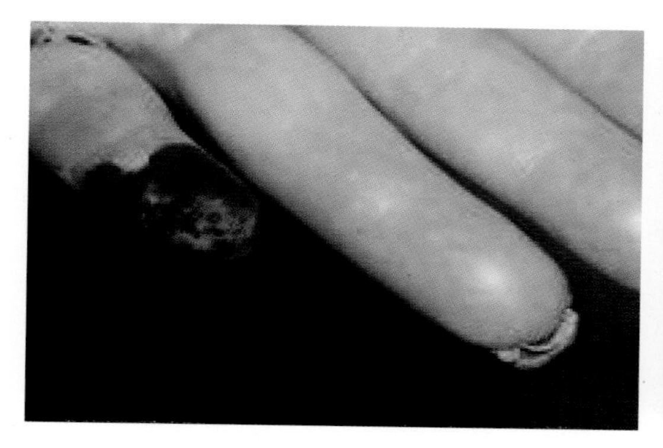
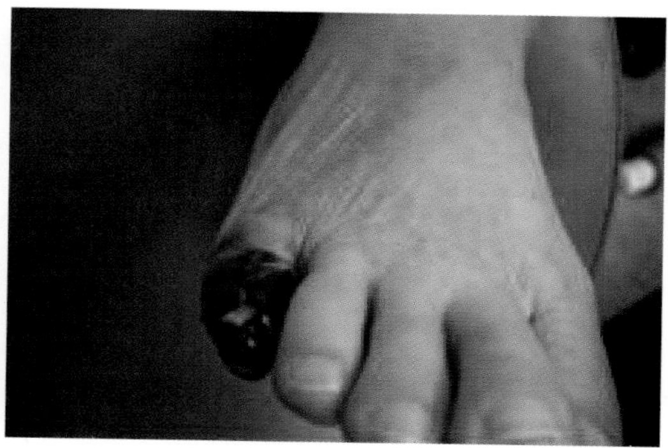

그림 39-4 폐색혈전혈관염

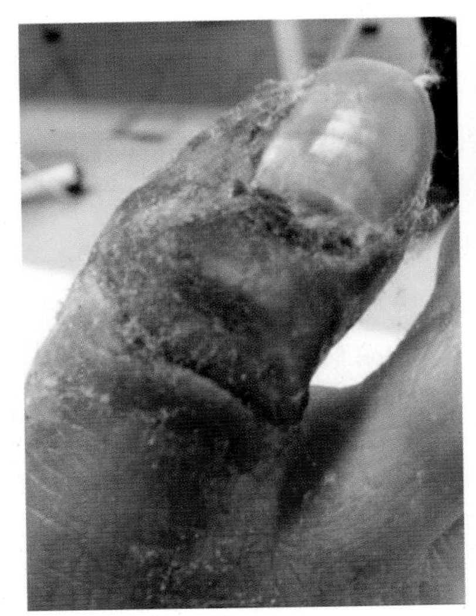
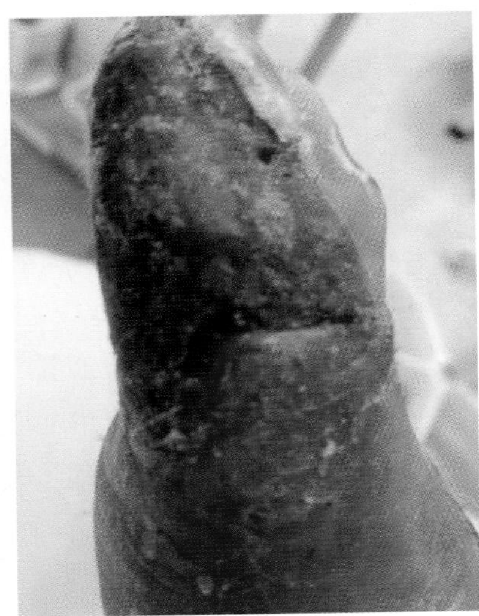

그림 39-5 당뇨 환자의 폐색혈전혈관염

## 4. 진단감별

흡연을 하고 손 또는 발의 허혈이 있는 젊은 환자에서 주로 의심할 수 있는 질환이다. 대개 50세 미만, 현재 또는 최근의 흡연력이 있는 자, 신체 검사 및 혈관 검사에서 말단 사지 허혈을 진단할 수 있고 영상의학적으로 폐쇄성 혈전혈관염의 전형적인 동맥조영술 소견을 보이며 자가면역 질환, 혈전증, 당뇨병 및 근위부 색전증 등의 원인을 배제한 경우 생검없이 임상 진단할 수 있다.

혈관 폐쇄성 질환을 유발하는 심장색전증, 전신경화증 및 말초동맥질환, 기타 혈관염, 반복적 외상 등과의 감별 진단이 필요하다.

## 5. 치료

흡연 환자의 경우 금연을 권장한다. 다른 입증된 이점 외에도 금연은 증상을 줄이고 주요 절단 위험을 줄일 수 있다.

### 1) 內治法

(1) 寒濕侵襲型 : 患肢가 冷하며 痲木疼痛이 나타나는데 冷하면 증세가 더욱 심해지고 溫하면 증세가 輕減된다. 皮膚는 蒼白해지고 乾燥하며 末端 動脈 부위의 搏動이 微弱해진다. 그 외

舌淡紅, 苔薄白, 脈沈細遲 등의 症狀이 수반된다. 溫經散寒, 通瘀活血하는 陽和湯, 回陽通絡丸, 當歸四逆湯 등을 활용한다.

(2) 氣滯血瘀型 : 患肢의 皮膚가 紫紅色, 暗紅色 혹은 靑紫色을 띠며 오후에 더욱 심하여지고 末端 부위에 瘀血斑이 나타난다. 活動時에는 患肢가 白色 혹은 蒼黃色을 띠며 肌肉이 萎縮되고 痲木, 痠楚, 지속적인 疼痛, 末端 動脈 부위의 搏動이 微弱해지거나 혹은 消失된다. 그 외 舌暗紅 或瘀斑, 脈沈細而澁 등의 症狀이 수반된다. 活血散瘀, 理氣止痛하는 桃紅四物湯, 活血通脈飮, 解毒養陰湯合活血散瘀湯, 血府逐瘀湯 등을 활용한다.

(3) 濕熱蘊毒型 : 患肢에 熱感이 있으며 痠脹, 腫痛, 沈重無力하고 潰瘍面에서 진물이 滲溢하며 糜爛되어 濕性壞疽를 보인다. 그 외 面色萎黃, 胸悶, 納呆, 口渴而不欲飮, 小便短赤, 舌淡紅, 苔白膩或黃膩, 脈滑數或細數 등의 症狀이 수반된다. 淸熱化濕, 活血通絡하는 茵陳赤小豆湯, 解毒養陰湯合健脾除濕湯 등을 활용한다.

(4) 熱毒侵膚型 : 患肢에 壞疽가 일어나며 紅腫熱痛이 있고 膿液이 비교적 많으며 惡臭가 난다. 그 외 高熱或低熱, 煩燥, 口渴引飮, 便秘, 溲黃, 納呆食少, 感覺異常, 舌紫紅, 苔黃膩 或板黃 或黑灰, 脈洪數或弦數 등의 症狀이 수반된다. 淸熱解毒, 活血養陰하는 四妙勇安湯, 四妙活血湯, 淸營湯, 四紅湯 등을 활용한다.

(5) 氣血兩虛型 : 潰瘍面이 오랫동안 愈合되지 않는다. 膿液은 稀薄하며 疼痛은 비교적 가볍고 皮膚는 乾燥하며 肌肉이 消瘦하다. 그 외 肢體無力, 精神疲憊, 面色憔悴, 心悸, 失眠, 舌淡紅, 苔薄白, 脈沈細無力 등의 症狀이 수반된다. 補益氣血, 調和營衛하는 八珍湯, 顧步湯, 人蔘養榮湯, 歸脾湯, 十全大補湯 등을 활용한다.

### 2) 外治法

(1) 潰瘍이 형성되지 않은 경우는 乾薑, 乳香, 紅花, 沒藥, 蘇木, 吳茱萸, 川椒 등을 煎湯하여 매일 1~2회, 30분 熏洗한다.

(2) 未潰瘍일 때 陽和解凝膏, 金黃膏 등을 外敷한다.

(3) 潰瘍이 형성된 경우는 傷口를 청결히 洗滌하고 三黃洗液으로 濕布한다.

(4) 腐肉이 잘 제거되지 않는 경우는 全蝎膏, 九一丹 등을 外敷한다.

(5) 潰後 瘡面이 쉽게 愈合되지 않는 경우는 生肌玉紅膏를 外敷한다.

### 3) 其他療法

(1) 體鍼療法 및 灸療法

① 初期 : 內關, 太淵, 足三里, 陽陵泉, 三陰交, 太溪(鍼刺하고 灸法)

② 中期 : 內關, 太淵, 足三里, 陽陵泉, 三陰交, 太溪, 神門(瀉血)

③ 後期 : 內關, 太淵, 足三里, 陽陵泉, 三陰交, 太溪, 衝陽(灸法)

## 6. 예후

혈액 흐름이 저하되어 있어 궤양이 잘 치유되지 않으며, 궤양부위에 세균 등에 의한 이차감염이 발생할 수도 있다. 또한, 조직 괴사가 발행할 수 있어 결국 절단을 해야 하는 상황에 이르게 된 경우 절단 후에 혈액 흐름이 원활하지 않을 경우 수술부위가 잘 아물지 않을 수 있다.

# Ⅳ 림프부종 Lymphedema

## 1. 개요

림프부종(lymphedema)은 림프의 흐름이 불량하고 滯留되어 淺層 軟組織 내에 體液이 저류되고 점차로 硬化되는 皮膚疾患을 말한다. 림프부종은 병인과 표현에 따라 일차성 또는 이차성으로 분류된다.

이는 한의학 문헌에서의 무명종(無名腫)과 유사하다.

한의학 문헌 중《外科選要》에서 "無名腫毒者 不拘于頭面 手足 胸腹等處 焮赤腫硬 結核疼痛. 又名腫瘍 又名虛瘍 但腫無頭無面者 俱是也. 腫勢盛者 以棱針刺去惡血 切不可以火針烙之. 若暴發赤腫 切不可以針破之 只宜以洗腫方法淋洗."라고 증상과 치료에 대해 설명하고 있다.

## 2. 원인 및 병기

림프부종의 유병률 추정치는 광범위하며 연령, 성별 및 병인에 따라 다르다. 전 세계적으로 원발성 림프부종의 가장 흔한 원인은 선충 Wuchereria bancrofti에 의한 감염이다. 선진국에서 림프부종의 대부분은 속발성이며 악성 종양이나 이를 위한 치료로 인한 것이다. 특정 유전 증후군 및 기타 유전적 돌연변이, 악성 종양과 치료, 노년기, 비만, 자가면역 질환 및 염증성 관절염 등이 림프부종의 위험 요소들이다. 림프부종과 관련된 가장 흔한 암은 림프절 절제와 관련된 유방암이다.

### 1) 원발성 림프부종

일차성 림프부종이라고도 하며 자극 요인이 없는 림프부종으로 일반적으로 림프관의 병리학적 발달과 관련된 선천적 또는 유전적 원인에 의한 것이다. 원발성 림프부종은 대개 어린 시절에 나타나지만 나중에 성인이 되어서도 나타날 수 있다. 원발성 림프부종은 발병 연령에 따라 선천성 림프부종(출생 시 또는 출생 후 2년까지 존재), 초기 림프부종(일반적으로 35세 이전에 발병하는 사춘기 또는 임신 중에 발생), 지연성 림프부종(35세 이후에 발병)으로 구분할 수 있다.

### 2) 속발성 림프부종

다른 상태나 치료의 결과로 발생하는 림프부종으로 이차성 림프부종이라고도 한다. 암과 암 치료, 감염, 염증성 장애, 비만 및 만성 형태의 림프계 과부하(예: 만성 정맥 부전, 외상/화상) 등이 이차성 림프부종의 원인이 될 수 있다.

한의학적으로 毒氣가 經絡에 侵犯하여 또는 벌레에 물렸거나 先天稟賦가 부족해 經絡이 鬱滯되고 脈道가 閉塞되어 氣血運行이 障碍된 결과 濕熱이 內生하여 발생한다고 보고 있다.

## 3. 증상

患部가 壓陷性 浮腫을 보이며 창백하고 온도가 낮아지며 휴식이나 患部를 높이 들고 있을 때는 浮腫이 감소한다. 肢體의 먼 곳부터 혹은 局所 부위에서 시작되어 점차로 확산되고 浮腫이 加重되며 심한 경우 淋巴가 瘀積되어 大疱를 형성한다. 오랫동안 閉塞되면 浮腫이 지속적이며 소실되지 않고 점차적으로 非壓陷性을 보이며 단단해진다. 患部의 皮膚가 거칠어지고 色素沈着도 증가되며 과도하게 角化가 일어난다. 經過 중에 感染, 龜裂, 潰瘍을 형성하기도 한다.

## 4. 진단감별

림프부종이 의심되는 환자의 평가에는 세심한 병력 청취가 중요하다. 발병 연령, 침범 영역, 관련 증상, 증상의 진행(예: 통증, 부기, 압박감), 과거 병력(예: 감염, 방사선 요법), 수술 병력, 여행력 등을 확인할 필요가 있다. 신체 검사는 혈관계, 피부 및 연조직을 평가하고 림프절의 촉진을 포함해야 한다. 림프부종의 경우의 2/3는 편측성이지만, 편측성 여부는 유발 요인에 따라 다르다. 예를 들어, 겨드랑이 결절 절제술은 동측 상지의 림프부종의 위험을 증가시키는 반면 골반 결절 절제술은 양측하지 부종의 위험을 증가시킬 수 있다.

림프부종 및 비대칭 사지 측정과 일치하는 전형적인 임상 특징을 갖는 병력 및 신체 검사로 일반적으로 림프부종을 진단할 수 있다. 병력 및 신체 검사로 최종 진단을 내리지 못하거나 림프관 폐쇄(예: 종양으로 인한 경우)가 의심되는 경우에 추가 영상 촬영을 진행할 수 있다. 림프계의 영상은 일반적으로 림프부종의 진단을 확인하는데 필요하지 않지만 림프부종과 부종의 비림프성 원인을 구별하는 데 도움이 될 수 있다.

만성 정맥 부전, 급성 심부정맥 혈전증, 혈전 후 증후군, 사지 비대, 지방 부종, 점액종, 종양 등과의 감별 진단이 필요하다.

## 5. 치료

### 1) 內治法

水濕瘀滯型 : 患部가 단단해지고 눌러도 凹陷되지 않으며 皮膚色은 정상이나 光亮하고 沈重感이 있다. 그 외 舌淡, 舌體胖, 苔白膩, 脈沈緩 등의 症狀이 수반된다. 健脾益氣, 利水通絡하는 健脾除濕湯을 활용한다.

## 6. 예후

정맥질환으로 인한 부종과는 달리 사지를 높게 올려놓아도 부종이 수일에 걸쳐 매우 천천히 사라지는 경우 림프부종을 의심할 수 있다.

### 참고문헌

1) 전국 한의과대학 피부외과학 교재편찬위원회. 한의피부외과학. 부산: 선우; 2007.
2) 主編. 谭新华, 何清湖. 중의외과학 2nd ed. 북경: 인민위생출판사; 2016.
3) Bar Ad V, Cheville A, Solin LJ, et al. Time course of mild arm lymphedema after breast conservation treatment for early-stage breast cancer. Int J Radiat Oncol Biol Phys 2010.
4) Blanco R, Martínez-Taboada VM, Rodríguez-Valverde V, García-Fuentes M. Cutaneous vasculitis in children and adults. Associated diseases and etiologic factors in 303 patients. Medicine (Baltimore) 1998.
5) Calabrese LH, Michel BA, Bloch DA, et al. The American College of Rheumatology 1990 criteria for the classification of hypersensitivity vasculitis. Arthritis Rheum 1990.

6) Chikura B, Moore T, Manning J, et al. Thumb involvement in Raynaud's phenomenon as an indicator of underlying connective tissue disease. J Rheumatol 2010.
7) Chikura B, Moore TL, Manning JB, et al. Sparing of the thumb in Raynaud's phenomenon. Rheumatology (Oxford) 2008.
8) Hayes SC, Janda M, Cornish B, et al. Lymphedema after breast cancer: incidence, risk factors, and effect on upper body function. J Clin Oncol 2008.
9) Vignes S, Arrault M, Yannoutsos A, Blanchard M. Primary upper-limb lymphoedema. Br J Dermatol 2013.
10) Warren AG, Brorson H, Borud LJ, Slavin SA. Lymphedema: a comprehensive review. Ann Plast Surg 2007.

# 第40章 결합조직병

| CD 코드 | 한글 상병명 | 영문 상병명 |
|---|---|---|
| **L93** | **홍반루푸스** | **Lupus erythematosus** |
| L93.0 | 원반모양홍반루푸스 | Discoid lupus erythematosus |
| L93.0 | 홍반루푸스 NOS | Lupus erythematosus NOS |
| L93.1 | 아급성 피부홍반루푸스 | Subacute cutaneous lupus erythematosus |
| L93.2 | 기타 국소홍반루푸스 | Other local lupus erythematosus |
| L93.2 | 심부홍반루푸스 | Erythematosus profundus lupus |
| L93.2 | 루푸스지방층염 | Panniculitis lupus |
| **L94** | **기타 국소적 결합조직장애** | **Other localized connective tissue disorders** |
| L94.0 | 국소적 피부경화증 | Localized scleroderma [Morphea] |
| L94.0 | 국한피부경화증 | Circumscribed scleroderma |
| L94.1 | 선상피부경화증 | Linear scleroderma |
| L94.1 | 칼맞은 모양의 병변 | En coup de sabre lesion |
| L94.2 | 피부석회증 | Calcinosis cutis |
| L94.3 | 경지증(硬指症) | Sclerodactyly |
| L94.4 | 고트론구진 | Gottron's papules |
| **M33** | **피부다발근염** | **Dermatopolymyositis** |
| M33.0 | 연소성 피부근염 | Juvenile dermatomyositis |
| M33.1 | 기타 피부근염 | Other dermatomyositis |
| M33.2 | 다발근염 | Polymyositis |
| M33.9 | 상세불명의 피부다발근염 | Dermatopolymyositis, unspecified |
| M34 | 전신경화증 | Systemic sclerosis |
| M34 | 피부경화증 | Scleroderma |
| M34.0 | 진행성 전신경화증 | Progressive systemic sclerosis |

| | | |
|---|---|---|
| M34.1 | 크레스트증후군 | CR(E)ST syndrome |
| M34.1 | 석회증, 레이노현상, 식도기능장애, 경지증(硬指症), 모세혈관확장의 조합 | Combination of calcinosis, Raynaud's phenomenon, (o)esophageal dysfunction, sclerodactyly, telangiectasia |
| M34.2 | 약물 및 화학물질로 유발된 전신경화증 | Systemic sclerosis induced by drugs and chemicals |
| M34.2 | 원인의 분류를 원한다면 부가적인 외인분류코드(XX장)를 사용할 것. | Use additional external cause code (Chapter XX), if desired, to identify cause. |
| M34.8 | 기타 형태의 전신경화증 | Other forms of systemic sclerosis |
| M34.8 | 폐침범을 동반한 전신경화증†(J99.1*) | Systemic sclerosis with lung involvement(J99.1*) |
| M34.8 | 근병증을 동반한 전신경화증†(G73.7*) | Systemic sclerosis with myopathy(G73.7*) |
| M34.8 | 다발신경병증을 동반한 전신경화증†(G63.5*) | Systemic sclerosis with polyneuropathy†(G63.5*) |
| M34.9 | 상세불명의 전신경화증 | Systemic sclerosis, unspecified |

# I 홍반성 루프스 Lupus Erythematosus

## 1. 개요

홍반성 루프스(lupus erythematosus, LE)는 만성 경과를 취하는 자가면역 결합조직병으로 신체 대부분의 장기를 침범한다. 일반적으로 피부 홍반성 루프스(cutaneous LE, CLE)와 전신성 홍반성 루프스(systemic LE, SLE)의 두 임상형으로 분류하고 있으며, 이중 CLE는 원칙적으로 피부만을 침범한다. CLE는 피부 임상 형태에 따라 급성 피부 홍반성 루프스(acute CLE, ACLE), 아급성 피부 홍반성 루프스(subacute CLE, SCLE) 및 만성 피부 홍반성 루프스(chronic CLE, CCLE) 세 가지로 분류할 수 있다. 본 질환은 20~40세의 여성에서 다발하고 과로, 임신, 약물과민 등이 발병의 중요 유발인자로 임상증상이 매우 복잡하고 병정이 비교적 길며 반복해서 발생한다.

이는 한의학 문헌에서의 홍호접(紅蝴蝶)과 유사하다. 한의학 문헌 중 이 질환을 정확하게 설명한 부분은 없으나, 《諸病源候論 · 溫病發斑候》에서 "……表証未罷, 毒氣不散, 故發斑瘡……至夏遇熱, 溫毒始發出于肌膚, 斑爛隱軫, 如錦文也."라고 설명한 부분에서 원인을 찾을 수 있으며, 《金匱要略 · 百合孤惑陰陽毒病脈症幷治第三》에서 "陽毒之爲病, 面赤斑斑如錦文, 咽喉痛." "陰毒之爲病, 面目青, 身痛如被杖, 咽喉痛"라고 하여 증상을 설명한 부분을 참고할 수 있다.

## 2. 원인 및 병기

SLE의 병인은 아직 명확히 알려져 있지 않지만 유전적 요인, 호르몬 요인, 면역학적 요인, 환경적 요인 등 다양한 요인들에 의한 다인성 질환으로 알려져 있다. 특히 SLE의 많은 임상 증상이 항체 형성 및 면역 복합체 생성에 직간접적으로 매개되는 것으로 알려져 있다.

한의학적으로 다음과 같은 원인 및 병기를 보이는 것으로 보고 있다.

1) 先天稟賦不足: 先天稟賦가 不足하여 腠理가 不密하고 衛氣가 약해 風暑燥火에 쉽게 感受되고 日光陽毒이 侵襲해서 陰陽이 균형을 잃어 발생한다.

2) 氣滯血瘀: 七情內傷으로 五志化火 혹은 憂思抑鬱로 肝의 疏泄機能이 失調되거나 暴怒暴喜, 大驚大悲로 氣機逆亂하여 氣血이 瘀阻하고 瘀血이 熱로 化해 五臟을 熏灼해서 발생한다.

3) 飮食失調 勞倦過度: 五辛香燥를 과식하여 脾의 運化機能이 失調되거나 혹은 過敏藥物을 복용해 濕熱이 쌓여 毒이 되고 血分에 영향을 미쳐 발생한다. 또한 勞倦過度로 耗氣傷陰하여 虛火上炎한데 다시 熱毒의 侵襲을 받아서 발생한다.

4) 經絡瘀阻 臟腑內傷: 久病이 낫지 않고 邪毒이 안으로 侵犯해 陽分에 結滯되어 熱毒이 쌓이면 급성발작을 야기한다. 陰分에 쌓이면 血脈이 凝澁하고 經絡을 痺阻해서 氣陰이 모두 虧損되어 발생한다.

## 3. 증상

### 1) 피부 홍반성 루푸스(cutaneous LE, CLE)

#### (1) 급성 피부 홍반성 루프스(ACLE)

ACLE는 특징적인 국소 안면 발진으로 나타날 수 있는 전신 홍반성 루푸스(SLE)의 징후이다. 국소 ACLE는 SLE 환자의 약 절반에서 나타나고 ACLE를 가진 거의 모든 환자는 SLE를 가지고 있다.

##### ① 피부병변

국소 ACLE의 안면 발진은 뺨 및 코의 홍반이 특징적이다. 홍반은 몇 시간, 며칠 또는 몇 주 동안 지속될 수 있으며 특히 태양에 노출되면 흔히 재발된다. 어두운 피부 유형에서는 급성 염증 단계 이후에도 염증 후 과다색소침착 또는 저색소침착이 지속될 수 있다.

##### ② 호발부위

주로 태양에 노출된 피부를 포함하는 홍반성 반구진 발진으로 나타난다. 팔과 손의 신근 표면도 일반적으로 호발하는 부위이다.

③ 경과

국소 ACLE는 SLE의 다른 증상보다 수개월 또는 수년이 걸릴 수 있거나 급성 SLE의 다른 증상 및 징후를 동반할 수 있다.

### (2) 아급성 피부 홍반성 루푸스(Subacute Lupus Erythematosus, SCLE)

SCLE는 종종 SLE와 연관된다.

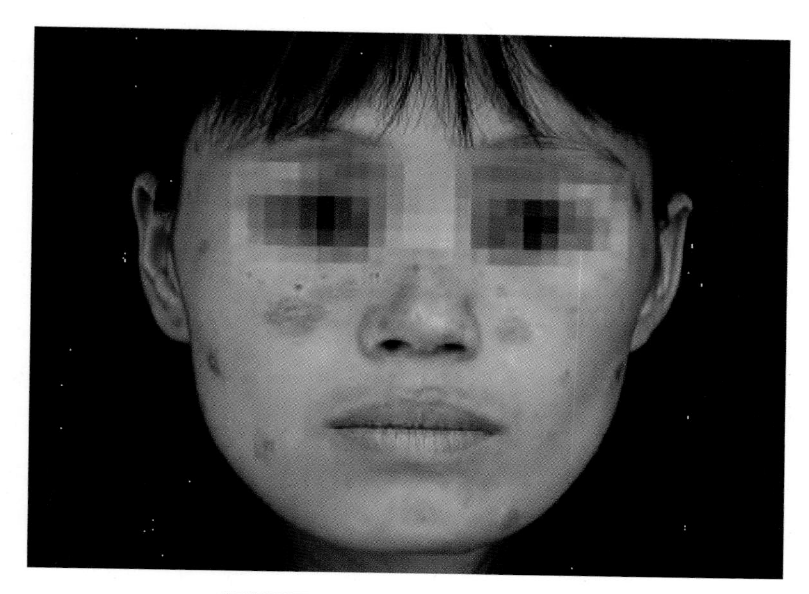

그림 40-1 아급성 피부 홍반성 루푸스

① 피부병변

병변은 구진으로 시작하여 건선양 혹은 윤상 병변으로 진행한다. 인설은 얇고 쉽게 박리되며 모세혈관 확장과 색소이상이 관찰되지만 모낭은 침범되지 않으며 반흔을 남기지 않고 치유된다.

② 호발부위

양측성으로 광선 노출부위인 상부 몸통과 팔에 주로 발생하지만 상지의 굴측부, 액와, 허리, 지관절 배면은 침범하지 않는다.

③ 경과

급성 피부 홍반성 루푸스보다는 덜 심각하나 비교적 경과가 길어 피부 병변은 느리게 소실되나 원판상 홍반성 루푸스와는 달리 반흔을 남기지 않는다. 전신 증상의 동반은 흔하나 신장, 중추신경계,

혈관계통의 합병증은 거의 동반되지 않으며 홍반성 루푸스 환자의 약 10~15%를 차지한다.

#### (3) 만성 피부홍반성 루프스(CCLE)

CCLE에는 여러 가지 임상형이 있지만 원판형 홍반성 루프스(DLE)가 가능 흔하다.

##### ① 원판상 홍반성 루푸스(discoid lupus erythematosus, DLE)

㉮ 피부병변

초기에 경계가 분명한 원형 내지는 불규칙한 침윤성 홍반, 표면에 견고하게 붙은 인설, 모낭을 막고 있는 각질전, 확대된 모낭구, 모세혈관 확장이나 위축 등이 나타난다. 병정이 오래되면 피부에 위축성 반흔과 색소침착 혹은 감퇴가 나타난다. 임상형태에 따라 국소성, 전신성, 위축성 DLE로 구분할 수 있다.

㉯ 호발부위

광선 노출부위인 두피, 안면, 귀에 발생한다.

㉰ 경과

비교적 양성의 경과를 취하며 반흔을 남기는 것이 일반적이며 두피에 발생할 경우 탈모가 지속되기도 한다. 색소가 소실되어 흰반점을 남기기도 하나 전신성 홍반성 루푸스로의 발전은 드물다.

이 외에도 CCLE의 임상형으로 동창 홍반성 루프스(chilblain lupus erythematosus, chilblain LE) 홍반성 루프스 지방층염(lupus profundus, lupus panniculitis), 비대 홍반성 루프스(lupus erythematosus tumidus, LE tumidus) 등이 있다.

### 2) 전신성 홍반성 루푸스(systemic lupus erythematosus, SLE)

소수의 내부 장기에 손상이 나타나기도 하며 여러 장기에 동시에 나타나기도 한다. 초기에는 발열이 있고, 피부와 관절에 증상이 나타나며 말기에는 장기 손상까지 이른다.

#### (1) 피부병변

전형적인 피부 증상은 코와 뺨에 대칭성의 나비 모양의 홍반이 나타나는데 크기가 불규칙하고 형태가 다양하며 색은 선홍색 내지는 자홍색을 띤다. 병변은 다른 부위에도 나타날 수 있는데 원판상 홍반성 루푸스의 증상을 보인다. 또한 손톱, 발톱 주위의 모세혈관 확장, 홍반, 탈모(특히 전두부), 광과민성, 구강 및 외음부 점막의 미란과 궤양을 동반한다. 소수의 경우 피부 증상이 거의 나타나지 않는다.

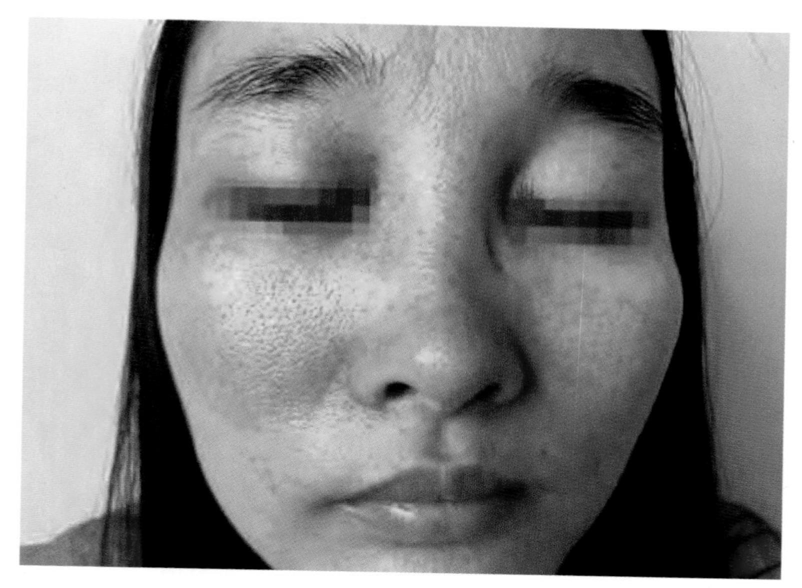

그림 40-2 전신성 홍반성 루프스 환자의 나비모양 홍반

(2) 전신증상

발열은 대부분 불규칙한 미열이 위주가 되고 고열이 나타나기도 하며, 대다수의 환자에게 관절통, 특히 사지관절이 위주가 된다. 대부분의 경우 관절에 무균성 괴사가 나타나고 寒冷을 만나면 레이노현상이 나타난다. 본 질환은 항상 발열, 두통, 관절통으로 시작해서 말기에는 각 장기에 침범해 서로 다른 증상이 나타난다.

① 신장 : 신장염, 신증후군, 단백뇨, 고질소혈증, 방광염
② 심장과 폐 : 심근염, 심막염, 폐렴, 흉막염
③ 신경계 : 중추신경계 혈관염(편측 부전마비, 경련, 발작, 복시, 망막염, 맥락막염, 인격장애 등), 정신적 우울, 두통, 말초신경염, 정신혼란과 기억상실
④ 소화기관 : 구역, 구토, 설사, 위궤양, 췌장염으로 인한 복통
⑤ 간 : 루푸스 간염
⑥ 눈 : 망막병변(세포양소체, 출혈, 유두부종, 중심정맥폐쇄), 결막염, 상공막염
⑦ 혈액학적 변화 : 빈혈, 백혈구 감소증, 혈소판 감소증
⑧ 혈전 : 혈소판 감소, 망상청피반, 신경질환, 높은 빈도의 임신후유증
⑨ 점막 : 급성기에 구강, 구개, 잇몸의 점막에 점상출혈, 홍반
⑩ 관절 : 관절염, 관절통

(3) 경과

피부 병변은 일시적이기도 하고 지속되기도 하나 재발되기도 한다. 반흔이나 색소침착을 남기기도 하나 예후는 다른 장기의 침범에 따라 달라진다.

## 4. 진단감별

### 1) CLE

일반적으로 CLE는 상황에 맞는 임상적 소견에 의해 진단할 수 있다. 비정형적 임상 양상이나 다른 피부 질환과 겹치는 임상 특징을 보여 임상 증상만으로 진단하기 힘든 경우 확증적 조직병리 검사를 통해 진단할 수 있다. 간한 임상 소견 및 조직학적 평가 후에도 진단이 불확실한 경우 직접면역형광법을 실시하는 경우도 있다.

국소 ACLE는 주사와 감별이 필요하다. 주사에서도 태양 노출에 의해 악화될 수 있지만 그 외 매운 음식, 카페인, 열 자극 등에 홍반이 악화될 수 있다. 또한 주사에서는 구진, 농포 등이 병발할 수 있다. SCLE는 건선, 백선, 습진, 피부근염, 피부 T 세포 림프종 및 약물 발진과 같은 홍반성 구진 또는 판을 나타낼 수 있는 다른 피부 질환과 감별이 필요하다. DLE는 백선, 안면육아종, 피부의 림프증식성 장애(양성 혹 악성), 심상성루프스, 나병 등과 감별 진단이 필요하다.

### 2) SLE

SLE 진단은 임상 증상과 검사실 소견을 참고로 1982년 미국 류마티스 협회에서 제정한 진단 기준에 따르며 11개 기준 중 4개 혹은 그 이상의 증상이 동시 또는 연속적으로 나타나면 진단할 수 있다.

(1) 안면 홍조
(2) 원판상 루푸스 병변(피부)
(3) 광과민성
(4) 구강내 궤양
(5) 비미란성 관절염
(6) 장막염(심막염 또는 늑막염)
(7) 신병증(알부민뇨 또는 소변 중 세포원주)
(8) 중추신경계 질환(원인 불명의 발작 또는 정신병)
(9) 혈액학적 이상 소견(망상적혈구 증가증과 동반된 용혈성 빈혈, 2회의 검사에서 4000 이하의 백혈구 감소증이나 1500 이하의 림프구 감소증)
(10) 면역학적 이상(LE 세포 양성, native DNA나 SM 항원에 대한 항체, 위양성 매독 반응)
(11) 원인 불명의 항핵 항체 역가의 이상

LE는 점막에 영향을 줄 수 있기 때문에 구강 침범 시 백색 플라크, 홍반, 미란, 궤양이 나타날 수 있으므로 구강 LE가 있는 경우 편평태선, 칸디다증, 아프타성 구내염, 구강 내 헤르페스, 베체트 증후군 등과 감별이 필요하다.

## 5. 치료

### 1) 內治法

#### (1) 陰虛內熱型

안면부의 홍반 주위가 약간 융기되어 있으며 선홍 내지는 암홍색을 띠고 인설이 위에 덮이며 햇빛을 쬔 후나 과로 후에 심해진다. 兩頰潮紅, 低熱乏力, 五心煩熱, 失眠盜汗 등이 동반되며 舌質은 紅하고 少苔하며 脈細數하다.

滋陰補腎, 淸熱凉血하는 知柏地黃丸加減을 활용한다. 低熱不退하면 銀柴胡 白薇를, 盜汗에는 五味子 淮小麥을, 毛髮脫落에는 白何首烏 女貞子를, 關節疼痛에는 秦艽 鷄血藤을, 面頰紅斑에는 赤芍藥 茜草를 加한다.

#### (2) 氣滯血瘀型

안면부의 홍반이 나비 모양의 대칭을 이루고 안색은 암홍하며 인설은 회백색으로 정착되어 잘 떨어지지 않는다. 胸脇脹痛, 頭目暈痛, 腹脹納呆, 月經不調 或 痛經 등이 동반되고 舌質은 暗紅 或 有瘀點이 있고 苔薄黃하며 脈弦澁 或 弦數하다.

疏肝理氣, 活血化瘀하는 逍遙散加減을 활용한다. 脇肋疼痛에는 丹蔘 枸杞子를, 肝脾不和에는 旋覆花 焦三仙을, 月經不調에는 益母草 澤蘭을 加한다.

#### (3) 熱毒熾盛型

발병이 신속하고 고열이 지속되며 피부에 홍반 및 瘀斑이 나타나고 吐血, 衄血, 便血, 자반등이 보일 수 있다. 肌肉酸痛, 關節疼痛, 煩躁不眠 및 심하면 神昏, 譫語, 搐搦 등이 나타난다. 舌質은 紅絳하고 苔黃 或 光剝하며 脈洪數하다.

淸熱凉血, 解毒化斑하는 犀角地黃湯加減을 활용한다. 衄血이 있으면 金銀花炭 生地黃炭 側柏葉을, 壯熱不退에는 黃連 黃栢 大黃을, 搐搦에는 羚羊角 鈎鉤藤을, 神昏譫語에는 紫雪散을 加한다.

(4) 氣陰兩虛型

홍반이 없어지지 않고 선홍색을 띠고 고열 후에 미열이 지속되며 手足心熱, 口渴咽乾, 心煩不眠, 少氣懶言, 面色不華, 關節酸痛, 毛髮脫落 등의 증상이 동반된다. 舌質은 紅하고 苔薄 或 無하며 脈細數 或 濡數하다.

益氣養陰, 通經活絡하는 生脈散加減을 활용한다. 低熱不退에는 地骨皮 銀柴胡를, 關節疼痛에는 桑寄生 秦艽를, 面頰紅斑에는 金銀花 凌霄花를, 肢軟乏力에는 杜冲炒 續斷을, 失眠에는 合歡皮 夜交藤을 加한다.

(5) 心腎兩虛型

홍반이 불분명하거나 없으며 形寒肢冷, 腰膝疼痛, 神疲乏力, 面浮肢腫, 心悸氣短, 腹冷便溏 등의 증상이 나타난다. 舌體는 胖嫩하고 舌質은 淡하며 齒痕이 있고, 苔白하고 脈沈細弱하다.

溫陽補腎, 活血通絡하는 濟生腎氣丸合四君子湯加減을 활용한다. 水腫에는 猪苓 大腹皮를, 尿少에는 桂枝 生苡米를, 心悸에는 茯神 鹿茸粉을, 肢冷疼痛에는 羌活 獨活을 加한다.

### 2) 外治法

白玉膏에 甘草粉 20%를 섞어 하루에 3~4회 患部에 바른다.

### 3) 其他療法

(1) 腎臟損傷으로 尿毒症이 나타나면 保留灌腸法을 사용한다. <藥用: 生大黄 12 g · 熟附子 10 g · 牡蠣 10 g에 물 500~800 ㎖를 가해 200 ㎖으로 쫄여 매일 1회씩 保留灌腸한다>

(2) 體鍼療法 : 風池 間使 足三里 華佗夾脊을 主穴로 陰虛火旺에는 腎兪 三陰交 太衝을, 氣滯血瘀에는 肝兪 血海 期門을, 熱毒熾盛에는 大椎 曲池 委中 陽陵泉을, 氣陰兩虛에는 脾兪 腎兪 商丘 關元을, 脾腎陽虛에는 合谷 天樞 腎兪 命門을 配穴한다.

(3) 耳鍼療法 : 肺, 腎, 面頰, 外鼻, 皮質下, 內分泌

## 6. 예후

홍반성 루푸스는 피부, 신장, 신경, 혈액 및 기타 시스템에 영향을 미치는 자가면역 질환으로 인체 건강을 심각하게 위협할 수 있다. 임상적으로 피부 손상 환자는 80~90%에 이른다. 중국에서는 홍반성 루프스에 대한 한약 치료의 효과가 다수 보고되어 있으며 임상 증상을 신속하게 개선하여 환자의 수명을 연장하는데 도움을 줄 수 있다고 보고되어 있다. 이 질환의 임상 증상은 복잡하고 중증 증후군이 있기 때문에 급성 증상을 보이는 경우는 양약 치료를 병행할 필요가 있다.

## Ⅱ 피부근염 Dermatomyositis

### 1. 개요

피부근염(dermatomyositis)은 피부의 부종, 홍반, 모세혈관 확장, 색소 침착, 간질 석회화 등이 나타나며, 여러 근육의 염증성 근염으로 근허약을 나타내는 면역 매개 질환이다. 임상 양상에 따라 피부 병변 없이 근육만 침범하는 다발성 근염, 피부 병변과 근육 침범을 동시에 보이는 피부근염, 악성 종양을 동반한 다발성 근염 또는 피부근염, 소아 다발성 근염 또는 피부근염, 근육 침범 없이 피부 병변을 보이는 근무병증성 피부근염으로 분류한다.

이는 한의학 문헌에서의 기비(肌痹)와 유사하다. 한의학 문헌 중《素問 · 痿論》에서 "肺主身之皮毛……故肺熱葉焦, 則皮毛虛弱, 急薄, 著則生痿躄也……肝氣熱, 則膽泄口苦, 筋膜乾, 筋膜乾則筋急而攣, 發爲筋痿 · 脾氣熱, 則胃乾而渴, 肌肉不仁, 發爲肉痿. 腎氣熱, 則腰脊不擧, 骨枯而髓減, 發爲骨痿."라고 설명한 증상에서 유사점을 찾을 수 있다.

### 2. 원인 및 병기

피부근염은 정확한 원인은 알려져 있지 않았지만, 유전적 감수성, 면역학적 요인 등이 관여하는 자가면역 질환으로 보고 있다.

한의학적으로 다음과 같은 원인 및 병기를 보이는 것으로 보고 있다.

1) 稟賦不足 : 先天稟賦가 부족한데 後天的으로 正氣가 虛弱하여 風寒濕邪가 外侵해서 肌膚에 凝滯되고 經絡을 阻滯하면 營衛氣血이 腠理를 溫煦하지 못해 발생한다.
2) 寒濕凝滯 : 體虛한 사람은 氣血이 不足하여 衛外를 固密하게 하지 못하는데 이로 인해 寒濕의 邪氣가 쉽게 肌膚에 침범하여 經絡을 阻塞하게 되므로 氣血이 瘀滯하게 되어 발생한다.
3) 脾腎陽虛 : 본래 陽虛하거나 寒邪가 오랫동안 머물러 衛陽을 손상한 후에 다시 風寒濕邪의 침입을 받아 陽氣가 被遏되어 氣血이 澁滯되어 발생한다.

## 3. 증상

### 1) 피부 병변

초기 증상으로 안면과 안검에 홍반과 부종이 나타난다. 특히 안검을 제일 먼저 침범하여 특징적인 연자색 홍반이 나타나는데 이는 안와근육의 염증에 기인된 피부 소견으로서 양측성으로 위쪽 눈꺼풀에서 흔히 발생한다. 또한 눈 주위 근육을 침범하여 통증을 동반하며, 가벼운 모세혈관 확장과 외

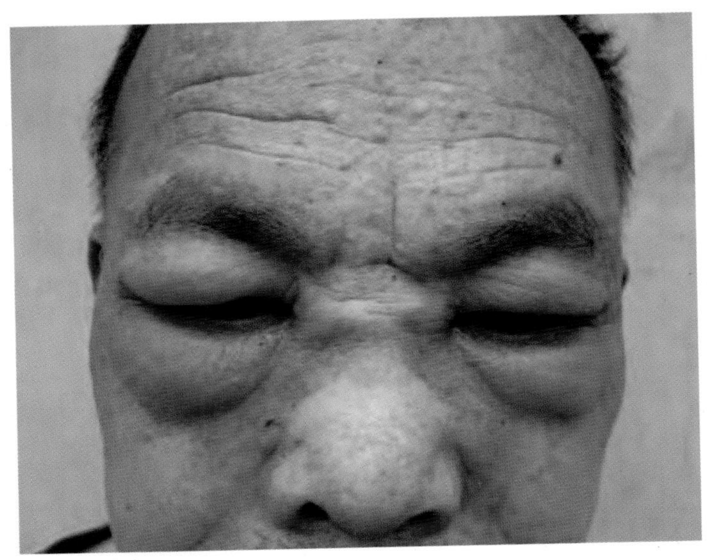

그림 40-3 피부근염 환자의 안면과 안검 홍반, 부종

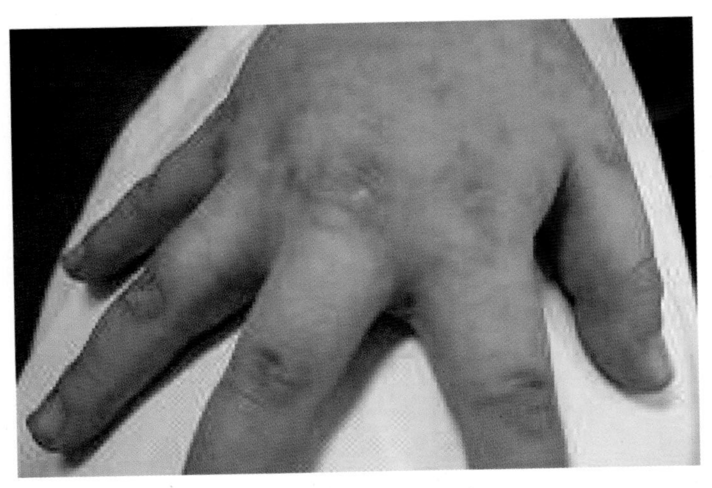

그림 40-4 Gottron 구진

안근 마비가 나타나기도 한다. 이러한 상태가 수개월 지속되거나 이어서 홍반성 루푸스와 유사한 피부 병변이 안면부에 나타나고 목, 가슴, 어깨 등으로 확대될 수 있다. 또한 심한 소양증을 동반한 대칭성 홍반이 손가락, 손, 팔의 신측부에 나타난다.

인설을 동반한 적자색의 구진이 수지관절의 배면, 무릎, 팔꿈치에 양측성으로 발생하는데, 특히 수지관절 배면에 발생한 특징적인 적자색 구진을 Gottron 구진이라 한다.

손톱 주위의 변화로는 모세혈관의 확장과 변형, 손바닥의 붉은 반점 또는 손가락 말단부가 노역자의 손처럼 거칠고 갈라지며 각화가 일어나거나(mechanic's hand) 드물게는 레이노 현상이 관찰되며 손끝의 궤양이 발생하기도 한다.

### 2) 경과

안면과 상흉부의 모세혈관 확장과 홍반은 주기적으로 악화되면서 수개월 혹은 수년간 지속되다가 갈색의 색소 침착을 남긴다.

### 3) 근육의 변화

일반적으로 피부 병변이 발생한 후 6개월 정도 이후에 나타나는데 급성 부종과 동통을 동반한 근 허약 소견을 보인다. 이러한 근 허약은 대칭적으로 나타나는데 주로 어깨 주위의 근육을 침범하며 손과 골반을 침범하기도 한다.

### 4) 동반질환

경피증, 홍반성 루푸스, 쇼그렌 증후군, 팔목 터널 증후군, 아급성 폐섬유증 등이 동반되기도 한다.

### 5) 악성 질환

40~50세의 여자 환자한테 악성 종양의 발견이 흔하게 나타난다. 특히 난소암의 발생이 높으며 이외 악성 흑색종, 균상 식육종, 카포시 육종 등이 자주 동반된다.

## 4. 진단감별

근위부 근육 약화가 있는 환자들의 경우 피부근염을 의심해 볼 수 있다. 특히 피부 발진이 동반되는 경우 근병증성 피부근염(amyopathic DM, ADM)을 의심해 볼 수 있다. 진단 시 병력 청취를 주의 깊게 해야 하며 신체 진찰 및 실험실 검사 등을 통해 진단할 수 있다. 피부근염은 근육 효소 상승 여부와 관계없이 근력 약화를 유발하는 염증성 근병증, 운동신경 질환, 중증 근무력증, 근이영양증, 기타 전신 류마티스 질환 및 유전성, 대사성, 약물유발성, 내분비성, 감염성 근병증과 감별이 필요하다. 특히 이러한 질환들은 피부근염의 특징적인 피부 증상과 관련이 없다. 피부근염, 다발성근염으로 진단된 환자의 경우 간질성 폐 질환을 평가하고 악성을 배제하기 위한 추가 평가가 수행되어야 한다.

## 5. 치료

### 1) 內治法

#### (1) 熱毒熾盛型

발병이 신속하며 피부색은 紫紅色을 띠면서 약간 부어 있다. 壯熱, 口苦咽乾, 關節疼痛無力 및 심하면 神昏, 煩燥 등이 나타난다. 舌質은 紅絳하고 苔薄黃微乾하며 脈數하다.

凉血解毒, 養陰淸熱하는 淸瘟敗毒飮을 활용한다.

#### (2) 寒濕凝滯型

病程이 비교적 완만하며 피부색은 暗紅色을 띠며 전신 근육의 酸痛과 無力이 나타난다. 舌質은 淡紅하고 苔薄白하며 脈沈細澁하다.

益氣溫陽, 散寒通絡하는 陽和湯을 활용한다.

#### (3) 脾腎陽虛型

피부색은 紫紅 또는 暗紅色을 띠면서 레이노 현상, 肌肉萎縮, 關節疼痛, 形體消瘦無力, 食少乏力, 胃寒便溏, 腹脹 등이 나타난다. 舌質은 淡紅胖嫩하고 少苔하며 脈沈細無力하다.

補腎壯陽, 益氣健脾하는 金匱腎氣丸을 활용한다.

### 2) 其他療法

體鍼療法 : 足三里 三陰交 曲池를 主穴로 陽陵泉과 肩髃를 配穴한다.

## 6. 예후

피부근염은 면역결합조직 질환이다. 중국에서는 급성 발작 시 생명을 위협하는 경우 부신피질호르몬제 등 양약 사용을 권장하고 있으나 한약으로 장기간 점진적으로 치료 시 상당한 치료 효과를 볼 수 있다고 보고하고 있으며, 급성 발작 시 생명을 위협하는 경우 부신피질호르몬제 등 양약 사용을 권장하고 있다.

## Ⅲ 경피증 Scleroderma

### 1. 개요

硬皮症(scleroderma)은 진피에 교원질의 침착으로 피부가 딱딱해져 하부조직과 부착되고 표면이 매끄러운 상아색의 반 혹은 반점이 국소적 또는 전신적으로 발생하여 만성적인 경과를 보이는 결합조직 질환이다.

임상적으로 국한성 경피증과 전신성 경화증으로 나눌 수 있다. 국한성 경피증은 손상 부위가 피부에 한정되어 點狀, 斑狀 혹은 帶狀으로 면적이 작고 피부의 한 부분에만 발생하며 예후가 양호하다. 전신성 경화증은 피부 경화가 광범위하여 소화관, 폐, 심, 신 등의 내장까지도 침범할 수 있다. 초기에 피부 긴장이 두꺼워져 점차로 경화되고 말기에는 피하조직 및 근육까지 위축, 경화되어 운동제한과 안면근육까지 침범하여 표정이 고정되고 내장까지 미치면 그에 상응하는 증상이 출현한다.

이는 한의학 문헌에서의 피비(皮痹)와 유사하다. 한의학 문헌 중《素問 · 痺論》에서 "風寒濕三氣雜至, 合而爲痺 ……以秋遇此者爲皮痺……皮痺不已, 復感于邪, 內合于肺." "其不通不仁者病久入深, 榮衛之氣行澁, 經絡時疏, 故不通 · 皮膚不仁, 故不榮." 라고 皮痹의 원인을 설명하고 있고,《諸病源候論 · 風濕痺候》에서 "風濕痺病之狀, 或皮膚頑厚或肌肉酸痛……" "皮膚无所知, 皮痹不已, 又遇邪, 則移入于肺."라고 설명하고 있으며,《醫宗金鑑 · 雜病心法要訣》" 久病皮痺, 復感于邪, 見胸滿而煩, 喘咳之症, 是邪內傳于肺, 則肺痺也."라고 증상을 설명하고 있다.

### 2. 원인 및 병기

경피증은 발병 기전이 복잡하고 완전히 이해되지 않은 상태이다. 선천/적응 면역계, 혈관계, 결합조직에 걸쳐 면역활성, 혈관 손상, 콜라겐 침착 증가 및 세포외 기질의 과도한 합성 등이 발병에 중요한 역할을 하는 것으로 알려져 있다.

한의학적으로 다음과 같은 원인 및 병기를 보이는 것으로 보고 있다.

1) 風邪外濕: 風과 寒濕이 肌膚에 침입하여 腠理에 鬱滯되고 氣血이 凝滯되어 經絡을 막아 발

생한다.

2) 稟賦不足: 先天稟賦가 부족한데 後天的으로 失養하여 氣血이 虛弱하고 衛氣가 약해 風濕이 外侵해서 經絡을 阻滯하면 營衛가 不和해 腠理가 營養받지 못해 발생한다.

3) 脾腎陽虛: 본래 陽虛하거나 寒邪가 오랫동안 머물러 衛陽을 손상한데, 다시 風寒濕邪의 침입을 받아 陽氣가 被遏되 氣血이 湓滯되고 經絡을 따라 안으로 內臟까지 침범해 氣血이 不和하여 발생한다.

## 3. 증상

### 1) 국한성 경피증(localized scleroderma)

여성이 남자에 비해 2배 정도 발생빈도가 높으며 病程이 완만하고 주로 피부의 국소 부위(주로 몸통이나 사지)에 반점이나 수㎝의 판으로 나타나는데 초기에는 감각이상이 나타나고 점차로 지각이상이 나타났다가 소실된다. 일반적으로 전신증상은 없으며 극히 일부의 경우에서 내장에 침범하며 예후는 양호하다. 임상적으로 네가지로 분류한다.

#### (1) 적상 반상 경피증

편평하거나 약간 함몰된 적상 혹은 백색 반점이 다발성으로 胸部, 頸部, 肩部, 臂部, 股部 등에 발생하며 점차 주위로 확산되고 사라진 뒤에는 위축성 색소반이 남는다.

#### (2) 반상 경피증

軀幹, 四肢, 頭面部에 호발하며 水腫같은 원형의 불규칙한 담홍색 斑片이 점차로 확대되어 담황색 내지는 상아색으로 변한다. 표면은 광택이 있고 딱딱해져 건조하며 땀이 없고 모발이 적어진다.

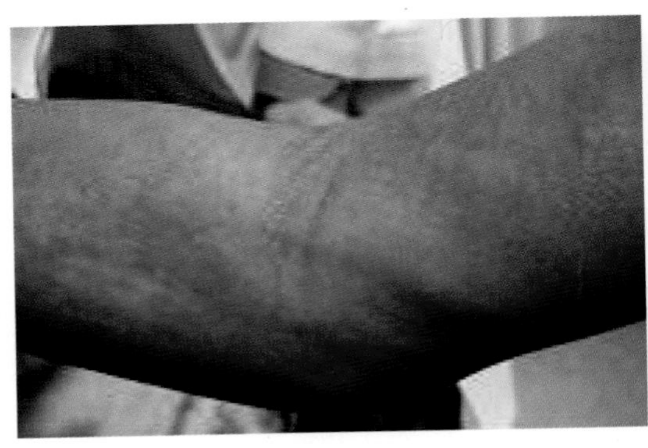

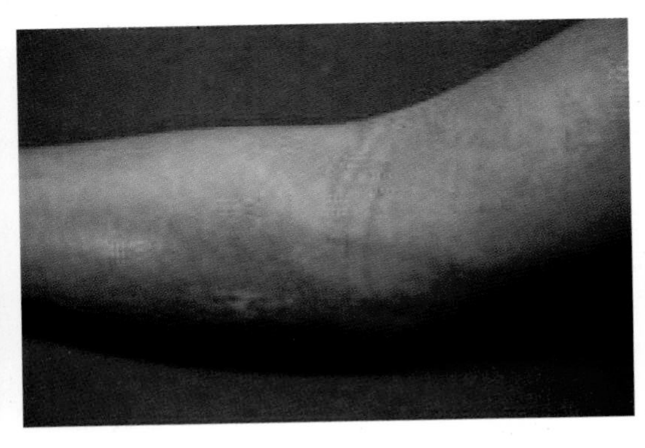

그림 40-5 국한성 경피증

주변은 경도의 붉은색을 띠나 자각증상은 거의 없다. 머리에 발생하면 위축성 탈모가 나타나기도 한다.

#### (3) 전신성 반상 경피증

국한성 경피증이 심하게 발생한 형태로 다수의 경화된 판과 과색소 침착이 광범위하게 일어난다. 예후는 비교적 양호하여 3~5년 내에 가벼운 피부 위축과 과색소 침착을 남기며 치유된다.

#### (4) 선상 경피증

선상 병변이 팔이나 다리에 나타나는데 주로 10세 이전에 발병한다. 전두부의 두피에 방시상(para-sagittal)으로 함몰되며 위축된 이마로 내려온 선상 경피증을 칼자국상(en coup de sabre)이라 한다. Parry-Romberg 증후군은 선상 경피증의 한 형태로 진행성 안면 반측성 위축, 발작, 안구돌출, 탈모증 등이 나타난다. 초기에는 침범된 부위에 홍반과 부종이 나타나다가 나중에는 피하조직의 위축이 일어난다.

### 2) 전신성 경화증(systemic scleroderma)

내부 장기의 섬유화, 혈관 이상, 피부의 섬유성 비후 등 결합 조직의 이상을 보이는 전신성 질환으로 성인 여성에서 발생 빈도가 높다. 병의 진행이 완만하며 환자 대부분의 경우 장기간의 미열과 관

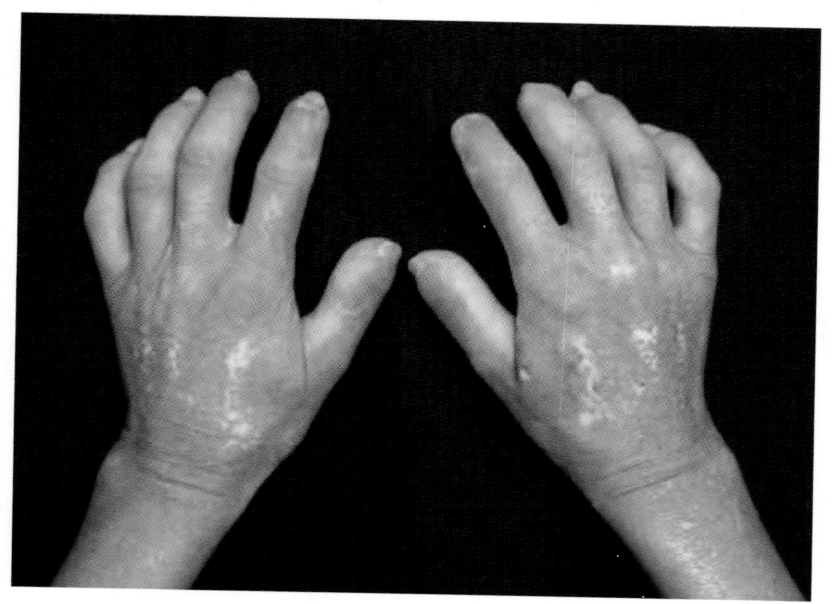

그림 40-6 전신성 경화증 환자의 레이노 현상과 손가락 홍반, 부종

절통, 피로 등이 동반되며 病程의 輕重에 따라 두 가지로 분류한다.

(1) 肢端性 硬皮症(제한적 전신 경화증)

대부분 이에 속하고 피부 손상이 손가락과 얼굴에 국한된다. 초기에는 대부분 레이노 현상과 손과 손가락의 홍반, 부종이 나타난다. 홍반과 부종은 피부가 경화되면서 표면은 매끄럽고 황색을 띠게 된다. 손상된 피부에는 땀이 나지 않고 모발이 탈락하여 색소침착이 생긴다. 말기에는 피부 위축 변화와 피하조직의 위축 경화까지 일어나 肢體屈伸의 제한을 받고 口眼開闔이 곤란해져 표정이 고정되어 마치 가면을 쓴 것과 같이 된다. 病程은 비교적 완만하며 예후는 양호한 편이다.

(2) 瀰滿性 硬皮症(광범위 전신 경화증)

본 질환의 특징은 광범위하고 전신적인 피부의 경변이 나타나는 것이다. 질환이 진행되면 안면, 두피, 몸통으로 파급되어 코가 뾰족해지고 입 주위에 주름이 잡힌다. 또한 손가락 말단 부위가 가늘어지고 피부가 단단해져 탄력성이 없어지며 위축된다.

대부분 인체의 내부 장기를 침범하는데 위장관에 침범하면 식도염, 연하장애, 변비, 설사 등이 나타나고 폐에 침범하면 폐의 섬유화로 호흡곤란, 기침 등이 발생한다. 심장에 침범하면 심계항진, 울혈성 심부전 등이 나타나며 신장은 늦게 침범하나 악성 고혈압을 보이게 되어 예후가 나쁘다. 또한 근골격계에 침범하면 주로 관절통, 다발성 관절염, 골다공증 및 경화성 근육염 등의 증상이 나타난다.

### 3) CREST 증후군(CREST syndrome)

제한적 전신 경화증의 한 변형으로 서서히 진행하며 고령층에 발생하고 비교적 예후가 양호하다. 피부석회증(calcinosis cutis), 레이노 현상, 경지증(sclerodactyly), 식도 기능 부전(esophageal dysfunction), 모세혈관 확장증(telangiectasia)이 합병된다.

## 4. 진단감별

경피증과 유사한 피부 상태 변화, 레이노 현상, 간질성 폐질환 또는 폐고혈압을 동반할 수 있는 다른 질환과의 감별이 필요하다.

경피증과 유사한 피부 변화는 특정 약물, 환경 요인, 일부 내분비 장애, 신장질환, 아밀로이드증 등에서 나타날 수 있으므로 이에 대한 감별이 필요하다. 레이노현상은 전신성 경화증 환자의 90% 이상에서 발생하지만 경피증과 유사한 피부 질환을 보이는 다른 질환에서는 잘 발생하지 않는다.

## 5. 치료

### 1) 內治法

#### (1) 風濕外襲型

피부 손상 초기에 淡紅色의 水腫性 斑片이 나타나고 점차 硬化되어 光澤이 생기며 위축된다. 乾燥光滑, 毛髮脫落, 汗少或無 등의 증상이 나타나고 頭面四肢部 및 胸部에 다발하며 피부 손상은 국한적이며 병정이 비교적 완만하다. 舌質은 淡紅하고 苔薄白하며 脈浮緊하다.

祛風除濕, 活血通絡하는 獨活寄生湯加減을 활용한다. 레이노 현상이 있으면 桂枝 · 鹿角片을, 皮膚板硬에는 乳香 · 沒藥을, 關節痛에는 烏梢蛇 · 威靈仙을 加한다.

#### (2) 氣虛血瘀型

피부 경결이 완고해서 마치 가죽과 같고 麻木不仁의 증상이 나타난다. 손발이 寒冷을 만나면 蒼白紫紺해지고 手足僵挺, 面無表情, 鼻尖耳薄, 口眼開闔不利 등의 증상이 나타나며 低熱乏力, 神疲消瘦의 증상이 동반된다. 舌色은 暗하며 瘀點이 있고, 脈沈細澁하다.

益氣養血, 化瘀通絡하는 補陽還五湯加減을 활용한다. 關節疼痛에는 秦艽 · 桑寄生을, 呑咽困亂에는 旋覆花 · 刀豆子를, 指端潰瘍이 낫지 않으면 乳香 · 沒藥을, 胸悶氣短에는 人蔘 · 瓜蔞仁을, 腹瀉便溏에는 白朮 · 山藥을 加한다.

#### (3) 脾腎陽虛型

피부 경화 외에 畏寒肢冷, 關節冷痛, 食少乏力, 惡心嘔吐, 腹脹便溏, 喘息胸滿, 心悸氣短, 腰酸耳鳴, 婦女 月經不調 등의 증상이 동반된다. 舌質은 淡胖하고 齒痕이 있으며 脈沈細弱하다.

溫腎補脾, 活血軟堅하는 陽和湯加減을 활용한다. 心悸氣短에는 紅蔘 · 冬蟲夏草를, 蛋白尿에는 黃芪를, 肢體浮腫에는 防己 · 苡米를, 皮膚板硬에는 桃仁 · 穿山甲炮를, 指端潰瘍에는 乳香 · 沒藥을, 月經不調에는 益母草 · 澤蘭을 加한다.

### 2) 外治法

回陽玉龍膏 : 草烏 · 乾薑 各 90 g, 赤芍藥 · 白芷 · 南星 各 15 g, 肉桂 15 g를 細末해서 술이나 麻油로 반죽해서 患部에 바른다.

### 3) 其他療法

#### (1) 體鍼療法

合谷 · 足三里 · 陽陵泉 · 肺兪 · 腎兪 · 脾兪를 主穴로 하고 四肢硬腫에는 肩髃 · 曲池 · 三陰

交를, 胸陽痺阻에는 心兪 · 內關 · 神門을, 腎虛畏寒에는 命門 · 氣海를 配穴한다.

(2) 耳鍼療法

肺, 腎, 內分泌, 腎上腺, 皮質下

(3) 梅花針療法

外側에서 內側으로 가볍게 두들겨서 充血시키되 出血되지 않게 한다.

(4) 灸法

① 直接灸: 大椎, 腎兪, 命門, 脾兪, 氣海, 血海, 膈兪, 肺兪

② 間接灸: 阿是穴에 隔薑灸를 하거나 藥餠을 올려놓고 間接灸를 한다.

## 6. 예후

경피증은 피부와 내장의 섬유화를 일으키는 자가면역 질환이다. 원인은 알려져 있지 않으며 유전적, 환경적 요인에 의한 면역계의 활성화, 미세 혈관 기능 장애, 섬유아세포 증식, 콜라겐 증식과 관련이 있는 것으로 알려져 있다. 중국에서는 溫經散寒, 健脾補腎, 軟堅散結, 益氣通絡 등의 치료법을 통해 임상 증상을 개선할 수 있다고 보고하고 있다.

### 참고문헌

1) 전국 한의과대학 피부외과학 교재편찬위원회. 한의피부외과학. 부산: 선우; 2007.
2) 主編. 谭新华, 何清湖. 중의외과학 2nd ed. 북경: 인민위생출판사.
3) Altorok N, Sawalha AH. Epigenetics in the pathogenesis of systemic lupus erythematosus. Curr Opin Rheumatol 2013
4) asaki H, Kohsaka H. Current diagnosis and treatment of polymyositis and dermatomyositis. Mod Rheumatol. 2018.
5) Bailey EE, Fiorentino DF. Amyopathic dermatomyositis: definitions, diagnosis, and management. Curr Rheumatol Rep. 2014.
6) Biazar C, Sigges J, Patsinakidis N, et al. Cutaneous lupus erythematosus: first multicenter database analysis of 1002 patients from the European Society of Cutaneous Lupus Erythematosus (EUSCLE). Autoimmun Rev 2013.
7) Careta MF, Romiti R. Localized scleroderma: clinical spectrum and therapeutic update. An Bras Dermatol. 2015.
8) Chu LL, Rohekar G. Dermatomyositis. CMAJ. 2019.
9) Demirkaya E, Sahin S, Romano M, et al. New Horizons in the Genetic Etiology of Systemic Lupus Erythematosus and Lupus-Like Disease: Monogenic Lupus and Beyond. J Clin Med 2020.
10) Fett N. Scleroderma: nomenclature, etiology, pathogenesis, prognosis, and treatments: facts and controversies. Clin Dermatol. 2013.

11) Findlay AR, Goyal NA, Mozaffar T. An overview of polymyositis and dermatomyositis. Muscle Nerve. 2015.
12) Goulielmos GN, Zervou MI, Vazgiourakis VM, et al. The genetics and molecular pathogenesis of systemic lupus erythematosus (SLE) in populations of different ancestry. Gene 2018.
13) Jarukitsopa S, Hoganson DD, Crowson CS, et al. Epidemiology of systemic lupus erythematosus and cutaneous lupus erythematosus in a predominantly white population in the United States. Arthritis Care Res (Hoboken) 2015.
14) Jorizzo JL. Dermatomyositis: practical aspects. Arch Dermatol 2002.
15) Li SC. Scleroderma in Children and Adolescents: Localized Scleroderma and Systemic Sclerosis. Pediatr Clin North Am. 2018.
16) Rahman A, Isenberg DA. Systemic lupus erythematosus. N Engl J Med 2008.
17) Ziemer M, Milkova L, Kunz M. Lupus erythematosus. Part II: clinical picture, diagnosis and treatment. J Dtsch Dermatol Ges 2014.

# 第 41 章 피지선 및 한선의 질환

| CD 코드 | 한글 상병명 | 영문 상병명 |
|---|---|---|
| L70 | 여드름 | Acne |
| L70.0 | 보통여드름 | Acne vulgaris |
| L70.1 | 응괴성 여드름 | Acne conglobata |
| L70.2 | 두창모양여드름 | Acne varioliformis |
| L70.2 | 속립성 괴사성 여드름 | Acne necrotica miliaris |
| L70.3 | 열대성 여드름 | Acne tropica |
| L70.4 | 영아성 여드름 | Infantile acne |
| L70.5 | 찰상여드름 | Acné excoriée |
| L70.5 | 연고성 여성 찰상여드름 | Acné excoriée des jeunes filles |
| L70.8 | 기타 여드름 | Other acne |
| L70.9 | 상세불명의 여드름 | Acne, unspecified |
| L71 | 주사 | Rosacea |
| L71.0 | 입주위피부염 | Perioral dermatitis |
| L71.1 | 딸기코증 | Rhinophyma |
| L71.8 | 기타 주사 | Other rosacea |
| L71.9 | 상세불명의 주사 | Rosacea, unspecified |
| L72 | 피부 및 피하조직의 모낭낭 | Follicular cysts of skin and subcutaneous tissue |
| L72.0 | 표피낭 | Epidermal cyst |
| L72.1 | 털집낭 | Trichilemmal cyst |
| L72.1 | 모낭 | Pilar cyst |
| L72.1 | 피지낭 | Sebaceous cyst |
| L72.2 | 다발피지낭종 | Steatocystoma multiplex |
| L72.8 | 피부 및 피하조직의 기타 모낭낭 | Other follicular cysts of skin and subcutaneous tissue |

| | | |
|---|---|---|
| L72.9 | 피부 및 피하조직의 상세불명의 모낭낭 | Follicular cyst of skin and subcutaneous tissue, unspecified |
| **L73** | **기타 모낭장애** | **Other follicular disorders** |
| L73.0 | 여드름 켈로이드 | Acne keloid |
| L73.1 | 수염 거짓모낭염 | Pseudofolliculitis barbae |
| L73.2 | 화농성 한선염 | Hidradenitis suppurativa |
| L73.20 | 경도 화농성 한선염 | Hidradenitis suppurativa, mild |
| L73.21 | 중등도 화농성 한선염 | Hidradenitis suppurativa, moderate |
| L73.22 | 중증 화농성 한선염 | Hidradenitis suppurativa, severe |
| L73.29 | 상세불명 화농성 한선염 | Hidradenitis suppurativa, unspecified |
| L73.8 | 기타 명시된 모낭장애 | Other specified follicular disorders |
| L73.8 | 모창 | Sycosis barbae |
| L73.9 | 상세불명의 모낭장애 | Follicular disorder, unspecified |
| **L02** | **피부의 농양, 종기 및 큰 종기** | **Cutaneous abscess, furuncle and carbuncle** |
| L02.01 | 얼굴의 모낭염 | Folliculitis of face |
| L02.11 | 목의 모낭염 | Folliculitis of neck |
| **L74** | **에크린땀샘장애** | **Eccrine sweat disorders** |
| L74.0 | 홍색땀띠 | Miliaria rubra |
| L74.1 | 결절모양땀띠 | Miliaria crystallina |
| L74.2 | 깊은땀띠 | Miliaria profunda |
| L74.2 | 열대성 땀띠 | Miliaria tropicalis |
| L74.3 | 상세불명의 땀띠 | Miliaria, unspecified |
| L74.4 | 무한증 | Anhidrosis |
| L74.4 | 과소땀증 | Hypohidrosis |
| L74.8 | 기타 에크린땀샘장애 | Other eccrine sweat disorders |
| L74.9 | 상세불명의 에크린땀샘장애 | Eccrine sweat disorder, unspecified |
| L74.9 | 땀샘장애 NOS | Sweat gland disorder NOS |
| **L75** | **아포크린땀샘장애** | **Apocrine sweat disorders** |
| L75.0 | 땀악취증 | Bromhidrosis |
| L75.1 | 색한증 | Chromhidrosis |
| L75.2 | 아포크린땀띠 | Apocrine miliaria |
| L75.2 | 폭스-포다이스병 | Fox-Fordyce disease |
| L75.8 | 기타 아포크린땀샘장애 | Other apocrine sweat disorders |
| L75.9 | 상세불명의 아포크린땀샘장애 | Apocrine sweat disorder, unspecified |

| R61 | 다한증 | Hyperhidrosis |
|---|---|---|
| R61.0 | 국소다한증 | Localized hyperhidrosis |
| R61.1 | 전신다한증 | Generalized hyperhidrosis |
| R61.9 | 상세불명의 다한증 | Hyperhidrosis, unspecified |
| R61.9 | 과다발한 | Excessive sweating |
| R61.9 | 야간발한 | Night sweats |

# I 여드름 Acne

## 1. 개요

여드름은 일종의 모낭 피지선의 염증성 질환으로 안면, 흉배부에 호발하며 黑頭粉刺, 丘疹, 膿瘡, 結節, 囊腫 등이 발생한다. 청년기의 남녀에게 많이 발생하고 피지의 과잉분비가 주로 관찰되며 청년기 이후에는 자연치유 되거나 경감한다.

주로 사춘기부터 시작하며 남자는 16세에서 19세 사이에 여자는 14세에서 16세 사이에 호발한다.

이는 한의학 문헌에서의 폐풍분자(肺風粉刺)와 유사하다. 한의학 문헌 중《素問 · 生氣通天論》에 "汗出見濕, 乃生痤疿, 勞汗當風寒博爲皻鬱乃痤."라는 표현이 있고, 王冰注曰 "皻刺長于皮中, 形如米, 或如針, 久者上黑, 長一分, 餘色白黃而瘦于玄府中, 俗曰粉刺."라고 하였다. 巢元方의《諸病源候論》에는 面瘡이라 하였는데 "面瘡者, 謂面上有風熱氣生瘡, 頭如米大, 亦如谷大, 白色者是."라고 기재되어 있다.《醫宗金監 · 外科心法要訣》에 보면 "肺風粉刺"라고 기록되어 있으며 "此症由肺經血熱而成, 每發于面鼻, 起碎疙瘩, 形如黍屑, 色赤腫痛, 破出如白汁."라는 표현이 있다. 許浚은 面熱과 面腫으로 分類하여 面腫은 胃風이라 하였고 "面熱 足陽明病 面赤如醉者 胃熱上熏也 面熱因鬱熱 面熱者 胃病也, 飮食不節則胃病 胃病則氣短 精神少而生大熱 有時火上行 獨療其面"이라 하여 消化器 障碍와 밀접한 관계가 있음을 설명하였다. 陳實功은 肺風粉刺, 酒齄鼻 모두를 같은 種類로 認識하고 粉刺는 肺에 屬하고 酒齄鼻는 脾에 屬하는데 모두 血熱이 鬱滯되어 不散되지 못하기 때문이라 하였다.

## 2. 원인 및 병기

정확한 원인은 확실치 않으며 여러 원인이 복합적으로 관여하리라 추정되는데 근본적으로 피지

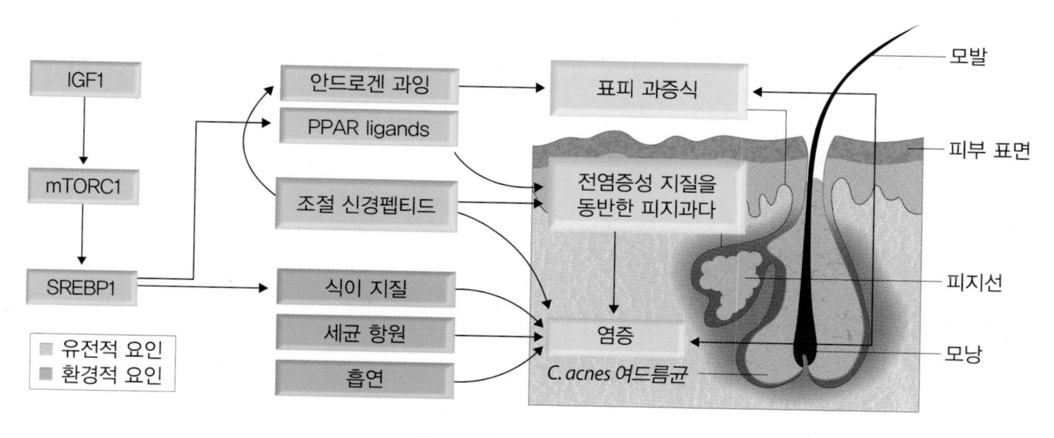


그림 41-1 여드름의 병태 생리

선을 자극하는 호르몬인 androgen과 모피지선에서 번식하며 피지를 분해하여 유리지방산을 형성하는 박테리아균인 *Cutibacterium acnes*가 가장 중요한 요인으로 생각되며 유전적 요인으로서 여드름이 가족력이 있다는 것이 잘 알려져 있으나 그 정확한 유전양식과 어떠한 유전적 요인이 여드름 발생에 직접적으로 작용하는지는 명확하지 않으며 기름기가 많거나 자극적인 음식, 월경주기, 발한, 햇볕, 정신적인 스트레스, 소화기능 등에 의해 악화된다.

한의학적으로 다음과 같은 원인에 의해 발생하는 것으로 보고 있다.

1) 肺經風熱, 邪熱薰蒸하고 外溢頭面, 蘊且肌膚하고 氣血失和하여 本病이 발생한다. 腠理不密한데 外邪侵襲하고 肺氣不淸한데 外受風熱하여 발생한다.
2) 飮食不節하고 肥甘厚味를 過食하여 生濕化熱하고 濕熱이 內結腸道하고 下不得疏通하여 逆上衝面하여 발생한다.
3) 素體血虛하여 血行이 不脹하고 겸하여 脾失建運하여 久濕이 內程하여 日久하여 成痰하고 兩邪가 결합하여 痰熱이 肌膚에 鬱滯하여 발생한다.
4) 衝任脈의 氣血不和로 因하여 肌膚의 疏泄기능이 不暢되어 發生된다.

## 3. 증상

청장년층에 비교적 많이 발생하고 그 이후에는 자연적으로 치유되거나 감소하는 경향을 보인다. 피지의 분비가 왕성한 부위인 面部, 上胸部, 肩胛間에 호발하며 처음에는 모낭성 소구진으로 頂端

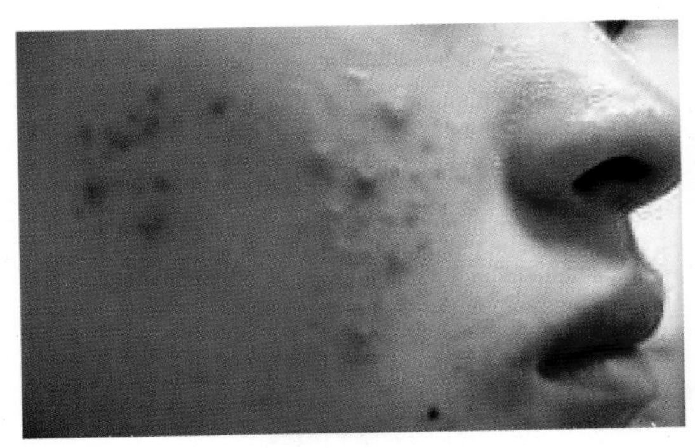
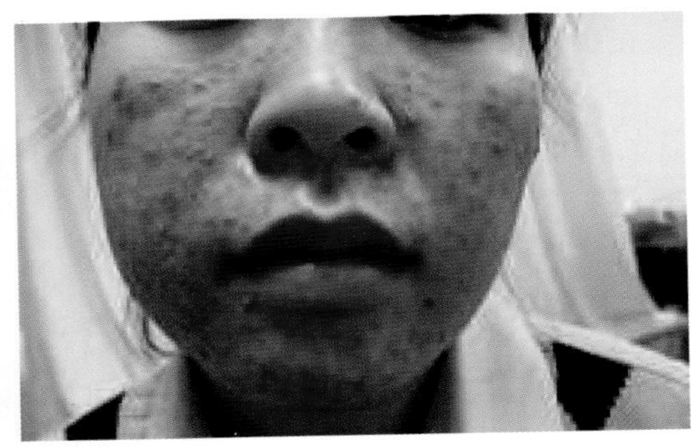

그림 41-2 심상성 여드름

에는 흑색의 栓塞物이 있어 이를 黑頭粉刺라고 하는데 손으로 누르면 乳白色 혹은 黃色의 脂樣栓塞이 배출되고 진행되면 농포, 결절, 농종, 반흔과 색소 침착이 발생한다. 자각 증상이 없는 경우는 때때로 약간 가렵고 重한 경우는 동통이 있고 時輕時重하면서 만성적인 경과를 거친다.

## 4. 진단감별

한관종, 비립종, 편평사마귀, 주사, 지루피부염, 모낭염 등과 감별이 필요하다. 대개 이들 질환과 감별 시 중요한 점은 여드름은 면포를 동반한다는 점이다.

## 5. 치료

### 1) 內治

(1) 肺熱血熱

顔面部에 小丘疹이 散在하는데 淡紅色이거나 피부색과 같은 것을 白粉刺라 하며 그 頂端에 黑色을 띄는 것을 黑粉刺라고 하는데 尋常性 痤瘡에서 많이 보이고 舌淡苔薄黃하며 脈浮數하다. 宣肺淸熱, 凉血解毒하고 枇杷淸肺飮, 黃芩淸肺飮加減, 淸上防風湯 등을 사용한다.

(2) 脾胃積熱

丘疹少數하고 顔面潮紅하며 누르면 退色하고 遇熱하면 심해진다. 宿食不消하고 脘腹脹痛과 腹痛을 수반하는데 大便秘結, 舌苔黃膩, 脈濡 혹은 滑數하다. 酒渣型 痤瘡에서 많이 보인다. 淸

熱化濕, 益胃通腑하고 三黃丸合茵蔯蒿湯加減을 사용한다.

(3) 熱毒熾盛

丘疹과 膿疱가 중심이 되면서 周圍潮紅, 局部疼痛하고 膿疱가 破遺된 후나 흡수된 후에는 잠시 색소가 침착되거나 凹陷性의 瘢痕이 생기는데 舌苔黃燥, 脈數하다. 膿疱型 痤瘡에서 흔히 보인다. 淸熱解毒하고 三花湯加減을 사용한다.

(4) 血瘀痰凝

丘疹이 散在해 있으면서 結節, 囊腫을 동반하고 膿으로 차 있고 血水가 나오면서 만지면 약간 단단하다. 피부는 凹凸되어 있고 點狀萎縮, 斑狀瘢痕이 있다. 堅硬하면서 暗紅色을 띄고 疼痛이 있다. 深部에서는 聚集融合되어 靑紫色을 띄고 점조한 분비물을 가진 囊狀을 형성하여 누르면 波動感이 느껴지고 遺한 후에는 瘢痕疙瘩을 형성하는데 舌質은 紫暗하고 脈弦滑하다. 和營化痰散結하고 桂枝茯苓丸加減을 사용한다.

(5) 陰虛血熱型

新老皮疹이 交着되어 있고 色은 暗紅色이며 청춘기 이후에도 사라지지 않는 경우로 復發型 痤瘡에서 보인다. 舌淡苔膩, 脈濡數하다. 滋陰益氣, 淸熱凉血하고 淸營湯을 사용한다.

(6) 冲任不調型

月經不調를 동반하면서 月經 기간 중에는 증가하다가 月經이 끝난 다음에는 감소하는 것으로 月經型 痤瘡에 해당한다. 舌紅苔膩, 脈浮數하다. 養血調經, 活血散瘀하고 丹梔逍遼散을 사용한다.

## 2) 外治

(1) 蛇床子, 地膚子, 白鮮皮, 明礬 각 60 g을 煎湯하여 患處에 30분 정도 발라주는데 매일 1~3회 정도로 하고 1劑 약으로 6日 정도 가능하다.

(2) 鮮馬齒峴 30 g, 蒼朮, 露蜂房, 白芷 각 9 g, 蛇床子 10 g, 苦蔘, 陳皮 각 15 g에 加水煎沸 하여 取汁하여 식힌 다음 患處에 매일 3회 정도 바른다.

(3) 海豹草, 爐甘石, 雄黃, 樟腦, 靑黛, 松香, 珍珠 각 30 g, 明礬 24g, 輕粉 15 g, 氷片 9 g을 細末하여 香油에 섞어 患處에 바른다.

(4) 硫黃, 明礬, 生大黃, 黃柏, 黃蓮을 細末한 다음 자기 전에 펴바른다.

(5) 馬齒峴, 連翹, 魚腥草, 黃柏 30 g을 煎湯하여 薰洗하는데 매주 2회씩 20분 정도한다.

### 3) 其他治療

#### (1) 鍼刺療法

① 局部取穴 : 下關, 頰車, 贊竹 등

② 全身取穴 : 足三里, 合谷, 下關, 三陰交 등

③ 兩曲池穴을 主穴로 하고 肺經風熱에는 大椎, 肺兪穴을, 脾肺風熱에는 足三里를 冲任不調型에는 三陰交를 配穴하여 平鍼法으로 매일 1회씩 20분간 유침한다.

④ 大杼, 風門, 肺兪, 厥陰兪, 心兪, 督兪, 隔兪 등을 取穴한다.

#### (2) 鍼罐療法

大椎穴을 鍼刺한 다음 拔罐한다.

#### (3) 刺血療法

三稜鍼으로 耳前, 耳後, 內分泌, 皮質下를 出血한다.

#### (4) 耳穴埋鍼

① 隔穴을 主穴로 하고 肺穴을 配穴하여 皮內鍼으로 埋入한다.

② 肺, 腎上線, 大腸穴 등에 埋入하고 耳尖을 放血한다.

#### (5) 割治法

兩側의 肺穴을 主穴로 하면서 神門, 交感, 皮質下, 內分泌를 隔日로 割治한다.

#### (6) 護理要點

① 溫水와 硫黃 비누를 사용하여 洗面하여야 하며 油脂類가 포함된 화장품을 사용하는 것은 좋지 않다.

② 손으로 皮疹을 짜는 것을 금한다.

③ 기름기 있고 신랄하고 자극성 있는 음식과 음주를 피하고 채소와 水果를 多食한다.

## 6. 예후

여드름은 유전적 요인, 피지선을 자극하는 호르몬 영향, 모피지선에서 번식하여 여드름 염증을 매개하는 균의 증식, 피지선 배출을 막아 면포 생성을 유발할 수 있는 각질 과각화 등이 복합적으로 상호 작용하여 발생하는 모피지단위의 염증성 질환으로 알려져 있으므로 이러한 요인들에 관한 적절한 관리를 통한 치료 접근이 필요하다. 더불어 여드름 발생에 직접적으로 작용하는지는 명확하지 않지만 기름기가 많거나 자극적인 음식, 월경주기, 발한, 햇볕, 정신적인 스트레스, 소화기능 저하 등에 의해 악화되는 경우가 있으므로 이에 대한 관리가 병행되어야 한다.

# Ⅱ 주사 Rosacea

## 1. 개요

주사(rosacea)는 안면홍조부위에 발생하는 피부의 만성 충혈성 질환으로 지속적인 홍반과 구진, 농포 및 모세혈관의 확장이 특징이며 때로 鼻瘤가 나타나기도 한다. 남녀 모든 연령에서 볼 수 있으나 30~50대 여자에서 가장 흔하나 심한 증상은 대부분이 남자에서 발생하며 특징적인 증상은 코주변의 潮紅, 丘疹, 膿疱, 鼻贅이다.

이는 한의학 문헌에서의 주사비(酒齇鼻)와 유사하다. 한의학 문헌 중《黃帝內經 · 素問 熱論》에서 "脾熱病者 鼻先赤"이라고 설명했고,《素問 生氣通天論》에서는 "勞汗當風 寒薄爲渣 郁內痤"라고 설명했다. 청대《外科大成》에서는 "酒齇鼻者 先由肺經血熱內蒸 次遇冷風寒外束 血瘀凝滯而成 故先紫而后黑也"라고 했다.

## 2. 원인 및 병기

원인이 밝혀져 있지 않으나 내분비 이상, 소화기질환, 혈관운동부조, 국소감염, 비타민 결핍증, 카페인을 함유한 음료의 과용, 음주 등과 관련이 있는 것으로 생각되고 있다.

한의학적으로 飮酒 · 辛辣한 것을 過食하여 胃에 伏熱이 생겨 肺를 上蒸하고 鼻尖을 燻蒸하여 발생한다고 보고 있다.

## 3. 증상

鼻주변의 紅斑이 위주이고 압박하면 퇴색하며, 심하면 丘疹, 膿疱, 鼻贅를 수반한다. 鼻準部, 鼻

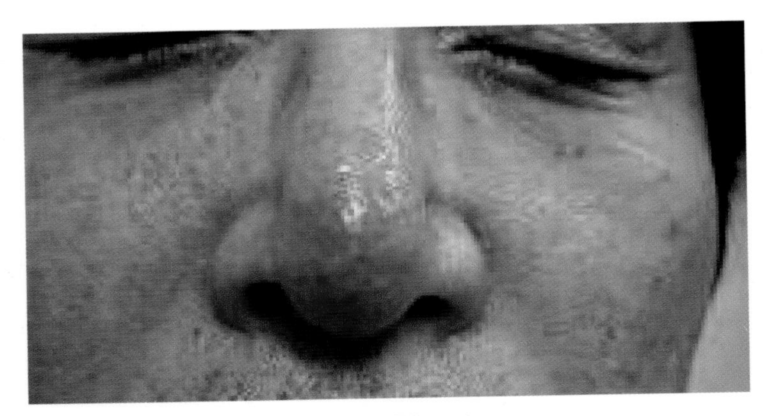

그림 41-3 주사

翼, 兩頰部, 前額部에 걸쳐서 발생한다. 소수에서는 兩頰과 前額部에만 발생하기도 한다.

### 1) 紅斑型

鼻주변의 潮紅이 심하면 兩頰, 前額, 頦部에 걸쳐서 생긴다. 초기에는 일과성으로 寒冷刺戟, 辛辣刺戟性 飮食, 緊張時에 紅斑이 심해지나 병이 오래되면 홍반이 없어지지 않는다. 병소의 표면은 光滑하고 모세혈관확장이 동반되며 비첨부의 毛囊口가 확대되어 있다. 수 년 후에는 丘疹型으로 발전한다.

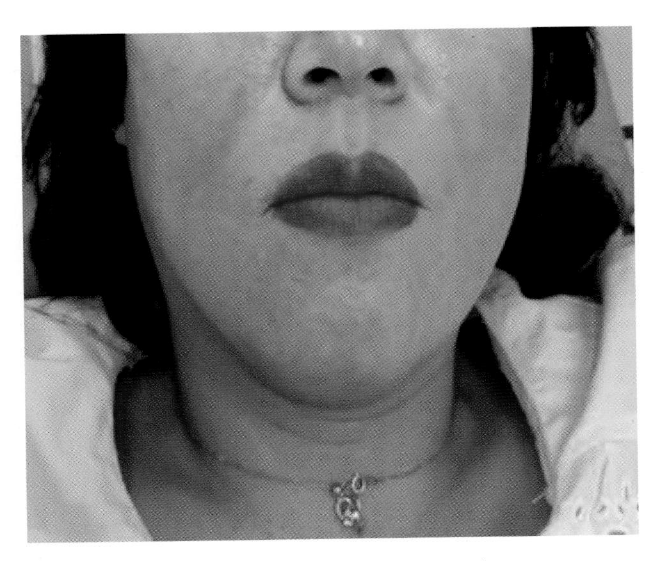

그림 41-4 홍반혈관확장형 주사

### 2) 丘疹型

紅斑上에 녹두대의 작은 丘疹 혹은 膿疱들이 산재하고 結節과 膿腫이 형성된다. 모세혈관의 확장이 명확해지고 자각적으로 경미한 소양감을 호소라며 鼻表面의 색이 선홍색에서 자갈색으로 변화한다. 수년간 병이 지속되면 鼻贅로 발전한다.

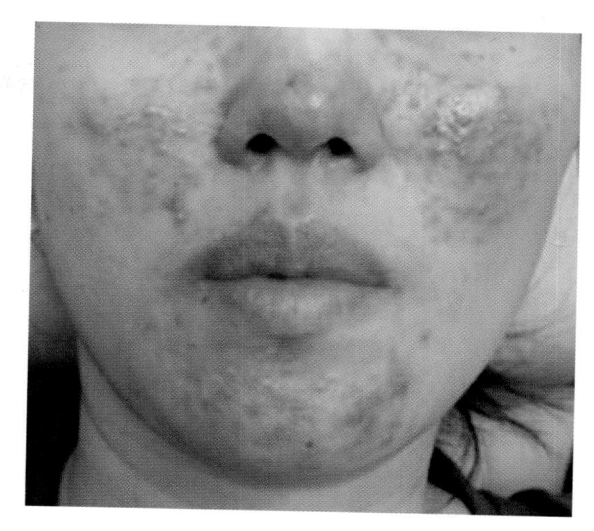

그림 41-5 구진농포형 주사

### 3) 鼻贅型

중년 이후의 남성에게 다견되는 증상으로 鼻尖의 丘疹이 증대 · 융합되어 피부에서 돌출된 것이다. 高低가 다른 연한 結節이 형성되고 피부가 비후되고 거칠어지며 膿疱가 계속 생성되어 피부가 자색으로 변하며 鼻의 기형을 이룬다.

### 4) 안구형

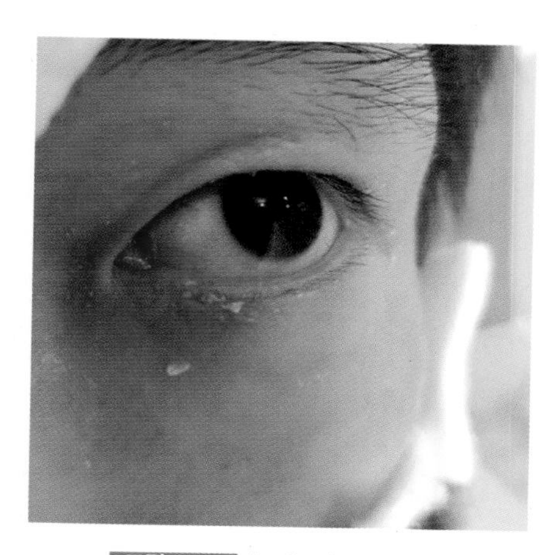

그림 41-6 눈에 생긴 주사

## 4. 진단감별

1) 여드름 : 청소년기의 남녀에 다발하며 피진은 홍색구진으로 산재한다. 구진의 끝에 흑두가 있으며 백색의 분비물이 배출된다. 주사비는 중년에 다발한다.
2) 鼻紅粒病 : 아동에게 많으며 땀이 많은 부위에 국한성의 홍반과 원형의 구진이 발생한다.
3) 酒皶鼻樣結核疹 : 주로 양쪽 頰部와 鼻部에 丘疹과 丘疱疹이 나타난다.

## 5. 치료

### 1) 內治

(1) 肺熱型 : 紅斑型에 해당한다. 面部가 붉고 苔薄紅舌, 脈細數한다. 宣肺淸熱하고 枇杷淸肺飮, 沙蔘, 玄參, 地骨皮, 金銀花, 蒲公英, 白花蛇舌草, 白鮮皮를 사용한다.
(2) 濕熱型 : 丘疹型에 해당한다. 膿疱가 많고, 便秘, 苔黃舌紅, 脈滑數한다. 淸熱利濕解毒하고 五味消毒飮, 生地黃, 玄參, 地丁, 野菊, 連翹, 山梔, 虎杖, 澤瀉, 車前子, 大黃, 六一散을 사용한다.
(3) 血瘀痰結型 : 鼻贅型에 해당된다. 苔黃舌紫하고 脈弦한다. 活血化痰軟堅하고 桃紅四物湯加減方, 丹參, 生地, 川芎, 桃仁, 紅花, 夏枯草, 昆布, 海藻, 白花蛇舌草, 生甘草를 사용한다.
(4) 單方 : 龍惱丸을 매일 3分 매일 2~3회 복용한다.

### 2) 其他治療

(1) 鍼刺: 七星鍼으로 가볍게 매일 1회씩 鍼刺한다.
(2) 豫防調理
① 매일 약을 바르기 전에 온수로 깨끗이 씻는다.
② 辛辣하거나 자극적인 음식을 피하고 마늘과 파는 忌하고, 酒類를 금한다.
③ 大便이 항상 잘 疏通되야한다.

## 6. 예후

이 질환은 얼굴 중앙에 미만성 홍자, 구진, 농포를 특징으로 하는 만성 피부 질환으로 국소 모세혈관확장증, 피지선 및 결합 조직의 증식을 동반하여 외모에 영향을 줄 수 있다. 특히 비췌형의 경우 신체적 정신적 손상이 더욱 크므로 주의가 필요하다. 주사 임상형 중 홍반형, 구진형이 비췌형에 비해 한의학적 치료 반응이 좋은 편이다. 자연치유되지 않으며 치료하지 않으면 점진적으로 심해질 수 있다.

## Ⅲ 모낭염 Folliculitis

### 1. 개요

모낭염은 紅色粟粒疹이며, 現在에는 小汗腺膿腫이라고도 稱하며. 搔抓하여 계속된 感染으로 痱毒을 惹起할 수 있다.

이는 한의학에서의 좌비(痤疿)와 유사하다. 痤疿는 一種의 夏秋炎熱季節에 常見하는 皮膚病으로, 嬰幼兒 및 肥胖人이 쉽게 罹患된다. 隋 · 《諸病源候論》"夏日沸爛瘡候"에는 "盛夏之月, 人膚腠開, 易傷風熱, 風熱毒氣搏于皮膚, 則生沸瘡, 其狀如湯之沸, 輕者屯屯如粟粒, 重者熱汗浸滴成瘡, 因以爲名 世呼爲沸子也"라는 言及이 있다. 明 · 陳實功《外科正宗 · 痤疿瘡》에서 이르기를 "痤疿者, 密如撒粟, 尖如芒刺, 痒痛非常, 渾身草刺, 此因熱體見風, 毛竅所閉."라고 하였다.

### 2. 원인 및 병기

세균에 의해 모낭에 발생한 염증 질환으로 가장 흔한 원인균은 황색포도알균이다. 장기간 항생제를 사용한 여드름 환자의 경우에는 그람음성균이 원인될 수 있고, 뜨거운 욕조에서 목욕한 후에는 녹농균에 의한 모낭염이 발생하기도 한다. 그 외 당뇨, 비만 등도 관련이 있는 것으로 알려져 있다.

한의학에서 痤疿는 暑熱이 熏蒸하여, 肌膚에서 汗出이 不暢하여 發生한다고 보고 있다.

### 3. 증상

頭面, 頸項, 胸, 背, 腋下, 肘窩, 腹股溝 等 處에서 常見한다. 初起에는 皮膚가 發紅하고, 漸次 針頭 크기의 丘疹이나 或은 丘疱疹이 나타나며, 排列이 密集되어 있으나 融合되지 않고, 輕度의

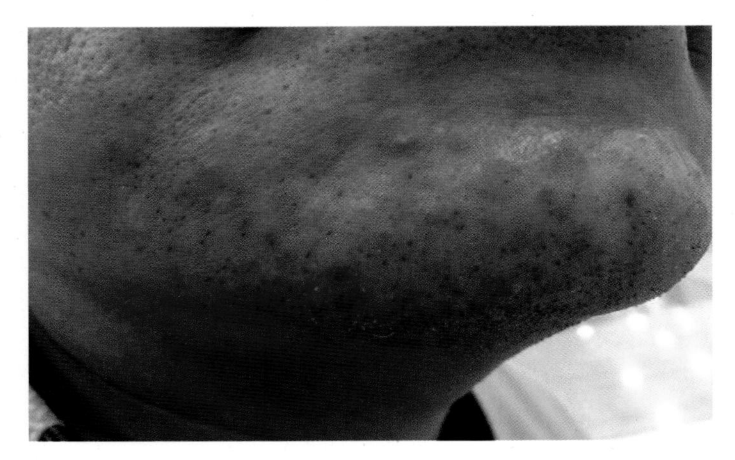

그림 41-7 모낭염

瘙痒, 灼熱刺痛이 있으며, 與氣候變化와 密接한 關係가 있어서, 날씨가 悶熱하거나, 氣溫이 높거나, 氣壓이 낮거나, 汗出이 不暢하여, 皮疹이 成秕하여 發生하며, 氣候가 凉快해지면 곧장 消退되면서 脫皮한다. 또한 搔抓하여 感染되어서 群集을 이루는 膿疱나 或은 生小癤을 이루어서 痱毒이 된다. 繼續해서 膿疱瘡이나 或은 癤腫 等을 이룬다. 肥胖한 嬰兒는 종종 同時에 濕疹 및 擦爛을 일으킨다.

## 4. 진단감별

모낭염은 세균 감염성 피부 질환으로 각질과 피지에 의해 모공에 막혀 생기는 여드름과 감별이 필요하다. 대개 여드름은 면포를 동반하고 모낭염은 세균감염 부위의 농포를 위주로 피부 증상을 나타낸다.

## 5. 치료

1차적으로 항생제 치료를 고려할 수 있으며, 한의학적으로 증상에 따라 다음과 같은 약물을 고려할 수 있다.

### 1) 內治法

(1) 暑熱濕盛型 : 皮疹의 기저부가 비교적 紅하며, 抓破 후에 삼출물이 나온다. 口渴欲飮, 大便秘結, 小溲黃, 舌苔白或黃, 脈浮数하다. 疏風養血, 清熱除濕하는 消風散을 위주로 청열해독 약물을 가감한다.

(2) 脾虛濕鬱 : 形體가 비교적 胖하며 乳下, 腋下, 서혜부에 汗出이 많다. 粟米와 같은 구진이 밀집되어 있으며 顔色이 비교적 淡하고 口渴不欲飮, 胃納不佳, 時便溏, 舌淡胖有齒痕, 苔白膩, 脈滑 등의 증상이 나타난다. 健脾利濕하는 除濕胃苓湯加減을 위주로 청열해독 약물을 가감한다.

### 2) 外治法

(1) 一般可飮青蒿露 或 銀花露 或 地骨皮露 代茶, 清凉飮料 如 烏梅湯 或 綠豆湯, (用綠豆煮湯加入薄荷及糖)等

(2) 痱子可用六一散 30 g, 枯礬 10 g, 研細扑, 或扑痱子粉

(3) 已成痱毒者, 可用馬齒莧煎水外洗, 或用虎杖, 敗醬草, 鮮蒲公英煎水洗, 後用 青黛散乾扑 或 用麻油調擦. 或用絲瓜葉, 鮮蒲公英, 馬齒莧 搗爛外敷

### 3) 其他治療

(1) 搔抓하여 不潔하게 되어서, 患處에 膿疱가 出現하고, 密集된 黃色의 結痂의 基底가 比較的 紅色이면 黃水瘡의 處置를 利用한다.

(2) 酷暑之下에 患者가 大汗이 淋漓하고, 面色蒼白하여 四肢厥冷 等의 症狀이 出現하면 脫證의 處置를 利用한다.

(3) 皮疹이 消退時에도 患者가 여전히 搔抓가 無道하고, 原皮疹이 消退되었음에도 皮膚가 糙抓肥厚하여 苔蘚化를 나타내어 紋理가 寬深할 때에는 牛皮癬의 處置를 利用한다.

### 4) 保護管理

(1) 炎熱한 氣候에는 通風이 잘되면서 시원한 곳으로 옮긴다.

(2) 出汗이 많은 경우에는 조심스레 溫水洗澡(不用肥皂)하고, 嬰兒는 沐浴 後에 타월로 皮膚를 문지르거나 搔抓하는 것을 避하고, 또한 痱子粉이나 或은 六一散 合 20% 枯礬을 外扑한다.

(3) 꽉 끼는 衣服類와 두꺼운 직물로 된 衣服類는 避하고 헐렁한 衣服을 입도록 한다.

## 6. 예후

이 질환은 세균감염성 피부 질환이므로 임상적 치료는 1차적으로 항균 효과를 가지는 약물을 고려해야 하며 만성적 경과를 보이는 경우 당뇨, 비만, 위생 상태가 세균 감염의 원인으로 작용할 수 있으므로 이를 개선하기 위한 생활 관리가 함께 이루어져야 한다.

# Ⅳ 한선 질환 Sweat gland disorders

## Ⅳ-1. 다한증 Hyperhidrosis

## 1. 개요

汗은 心의 液인바, 心이 動하면 汗出한다. 心은 君火이며 脾胃는 土에 속하는 바 脾濕과 心熱이 上搏하면 汗이 되는 것이다.《內經. 經脈別論》에 의하면 "飮食飽甚 汗出于胃, 驚而奪精 汗出于心, 持重遠行 汗出于腎, 疾走恐懼 汗出于肝, 搖體勞苦 汗出于脾"라 하였다.

衛氣가 虛하면 汗多하고 營血이 虛하면 無汗하는 것이다. 風病에 汗이 많은 것은 風이 氣를 발산시키기 때문이다. 火氣가 上熏하면 胃中의 濕이 上蒸되어 汗을 형성하게 된다.

多汗症의 발생원인과 관련하여 피부에 존재하는 腠理의 기능에 장애가 있는 것으로 볼 수 있다. 일반적으로 땀은 腠理를 통해 밖으로 배설되고 腠理는 또한 衛氣에 의해 개폐된다. 사람의 衛氣는 固表하는 작용이 있으나 衛氣가 不固하면 表가 虛하여 津液이 發泄되어 汗을 흘리게 된다.

汗을 주로 흘리는 시간, 주로 많이 나는 부위, 汗이 나는 性狀에 따라 自汗과 盜汗, 食後汗出, 偏汗, 頭汗, 心汗, 手足汗, 陰汗, 腋汗, 血汗, 黃汗, 漏汗, 亡陽證 등으로 구분할 수 있다.

### 1) 自汗

일반적으로 활동하는 동안에 흘리는 땀으로 옷을 두텁게 입거나 發熱, 氣候, 睡眠, 勞動 등과는 관계없이 자연히 땀을 흘리는 상태로 無時로 汗出되며 특히 운동을 하면 더욱 심하게 된다.《傷寒論 · 變太陽病脈證並治 · 上》에 '自汗出'이라 하여 최초로 기재되었다.《三因方》에는 '無問昏醒 浸浸自汗出者 名曰自汗'이라 하였다.

### 2) 盜汗

盜汗은 寢汗으로도 불리는데, 야간에 자는 동안 땀이 나지만 느끼지 못하고 깨어나면 땀이 그치는 것을 말한다.《傷寒明理論》에서는 "盜汗者 謂睡而汗出者也"라 하였다.《素問.六元正紀大論》에서는 "寢汗"으로 기술되었고,《金匱要略, 血痺虛勞病脈證病治》에서 비로서 "盜汗"이라고 표기 되었다.《景岳全書 · 汗論》에서는 "盜汗者 寐中通身汗出 覺來漸收"라 하였다.

### 3) 頭汗

頭面部에만 汗出하는 현상으로《傷寒論 · 辨太陽病脈證病治》에 "但頭汗出, 劑頸而還"이라 한 것이 이에 해당한다. 頭汗은 정상인에게도 많으며 식사할 때나 어린이가 잠잘 때 두부에서 發汗하는 것은 꼭 이상이 있는 것이 아니다. 俗稱 '蒸籠頭'라 한다.

### 4) 心汗

신체의 타부위에 비하여 前胸部의 중앙부위를 포함한 심장부위에 특히 땀이 많이 나는 것을 말한다.《類證治裁, 汗症》에 기술된 "當心一片 津津自汗 名心汗"에 해당하며 '心胸汗出', '胸汗出'이라고도 한다.

### 5) 手足汗

손발바닥에서만 땀이 나는 경우를 말한다.《傷寒明理論》에서 "胃主四肢 手足汗出者 陽明之證也"라 했다.

### 6) 腋汗

兩腋窩部에서 땀이 나는 경우를 말한다.《醫林繩墨》,《張氏醫通》,《類證治裁》에서는 '脇汗'으로 기재하였는데 腋汗과 같은 것이다. 임상적으로는 腋臭와 함께 나타난다.

### 7) 陰汗

외생식기부위에 늘 촉촉하게 땀이 나는 증을 말한다. 늘 땀이 나면서 瘙痒感이 있으면서 아랫배가 아프다. 腰膝無力, 四肢冷하다.

### 8) 偏汗

偏汗이란 신체의 半分에만 편재하여 왼쪽이나 오른쪽의 한편에서만 汗出되는 것을 말한다.《素問. 生氣通天論》에 "汗出偏沮, 使人偏枯"라고 기재한 바와 같이 본 증상은 中風이나 臟腑機能의 衰退로 발생하는 경우가 많다. 특히 50세 이상의 환자로서 半身의 發汗을 보일 때는 즉시 치료해야 하며 특히 風邪에 대한 예방과 절제있는 생활을 권장하여 中風 발생에 대한 예방조치가 필요하다.

#### 9) 食後汗出

飮食後에 汗出如雨하는 것을 말한다.

#### 10) 黃汗

黃汗이란 黃色의 땀이 스며 나와 입고 있는 옷을 누렇게 찌들게 하는 것을 말한다.《金匱要略. 水氣病脈證幷治》에 "黃汗之胃病 身體重 發熱汗出而渴 狀如風水 汗霑衣 色正黃如黃柏汁"이라 한 것에 해당한다.

#### 11) 血汗

全身腠理로 出血되어 의복이 염색되는 것을 말한다.

#### 12) 絶汗

위급상태에서 보이는 대량의 發汗으로 기름과 같은 땀이 멎지 않고 계속 흐르는 것을 말한다.《素問 · 擧痛論》,《靈樞 · 五禁》 등에는 "汗大泄", "絶汗", "漏汗", "脫汗", "汗出不可止"로 기재되어 있다. 宋의 《證治活人書》에는 "虛汗不止", 元의 《世醫得效方》에는 "汗不止", 淸의 《雜病原流犀燭》에는 "汗大泄"로 기재되었다. 이상의 명칭은 각기 다르지만 임상면에서는 絶汗과 동일한 것으로 볼 수 있다.

현대의학에서는 과다한 발한이 어느 한 곳에 어떠한 원인에 의해 발생되는지에 따라 다음과 같이 구분한다.

① 국한성 다한증

호발부위는 손바닥과 발바닥, 액와부, 서혜부, 외음부와 같은 간찰부이고 그 외에 이마, 코끝 흉골부위에 호발하며 주원인은 정서적인 것이 많다.

② 정서적 다한증

불안, 괴로움, 두려움으로 야기된 정서적 흥분이 고조에 달했을 때 간헐적으로 발생한다.

③ 전신성 다한증

열대지방 같이 덥고 축축한 곳에서 발생하거나 열병이나 심한 운동을 한 후 발생하며 갑상선 기능항진증, 당뇨병, 임신, 폐경 같은 호르몬 이상이 있을 때도 생긴다.

④ 미각 다한증

양념한 식품, 토마토 쏘스, 쵸콜렛, 커피, 차 또는 뜨거운 국을 마신 후에 이마, 윗입술, 구강 주위 또는 흉골 부위에서 땀이 많이 날 수 있다.

⑤ 후각 다한증

냄새를 맡았을 때 발한이 생기는 경우이다.

## 2. 원인 및 병기

### 1) 自汗

自汗은 陽에 속하며 衛氣의 소관이다. 衛氣는 원래 腠理의 開闔을 관장하는 것인데, 衛氣가 虛하면 腠理의 開闔이 충실하지 못하여 汗出이 過多하게 된다. 대개 虛證에 속한 것이 많으나 表證, 裏證, 虛證, 實證 모두에 나타날 수 있다. 임상에 있어서는 먼저 外感病인가, 內傷病인가를 판별해야 한다. 外感病은 實證에, 內傷病은 虛證에 속할 때가 많다.

### 2) 盜汗

心身의 過勞로 心血消耗하여 心血虛하거나, 肺로 失精 亡血로 陰血을 消耗하여 陰虛로 內熱이 발생하여 陰虛火旺하거나, 生冷厚味 過食 過飮으로 脾胃損傷되어 濕濁이 발생하여 脾胃濕阻하면 발생한다.

### 3) 頭汗

頭部는 諸陽이 會同하는 것이며 手足三陽經이 다 頭部로 會集되었으므로 病邪가 諸陽을 薄하면 津液이 上注하여 頭部에 땀이 난다. 濕邪가 鬱滯되어 化熱하고 濕熱이 上越하여 頭汗하기도 하고 病後 혹 産後 老人의 陽氣不足으로 인한 경우도 있다.

### 4) 心汗

思慮過多하여 傷心되면 心臟에 鬱熱되어 汗出하는 것이다.

思慮過度, 飮食不節, 疲勞 등으로 心脾의 氣를 소모하여 心脾氣虛한 경우와 陰虛血少의 體質이나 慢性病으로 인해 傷陰, 出血過多하여 心腎陰虛한 경우가 있다.

### 5) 手足汗

脾胃가 疲勞에 傷하면 運化는 저하되고 濕이 생기게 되며 濕이 鬱하여 化熱하여 濕熱로 인해 발생하거나 脾胃의 氣가 損傷됨으로써 水濕의 輸布가 실조되기 때문에 발생하기도 하고 陰虛內熱이 일어나 內熱이 일어나 內熱이 四肢로 外泄하여 발생한다.

### 6) 腋汗

肝陰, 肝血이 부족하여 肝絡을 영양할 수 없거나 濕熱이 經脈에서 外泄함으로 발생한다.

### 7) 陰汗

下焦에 濕熱이 있거나 腎虛陽衰해서 생긴다.

### 8) 偏汗

心身의 疲勞, 慢性病에 의해 氣血兩虛하거나 寒濕이 침입하여 半身의 經絡運行이 저체되어 발생한다.

### 9) 食後汗出

胃의 熱로 인한 것이다.

### 10) 黃汗

營衛가 壅閉되거나 濕熱의 邪를 外感, 內濕이 鬱하여 化熱하여 나타난다.

### 11) 血汗

少陰病의 傳變 大喜하여 傷心氣散하면 발병한다.

### 12) 絶汗

陰液이 탈진되고 陽氣가 망실되어 발생한다.

## 3. 유형별 증상 및 치료

### 1) 自汗

(1) 外感風邪自汗 : 桂枝湯

(2) 外感氣虛自汗 : 黃芪健中湯

(3) 內傷氣虛自汗 : 補中益氣湯

(4) 濕氣性自汗 : 調胃湯

(5) 表氣虛自汗 : 玉屛風散, 小建中湯

(6) 陰陽偏虛自汗 : 黃芪湯

(7) 內傷氣虛或一切虛損自汗不止 : 補中益氣湯 加 麻黃根 浮小麥 附子 升麻 柴胡蜜炒
(8) 心胸煩熱上氣自汗 : 涼膈散
(9) 通用方 : 黃芪湯 小建中湯 蔘芪湯

## 2) 盜汗

### (1) 心血虛

① 原因 : 心身의 疲勞 등으로 心血을 소모하여 心血不足을 일으키면 心氣가 浮越하여 心液인 땀을 收藏할 수 없어 外泄하기 때문에 일어난다.
② 症狀 : 汗出, 心悸, 少眠, 顔色不華, 氣短疲勞, 舌淡苔薄, 脈虛
③ 治法 : 補血養心, 斂汗
④ 治方 : 歸脾湯 加 龍骨 牡蠣 五味子하여 쓴다.

### (2) 陰虛火旺

① 原因: 亡血, 失精, 肺勞久咳 등으로 陰血을 소모하여 陰虛로 인해 內熱이 발생한 것으로 虛火가 盛하여 陰液을 收藏할 수 없기 때문에 발생한다.
② 症狀: 汗出, 午後潮熱, 兩顴部發紅, 五心煩熱, 形體消瘦, 女性月經不順, 男性夢精滑精, 舌紅少苔, 脈細數
③ 治法 : 滋陰降火, 斂汗
④ 治方 : 當歸六黃湯 加 浮小麥 糯稻根하여 쓴다.

### (3) 脾虛濕阻

① 原因 : 날 것, 기름진 것, 甘味品을 過食, 過飮하거나 음주벽 또는 식사시간이 일정치 않고 양의 부적절로 脾胃를 손상하여 運化가 失調됨으로써 濕濁이 생긴 것으로 濕이 氣의 疏通을 장해, 昇降失調를 일으켜 발생한다.
② 症狀 : 汗出, 頭痛, 肢體困倦, 食慾不振, 口膩, 舌苔薄白膩, 舌質淡, 脈濡緩
③ 治法 : 化濕和中, 宣通氣機
④ 治方 : 藿朴夏苓湯 去 杏仁 猪苓 淡豆豉, 澤瀉 加 蒼朮 陳皮 糯稻根, 四製白朮散을 쓴다.

### (4) 邪在半表半裏

① 原因 : 外邪가 侵襲하여 表證이 疏解되지 않은 채 少陽에 傳入되면 半表半裏를 阻滯하여 邪, 正이 相爭하게 되는데 이 때 津液을 외부로 내보내기 위해 발생한다.
② 症狀 : 盜汗, 寒熱往來, 兩脇滿悶, 口苦, 惡心, 舌苔薄 또는 薄黃, 脈弦滑 혹은 弦數

③ 治法 : 和解少陽한다.

④ 治方 : 小柴胡湯 去 人蔘 大棗, 加 黃連하여 쓴다.

### 3) 頭汗

#### (1) 濕熱頭汗

① 原因 : 濕邪가 鬱하여 化熱하고 濕熱이 熏蒸하여 布散되지 않고 經을 따라 上越하여 津液을 밖으로 밀어내기 때문에 頭部, 顏部에 땀이 난다.

② 症狀 : 頭面部 發汗과 함께 小便不利, 身目發黃, 惡寒, 發熱, 舌苔黃膩, 脈濡數

③ 治法 : 淸利濕熱한다.

④ 治方 : 茵蔯五苓散을 쓴다.

#### (2) 陽氣不足頭汗

① 原因 : 病後, 産後, 老人의 陽氣不足으로 腠理의 固攝이 저하, 津液이 外泄하기 때문이다.

② 症狀 : 頭面部 多汗, 面色蒼白, 四肢不溫, 氣短, 倦怠無力感, 舌淡嫩, 脈虛弱

③ 治法 : 溫陽益氣, 固表斂陰

④ 治方 : 芪附湯 加 龍骨 牡蠣를 쓴다.

#### (3) 陽明病 胃家實熱에는 調胃承氣湯을 쓴다.

#### (4) 胸脇에 水結되면 頭汗이 많은데 赤茯苓湯을 쓴다.

### 4) 心汗

#### (1) 心脾氣虛

① 原因 : 思慮過度, 飮食不節, 疲勞 등으로 心脾의 氣를 소모함으로써 胸陽不振과 함께 衛氣가 固表機能을 상실, 津液이 外泄하기 때문에 발생한다.

② 症狀 : 前胸部發汗, 顏色白, 心悸, 健忘, 食慾不振, 便溏, 舌淡嫩, 脈虛弱

③ 治法 : 補益心脾, 固表止汗한다.

④ 治方 : 歸脾湯 加 龍骨, 牡蠣를 쓴다.

#### (2) 心腎陰虛

① 原因 : 陰虛血少의 體質, 慢性病으로 인한 傷陰, 出血過多, 思慮過度 등에 의한 心腎陰虛로 陽氣를 收斂하지 못하고 동시에 虛熱이 일어나 津液을 體表部로 外泄시킬 때 발생한다.

② 症狀 : 前胸部發汗, 焦燥感, 不眠, 耳鳴, 咽乾舌燥, 腰膝痠軟, 多夢, 遺精, 骨蒸潮熱, 小便短赤, 舌紅少苔, 脈細數

③ 治法 : 滋補心腎한다.

④ 治法 : 天王補心丹, 六味地黃丸, 茯苓補心湯을 쓴다.

### 5) 手足汗

(1) 脾胃濕熱

① 原因 : 脾胃가 疲勞에 의해 손상되면 運化는 저하되고 濕이 생기게 되어 脾胃를 침습함으로 濕이 鬱하여 化熱하게되고 그 濕熱이 胃를 熏蒸하여 胃中의 津液을 四肢의 表部로 外泄시키기 때문에 手足에 땀이 난다.

② 症狀 : 手足汗出, 胸脘痞滿, 身重體倦, 小便短赤, 舌苔黃膩, 脈濡細 또는 濡滑하다.

③ 治法 : 淸熱燥濕, 和中한다.

④ 治方 : 連朴飮, 胃苓湯 加減

(2) 脾衛氣虛

① 原因 : 飮食不節, 疲勞 등으로 脾胃의 氣가 손상됨으로써 水濕의 輸布가 실조되고 津液이 傍注때문에 발생한다.

② 症狀 : 倦怠無力感, 氣短懶言, 四肢不溫, 攝取減少, 大便不實, 舌淡 苔白, 脈虛弱

③ 治法 : 補氣健脾한다.

④ 治方 : 蔘苓白朮散加減을 쓴다.

(3) 脾胃陰虛

① 原因 : 熱病에 의한 傷陰, 身熱厚味한 식물의 기호에서 오는 蓄熱傷陰으로 陰虛內熱이 일어나서 內熱이 津液을 四肢로 外泄시키기 때문에 발생한다.

② 症狀 : 咽燥口乾(야간에 현저), 飮食不振, 飢不欲食, 乾嘔, 呃逆, 大便不調, 舌紅少苔, 脈細數

③ 治法 : 滋養胃陰한다.

④ 治方 : 沙蔘麥門冬湯가감을 쓴다.

### 6) 腋汗

(1) 肝虛內熱

① 原因 : 慢性病의 消耗, 過勞, 性慾過度 등으로 精血을 소모하여 肝陰, 肝血이 부족하여 肝絡

을 영양할 수 없어 발생한다.

② 症狀 : 腋下의 無臭의 腋汗出, 多夢易驚, 虛煩不眠, 頭暈, 無力感, 顏色不華, 午後潮熱, 五心煩熱, 口乾咽燥, 舌苔少, 脈弦細數한다.

③ 治法 : 滋陰柔肝, 淸熱

④ 治方 : 六味丸, 一貫煎 加減, 外用으로는 牡礬丹을 腋下에 문지른다.

(2) 肝膽濕熱

① 原因 : 濕熱이 肝膽에 蘊結하여 肝膽의 疏泄을 방해하기 때문에 濕熱이 經脈에서 外泄함으로 발생한다.

② 症狀 : 腋下臭氣汗出, 胸悶, 食慾不振, 口苦, 粘膩, 口渴不欲飮, 身重體倦, 小便黃赤短小, 舌苔黃膩, 脈弦數.

③ 治法 : 淸熱利濕한다.

④ 治方 : 龍膽瀉肝湯加減을 쓴다. 外用으로는 牡礬丹을 문지른다.

### 7) 陰汗

補腎補陽한다. 濕熱에는 龍膽瀉肝湯을 쓰고 安神丸, 六味回陽飮, 八味地黃湯을 쓴다.

### 8) 偏汗

(1) 氣血兩虛

① 原因 : 心身의 疲勞, 慢性病에 의한 營養不良, 出血過多 등의 원인으로 氣血이 부족, 氣血이 全身을 주행하지 못하므로 半身에 汗出한다.

② 症狀 : 半身發汗, 少氣懶言, 倦怠無力感, 頭暈目眩, 顏色蒼白不華, 手足發麻, 舌淡苔白, 脈細弱

③ 治法 : 氣血雙補한다.

④ 治方 : 人參養榮湯을 쓴다.

(2) 寒濕阻滯

① 原因 : 寒濕이 침습하여 半身의 經絡을 痺阻, 氣血의 운행을 阻滯함으로써 腠理의 開闔이 失調되어 발생한다.

② 症狀 : 半身發汗, 筋脈攣痛, 關節의 運行障碍, 肢體沈重, 심하면 轉側不能, 舌苔白膩, 脈濡 또는 遲

③ 治法 : 調和營衛한다.

④ 治方 : 桂枝湯加減을 쓴다.

### 9) 食後汗出

二甘湯을 쓴다.

### 10) 黃汗

(1) 營衛壅閉

① 原因 : 몸이 뜨겁고 땀이 스며 나온 衛虛營鬱의 상태에서 비를 맞거나 冷水를 일시에 뒤집어 쓰면 肌膚의 閉鬱로 營衛가 壅閉, 熱과 水가 上搏하기 때문에 생긴다.

② 症狀 : 汗出如黃柏汁, 發熱, 身重困重, 皮中如有虫行, 口渴, 小便不利, 舌苔白, 脈沈

③ 治法 : 宣通鬱滯, 調和營衛한다.

④ 治方 : 黃芪芍藥桂枝苦酒湯을 쓴다.

(2) 濕熱鬱滯

① 原因 : 濕熱의 邪를 外感하거나 內濕이 장기간 鬱하여 化熱하여 濕熱蘊積되면 脾胃를 熏蒸하기 때문에 발생한다.

② 症狀 : 汗出黃色, 發熱, 脇痛, 食慾不振, 口苦, 尿赤, 舌苔黃膩, 脈弦滑

③ 治法 : 淸熱利濕한다.

④ 治方 : 茋蔯湯, 加味玉屛風湯을 쓴다.

### 11) 血汗

治方 : 黃芪健中湯, 定命散을 쓴다.

### 12) 絶汗

(1) 氣陰欲脫 絶汗

① 原因 : 중증의 高熱과 發汗, 심한 嘔吐와 下利, 久病, 重病으로 인한 陽氣의 과도한 소모에 의해 陰液이 탈진되면 陽氣도 의지할 것을 잃어 散越하며 陽氣를 망실하면 陰液을 化生할 수 없어 陰液도 枯渴하는 惡循環에 빠지게 되어 氣陰欲脫, 陽氣欲越의 위급 증후가 나타나게 된다.

② 症狀 : 粘稠한 熱汗에 기름같은 汗出이 멎지 않는다. 신체의 熱感, 手足溫, 口渴欲冷飮, 呼吸氣粗, 倦怠無力感, 脣舌乾紅, 脈虛數 또는 細數無力

③ 治法 : 益氣固脫 滋陰生津

④ 治方 : 生脈散 加 附子 山茱萸, 蔘附湯 加 龍骨 牡蠣

(2) 陽氣欲越 絶汗

① 原因 : 久病 또는 重病으로 陽氣 특히 心陽을 과도하게 소모, 收斂하지 못하여 陰陽이 離決된 것으로 陽氣가 밖으로 散越하여 발생한다.

② 症狀 : 구슬같은 冷汗, 怕冷, 踡臥, 四肢厥冷, 精神萎靡, 顔色蒼白, 呼吸微弱, 口渴欲熱飮, 舌潤, 脈微浮數芤

③ 治法 : 補陽固脫, 回陽救逆

④ 治方 : 蔘附湯 加 龍骨, 牡蠣

## 4. 예후

手足汗 혹은 腋汗의 경우는 한약 치료 외에 한약전기통전요법을 시행할 수 있는데 치료 후 일정기간 땀의 과다분비가 줄어 들 수 있지만 다시 재발할 수 있다. 서양의학에서는 수족다한증 환자에게 흉부 교감 신경 차단술을 시행할 수 있는데 이러한 수술을 받은 대다수 환자에서 수족다한증은 감소하는 반면 신체의 다른 부분의 교감신경이 항진되어 다른 부위에 발한이 증가할 수 있다.

### 참고문헌

1) 전국 한의과대학 피부외과학 교재편찬위원회. 한의피부외과학. 부산: 선우; 2007.
2) 主編. 谭新华, 何清湖. 중의외과학 2nd ed. 북경. 인민위생출판사. 2016.
3) BK Son, IH Choi. Correlation between Prognosis and Factors on Acne Patients. J Korean Med Ophthalmol Otolaryngol Dermatol. 2008
4) Kim B, Kim KI, Lee J, Kim K. Inhibitory effects of Cheongsangbangpoong-tang on both inflammatory acne lesion and facial heat in patients with acne vulgaris: A double-blinded randomized controlled trial. Complement Ther Med. 2019.
5) Knutsen-Larson S, Dawson AL, Dunnick CA, Dellavalle RP. Acne vulgaris: pathogenesis, treatment, and needs assessment. Dermatol Clin. 2012.
6) Tuchayi, S., Makrantonaki, E., Ganceviciene, R. et al. Acne vulgaris. Nat Rev Dis Primers 1, 2015.
7) Williams HC, Dellavalle RP, Garner S. Acne vulgaris. Lancet. 2012.
8) WY Jeong, EG Hong, JH Shin, YB Kim, HJ Nam, KS Kim, JH Lee. Study on the Major Symptoms by Each Pattern of Acne Vulgaris. J Korean Med Ophthalmol Otolaryngol Dermatol. 2014.
9) Yu Ri Woo, Ji Hong Lim, Dae Ho Cho, Hyun Jeong Park. Rosacea: Molecular Mechanisms and Management of a Chronic Cutaneous Inflammatory Condition. Int J Mol Sci. 2016.

# 第 42 章 모발질환

| CD 코드 | 한글 상병명 | 영문 상병명 |
|---|---|---|
| L63 | **원형 탈모증** | **Alopecia areata** |
| L63.0 | 전체(두피)탈모증 | Alopecia (capitis) totalis |
| L63.1 | 전신탈모증 | Alopecia universalis |
| L63.2 | 뱀모양탈모증 | Ophiasis |
| L63.8 | 기타 원형 탈모증 | Other alopecia areata |
| L63.9 | 상세불명의 원형 탈모증 | Alopecia areata, unspecified |
| L64 | **안드로젠탈모증** | **Androgenic alopecia** |
| L64 | 남성형 대머리 | Male-pattern baldness |
| L64.0 | 약물유발 안드로젠탈모증 | Drug-induced androgenic alopecia |
| L64.0 | 약물의 분류를 원한다면 부가적인 외인분류 코드(XX장)를 사용할 것. | Use additional external cause code (Chapter XX), if desired, to identify drug. |
| L64.8 | 기타 안드로젠탈모증 | Other androgenic alopecia |
| L64.9 | 상세불명의 안드로젠탈모증 | Androgenic alopecia, unspecified |
| L65 | **기타 비흉터성 모발손실** | **Other nonscarring hair loss** |
| L65.0 | 휴지기탈모 | Telogen effluvium |
| L65.1 | 성장기탈모 | Anagen effluvium |
| L65.2 | 점액성 탈모증 | Alopecia mucinosa |
| L65.8 | 기타 명시된 비흉터성 모발손실 | Other specified nonscarring hair loss |
| L65.9 | 상세불명의 비흉터성 모발손실 | Nonscarring hair loss, unspecified |
| L65.9 | 탈모증 NOS | Alopecia NOS |
| L66 | **흉터탈모증[흉터성 모발손실]** | **Cicatricial alopecia [scarring hair loss]** |
| L66.0 | 거짓원형탈모증 | Pseudopelade |
| L66.1 | 모공성 편평태선 | Lichen planopilaris |
| L66.1 | 모낭편평태선 | Follicular lichen planus |

| L66.2 | 탈모성 모낭염 | Folliculitis decalvans |
|---|---|---|
| L66.3 | 농양성 두피모낭주위염 | Perifolliculitis capitis abscedens |
| L66.4 | 세망성 흉터홍반성 모낭염 | Folliculitis ulerythematosa reticulata |
| L66.8 | 기타 흉터탈모증 | Other cicatricial alopecia |
| L66.9 | 상세불명의 흉터탈모증 | Cicatricial alopecia, unspecified |

# I 원형탈모증 Alopecia areata

## 1. 개요

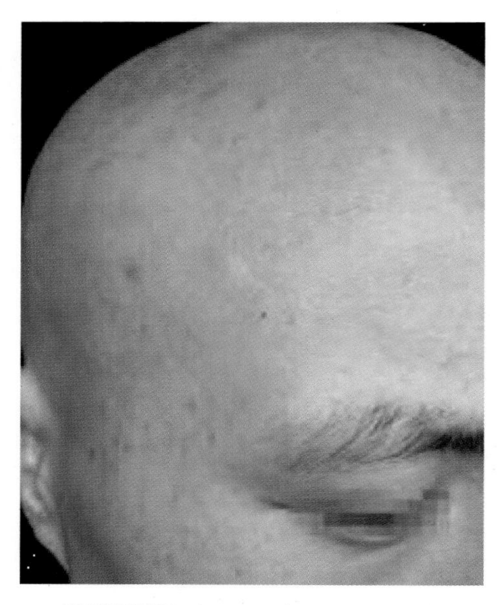

그림 42-1 전두탈모증(Alopecia totalis)

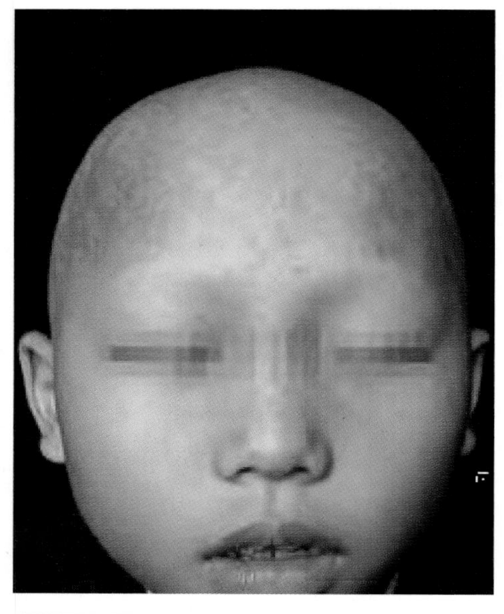

그림 42-2 범발성탈모증(Alopecia universalis)

원형탈모증(alopecia areata)은 모발이 원형으로 빠지는 질환으로 전체 인구의 2% 정도에서 발생하는 비교적 흔한 탈모 질환이다. 대개는 한두 군데의 원형의 탈모를 보이지만 심한 경우에는 여러 군데에 동시에 발생할 수 있고 탈모 부위가 융합되고 두피의 모발 외에 눈썹이나 수염의 모발도 소실될 수 있다. 따라서 원형 탈모증은 원형의 탈모를 보이는 전형적인 형태 이외에도 탈모의 정도 및 부위에 따라 몇 가지 종류로 구분할 수 있다. 두피 전체의 모발이 소실된 경우를 전두탈모증(alopecia totalis), 두피 뿐만 아니라 전신의 모발의 소실을 보이는 경우를 범발성탈모증(alopecia universalis), 탈모가 측두부와 후두부의 바깥 둘레를 따라 띠모양으로 발생하는 사행성 두부탈모증(ophiasis) 등으로 분류할 수 있다.

이러한 원형탈모 한의학 문헌에서의 유풍(油風)과 유사하다. 유풍(油風)은 突然히 頭髮이 脫落하여 頭皮가 鮮紅光亮하므로 油風이라고 하였다. 한의학 문헌 중《諸病源候論》에서는 "足少陰腎之經也, 其華在髮 · 衝任之脈, 爲十二經之海, 謂之血海, 其別絡上脣口 · 若血盛則榮于鬚髮美, 若血氣衰弱, 經脈虛竭, 不能榮潤, 故鬚禿落."이라 하고 脫髮의 原因에 對하여 說明하고 있다. 또한 "人有風邪在頭, 有偏虛處, 則髮脫落, 肌肉枯死. 或如錢大, 或如指大, 髮不生, 亦不痒."라고 說明하고 있다.《外科正宗》의 "油風" 中에서 "油風乃血虛不能隨氣榮養肌膚, 故毛髮根空脫落成片, 皮膚光亮, 痒如虫行. 此皆風熱乘虛攻注而然."라고 說明하고 있다.

## 2. 원인 및 병기

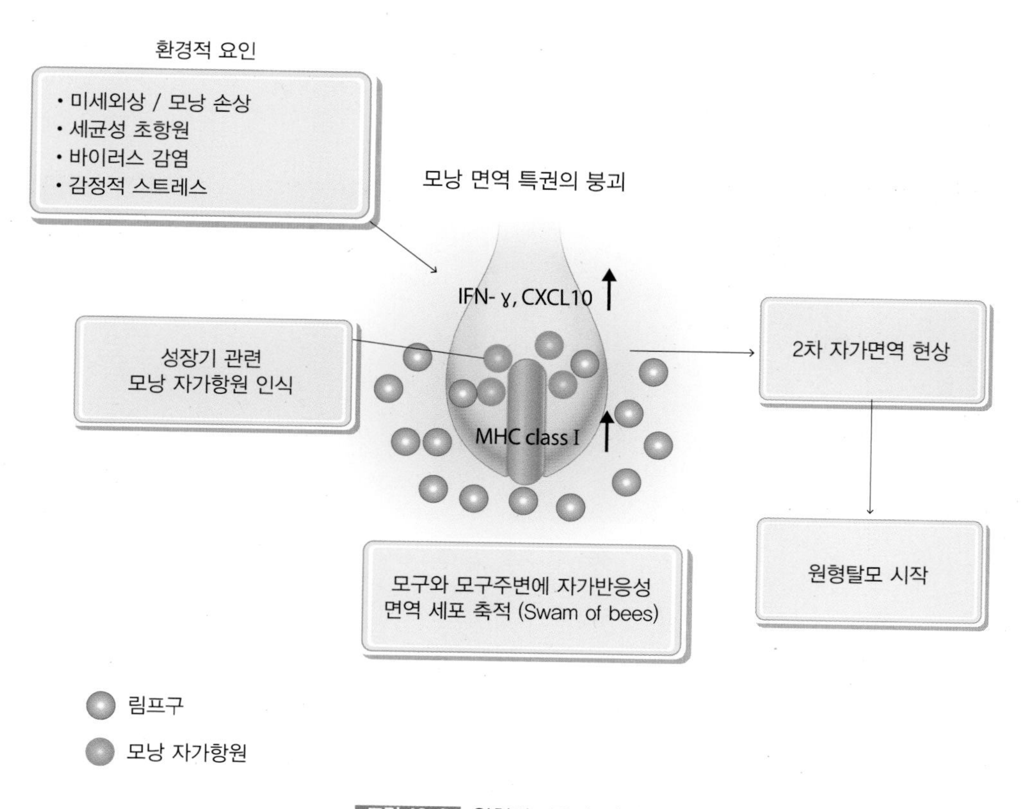


그림 42-3 원형탈모증의 병인

원형 탈모증은 일종의 자가면역질환으로 생각하고 있으나 정확한 원인은 아직 불분명하다. 정상적으로는 우리 몸의 면역세포가 모낭을 공격하지 않지만 어떤 원인에 의하여 모낭의 면역체계가 변화하면 면역세포가 모낭을 공격하고 염증을 일으켜 탈모를 일으키는 것으로 생각하고 있다.

흔히 스트레스가 원인으로 알려져 있으나 이의 정확한 인과관계는 분명하지 않다. 일부 환자에서는 가족적으로 발생하는 경향을 보이며, 어느 나이에서도 생길 수 있어, 소아에서도 드물지 않게 발생하고 있다.

한의학에서는 이러한 탈모가 다음과 같은 병인으로 발생한다고 보고 있다.

1) 血이 虛하여 氣를 따라서 皮膚를 營養하지 못하여 毛孔이 開脹되고 風邪가 虛를 乘하여 侵入하여 風盛血燥하게 되고 頭髮에 營養하지 못하여 成片脫落하게 된다.
2) 或은 情志가 抑鬱하고 肝氣鬱結하거나, 過勞하여 疲勞가 쌓여서 心脾를 傷하여 生化之源을 損傷하여 毛髮이 失養된 所致이다.
3) 肝藏血 髮爲血之餘, 腎主骨 其榮在髮하므로 病久하면 毛髮이 完全히 脫落하고, 精神이 抑鬱되어서 肝腎兩虧에 이르게 된다.

## 3. 증상

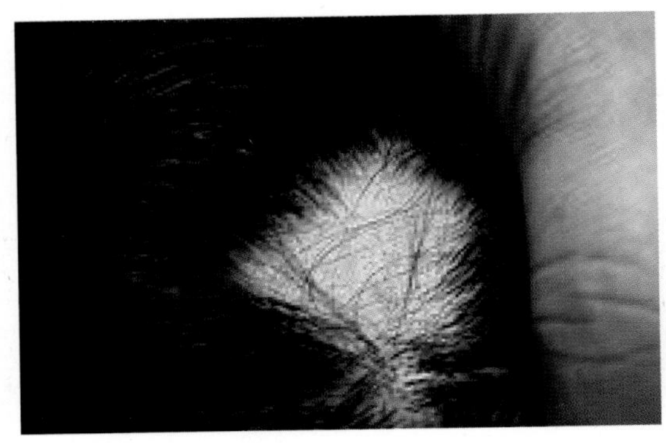
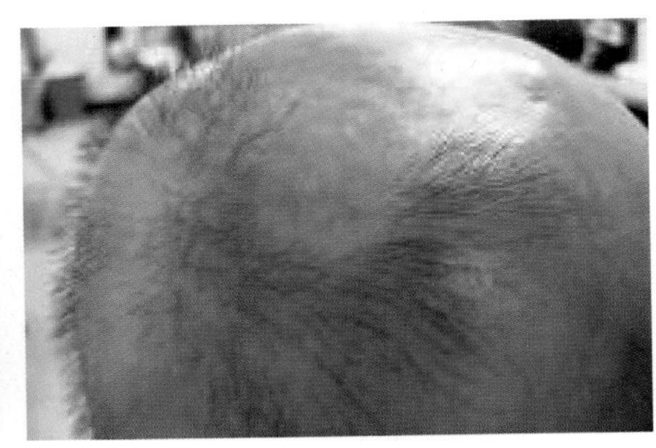

그림 42-4 원형탈모증

약간의 瘙痒感을 동반하기도 하나 특별한 自覺症狀 없이 돌연 1~5㎝ 직경의 원형 또는 타원형의 脫毛斑이 頭髮, 수염, 눈썹, 속눈썹 부위에 한 개 혹은 여러 개 발생하며 점차 病巢가 확대되거나 융합되어 큰 脫毛斑을 형성한다. 중년 남성이나 청소년에 好發하는데 초기에는 가벼운 壓痛感과 紅斑 및 浮腫이 나타나기도 하나 대개 表面은 光滑하며 鱗屑 등 다른 炎症 症狀은 나타나지 않는다. 脫毛斑 내에는 약간의 휴지기 털이 있고 脫毛斑의 가장자리에는 毛髮이 頭皮 가까이에서 끊어져 생긴 짧은 털을 볼 수 있는데 이를 뽑아보면 毛球가 萎縮되고 退色되어 上粗下細한 소위 감탄부호 모발(exclamation mark hair)로 되어 있다.

小兒 患者에서는 側頭部와 後頭部를 띠처럼 연결하는 蛇行性 頭部 脫毛症이 잘 나타나는데 豫後는 不良하며, 白癜風이나 白髮 患者에 있어서는 白髮 보다는 黑髮이 먼저 脫落되는 경향이 있다. 脫毛症은 정도에 따라 頭髮 전체가 脫落되면 全頭 脫毛症, 全身의 毛髮이 脫落되면 全身 脫毛症이라 한다.

## 4. 진단감별

주로 임상적 증상을 확인함으로써 진단 가능하다. 이환된 병변을 확인하기 위해 두피뿐만 아니라 전신을 자세히 관찰하는 과정이 필요하다. 모발확대경 상 원형탈모증은 비반흔성 탈모로 모낭 구멍 존재 유무를 확인하여 반흔성 탈모 여부를 감별한다. 또한, 황색, 흑색 점뿐만 아니라 감탄부호 모발 등을 확인할 수 있다. 원형탈모증 각각의 병변 변연에서 당김검사를 시행하면 질병의 활성도를 평가할 수 있다. 자와 사진을 이용해 병변 크기를 측정하고 추적하며 질병의 진행과 치료 여부를 판단한다. 진단이 모호할 경우 병변의 변연에서 4 ㎜ 펀치생검을 시행할 수 있다.

## 5. 치료

### 1) 內治法

(1) 血熱生風型: 發病이 신속하고 일반적으로 頭髮이 많이 脫落하며 일부 患者에 있어서는 頭皮의 瘙痒感과 灼熱感이 있고 눈썹과 수염도 脫落된다. 그 외 煩躁易怒, 舌質紅, 苔薄黃, 脈弦緊數 등의 症狀이 수반된다. 淸熱凉血, 熄風, 養陰하는 四物湯, 六味地黃湯, 烏髮丸 등을 활용한다.

(2) 血熱風燥型: 陰血을 耗傷하여 毛髮을 營養하지 못하여 脫落한다. 凉血消風하는 凉血消風散, 養血消風散 등을 활용한다.

(3) 血瘀毛竅型: 頭髮 脫落前에 먼저 頭痛이나 偏頭痛 또는 頭皮痛이 나타나면서 脫毛斑이 나타나는데 심할 경우 頭髮 전체가 脫落되기도 한다. 그 외 惡夢, 失眠, 舌質紅, 苔薄黃, 脈弦緊數 등의 症狀이 수반된다. 活血化瘀, 疏通經絡하는 通竅活血湯, 逍遙散 등을 활용한다.

(4) 脾胃濕熱型: 頭皮에 脂漏性 鱗屑 및 瘙痒感이 동반되면서 毛髮이 脫落한다. 그 외 舌質紅, 苔黃膩, 脈滑數 등의 症狀이 수반된다. 健脾燥濕, 淸熱利濕하는 祛濕健髮湯, 萆薢滲濕湯

등을 활용한다.

(5) 肝腎不足型: 일반적으로 發病時 頭髮이 균일하게 脫落하며 심할 경우 全身의 毛髮이 脫落되기도 한다. 그 외 面色蒼白, 肢冷畏寒, 頭昏耳鳴, 腰膝痠軟, 舌質淡紅或淡白, 苔薄白, 脈細弱 등의 症狀이 수반된다. 補益肝腎, 養血祛風, 塡精益髓하는 神應養眞丹, 七寶美髥丹, 肝腎膏 등을 활용한다.

(6) 氣血兩虛型: 大病이나 久病 또는 産後에 많이 발생하는데 毛髮 脫落의 정도나 범위가 점차 증가한다. 脫落된 부위에는 약간의 未成熟된 頭髮이 나와 있지만 가볍게 接觸만 하여도 다시 脫落된다. 그 외 心悸氣短, 嗜睡乏力 등 全身症狀과 舌質淡紅或淡白, 苔薄白, 脈細弱 등의 症狀이 수반된다. 氣血雙補하는 八珍湯, 十全大補湯 등을 활용한다.

### 2) 外治法

(1) 탈모 허증에는 동충하초주(冬蟲夏草酒)를 1일 2~4회 도포한다.

(2) 천오 분말을 식초에 섞어 1일 2~3회 도포하거나 생강을 얇게 썰어 불에 구운 후 환부에 1일 1회 반복해서 문지른다.

(3) 5-10% 반묘 팅크제나 10% 칠리 팅크제 등을 1일 수차례 문지른다.

(4) 풍열로 인한 탈모와 인설이 많은 경우 海艾湯(海艾 2錢, 菊花 2錢, 薄荷 2錢, 防風 2錢, 藁本 2錢, 藿香 2錢, 甘松 2錢, 蔓荊子 2錢, 荊芥穗 2錢,《外科正宗》卷四)을 두면부를 훈증하거나 적당히 따뜻해지면 1일 2~3회 천에 묻혀 세정한다.

### 3) 其他治療

(1) 針灸法

① 百會 頭維 生髮穴(風池與風府連線中点) 翳明 上星 太陽 風池 足三里 三陰交 등 경혈자리 중 매 3~5개 혈자리를 선택하여 허실보사법으로 1~2일 1회 교대로 자침한다.

② 질병 기간이 길어지면 七星針을 이용하여 탈모 부위에 매일 1회 침자할 수 있다.

(2) 保護管理

① 業務와 休息을 適切히 調和하고, 지나치게 신경 쓰는 것을 피해야 한다.

② 偏食하는 習慣을 극복하여, 鼓勵食品의 多樣化, 가령 蛋黃, 胡桃肉, 骨湯等을 考慮하여야 한다.

③ 外用藥을 使用할 때는 過敏反應에 注意하여야 한다.

## 6. 예후

원형탈모증 경과에 대해 유일하게 예측할 수 있는 것은 그 경과를 예측할 수 없다는 점이다. 환자들은 일생 동안 여러 번의 탈모와 재생을 경험할 수 있다. 완전히 회복할 수도 있고, 부분적일 수도 있으며 회복을 못하는 경우도 있다. 대부분의 환자는 치료 없이도 1년 이내에 회복된다. 하지만 7~10%에서는 중증의 만성적인 형태로 남아 있게 된다. 아토피, 원형탈모증 가족력, 어린 나이 발병, 손발톱이상증, 넓은 탈모 병변, 사행성 탈모 등이 있을 경우 그렇지 않은 경우에 비해 예후가 나쁜 경우가 많다.

# Ⅱ 안드로젠탈모증 Androgenic alopecia

## 1. 개요

안드로젠탈모증은 가장 흔한 탈모 유형 중 하나로 전두부, 두정부, 측두부의 전형적인 침범 부위를 보이는 특징적인 분포로 모발이 점진적으로 손실되는 것이 특징이다. 남성의 안드로젠탈모증은 사춘기 이후부터 나타나는 탈모 유형으로 인종이나 민족에 따라 유병률에 차이가 있다.

## 2. 원인 및 병기

안드로젠탈모증은 유전적 배경과 남성호르몬인 안드로겐이 가장 중요한 원인으로 알려져 있다. 특히 여러 종류의 안드로겐 중 테스토스테론이 모낭에 도발하여 5α-환원효소에 의해 디하이드로테스토스테론으로 변환되는데 탈모 부위에 디하이드로테스토스테론이 많이 생성되는 것으로 미루어 5α-환원효소의 역할이 중요하다고 알려져 있다. 안드로젠탈모증의 발현에 X염색체가 연관된 것은 모계 유전이 중요함을 의미하지만 여러 상염색체의 유전자 역시 안드로젠탈모증과 연관이 있어 다유전자 영향을 받는 질환임을 알 수 있다. 이러한 유전적 요인과 안드로겐 호르몬과 더불어 아직 명확히 밝혀지지 않은 다른 기전에 의한 상호작용이 민감한 두피 영역에서 모낭의 소형화를 유발하는 것으로 보인다.

한의학에서는 불규칙한 생활 및 식이 습관, 과식, 기름진 음식의 과다 섭취, 정신적 스트레스 등으로 인해 비위의 기능이 손상되어 *津液*이 정체되고 울체되어 湿热이 발생하고 이러한 습열이 巅顶

두피에 영향을 주어 모공 주위 혈액 순환을 저하시켜 탈모가 발생하는 것으로 보고 있다

## 3. 증상

안드로젠탈모증은 안드로겐에 대한 감수성의 차이로 주로 두피의 앞부분과 정수리 부위의 모발이 모발 주기가 짧아져 가늘어지고 빠지는 특징을 보인다. 탈모가 진행됨에 따라 이마선이 점점 뒤로 밀리는 양상을 보인다. 탈모의 진행은 급격히 진행되기 보다는 점진적 양상을 보인다. 안드로젠탈모증과 함께 두피 피지량의 증가를 동반하는 경우도 있다.

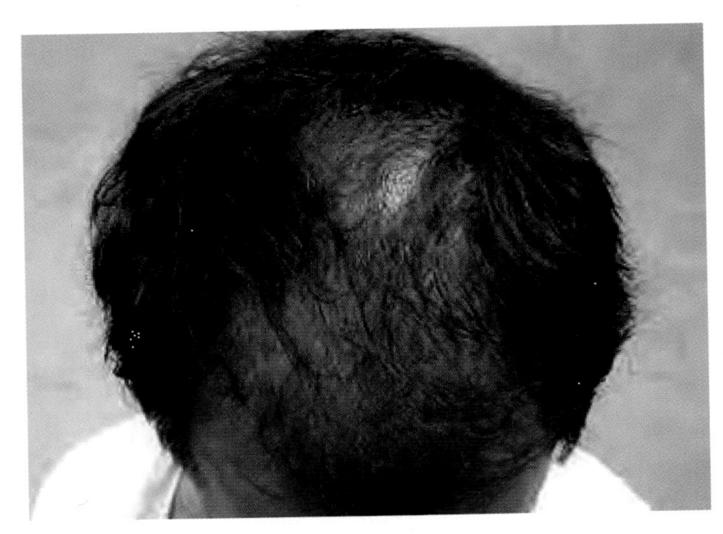

그림 42-5 안드로젠탈모증

## 4. 진단감별

남자의 안드로젠탈모증의 진단은 주로 탈모의 임상 양상을 보고 판단한다. 여성의 경우 전형적 패턴을 보이는 경우는 어렵지 않게 진단할 있으나 두피전반에 걸쳐 탈모가 진행 중이거나 휴지기 탈모, 미만성 원형 탈모, 반흔성 탈모의 경증 상태와 동반된 경우 진단이 비교적 어려울 수 있다. 모발 확대경 상 위축된 모발을 관찰할 수 있으며 미만성 모발탈락 감별을 위해 두피 여러 영역의 모발 당김 검사를 시행할 수 있다. 소형화되는 모발 양상으로 영역별 탈모가 일어나는 패턴, 점진적인 발병과 진행, 천천히 발생하는 두피 노출과 모발 가늘어짐, 사춘기 이후 발생, 당김 검사 음성 소견 등을

통해 진단할 수 있다. 머리 전체 영상 촬영을 통해 질환 경과 및 치료 효과를 판단할 수 있다. 안드로겐유전성 탈모 남성 환자의 경우 미만성 모발 탈락이 동반되지 않는다면 검사실 검사는 일반적으로 필요하지 않다. 여성의 경우 통상적으로 안드로겐에 대해 광범위하게 검사하는 것은 불필요하지만 불규칙한 월경 및 남성호르몬 과다 증상이 의심되는 경우 free/total testosterone, DHEA-S에 대한 검사를 시행할 수 있다. 그 외 휴지기 탈모에 선행되는 인자들을 감별하기 위해 ferritin, 비타민 D, 비타민 B12, 셀레늄, 아연, 구리 등을 검사할 수 있다.

## 5. 치료

초기에는 濕熱을 제거하고 相火를 瀉하여 피지 생성을 줄이고 補腎固脫하며 삼인탕가미방을 응용할 수 있다. 여성 환자 중 피지 분비가 많은 경우 백화사설초를 추가하여 두면부 피지 분비를 억제할 수 있다.

이후 이전 단계의 치료 효과를 공고히 하고 모발 영양을 공급하기 위해 査曲平胃散에 四物湯을 추가하여 처방한다.

연모가 자라는 시기에 진입할 경우 養血滋腎 위주로 四物湯 혹 當歸飮子 가감을 처방하고 하수오를 중용할 수 있다. 養血補肝腎하여 모발을 생장하고 검게 유지할 수 있다.

보골지, 하수오, 단삼, 천궁, 고삼, 박하 등은 탈모 부위에 직접적으로 적용하는 외용제 치료 시 적용할 수 있다.

## 6. 예후

안드로젠탈모증은 사춘기 이후부터 나타날 수 있으며 점진적인 경과를 보인다. 일반적으로 측두부, 중앙전두부 두정부 영역에서 시작되며 이러한 영역의 범위와 정도는 매우 다양하다. 안드로젠탈모증은 수년에 걸쳐 천천히 진행되는 지속적인 과정이지만 탈모 진행 정도에 따라 모 주기가 짧아져 빠른 탈모 진행을 보일 수 있다.

## 참고문헌

1) 雪彦锋, 乔建荣, 靳萱, 雷鸣, 姚守恩. 加味除湿胃苓合剂治疗脾虚湿热型脂溢性脱发临床效果观察. 中医中药. 2019.
2) 张瞧, 周光, 丁甜甜, 等. 雄激素性秃发的中医研究现状. 世界最新医学信息文摘, 2019.
3) 전국 한의과대학 피부외과학 교재편찬위원회. 한의피부외과학. 부산: 선우; 2007.
4) Ito T. Recent advances in the pathogenesis of autoimmune hair loss disease alopecia areata. Clin Dev Immunol. 2013.
5) Jerry Shapiro, Nina Otberg.. Hair lass and Restoration.. 2nd Ed. Taylor &Francis Group. 2015.
6) Pratt CH, King LE Jr, Messenger AG, Christiano AM, Sundberg JP. Alopecia areata. Nat Rev Dis Primers. 2017.

# 第43章 손발톱 장애

| CD 코드 | 한글 상병명 | 영문 상병명 |
| --- | --- | --- |
| L60 | 손발톱장애 | Nail disorders |
| L60.0 | 내향성 손발톱 | Ingrowing nail |
| L60.1 | 손발톱박리 | Onycholysis |
| L60.2 | 손발톱만곡증 | Onychogryphosis |
| L60.3 | 손발톱디스트로피 | Nail dystrophy |
| L60.4 | 보선 | Beau lines |
| L60.5 | 황색손발톱증후군 | Yellow nail syndrome |
| L60.8 | 기타 손발톱장애 | Other nail disorders |
| L60.8 | 집게손발톱 | Pincer nail |
| L60.8 | 흑색손발톱 | Melanonychia |
| L60.9 | 상세불명의 손발톱장애 | Nail disorder, unspecified |

## I 손발톱박리 Onycholysis

### 1. 개요

손톱이나 발톱이 손발톱 바닥 및 측면 지지 구조에서 손발톱 조갑판의 말단 또는 말단 측면으로부터 분리되어 자연적 또는 물리적으로 피부와 분리되는 질환이다.

## 2. 원인 및 병기

조갑박리증은 외상, 세제 자극, 건선, 편평 태선, 약물, 손발톱 진균증, 알레르기 또는 자극성 접촉 피부염, 또는 노란 손톱 증후군을 포함한 여러 가지 질환과 관련이 있을 수 있다. 보통 세제의 자극이나 기계적인 자극이 손톱에 가해진 경우에 생기며 전신질환 때문에 나타나는 경우는 드물다. 드물지만 광과민성 약물 섭취 후 일광 자극에 의해 발생하는 경우도 있다.

## 3. 증상

조갑판의 조갑 박리 부분은 조갑 아래의 공기로 인해 흰색으로 보인다. 손톱이 약간씩 부스러지거나 깨지는 증세가 나타나며 손톱 색깔이 약간 변한다. 대부분 손발톱 끝부분부터 아래쪽 피부와 분리되지만 때에 따라서는 양쪽 옆이나 손발톱이 나오는 부위에서 벗겨지는 경우도 있다.

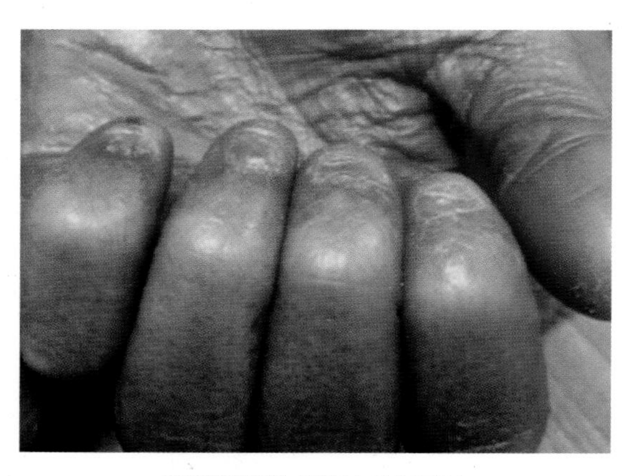

그림 43-1 선천성 손톱결여

## 4. 진단감별

조갑을 진단 평가할 때는 조갑의 표면 질감의 변화, 변색, 조갑바닥으로부터의 박리, 홈, 융기, 세로 및 가로 홈을 포함한 두께의 변화 등에 대해 평가한다. 일반적인 표면 질감 이상은 잘 부러지는 손톱, 조갑박리증, 조갑진, 가로 및 세로 홈, 조갑함몰, trachyonychia 등이 포함된다. 색조 변화는 백반증, 세로 홍반, 세로 멜라닌 손발톱, 가시 출혈 등이 있다. 손톱은 건선, 수포성 손발가락염, 편평태선, 원형 탈모증, 다리에병 등 수많은 피부 질환에 관련될 수 있다.

## 5. 치료

전신질환 때문에 생긴 경우에는 원인에 대한 치료를 우선적으로 실시해야 하고, 국소적 원인에 의한 단순 박리의 경우 손발톱을 짧게 깎고 외상을 최소화하며 접촉 자극을 줄이고 손톱을 건조하게 유지하며 가능한 네일 화장품은 피하고 추위나 바람이 부는 날씨에는 손발을 보호하도록 하는 등 손발톱에 대한 일반적인 관리가 필요하다.

## 6. 예후

조갑박리증이 더 진행되면 손발톱이 완전히 떨어져나가는 경우도 있다. 만성화되면 피부사상균(예: *Trichophyton rubrum*), 효모(예: *Candida albicans*) 또는 박테리아(예: *Pseudomonas aeruginosa* 및 *Staphylococcus aureus*)로 인한 이차성 조갑하 감염에 걸리기 쉽다.

### >> 전신질환에 동반되는 조갑 변화

**1) 곤봉 손가락**

조갑이 시계 유리같이 볼록한 모양이 되며 손가락이나 발가락의 끝부분이 둥근 모양 또는 방추모양으로 커지며, Lovibond각(손가락 끝마디의 배부와 조갑판이 이루는 각, 정상:160°)이 180°이상이고 손가락 끝마디의 연조직이 북채 모양으로 둥근 모양이 된다. 근위 조갑판을 눌렀을 때 부유감이 있으며, X-ray 검사상 원위 지절은 정상이다. 단순한 곤봉 수지는 대부분 간경화증 또는 기관지 확장증, 기관지염, 폐암, 폐결핵, 폐기종 등 만성 호흡기 질환에 동반되어 나타나며, 이외에 선천성 심장 질환, 비대성 골관절증, 경피 골막염, 궤양성 대장염 등에서도 나타난다. 본증은 50여 종의 질환에서 동반됨이 보고되어 있으며 선행성 질환 없이도 나타날 수 있어 진단적 가치가 없다고 생각하는 학자도 있다.

**2) 20조갑 이영양증**

20개의 모든 조갑이 광택을 잃고 젖 빛깔을 보이고, 얇고, 무디어 잘 부서지며 종주하는 가는 능선이 나타난다. 한 살 반에서 어른에 이르기까지 어느 나이에서도 볼 수 있지만, 주로 아이들에서 나타나며 성인이 되기 전에 소실될 수도 있다. 본증은 특발성으로 나타나거나 또는 건선, 편평 태선, 원형 탈모증 및 다른 염증성 피부질환에서도 생긴다. Arias 등은 20개 전조갑이 심한 영양증을 갖는 5세대에 있어 37명 중 21명이 나타나는 가족을 보고했으며 상염색체성 유전을 한다고 하였다.

**3) 소와 조갑**

조갑 표면에 작은 움푹 파임이 나타나는 것으로 건선의 초기 병변으로 나타날 수 있으며, 원형탈모증, 초기 편평 태선, 류마티스성 관절염, 만성 습진 또는 특발성으로 나타날 수 있다.

**4) 정중 조갑 이영양증**

조갑 중앙부가 세로로 갈라지거나 관이 형성되는 것으로 각피에서 시작하여 조갑의 성장처럼 바깥쪽으로 진행된다. 원인은 외상 등을 생각할 수 있으나 대부분 모르며, 시간이 지나면 정상으로 돌아오기도 하나 재발할 수 있다.

## 참고문헌

1) 전국 한의과대학 피부외과학 교재편찬위원회. 한의피부외과학. 부산: 선우; 2007.
2) Daniel CR III. Simple onycholysis. In: Nails: Diagnosis, Therapy, and Surgery, Scher RK, Daniel CR III (Eds), Elsevier Saunders, Oxford 2005.

# 第44章 점막질환

| CD 코드 | 한글 상병명 | 영문 상병명 |
|---|---|---|
| K12 | **구내염 및 관련 병변** | **Stomatitis and related lesions** |
| K12.0 | 재발성 구강 아프타 | Recurrent oral aphthae |
| K12.0 | 아프타성 구내염(대)(소) | Aphthous stomatitis (major)(minor) |
| K12.0 | 베드나르아프타 | Bednar's aphthae |
| K12.0 | 재발성 점막괴사성 선주위염 | Periadenitis mucosa necrotica recurrens |
| K12.0 | 재발성 아프타성 궤양 | Recurrent aphthous ulcer |
| K12.0 | 헤르페스모양구내염 | Stomatitis herpetiformis |
| K12.1 | 구내염의 기타 형태 | Other forms of stomatitis |
| K12.1 | 구내염 NOS | Stomatitis NOS |
| K12.1 | 의치 구내염 | Denture stomatitis |
| K12.1 | 궤양성 구내염 | Ulcerative stomatitis |
| K12.1 | 소수포성 구내염 | Vesicular stomatitis |
| K12.2 | 입의 연조직염 및 농양 | Cellulitis and abscess of mouth |
| K12.2 | 입(바닥)의 연조직염 | Cellulitis of mouth (floor) |
| K12.2 | 하악하농양 | Submandibular abscess |
| K12.3 | 구강점막염(궤양성) | Oral mucositis (ulcerative) |
| K12.3 | 점막염(입의)(입인두의) NOS | Mucositis (oral)(oropharyngeal) NOS |
| K12.3 | 약물-유발성 점막염(입의)(입인두의) | Drug-induced mucositis (oral)(oropharyngeal) |
| K12.3 | 방사선-유발 점막염(입의)(입인두의) | Radiation-induced mucositis (oral)(oropharyngeal) |
| K12.3 | 바이러스성 점막염(입의)(입인두의) | Viral mucositis (oral)(oropharyngeal) |
| K13 | **입술 및 구강점막의 기타 질환** | **Other diseases of lip and oral mucosa** |
| K13.0 | 입술의 질환 | Diseases of lips |
| K13.0 | 입술염 NOS | Cheilitis NOS |

| | | |
|---|---|---|
| K13.0 | 각의 입술염 | Angular cheilitis |
| K13.0 | 탈락 입술염 | Exfoliative cheilitis |
| K13.0 | 선성 입술염 | Glandular cheilitis |
| K13.0 | 입술통 | Cheilodynia |
| K13.0 | 입술증 | Cheilosis |
| K13.0 | 달리 분류되지 않은 구각미란 | Perleche NEC |
| **M35** | **결합조직의 기타 전신침범** | **Other systemic involvement of connective tissue** |
| M35.0 | 건조증후군[쉐그렌] | Sicca syndrome[Sjögren] |
| M35.2 | 베체트병 | Behçet's disease |
| M35.20 | 신경증상을 동반한 베체트병 | Behçet's disease with neurological manifestation |
| M35.21 | 위장증상을 동반한 베체트병 | Behçet's disease with gastrointestinal manifestation |
| M35.22 | 심혈관증상을 동반한 베체트병 | Behçet's disease with cardiovascular manifestation |
| M35.28 | 기타 증상을 동반한 베체트병 | Behçet's disease with other manifestation |
| M35.29 | 상세불명의 베체트병 | Behçet's disease, unspecified |

## I 아프타성 구내염 Aphthous stomatitis

### 1. 개요

입술의 안쪽 점막이나 혀, 또는 혀아래, 입안의 점막에 생기는 궤양을 아프타라 하고, 그 궤양이 생기는 질병을 아프타궤양, 또는 아프타성 구내염이라 한다. 재발성 아프타성 구내염(recurrent aphthous stomatitis, RAS)은 口腔粘膜의 潰瘍疾病 중에서 발병률이 가장 높은 질환이다. 원인은 알려지지 않았으나, 이 질환은 같은 가족 내에서 발생하는 경향이 있다. 대개 아동기에 시작되고 환자들의 80%가 30세 미만으로 젊은 연령에서 흔하고 나이가 들어감에 따라 발병의 빈도와 중증도가 일반적으로 감소한다.

한의학 문헌에서의 구창(口瘡)과 유사하며, 구감(口疳)이라고도 한다. 《醫宗金鑑》에 "大人口破分虛實, 鮮紅爲實淡紅虛 · 實則滿口爛斑腫, 虛白不腫点微稀."라 하여 實證과 虛證으로 구분하였다. 원형 혹은 타원형을 띤 콩 크기의 작은 潰瘍點이 口腔內에 단독 혹은 다발성으로 나타나며, 臨床上 나누면 實證과 虛證으로 구분한다. 《太平聖惠方》에 "夫手少陰心之經也, 心氣通于舌,

凡太陰脾之經也,脾氣通于口. 腑有熱, 乘于心脾, 氣沖于口與舌, 故令口舌生瘡也."라 하여 口瘡이 心脾와 관련됨을 설명하였다. 實證은 대다수가 心脾積熱로 발생하는 것이고, 虛證은 대다수가 陰虛火旺으로 발생하며 흔히 재발을 잘하므로 再發性 口瘡(recurrent stomatitis)이라고 한다. 實證型은 일반적으로 嬰兒나 兒童에게 많이 발생하며 虛火型은 20~30대 환자에게서 많이 나타난다.

## 2. 원인 및 병기

RAS의 발병기전은 명확히 알려져 있지 않으나, 아마도 다인자일 가능성이 높다. 구강 점막과 관련된 면역 조절 장애, 과잉된 전염증 과정 또는 상대적으로 약한 항염증 반응과 연관이 있다고 알려져 있다. 가족력을 보이는 것이 일반적이기 때문에 유전적 소인이 있는 것으로 보여진다. 비타민과 미네랄 결핍이 RAS의 병인, 특히 비타민 B12 결핍과 관련이 있지만, RAS 치료에서 비타민 보충의 역할은 아직 불확실하다. 구강 내막에 대한 외상으로 인해 해당 위치에 궤양이 발생할 수 있다. 정서적 스트레스는 종종 질병의 악화로 이어질 수 있으며, 특정 약물은 아프타성 궤양과 유사한 구강 궤양을 유발하는 것으로 알려져 있다.

한의학적으로 크게 實火型과 虛火型으로 구분하여 병기를 설명하고 있다.

### 1) 實火型

心脾積熱이 가장 대표적이고 肺胃蘊熱, 脾胃伏熱, 外感風熱 등에 기인한다. 매운 음식을 過食하거나 혹은 술을 즐기거나 하여 心脾에 熱이 쌓이고 다시 風, 火, 燥邪에 감촉이 되면 熱이 盛하여 化火되고 이것이 經絡을 따라서 입으로 공격하게 되어 발생한다. 혹은 口腔不潔, 혹은 損傷을 당하면 毒邪가 侵襲하고 粘膜이 腐爛되어 病이 발생한다.

### 2) 虛火型

陰虛火旺이 가장 대표적이고 心腎失交, 腎津虧損, 脾虛濕困, 濕困脾陽, 脾失健運 등에 기인한다. 평소에 陰虛한데 病後 혹은 過勞, 思慮過多, 睡眠不足 등으로 眞陰이 虧損되게되고 이는 心身을 傷하게되고 陰液이 不足하여 虛火가 旺盛하여 口腔으로 上炎하여 發病한다. 또한 病이 오래되어 陰損하여 陽에 미치고 陰血이 부족하고 또한 陽氣도 虛하여져 心脾兩虛한 症狀이 발생된다.

## 3. 증상

증상은 주로 통증이나 작열감을 동반하며 구강 궤양이 생기고 1~2일이 지나 나타나게 된다. 수포가 발생하는 경우는 없다. 궤양의 크기가 작아도 이에 비해 심한 통증 양상을 보이며, 통증은 4~7일 동안 지속돈다. 구강 궤양은 입술이나 볼 안쪽, 혀나 입바닥, 입천장의 부드러운 부분, 목 안과 같이 부드럽고 헐거운 조직에서 대부분 형성된다. 궤양은 얇고 둥글며 동그란 반점으로 가운데는 노란빛을 띠는 회색이고 경계 지점은 적색 형태를 보인다. 일반적으로 궤양은 직경이 약 1 ㎝ 미만 정도이며 2~3개가 군집하여 나타나는 경우가 많다. 10일 정도 지나면 자연히 사라지는 것이 일반적이며 대개 흉터를 남기지 않는다. 큰 궤양은 약 1 ㎝ 이상이며 비교적 드물다. 큰 궤양은 불규칙한 모양을 하고 있으며 치료하는데 수 주가 걸리고 자주 흉터를 남길 수 있다. 중증 궤양은 발열, 목 부위의 종창성 림프절과 함께 전신에 힘이 빠지는 느낌을 유발할 수 있다.

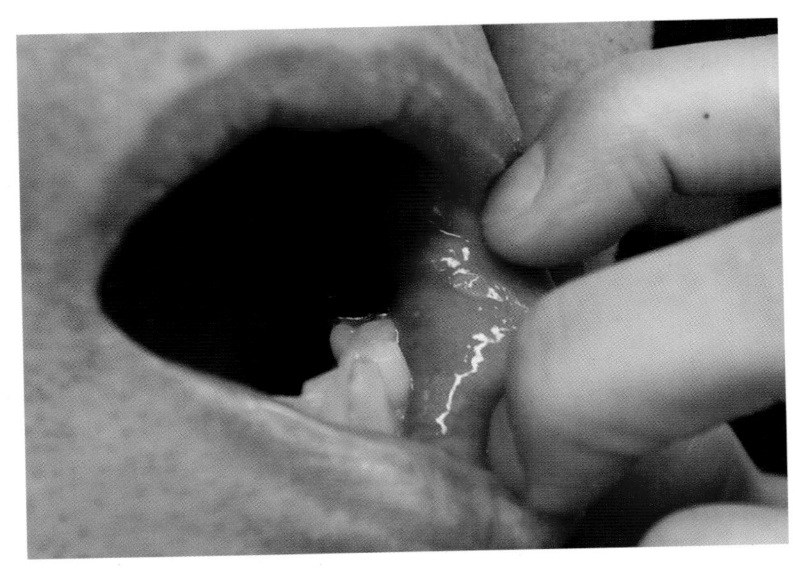

그림 44-1 아프타성구내염

1) 實火型(心脾積熱): 唇, 頰, 齒齦, 舌面 等에 생기고 黃豆 혹은 豌豆 크기의 圓形 혹은 椭圓形의 黃白色 潰爛點처럼 되고, 中央은 凹陷하여 주위의 粘膜은 鮮紅, 微腫하며 潰點數는 비교적 많고 심하면 融合되어 片을 형성한다. 때로 灼熱疼痛感이 있고, 말을 하거나 혹은 음식물을 먹을 때 加重이 된다. 겸하여 發熱, 口渴口臭, 尿赤, 舌質紅苔黃, 脈數 等 症이 생긴다. 嬰兒와 兒童에서 多發한다.

2) 虛火型 (陰虛火旺): 口腔粘膜의 潰爛部位가 點을 형성하고 潰爛된 點의 수가 비교적 적고 일반적으로 1~2개이고 潰爛面은 灰白色을 나타내고 주위의 粘膜색깔은 淡紅 혹은 不紅하다. 潰爛點은 融合되어 片을 형성하지는 않는다. 但 쉽게 반복 발생을 하고 이쪽이 나으면 다른 곳에 발생하여 오래도록 낫지 않는다. 약간의 疼痛이 있고 음식을 먹을 때 疼痛이 비교적 뚜렷하다. 口不渴飮, 舌質紅, 無津少苔, 脈細數하다. 20~30대에서 多發한다.

## 4. 진단감별

일반적으로 환자의 병력과 신체 검사를 기반으로 진단이 이루어진다. 홍반 테두리와 황색 삼출물이 있는 별개의 원형 또는 타원형 궤양을 특징적으로 나타내는 구강 점막의 재발성 궤양의 병력으로 단순 아프타성 구내염을 충분히 진단할 수 있다. RAS는 베체트 증후군, MAGIC 증후군, 전신성 홍반성 루푸스, 글루텐감수성 장병증, 염증성 장질환, HIV 감염, 단순포진 바이러스, 순환성 호중구감소증 등과 감별이 필요하다.

## 5. 치료

### 1) 內治

(1) 實火型(心脾積熱): 淸熱解毒, 消腫止痛의 治法을 사용하며 凉膈散이나 黃連解毒湯을 加減하여 사용한다.

(2) 虛火型(陰虛火旺): 滋陰淸熱, 淸降虛火의 治法을 사용하고 四物湯에 黃柏, 知母, 牧丹皮를 加하여 사용한다. 그 외, 黃連阿膠鷄子黃湯이나 六味地黃湯에 加減하여 사용하거나, 氣血陽虛하여 오래되어도 낫지 않는 경우는 八珍湯을 사용한다. 가령 怔忡失眠 等 心脾兩虛의 症狀이 보이는 경우는 歸脾湯을 사용한다. 가령 腹脹滿自利, 手足冷, 脈沈 혹은 遲한 脾胃虛寒證이 있으면 附子理中湯을 사용한다.

### 2) 外治

(1) 實火型(心脾積熱): 淸熱解毒, 消腫止痛, 去腐生肌를 한다.

① 吹藥: 朱黃散을 患處에 뿌린다. 매일 5~6차례 한다. 處方中에 人中白, 煅石膏, 冰片은 淸熱解毒, 消腫止痛을 하고 雄黃, 硼砂, 朱砂는 去腐生肌한다. 혹은 冰硼散을 사용하기도 한다.

②含漱: 漱口方으로 含漱한다.

(2) 虛火型(陰虛火旺): 淸熱解毒, 去腐生肌의 治法을 사용한다.

① 柳花散을 患處에 뿌리기를 매일 5~6차례 한다. 處方中에 黃栢, 靑黛는 淸熱解毒消腫을 하고 冰片은 더러운 것을 제거한다. 肉桂를 佐藥으로하여 火를 歸原시킨다.

② 兒茶, 柿霜末을 潰點에 뿌린다.

③ 吳茱萸粉에 식초를 약간 섞어 糊狀으로 만들어 양측의 涌泉穴에 붙인다. 매일 한차례씩 藥을 바꾸어 준다. 이는 引火하여 歸原시키는 것이다.

**3) 鍼灸治療: 廉泉, 足三里, 合谷, 曲池, 頰車을 취한다.**

**4) 예방 및 생활양식**

(1) 虛火인 경우: 生冷物 이나 水分이 많은 果實 및 一切의 消耗性物質을 피한다.

(2) 實火인 경우: 脂肪性飮食物, 刺戟性 食料, 燻製肉, 鷄肉, 鵝肉, 牛肉, 새우, 게 및 비린내나는 海魚類를 금해야 한다. 과도한 思慮나 性生活, 鬱怒를 삼가야 한다.

## 6. 예후

단순 아프타증 환자의 예후는 좋은 편이다. 소수의 복합 아프타증 환자의 경우 통증과 발병 빈도가 전반적인 삶의 질에 상당한 영향을 미칠 수 있으나 두 가지 형태의 RAS는 환자가 나이가 들면서 개선되는 경향이 있다.

# Ⅱ 베체트병 Behçet's disease

## 1. 개요

베체트병(Behçet's disease)은 口腔, 眼, 生殖器 系統의 症候群으로 口腔과 生殖器에 潰瘍이 동시 또는 간헐적으로 나타나면서 眼窩部 疼痛과 羞明으로 시작되어 結膜炎, 葡萄膜炎, 虹彩 毛樣體炎 등 眼病變 및 血栓性 靜脈炎, 結節性 紅斑, 心血管, 消化器, 神經系統에 障碍를 초래하는 自家免疫性 疾患이다. 베체트병은 전 세계적으로 발생하지만, 지중해부터 중국까지 실크로드 지방과 한국, 일본 등 동아시아에서 가장 일반적이다. 일반적으로 20대부터 남성과 여성에서 거의 동일하게 발생하지만, 남성에서 보다 중증인 경향이 있다.

이는 한의학 문헌에서의 호혹증(狐惑證)과 유사하다. 狐惑은 여우가 얼음을 보고 망설이는 것과 같다는 뜻으로 狐는 항문의 증상, 惑은 목의 증상을 이르는 것으로 "三聯症"이라고도 한다. 蟲毒에 감염되고 濕熱이 풀어지지 못함으로써 눈이 붉어지고 눈초리가 검어 지며 입안과 목구멍 및 前陰과 後陰이 썩어 짓물러 터지는 것을 특징으로 하는 질환으로 이는 咽喉 및 前後陰이 허는 것이 主症인데, 환자의 정신이 흐리멍텅하고 늘 불안하여 의심이 많기 때문에 붙여진 병명이다. 가령《金匱要略 · 百合狐惑陰陽毒病脈證治》中에 말하기를 "狐惑之爲病, 狀如傷寒, 默默欲眠, 目不得閉, 臥起不安, 蝕于喉爲惑, 蝕于陰爲孤 · 不欲飮食, 惡聞食臭 · 其面目乍赤, 乍黑, 乍白."이라 하였고, 또한 "病者脈數, 無熱, 微煩, 默默但欲臥, 汗出, 初得之三, 四日, 目赤如鳩眼, 七八日, 目四皆黑."이라 하였다.《醫宗金鑒》에서는 "其證則面色目眦或赤或白或黑, 時時不一, 喜垂目不能閉, 潮熱聲啞, 腐爛之處, 穢氣熏人" 이라 하여 그 증상에 대하여 언급하였다.

《諸病源候論 · 濕䘌候》中에도 유사한 기록이 있다. "濕䘌病, 由脾胃虛弱, 爲水濕所乘……, 多因下利不止, 或時病後, 客熱結腹內所爲. 其狀不能飮食, 忽忽喜睡, 綿綿微熱, 骨節沈重. 齒無色, 舌上盡白, 細瘡如粟 · 若上脣生瘡, 是虫蝕五臟, 則心煩懊 · 若下脣生瘡, 是虫食下部, 則肛門爛開 · 甚者腑臟皆被食, 齒上下斷悉生瘡, 齒色紫黑, 利血而濕 · 由水氣也." 이 文獻 중에 나타난 "虫食"은 현재의 벌레(虫)를 설명한 것이 아니고 病을 일으키는 毒邪로 이해하여야 한다. 本病은 靑, 中年에 多發하고 남녀 모두가 발생한다.

## 2. 원인 및 병기

베체트병의 정확한 병인은 알려지지 않았으나, 유전적 소인, 면역이상, 감염 등 복합적인 요인으로 발생하는 것으로 추측되어지고 있으며, 최근 자가염증질환의 하나로도 분류되고 있다. 유전적으로 HLA-B51이라고 하는 유전자를 가진 사람과 같은 일부 유전적 특성을 가진 사람들에게서 위험이 더 높은 것으로 알려져 있다.

한의학에서는 憂思鬱怒하고 過勞가 넘치고, 睡眠이 不足하므로 肺, 脾, 腎의 三陰의 虧損이 발생하고 이로 인하여 虛熱이 內生하는데 여기에 正氣가 虛弱하므로 風溫濕熱의 邪氣가 外侵하고 上蘊하고 下注하며 入絡하게 되어 粘膜, 肌膚, 關節을 막게 되어 經絡이 막히고 氣血이 凝滯되어 발생한다고 보고 있다.

## 3. 증상

主要症狀은 再發性 口瘡, 生殖器의 疼痛性 潰瘍, 皮膚의 結節性 紅斑, 眼睛의 홍채모양체염 등이다. 또한 針자극을 하면 그 부위에 膿疱가 발생하고 이는 本病의 중요한 特徵으로 本病을 진단하는데 참조할 수 있다.

病情은 주기적으로 甚하여 지기도 하고 緩和되기도 한다. 女性 患者는 生理前에 症狀이 자주 加重된다. 口腔粘膜에 발생하는 것은 皮膚損害가 初起에 紅點하고 疼痛하며 以後에 微粒大에서 綠豆크기의 臼形 潰瘍이 형성되고 그 위에는 黃白色의 苔膜이 덮여 있고 十日 內外로 愈合이 된다. 但 자주 이곳이 治療가 되면 저쪽에 발생하기도 하며 口唇, 舌部, 頰部의 粘膜, 顎部에 散在하여 발생한다. 또한 겸하여 眼結膜炎, 홍채모양체염, 角膜炎이 발생하기도 한다. 陰部에 발생하는 경우는 潰瘍이 豌豆크기이다.

男性은 陰囊, 陰莖, 龜頭, 冠狀溝 等處에 발생하고, 女性은 大小陰口唇의 지역에 多發한다. 흔히 小腿의 皮膚에 結節性 紅斑, 膿疱瘡, 毛囊炎, 癤이 발생되어 있기도 하다.

1. 눈: 25~75%의 사람들에게서 눈에 영향을 받는다. 눈의 일부에 간헐적으로 염증이 생긴다. 이 염증(재발성 홍채모양체염 또는 포도막염)은 안구통, 충혈, 빛에 대한 민감성, 흐린 시야를 야기한다. 이외 다른 눈 문제들이 발생할 수 있다. 치료받지 않는 경우, 실명이 발생할 수 있다.

2. 피부: 약간의 손상으로 유발된 피부 융기 또는 수포, 농포성 여드름은 베체트 환자의 약 80%에서 발생한다. 피하 주사 바늘에 찔린 상처와 같은 크기가 작은 붉거나 농으로 가득 찬 융기를 형성할 수 있다. 다리에 결절성 홍반이라고 하는 통증성 적자색 덩어리가 생길 수 있다.

3. 관절: 환자 중 약 절반에서 무릎과 다른 큰 관절들에 통증이 생긴다. 비교적 경증의 염증(관절염)은 조직을 손상시키지는 않는다.

4. 혈관: 몸 전체의 혈관염으로 동맥에 혈전을 형성하고, 쇠약해진 혈관벽에 동맥류를 생성할 수 있다. 뇌 동맥이 영향을 받을 경우, 뇌졸중을 초래할 수 있다. 신장 동맥이 영향을 받는 경우, 신장 손상을 초래할 수 있다. 폐 동맥이 영향을 받을 경우, 출혈이 발생하고 피를 토하는 기침을 초래할 수 있다.

5. 소화관: 비만감과 통증, 경련, 설사, 장 궤양 등이 있을 수 있다. 염증성 장질환(크론병과 궤양성 대장염) 증상들과 유사할 수 있다.

6. 중추신경계: 뇌 또는 척수염은 덜 일반적이지만, 심각한 결과를 초래한다. 두통이 선행될 수 있으며, 그 밖에 발열, 항강(수막염 증상), 혼돈, 협응 상실 등이 있을 수 있다. 성격 변화 및 기억 상실이 몇 년 후 발생할 수 있다.

## 4. 진단감별

베체트병을 확진할 수 있는 실험실 검사는 없으나, 증상 관련 기준에 기반하여 진단을 내릴 수 있다. 1년 내에 구강 궤양의 3회 에피소드와 다음 기준 중 2개를 경험한 사람들, 특히 젊은 성인들에게서 이 질환을 의심할 수 있다.

- 재발성 생식기 궤양
- 질병 특유의 눈 문제
- 피부 밑의 융기처럼 보이는 피부 병변, 여드름 또는 궤양
- 약간의 손상으로 유발된 피부 융기 또는 수포

그러나 증상은 라이터 증후군, 전신성 홍반루푸스, 크론병, 헤르페스, 궤양성 결장염을 포함한 많은 다른 질환들과 유사할 수 있다. 관해와 재발의 증상 패턴에 기반하여 증후군을 확인하므로, 진단에 수 개월이 소요될 수 있다. 구강 궤양은 단순 포진 바이러스로 인한 열성 수포와 같은 보다 일반적인 다른 궤양과 유사할 수 있다. 혈액검사로 질환을 확인할 수는 없지만, 염증이 존재함을 확인할 수 있다. 구강 궤양만 존재하고 생식기 또는 피부 궤양의 가능성이 있는 경우, 베체트병의 진단을 확진하기 어렵다. 눈 또는 혈관 염증과 같은 다른 증상들이 존재하는 경우 진단이 훨씬 용이하다.

## 5. 치료

### 1) 內治

(1) 風溫濕熱上蘊 : 再發性 口腔粘膜潰瘍의 증상이 제일 현저하다. 자주 發熱頭痛, 骨節痠楚, 便乾尿赤, 苔黃膩, 脈弦滑數 等의 症狀이 겸하기도 한다. 의당 祛風淸熱, 和營利濕의 治法을 사용하고 常用하는 藥物로는 桑葉, 山梔子, 黃芩, 黃連, 淡竹葉, 生石膏, 蓮翹, 鮮生地, 赤芍, 丹蔘, 土茯笭, 生大黃(後下)이 있다.

(2) 肝脾濕熱下注 : 外生殖器의 潰瘍이 主症狀이고 全身的으로는 午後低熱, 頭脹痛, 關節痠痛, 神疲乏力, 納呆腹脹, 小便色黃 혹은 刺痛, 苔薄黃膩, 脈弦細帶數 等의 症狀이 있기도 하다. 疏肝和脾, 淸熱利濕의 治法을 사용하고, 龍膽瀉肝湯合 萆薢滲濕湯(瘍科心得集)을 활용한다. 常用하는 藥物로는 柴胡, 當歸, 赤芍, 白芍, 山藥, 蒼朮, 白朮, 黃栢, 茯苓, 龍膽草, 萆薢, 生苡仁이 있다.

(3) 肝脾腎三陰虧損 : 病이 오래되어 低熱의 起伏이 있다. 腰膝痠軟, 頭昏目糊, 口苦咽乾, 月經不調하다. 男子는 遺精, 苔薄舌紅, 脈弦細數하다. 아주 重한 경우는 눈의 視網膜炎, 視神經萎縮으로 視力減退가 있거나 혹은 失明한다. 益氣養血, 滋補肝腎하는 治法을 사용하고

生脈散 加減을 활용하고, 常用하는 藥物로는 黨蔘, 山藥, 大生地, 當歸, 白芍, 玄蔘, 麥冬, 知母, 黃栢, 枸杞子, 仙靈脾를 사용한다.

### 2) 外治

(1) 口腔, 陰部潰瘍은 青吹口散을 밖에 뿌린다.

(2) 皮膚에 潰瘍이 있는 경우는 青黛散을 外部에 바른다.

(3) 咽喉가 헐어 목소리가 쉬면 甘草瀉心湯으로 씻으며, 後音이 부식된 경우에는 雄黃의 연기를 쏘인다.

## 6. 예후

베체트병은 심각한 합병증이 발생할 수 있다. 눈에 포도막염이 반복 지속되면 시력을 잃게 될 수 있으며 뇌졸증의 형태로 나타나는 신경계 손상이 지속되면 신경 장애가 남기도 하며 혈관이 막히거나 심한 경우 동맥파열이 되는 경우 생명을 위협할 수도 있다. 이러한 합병증들은 대개 젊은 남자에게 흔히 발생하는 것으로 알려져 있다.

### 참고문헌

1) 전국 한의과대학 피부외과학 교재편찬위원회. 한의피부외과학. 부산: 선우; 2007.
2) Edgar NR, Saleh D, Miller RA. Recurrent Aphthous Stomatitis: A Review. J Clin Aesthet Dermatol 2017.
3) Akintoye SO, Greenberg MS. Recurrent aphthous stomatitis. Dent Clin North Am 2014.
4) Cui RZ, Bruce AJ, Rogers RS 3rd. Recurrent aphthous stomatitis. Clin Dermatol 2016.
5) Pietro Leccese, Erkan Alpsoy. Behçet's Disease: An Overview of Etiopathogenesis. Front Immunol. 2019.
6) Sakane T, Takeno M, Suzuki N, Inaba G. Behçet's disease. N Engl J Med 1999.
7) Tarakji B, Gazal G, Al-Maweri SA, et al. Guideline for the diagnosis and treatment of recurrent aphthous stomatitis for dental practitioners. J Int Oral Health 2015.

# 處方目錄

- **加味羌活湯**<痘疹會通> 羌活 防風 升麻 柴胡 當歸 川芎 槁本 細辛 黃芩 菊花 蔓荊子 等分
- **加味歸脾丸**<醫宗金鑑> 香附子 人蔘 酸棗仁 遠志 當歸 黃芪 烏藥 陳皮 茯神 白朮 貝母 37.5g 木香 甘草 11.25g
- **加味逍遙散**<東醫寶鑑> 牧丹皮 白朮 5.625g 當歸 桃仁 赤芍 貝母 3.75g 山梔子 黃芩 3g 桔梗 2.625g 靑皮 1.875g 甘草 1.125g
- **肝腎膏**<출전불명> 女貞子 熟地黃 墨旱蓮 桑葉 玉竹
- **葛根湯**<傷寒論> 葛根 4兩, 麻黃 生薑 3兩 桂枝 炙甘草 芍藥 2兩 大棗 12枚
- **甘露消毒片**<醫效秘傳> 滑石 15g 茵陳 11g 黃芩 10g 石菖蒲 6g 木通 川貝母 5g 藿香 連翹 白蔻仁 薄荷 射幹 4g
- **甘油塗劑**<中醫藥學高級叢書中醫外科學第二版> 紅花 15% 靑黛 4% 香水 1% 글리세린 60% 에탄올(75%) 20%
- **開鬱散**<洞天奧旨> 白芍 15g 白芥子 白朮 茯苓 香附 天葵草 9g 當歸 鬱金 6g 柴胡 3g 炙甘草 2.4g 全蠍 3個
- **祛腐生肌散**<(특허)CN102423383A> 銀朱 30~40% 珍珠 3~5% 血竭 3~5% 乳香 8~10% 沒藥 8~10% 冰片 1~5% 象皮 1~5% 輕粉 1~5% 草烏 5~10% 川烏 5~10% 天南星 5~10% 番木鱉 5~10% 蟾酥 1~5%
- **祛濕健髮湯**<趙炳南臨床經驗集> 炒白朮 豬苓 萆薢 首烏藤 白鮮皮15g 赤石脂 生地 熟地 12g 車前子(包)川芎 澤瀉 桑椹 9g
- **祛疣方**<中醫藥學高級叢書中醫外科學第二版> 鴉膽子油
- **祛風換肌丸**<外科正宗> 威靈仙 石菖蒲 何首烏 苦參 牛膝 蒼朮 大胡麻 天花粉 2g 甘草 川芎 當歸 1g
- **健脾祛風湯**<朱仁康臨床經驗集> 蒼朮 茯苓 澤瀉 荊芥 防風 羌活 烏藥 9g 陳皮 6g 木香 3g 生薑 3片 大棗 5枚

- **健脾除濕湯**<中醫雜志> 山藥 生薏米 生扁豆 30g 枳殼 黃柏 芡實 白朮 茯苓 15g 萆解 桂枝 花粉 草蔻 10g
- **桂麝散**<葯蘞啓秘> 肉桂 丁香 1兩 生半夏 天南星 8錢 麻黃 細辛 5錢 皂角 2錢 麝香 6分 氷片 4分
- **鷄眼膏**<瘍醫大全> 荸薺 火丹草 蟾酥 蓖麻子 穿山甲 三稜 紅花 莪朮 天南星 6g 虎耳草 阿魏 4.5g 麝香 1g 鱔魚血 半杯(陰乾爲末) 鷄肫皮 10個 河豚眼 10枚 麻油 180g 飛黃丹 90g
- **桂枝茯苓丸**<金匱要略> 桂枝 茯苓 牡丹皮 赤芍 桃仁 10g
- **桂枝芍藥知母湯**<金匱要略> 生薑 白朮 5兩 桂枝 知母 防風 各 4兩, 芍藥 3兩 甘草 麻黃 炮附子 2兩
- **桂枝湯**<傷寒論> 桂枝 芍藥 生薑 大棗 9g 甘草 6g
- **苦膽草片**<출전불명> 龍膽草
- **顧步湯**<辨證錄> 金銀花 3兩 牛膝 石斛 黃芪 當歸 1兩 人蔘 3錢
- **苦蔘散**<外科精義> 苦參 蔓荊子 何首烏 荊芥穗 威靈仙 等分
- **苦參湯**<瘍科心得集> 苦參 菊花 60g 蛇床子 金銀花 30g 白芷 黃柏 地膚子 15g 大菖蒲 9g
- **瓜蔞牛蒡湯**<醫宗金鑒> 瓜蔞仁 12~15g 牛蒡子 天花粉 黃芩 山梔 金銀花 連翹 皂角刺 9~12g 靑皮 陳皮 柴胡 生甘草 3~6g
- **藿樸胃苓湯**<感證輯要> 生苡仁 4錢 赤苓 杏仁 豬苓 淡豆豉 3錢 藿香 2錢 薑半夏 澤瀉 1.5錢 川樸 白蔻仁 通草 1錢
- **栝石湯**<醫宗金鑒> 瓜蔞仁 9錢 滑石 1.5錢 蒼朮炒 天南星 赤芍藥 陳皮 1錢 白芷 黃柏 黃芩 黃連 5分 甘草 2分 生薑 3片
- **槐角丸**<太平惠民和劑局方> 槐角(去枝梗 炒) 1斤 地楡 當歸(酒浸一宿 焙) 防風(去蘆) 黃芩 枳殼(去瓤 麩炒) 0.5斤
- **九一丹**<醫宗金鑑> 煅石膏 9錢 黃靈藥(升丹) 1錢
- **九華膏**<經驗方> 滑石 600g 龍骨 120g 硼砂 90g 川貝母 冰片 朱砂 18g
- **九華粉洗劑**<朱仁康臨床經驗集> 滑石 620g 龍骨 120g 月石 90g 冰片 朱砂 川貝母 18g
- **九黃丹**<外傷科學> 石膏 6錢 升丹 3錢 制乳香 制沒藥 川貝母 牛黃, 炒硼砂 2錢 朱砂 1錢 氷片 3편
- **歸脾湯**<正體類要> 白朮 當歸 白茯苓 黃芪(炒) 龍眼肉 遠志 酸棗仁(炒) 人蔘 3g 木香 1.5g

甘草(炙) 1g

- **歸脾湯**<濟生方> 白朮 白茯苓 黃芪 龍眼肉 酸棗仁 1兩 人蔘 木香 0.5兩 甘草(炙) 2.5錢 生薑 5片 大棗 1枚
- **歸脾丸**<中醫藥學高級叢書中醫外科學第二版> 歸脾湯<濟生方>에서 龍眼肉 生薑 大棗 제외
- **克疣方**<上海龍華醫院方> 生牡蠣(先煎) 靈磁石(先煎) 蒲公英 大靑葉 土伏苓 30g 馬齒莧 15g 赤芍 紅花 制大黃 9g 桑葉 野菊花 6g
- **克疣制劑**<中醫藥學高級叢書中醫外科學第二版> 生牡蠣 30g 木賊草 香附 15g 白芥子 烏梅 五倍子 枯礬 10g 露蜂房 8g
- **金櫃腎氣丸**<金匱要略> 乾地黃 8兩 山藥 山茱萸 4兩 茯苓 牡丹皮 澤瀉 3兩 桂枝 炮附子 1兩
- **芩部丹**<中草藥資料選編> 百部18g 黃芩 丹參10g
- **芩連二母丸**<醫宗金鑑> 黃芩 黃連 知母 貝母 當歸(酒炒) 白芍藥(酒炒) 羚羊角(鎊) 生地黃 熟地黃 蒲黃 地骨皮 川芎 1兩 生甘草 5錢
- **芪附湯**<中醫雜志>: 黃芪 土茯苓 30g 制附片(先煎30分)白朮 薏苡仁 甘草 10g
- **金菊五花茶沖劑**(=金菊五花茶)<經驗方> 金銀花 木棉花 葛花 野菊花 槐花 甘草
- **金黃膏**<醫宗金鑑> 天花粉 500g 薑黃 白芷 大黃 黃柏 250g 蒼朮 南星 甘草 厚樸 陳皮 100g 참기름 2500ml 黃蠟 750~1050g
- **金黃膏**<中醫藥學高級叢書中醫外科學第二版> 바셀린 80% 如意金黃散<外科正宗> 20%
- **金黃散**<外科精義> 黃連 大黃 黃芪 黃芩 黃柏 鬱金 1兩 甘草 5錢 氷片 5分
- **內消瘰癧丸**<瘍醫大全> 夏枯草 8兩 玄蔘 靑藍 5兩 海藻 川貝母 薄荷葉 天花粉 海蛤粉 白薇 連翹 熟大黃 生甘草 生地黃 桔梗 枳殼 當歸 硝石 1兩
- **內消黃連湯**<醫學入門> 連翹 2錢 大黃 1.5錢 黃連 黃芩 梔子 薄荷 金銀花 牧丹 芍藥 當歸 桔梗 甘草 1錢
- **丹梔逍遙散** 逍遙散 加 牧丹皮 梔子 3.75g
- **當歸補血湯**<蘭室秘藏> 黃芪 1兩 當歸(酒制)2錢
- **當歸補血丸**(=當歸補血湯)
- **當歸四逆湯**<傷寒論> 桂枝 白芍藥 當歸 11.25g 甘草 木通 7.5g 細辛 3.75g 大棗 5枚

- **當歸六黃湯**<蘭室秘藏> 黃芪12g 當歸 生地黃 熟地黃 黃芩 黃柏 黃連 6g
- **當歸飮子**<丹溪心法> 當歸 白芍 川芎 生地 白蒺藜 防風 荊芥穗 1兩 何首烏 黃芪 甘草 5錢
- **當歸浸膏片**<출전불명> 當歸
- **當歸片**<經驗方> 當歸
- **大麻風丸**<醫學入門> 苦參 1800g 皂刺(煆) 當歸 300g 羌活 獨活 白芷 白蘞 白蒺藜 天花粉 何首烏 160g
- **大承氣湯**<傷寒論> 厚樸 24g 大黃 枳實 12g 芒硝 9g
- **大靑膏**<小兒藥證直訣> 白附子 1.5錢 大靑葉 天麻 靑黛 1錢 烏蛇肉(酒浸 焙) 蠍梢 5分(去毒) 朱砂 天竺黃 麝香 1字
- **大黃蟅蟲丸**<金匱要略> 熟大黃 地黃 300g 桃仁 苦杏仁(炒) 白芍120g 甘草 90g 水蛭(制) 黃芩 60g 虻蟲(去翅足 炒) 蠐螬(炒) 45g 土鱉蟲(炒) 乾漆(煆) 30g
- **導赤丹**<北京中藥成方> 黃芩 甘草 滑石 連翹 梔子(炒) 玄參(去蘆) 1200g 黃連 生地 大黃 600g
- **導赤丹**<慈禧光緖醫方選議> 薄荷 麥冬 木通 黃連 生地 桔梗 甘草 4g
- **桃紅四物湯**<醫宗金鑑> 當歸 熟地 川芎 白芍 桃仁 紅花 15g
- **獨活寄生湯**<備急千金要方> 獨活 9g 桑寄生 杜仲 牛膝 細辛 秦艽 茯苓 肉桂心 防風 川芎 人蔘 甘草 當歸 芍藥 乾地黃 6g
- **狼毒膏**<醫宗金鑒> 狼毒 檳榔 川椒 蛇床子 大楓子 硫黃 文蛤 枯礬 3錢 香油 豬膽汁
- **涼膈散**<太平惠民和劑局方> 連翹 1250g 川大黃 樸硝 甘草 600g 山梔子仁 薄荷葉(去梗) 黃芩 300g
- **涼血消風湯**<喉科秘訣> 鮮生地 8g 黃芩 6g 桔梗 4g 黃柏 白芍 2.8g 防風 花粉 2.4g 梔子 荊芥 歸尾 銀花 山豆根 2g 僵蠶 1.6g 黃連 甘草 升麻 薄荷 1.2g
- **涼血五根湯**<趙炳南臨床床經驗集> 白茅根 40~80g 瓜蔞根 20~40g 茜草根 紫草根 板藍根 12~20g
- **涼血除濕湯**<朱仁康臨床經驗集> 生地 30g 忍冬藤 15g 丹皮 赤芍 苦參 豨薟草 海桐皮 地膚子 白鮮皮 六一散 二妙丸 9g
- **涼血地黃湯** 黃柏(去皮, 銼, 炒) 知母(銼, 炒)1錢 靑皮(不去皮瓤) 槐子(炒) 生地黃 當歸 5分

- **連樸飮**<霍亂論> 蘆根 60g 焦梔 香豉(炒) 9g 制厚樸 6g 川連(薑汁炒) 石菖蒲 制半夏 3g
- **爐甘石洗劑**<中醫藥學高級叢書中醫外科學第二版> 爐甘石粉 10g 산화아연 5g 페놀 1g 글리세린 5g 水 加至100㎖
- **爐虎水洗劑**<經驗方> 爐甘石 10 虎杖粉 5 薄荷腦 1 글리세린 適量
- **雷公藤片**<經驗方> 雷公藤
- **漏蘆湯**<聖濟總錄> 白蒺藜 120g 漏蘆 白蘞 槐白皮 五加皮 甘草 45g
- **硫黃膏 5%～10%**<經驗方> 硫黃 5～10g 바셀린 90～95g
- **硫黃軟膏**(=硫黃膏 5%～10%)
- **麻仁丸**<醫學正傳> 當歸 大黃 麻仁 人蔘 枳殼 等分
- **馬齒莧合劑**<中國中醫科學院廣安門醫院方> 馬齒莧 60g 大靑葉 15g 紫草 敗醬草 10g
- **麻風潰瘍膏**<江蘇方> 陳石灰 枯礬 楊樹皮炭 熟松香 象皮粉 蜂蠟 血餘炭 白芷 黃芪 甘草 龜板 大楓子仁 當歸 麻油 豬油
- **麻風丸**<瘍醫大全> 鮮皂角刺 1200g(好醋煮9日 曬乾 取淨末 600g) 紫背浮萍(曬乾, 取淨末) 600g 番木鱉(羊油炙 得法如金色者 淨末) 320g 苦參(取淨末) 80g
- **麻黃桂枝湯**<普濟方> 葛根 芍藥 120g 麻黃(去根節) 80g 桂枝 甘草(炙紫色) 40g
- **麻黃桂枝湯**<醫方類聚> 麻黃(去根節) 桂枝 赤芍藥 杏仁(湯浸 去皮尖雙仁 麩炒微黃) 40g 甘草(炙微赤 銼) 20g
- **麻黃連翹赤小豆湯**<傷寒論> 赤小豆 30g 桑白皮 10g 連翹 杏仁 9g 麻黃 炙甘草 生薑 6g 大棗 12枚
- **麻黃湯**<傷寒論> 麻黃 3兩 桂枝 2兩 杏仁 70个 炙甘草 1兩
- **萬靈丹**<外科正宗> 茅朮 240g 何首烏 羌活 荊芥 川烏 烏藥 川芎 甘草 川石斛 全蠍(炙) 防風 細辛 當歸 麻黃 天麻 30g 雄黃 18g
- **密陀僧散**<醫宗金鑒> 雄黃 硫黃 蛇床子 6g 密陀僧 石黃 3g 輕粉 1.5g
- **薄膚膏**<朱仁康臨床經驗集> 密陀僧末 620g 白及末 180g 輕粉 125g 枯礬 30g 바셀린 1870g
- **薄荷三黃洗劑 1%**<經驗方> 三黃洗劑 100㎖ 薄荷腦 1g
- **斑蝥膏**<中醫藥學高級叢書中醫外科學第二版> 斑蝥 12.5g 雄黃 2g 蜂蜜 약간
- **斑蝥醋浸劑**<趙炳南臨床經驗集> 全蟲 16個 斑蝥 12個 烏梅肉 30g 皮消 12g 米醋 500g

■ **防風通聖散**<宣明論方> 石膏 黃芩 桔梗 各 30g 防風 荊芥 連翹 麻黃 薄荷 川芎 當歸 白芍(炒) 白朮 山梔 大黃(酒蒸) 芒硝 15g 滑石 9g 甘草 6g

■ **白及軟膏**<中醫藥學高級叢書中醫外科學第二版> 白及 細末 10g 바셀린 50g

■ **白屑風酊**<經驗方> 蛇床子 苦參片 40g 土槿皮 20g 薄荷腦 10g

■ **白玉膏**(=生肌白玉膏)<經驗方> 尿浸石膏 90% 制爐甘石 10%

■ **白玉膏**<瘍醫大全> 白芷 爐甘石 甘松 當歸尾 乳香 五靈脂 山柰 細辛 樟氷 5錢 沒藥 象皮 白蜡 3錢 松香 氷片 麝香 1錢 鉛粉 13枚

■ **補肝丸**<癍論萃英> 四物湯 加 防風 羌活 等分

■ **補肝丸**<備急千金要方> 乾地黃 2兩 決明子 地膚子 麥門冬 蕤仁 茯苓 黃芩 防風 澤瀉 1.25兩 青葙子 枸杞子 五味子 桂心 葶藶子 杏仁 細辛 1兩 車前子 菟絲子 2合 兎肝 1具

■ **補肝丸**<備急千金要方> 柏子仁 乾地黃 茯苓 細辛 蕤仁 枸杞子 1.25兩 防風 川芎 山藥 1兩 車前子 2合 五味子 18銖 甘草 0.5兩 菟絲子 1合 兎肝 2具

■ **補肝丸**<秘傳眼科龍木論> 人蔘 茯苓 乾山藥 遠志 防風 知母 乾地黃 80g 澤瀉 菖蒲 60g

■ **補肝丸**<慎齋遺書> 杞子 杜仲 160g 香附(醋炒) 80g 人歸身 40g 海螵蛸 16g

■ **補肝丸**<審視瑤函> 蒼朮(米泔水制) 熟地黃(焙乾) 蟬退 車前子 川芎 當歸身 連翹 夜明砂 羌活 龍膽草(酒洗) 菊花 等分

■ **補肝丸**<眼科全書> 楮實子(酒洗) 菟絲子(酒煮) 蒺藜(炒, 去刺) 當歸(酒洗) 40g 石菖蒲 夏枯草 石斛草 32g 覆盆子(酒洗) 蔓荊子 龍膽草 細辛 川芎 28g 人蔘 12g 白茯 熟地 山藥 遠志 知母 澤瀉 防風 4g

■ **補肝丸**<幼幼新書> 茺蔚子 80g 羌活 知母 60g 川芎 槁本 五味子 細辛 40g

■ **補肝丸**<異授眼科> 菟絲子(酒煮, 搗爛) 柏子仁(炒) 枸杞 山藥 120g 白茯苓 80g 防風 梔子(炒) 五味子 車前子(炒) 川芎 40g 細辛 甘草 20g 蕤仁 12g

■ **補肝丸**<證治準繩> 乾地黃 菟絲子 2兩 山藥 車前子 地骨皮 柏子仁 大黃 細辛 甘草 人蔘 黃芩 黃連 防風 1.5兩 茺蔚子 青葙子 枸杞子 五味子 決明子 杏仁 茯苓 1兩

■ **補肝丸**<千金翼方> 黃連 1.5兩 決明子 細辛 螢火蟲 5合 菟絲子 蒺藜子 地膚子 車前子 藍子 瓜子 茺蔚子 青葙子 大黃 2合 桂心 5分

■ **普癬水**<朱仁康臨床經驗集> 川槿皮 95g 生地楡 苦楝子 50g 斑蝥 1.5g(布包)

■ **補心丹**(=天王補心丹)<校注婦人良方> 生地黃 120g 當歸(酒浸) 五味 麥門冬(去心) 天門冬

柏子仁 酸棗仁(炒) 30g 人蔘(去蘆) 茯苓 玄參 丹蔘 桔梗 遠志 15g

- **補陽還五湯**<醫林改錯> 生黃芪 4兩 當歸尾 2錢 赤芍藥 1.5錢 地龍 川芎 桃仁 紅花 1錢
- **普制消毒飮**<東垣試效方> 黃芩 黃連 5錢 人蔘 3錢 橘紅 玄蔘 柴胡, 桔梗 生甘草 2錢 連翹 牛蒡子 板藍根 馬勃 1錢 白殭蠶 升麻 7分
- **補中益氣湯**<內外傷辨惑論> 黃芪 人蔘(黨蔘) 炙甘草 15g 柴胡 12g 白朮 當歸 10g 陳皮 升麻 6g 生薑 9片 大棗 6枚
- **保和丸**<古今醫鑑> 白朮 5兩 陳皮 半夏 赤茯苓 神麯 山楂肉 3兩 連翹 香附子(酒炒) 厚樸 蘿蔔子(炒) 2兩 枳實 麥芽 黃連(酒炒) 黃芩(酒炒) 1兩
- **茯苓補心湯**<醫統> 白茯苓 白茯神 麥門冬 生地黃 陳皮 半夏曲 當歸 1錢 甘草 5分
- **複方蛇床子洗劑**<출전불명> 蛇床子 苦參 30g 威靈仙 蒼朮 黃柏 明礬 9g
- **複方靑黛丸**<中醫藥學高級叢書中醫外科學第二版> 靑黛 白芷 焦山楂 建曲 五味子 白鮮皮 烏梅 土茯苓 萆薢
- **附桂八味丸**<太平惠民和劑局方> 熟地黃 8兩 山藥 山茱萸 4兩 澤瀉 茯苓 牧丹 3兩 肉桂 炮附子 1兩
- **附子理中湯**<三因極一病證方論> 大附子(炮,去皮臍) 人蔘 乾薑(炮) 甘草(炙) 白朮 等分
- **浮萍茯苓丸**<外科大成> 浮萍 0.4g 茯苓 0.2g
- **脾約麻仁丸**<傷寒論> 麻子仁 大黃 500g 芍藥 枳實 厚樸 杏仁 250g
- **枇杷淸肺飮**<外科大成> 枇杷葉 桑白皮(鮮者更佳) 2錢 黃連 黃柏 1錢 人蔘 甘草 3分
- **萆薢滲濕湯**<瘍科心得集> 萆薢 薏苡仁 滑石 30g 赤茯苓 黃柏 丹皮 澤瀉 15g 通草6g
- **四君子湯**<東醫寶鑑> 人蔘 白朮 白茯苓 甘草 等分
- **四妙散**<醫學正傳> 威靈仙 18.75g 羚羊角 11.25g 蒼耳子 白芥子 5.625g
- **四妙勇安湯**<驗方新編> 金銀花 玄蔘 90g 當歸60g 甘草30g
- **四妙活血湯**<中醫師臨床按證擇方小辭典> 金銀花 公英 地丁 30g 當歸 生地 元蔘 18g 丹蔘 15g 連翹 防己12g 黃芩 黃柏 9g
- **四物消風散**<金鑑> 生地 3錢 當歸 2錢 荊芥 防風 1.5錢 赤芍 川芎 白鮮皮 蟬蛻 薄荷 1錢 獨活 柴胡 7分
- **四物消風湯**<外傷科學> 生薏苡仁 24g 乾地黃 白鮮皮 20g 當歸 12g 川芎 赤芍 防風 荊芥穗

8g

- **四物潤膚湯**<출전불명> 生地 12g 玉竹 10g 當歸 白芍 9g 川芎 6g 麥門冬 5g
- **四物湯**<仙授理傷續斷秘方> 白芍藥 川當歸 熟地黃 川芎 等分
- **沙蔘麥門冬湯**<溫病條辨> 沙蔘 15g 玉竹 麥門冬 12g 桑葉 扁豆 天花粉10g 生甘草 3g
- **蛇床子洗方**<출전불명> 蛇床子 地膚子 12g 蒲公英 苦參 生大黃 川黃柏 8g 威靈仙 白蘇皮 枯現 6g 薄荷 3g
- **四石桃紅湯**<中醫藥學高級叢書中醫外科學第二版> 靈磁石 生牡蠣 代赭石 珍珠母 30g 桃仁 紅花 赤芍 10g 陳皮 5g
- **四神丸**<校注婦人良方> 補骨脂 150g 肉荳蔲 五味子 75g 吳茱萸 37.5g
- **四逆散**<傷寒論> 柴胡 芍藥 枳實 甘草(炙) 6g
- **四逆湯**<傷寒論> 炙甘草 2兩 乾薑 1.5兩 附子 1枚
- **四六湯**<東醫老年補養處方集> 熟地黃 山藥 山茱萸 當歸 白芍藥 16g 白茯苓 牡丹皮 澤瀉 川芎 12g
- **四劑白朮散**<准繩 · 幼科> 白朮 8兩(分作4份, 1份砂仁炒, 1份糯米炒, 1份麩皮炒, 1份壁土炒)
- **四紅湯**<출전불명> 紅豆 80g 花生仁 60g 紅棗 10개 紅糖 調味
- **蔘芪湯**<萬病回春> 人蔘(去蘆) 黃芪(蜜水炒) 茯苓(去皮) 當歸 熟地黃 白朮(去蘆) 陳皮 1錢 益智仁 8分 升麻 肉桂 5分 甘草 3分
- **蔘苓白朮散**<東醫寶鑑> 甘草 白茯苓 白朮 山藥 人蔘 11.25g 桔梗 白扁豆 蓮肉 薏苡仁 縮砂 5.625g
- **蔘苓白朮散**<太平惠民和劑局方> 白茯苓 人蔘 甘草炒 白朮 山藥 2斤 白扁豆薑汁浸去皮 微炒1.5斤 蓮子肉去皮 薏苡仁 縮砂仁 桔梗炒令深黃色 1斤 甘草(炙) 2兩
- **三妙散**<醫宗金鑑> 檳榔 蒼朮(生) 黃柏(生) 等分
- **三妙丸**<醫學正傳> 蒼朮 225g 黃柏 150g 牛膝 75g
- **三白散**<韓醫皮膚外科學> 杭分 1兩 輕粉 20g 石膏 12g
- **參附湯**<校注婦人良方> 人蔘 1兩 炮附子 5錢
- **蔘附湯**<聖濟總錄> 人蔘 附子(炮, 去皮、臍) 青黛 15g

- **三仙驅梅丸**<中醫肝膽病防治大全> 三仙丹 朱砂 琥珀 黑棗肉 120g 冰片 3g 麝香 1.2g
- **三仙丹**<全國中藥成藥處方集> 紅升丹 1兩 輕粉 2錢 冰片 4分
- **三仁湯**<醫學入門> 薏苡仁 2.5錢 冬瓜仁 2錢 桃仁 牧丹 1.5錢
- **三花湯**<四川中醫> 蒲公英24g 銀花15g 白蒺藜 赤芍 菊花12g 紅花 薄荷 蟬蛻 9g 熟大黃 3g
- **三黃洗劑**<經驗方> 大黃 黃柏 黃芩 苦參片 等分
- **三黃片**<中國藥典2010年版一部> 大黃 염산베르베린 黃芩浸膏
- **三黃丸**<東垣十書> 黃連 黃芩 大黃 300g
- **桑菊飮**<溫病條辨> 桑葉 2.5錢 杏仁 桔梗 蘆根 2錢 連翹 1.5錢 菊花 1錢 薄荷 甘草 8分
- **生肌膏**<外傷科學> 當歸 60g 甘草 30g 白芷15g 血竭 輕粉 12g 紫草 9g 麻油 500g 白蠟 60g
- **生肌散**<東醫寶鑑> 龍骨 18.75g 輕粉 寒水石 3.75g 乾臙脂 1.125g
- **生肌散**<外科精要> 木香 檳榔 黃連 等分
- **生肌散**<外臺秘要> 炙甘草 1斤 黃柏 8兩, 當歸 4兩
- **生肌玉紅膏**<外科正宗> 當歸 2兩 甘草 1.2兩 血竭 輕粉 4錢 紫草 2錢 白蠟 2兩 麻油 1斤
- **生肌玉紅膏**<經驗方> 當歸身 60g 甘草 36g 白芷 15g 血竭 輕粉 12g 紫草 6g 白蠟 60g 참기름 500g
- **生脈散**(飮,湯)<內外傷辨或論> 人蔘 5錢 麥門冬 五味子 3錢
- **生玄飮**<中醫藥學高級叢書中醫外科學第二版> 生地 玄參 梔子 板藍根 15g 貝母 土茯苓 紫花地丁 12g 蒲公英 野菊花 桔梗 當歸 赤芍 花粉10g 甘草 6g
- **犀角散**<奇效良方> 石膏 80g 犀角屑 麻黃(去根節) 羌活 附子(炮裂, 去皮臍) 杏仁(去皮尖, 麩炒) 40g 甘草(炙赤) 10g 防風(去蘆) 桂心 白朮 人蔘 川芎 白茯苓 細辛 當歸 1.2g
- **犀角散**<聖濟總錄> 梔子仁 龍膽 白朮 10g 犀角(鎊屑) 決明子 人蔘 0.4g
- **犀角散**<禦藥院方> 牛膝(酒浸1宿) 沈香 木香 虎頭骨(酥炙) 160g 犀角(鎊) 當歸 白芍藥 80g 麝香 10g 槲葉 2大握
- **犀角散**<太平聖惠方> 石膏 60g(細硏) 杉木節(銼) 麥門冬(去心, 焙) 赤茯苓 檳榔 30g 紫蘇莖葉 沈香 枳殼(麩炒微黃, 去瓤) 犀角屑 22g 防風(去蘆頭) 木香 15g
- **犀角地黃湯**<外臺秘要> 犀角(水牛角代替) 30g 生地 24g 芍藥 12g 丹皮 9g
- **舒肝潰堅湯**<醫宗金鑑> 夏枯草 炒僵蠶 2錢 香附子 煆石決明 1.5錢 當歸 白芍藥 陳皮 柴胡

川芎 炒穿山甲 1錢 紅花 薑黃 甘草 5分

- **錫類散**<金匱翼> 青黛(水飛) 1.8g 象牙屑 珍珠 0.9g 西黃 人指甲 0.15g 冰片 0.09g 壁錢 20個
- **石榴皮軟膏**<中醫藥學高級叢書中醫外科學第二版> 石榴皮粉 15g 樟腦 石炭酸 1g 바셀린 100g 파라핀유 소량
- **仙方活命飮**<校注婦人良方> 金銀花 陳皮 9g 貝母 防風 赤芍藥 當歸尾 甘草節 皂角刺(炒) 穿山甲(炙) 天花粉 乳香 沒藥 6g 白芷 3g
- **蟾酥丸**<外科正宗> 朱砂 9g 雄黃 6g 蟾酥 6g(酒化) 麝香 枯礬 寒水石(煅) 制乳香 制沒藥 銅綠 膽礬(綠礬) 3g 輕粉 1.5g 蝸牛 21個
- **醒消丸**<外科全生集> 乳香 沒藥 1兩 雄黃 5錢 麝香 1.5錢
- **洗疣方**<中醫藥學高級叢書中醫外科學第二版> 馬齒莧 30g 苦參 陳皮 15g 蛇床子 12g 蒼朮 露蜂房 白芷 10g 細辛 6g
- **小建中湯**<傷寒論> 芍藥 18g 桂枝 生薑 9g 甘草 6g 大棗6枚 飴飴 30g
- **小金散**<출전불명> 地龍 制附子 234g 薑半夏 五靈脂 225g 馬錢子(制) 216g 制乳香 126g 制沒藥 全蟲 117g
- **小金片**<外科金生集> 白膠香 草烏 五靈脂 地龍 木鱉子 1.5兩 制乳香, 制沒藥, 當歸 7.5錢 麝香 3錢 香墨炭 1.2錢
- **消瘰丸**<外科真詮> 玄參 牡蠣(煅) 川貝 等分
- **消瘰丸**<醫學心悟> 元蔘(蒸) 牡蠣(煅 醋研) 貝母(去心 蒸) 120g
- **消癧丸**<瘍醫大全> 夏枯草 連翹 麻仁 4兩
- **小柴胡湯**<傷寒論> 柴胡30g 黃芩 人蔘 半夏 甘草(炙) 生薑(切) 9g 大棗(擘) 4枚
- **小兒化毒散**<中國藥典2010年版一部> 人工牛黃 珍珠 雄黃 大黃 黃連 天花粉 川貝母 赤芍 乳香(制) 沒藥(制) 冰片 甘草
- **逍遙散**<太平惠民和劑局方> 當歸 麥門冬 白茯苓 白芍藥 白朮 柴胡 3.75g 薄荷 甘草 1.875g
- **消風導赤湯**<醫宗金鑒> 生地黃 赤茯苓 1錢 牛蒡子 白鮮皮 銀花 薄荷葉 木通 8分 黃連 甘草 3分 燈芯 50寸
- **消風散**<外科正宗> 當歸 生地 防風 蟬蛻 知母 苦蔘 胡麻仁 荊芥 蒼朮 牛蒡子 石膏 1錢 甘草 木通 5分
- **疏風清熱飮**<醫宗金鑒> 苦參 2錢 皂角 皂角子 全蠍 防風 荊芥穗 金銀花 蟬蛻 1錢

- **掃風丸**<經驗方> 薏苡仁 荊芥 240g 苦參 白蒺藜 小胡麻 蒼耳子 防風 120g 蒼朮 白附子 桂枝 當歸 秦艽 白芷 草烏 威靈仙 川芎 鉤藤 木瓜 菟絲子 肉桂 天麻 川牛膝 何首烏 千年健 青礞石(制) 川烏 知母 梔子 60g 白花蛇 30g 大風子 1.75kg
- **消核膏**<類證治裁> 橘紅(鹽水炒) 赤茯苓 熟大黃 連翹 30g 黃芩 山梔 各 24g 半夏 元參 牡蠣 花粉 桔梗 栝蔞 21g 僵蠶 15g
- **漱口方**<經驗方> 風化硝 白礬 食鹽 3g
- **水晶膏**<中醫藥學高級叢書中醫外科學第二版> 生石灰 15g 포화수산화나트륨용액 熟石灰末 4g 糯米 3g
- **搜風流氣飮**<朱仁康臨床經驗集> 荊芥 菊花 僵蠶 當歸 赤芍 烏藥 9g 防風 白芷 川芎 陳皮 6g
- **濕毒膏**<朱仁康臨床經驗集> 黃柏末 煆石膏末 310g 煆爐甘石末 180g 青黛 150g 五倍子末 90g
- **濕疹膏**<출전불명> 紫草 百部 冰片 蛇床子 苦參 薄荷 等
- **濕疹粉**<朱仁康臨床經驗集> 煆石膏末 310g 枯礬末 150g 白芷末 60g,冰片 15g
- **濕疹一號膏**<韓醫皮膚外科學> 青黛 黃柏 산화아연 石膏 麻油
- **升麻葛根湯**<太平惠民和劑局方> 葛根 45g 升麻 芍藥 炙甘草 30g
- **升麻消毒飮**<醫宗金鑒> 當歸尾 赤芍 金銀花 連翹(去心) 牛蒡子(炒) 梔子(生) 羌活 白芷 紅花 防風 甘草(生) 升麻 桔梗 等分
- **升陽除濕湯**<醫學入門> 蒼朮 3.75g 防風 升麻 柴胡 豬苓 澤瀉 1.875g 甘草 麥芽 陳皮 0.938g
- **柴胡淸肝湯**<醫宗金鑑> 當歸 連翹 2錢 柴胡 生地黃 赤芍藥 炒牛蒡子 1.5錢 川芎 黃芩 梔子 天花粉 甘草 防風 1錢
- **新消片**<출전불명> 生雄黃 生乳香 丁香
- **新五玉膏**<朱仁康臨床經驗集> 玉黃膏(薑黃 90g 當歸 甘草 30g 白芷 9g 輕粉 冰片 6g 蜂白蠟 90~125g) 2200~2500g 祛濕散(煆石膏 60g 黃柏末 白芷末 輕粉 30g 冰片 6g) 1560g 硫黃末 五倍子末 鉛粉 150g
- **神應養眞丹**<三因極一病證方論> 當歸(酒浸) 天麻 川芎 羌活 白芍藥 熟地黃 等分
- **辛夷淸肺飮**<醫宗金鑒> 石膏(煆) 知母 梔子(生硏) 黃芩 百合, 麥門冬 1錢 辛夷 6分 生甘草 5分 升麻 3分 枇杷葉(去毛) 3片

■ **十全大補湯**<太平惠民和劑局方> 黃芪 熟地黃12g 茯苓 白朮 當歸(去蘆) 白芍藥 9g 人蔘(去蘆) 川芎 6g 肉桂(去皮) 甘草(炒)3g

■ **十全流氣飮**<外科正宗> 陳皮 赤苓 烏藥 川芎 當歸 白芍 1錢 香附 8分 靑皮 6分 甘草 5分 木香 3分

■ **鵝掌風浸泡劑(方)**<經驗方> 硫黃 生大黃 7.5g 石灰水 100㎖

■ **安宮牛黃丸**<溫病條辨> 牛黃 鬱金 犀角 黃連 朱砂 梔子 雄黃 黃芩 1兩 珍珠 5錢 氷片 麝香 2.5錢

■ **安神丸**<출전불명> 檳榔 50g 沈香 40g 木香 25g 廣棗 山奈 20g 黑胡椒 17.5g 丁香 蓽撥 鐵棒錐 15g 肉豆蔲 12.5g 紫硇砂 兎心 野牛心 7.5g 阿魏 5g 紅糖 25g

■ **野薔薇花露**<中藥成方配本> 野薔薇花瓣 500g

■ **凉膈散**<太平惠民和劑局方> 連翹 1250g 川大黃 樸硝 甘草 600g 山梔子仁 薄荷葉(去梗) 黃芩 300g

■ **養陰生肌散**<中醫皮膚病學簡編> 雄黃 靑黛 甘草 20g 牛黃 黃柏 龍膽草 10g 氷片 2g

■ **羊蹄根酒**<趙炳南臨床經驗集> 羊蹄根 240g 75% 에탄올 480g

■ **羊蹄根酒**<朱仁康臨床經驗集> 羊蹄根(土大黃) 土槿皮 180g 制川烏 檳榔 百部 海桐皮 白鮮皮 苦參 30g 蛇床子 千金子 地膚子 番木鱉 蛇衣 大楓子 15g 蜈蚣末 9g 白信 斑蝥 6g(布包)

■ **凉血消風散**<朱仁康臨床經驗集> 生地 生石膏 30g 當歸 荊芥 苦蔘 白蒺藜 知母 9g 蟬衣 生甘草 6g

■ **養血消風散**<朱仁康臨床經驗集> 熟地 15g 當歸 荊芥 白蒺藜 蒼朮 苦蔘 麻仁 9g 甘草 6g

■ **養血榮筋丸**<中華人民共和國藥典2010版一部> 當歸 雞血藤 何首烏(黑豆酒炙) 赤芍 續斷 桑寄生 鐵絲威靈仙(酒炙) 伸筋草 透骨草 油松節 鹽補骨脂 黨參 炒白朮 陳皮 木香 赤小豆

■ **凉血五根湯**<趙炳南臨床床經驗集> 白茅根 1~2兩 瓜蔞根 0.5~1兩 茜草根 紫草根 板藍根 3~5錢

■ **養血益氣湯**<嵩崖尊生> 人蔘 當歸 熟地 2錢 川芎 白朮 黃芪 麥冬 川附子 1錢 炙草 4分 五味子 10粒

■ **凉血地黃湯**<脾胃論> 黃柏(去皮, 銼, 炒) 知母(銼, 炒) 1錢 靑皮(不去皮瓤) 槐子(炒) 生地黃 當歸 5分

■ **陽和湯**<外科證治全生集> 熟地 30g 鹿角膠 9g 白芥子 6g 生甘草 肉桂(去皮, 研粉) 3g 麻黃

薑炭 2g

- **陽和解凝膏**<外科全生集> 鮮牛蒡全炒 3斤 鮮白鳳仙梗 4兩 肉桂 官桂 附子 桂枝 大黃 當歸 草烏頭 川烏頭 僵蠶 赤芍藥 白芷 白薇 白芨 2兩 川芎 續斷 防風 荊芥 五靈脂 木香 香櫞 陳皮 1兩 麻油 10斤
- **如意金黃膏**<外科正宗> 天花粉 500g 薑黃 白芷 大黃 黃柏 250g 蒼朮 南星 甘草 厚樸 陳皮 100g 小磨麻油 2500cc 黃丹 750~1050g
- **如意金黃散**<外科正宗> 天花粉 10斤 薑黃 大黃 黃柏 白芷 5斤 蒼朮 厚樸 陳皮 甘草 天南星 2斤
- **連翹敗毒丸**<中藥制劑手冊> 連翹 金銀花 大黃 16兩 桔梗 甘草 木通 防風 玄蔘 赤芍 白鮮皮 黃芩 貝母 紫花地丁 蒲公英 梔子 白芷 12兩 天花粉 蟬蛻 8兩
- **烏梅丸**<傷寒論> 烏梅 300枚 黃連 16兩 乾薑 10兩 細辛 附子 桂枝 人蔘 黃柏 6兩 當歸 蜀椒 4兩
- **五妙水仙膏**<출전불명> 黃柏 紫草 五倍子 生石灰 탄산나트륨
- **五味消毒飮**<醫宗金鑑> 金銀花15g 野菊花 蒲公英 紫花地丁 紫背天葵子 6g
- **烏髮丸**<출전불명> 地黃 墨旱蓮 制何首烏 黑豆(微炒) 女貞子(酒蒸) 黑芝麻
- **五倍散**<普濟方> 蕪荑 20g 五倍子(瓦上焙乾) 12g 海螵蛸 10g 乳香 6g 豆粉(炒黑色) 4g 麝香 0.5g 龍骨 0.4g 白鱔頭(燒存性) 1對
- **五倍子散**<聖濟總錄> 五倍子(去心中蟲) 槐花(擇) 等分
- **烏蛇驅風湯**<朱仁康臨床經驗集> 烏蛇 荊芥 防風 羌活 黃芩 金銀花 連翹 9g 白芷 黃連 蟬蛻 甘草 6g
- **五石膏**<朱仁康臨床經驗集> 煅石膏 90g 蛤粉 爐甘石 60g 滑石 12g 青黛 黃柏末 9枯礬 9g 바셀린 370g 麻油 250㎖
- **五神湯**<外科眞詮> 金銀花 3兩 車前子 紫花地丁 茯苓 1兩 牛膝 5錢
- **五仁丸**<世醫得效方> 陳皮 4兩桃仁 杏仁 1兩 柏子仁 5錢 松子仁 1.25錢 郁李仁 1錢
- **五香連翹湯**<肘後方> 大黃 3兩 射幹 木通 升麻 獨活 桑寄生 連翹 炙甘草 2兩 木香 沈香 鷄舌香 薰陸香 1兩 麝香 5錢
- **虎追風散**<晋南史全恩家傳方> 蟬蛻 30g 天南星 天麻 6g 全蠍 7个 白殭蠶 7條
- **玉露膏**<中醫外科學講義> 芙蓉葉 2/10, 바셀린 8/10

- **玉露散**<校注婦人良方> 人蔘 茯苓 炒桔梗 芎藥 1錢 炙甘草 6分
- **玉露散**<小兒藥證直訣> 寒水石 石膏 15g 甘草(生) 3g
- **玉屛風散**<究原方>黃芪 白朮 60g 防風 30g (매 복용 시 9g 복용)
- **玉屛風散**<世醫得效方> 黃芪 18g 白朮 防風 6g
- **玉容散**<醫宗金鑑> 牽牛子 団粉 白蘞 細辛 甘松 白鴿糞 白芨 白蓮芯 白芷 白朮 白殭蠶 茯苓 白附子 鷹矢白 白扁豆 白丁香 1兩 荊芥 獨活 羌活 防風 5錢
- **玉眞散**<外科正宗> 天南星 防風 白芷 天麻 羌活 白附子 等分
- **玉紅膏**<醫宗金鑑> 白芷 當歸 紫草 紅花 12g 香油 1000ml
- **外科蟾酥丸**<中藥辭海> 蝸牛 2100g 朱砂(飛) 300g 蟾酥 腰黃(飛) 200g 麝香 沒藥 乳香(制) 寒水石(煆) 膽礬 銅綠 枯礬 100g 輕粉 50g
- **外洗方**(건선)<韓醫皮膚外科學> 樸梢 500g 枯礬 花椒 野菊花 120g
- **外洗方**(성기사마귀)<中醫藥學高級叢書中醫外科學第二版> 土茯苓 大青葉 板藍根 蒲公英 明礬 10g
- **龍骨散**<小兒藥證直訣> 鉛粉 4.5g 龍骨 3g 粉霜 1.5g 砒霜 蟾酥 0.15g 冰片 0.075g
- **龍膽瀉肝湯**(=龍膽瀉肝丸)<蘭室秘臧> 龍膽草(酒炒) 黃芩(炒) 梔子(酒炒) 澤瀉 3g 木通 車前子 當歸(酒炒) 生地(酒炒) 柴胡 甘草(生) 1.5g
- **龍膽瀉肝湯**<醫方集解> 生地黃 20g 澤瀉 12g 柴胡 10g 黃芩(酒炒) 山梔子(酒炒) 木通 車前子 9g 當歸(酒炒) 8g 龍膽草(酒炒) 生甘草 6g
- **龍膽紫**(=甲紫, 紫藥水) 염화테트라메틸파라로자닐린, 염화펜타메틸파라로자닐린, 염화헥사메틸파라로자닐린
- **右歸飮**<景嶽全書> 熟地 6～9g(或加至 30～60g) 山藥 (炒) 枸杞 杜仲(薑制) 6g 制附子 3～9g 甘草(炙) 肉桂 3～6g 山茱萸 3g
- **右歸丸**<新方八陣> 熟地黃 8兩 炒山藥 枸杞子(微炒) 鹿角膠(炒珠) 制菟絲子 杜仲(薑汁炒) 4兩 山茱萸(微炒) 當歸(便溏勿用) 3兩 制附子 2~6兩 肉桂 2~4兩
- **牛蒡解肌湯**<瘍科心得集> 夏枯草 15g 牛蒡子 山梔 丹皮 玄參 12g 薄荷 荊芥 連翹 6g 石斛 3g
- **牛黃解毒丸**<中國藥典> 石膏 大黃 200g 黃芩 150g 桔梗 100g 雄黃 甘草 50g 冰片 25g 牛黃 5g

■ **雄黃膏**<經驗方> 雄黃 30g 산화아연 30g 바셀린 300g

■ **胃苓湯**<普濟方> 蒼朮(泔浸) 8錢 陳皮 厚樸(薑制) 5錢 甘草(蜜炙) 3錢 澤瀉 2.5錢 豬苓 赤茯苓(去皮) 白朮 1.5錢 肉桂 1錢

■ **六軍丸**<外科正宗> 蜈蚣(去頭足) 蟬蛻 全蠍 僵蠶(炒去絲) 夜明砂 穿山甲 等分

■ **六味地黃湯**(=六味地黃丸)<小兒藥證直訣> 熟地黃 15g 山茱萸肉 山藥 12g 丹皮 澤瀉 茯苓 10g

■ **六味地黃湯**<小兒藥證直訣> 熟地黃 8錢 山茱萸肉 山藥 4錢 澤瀉 牧丹皮 茯苓 3錢

■ **六味回陽飮**<新方八陣> 人蔘 30~60g 熟地 15~30g 當歸身 9g 制附子 乾薑(炮) 6~9g 炙甘草 3g

■ **六一散**<傷寒標本> 滑石 60g 甘草 10g (매 복용 시 9g 복용)

■ **六一散**<宣明論方> 滑石 6兩, 炙甘草 1兩

■ **潤肌膏**<外科正宗> 麻油 120g 當歸 15g 紫草 3g

■ **潤腸湯**<醫學正傳> 升麻 桃仁 麻子仁 3.75g 大黃 熟地黃 當歸尾 1.875g 生地黃 生甘草 紅花 1.125g

■ **銀翹散**<溫病條辨> 金銀花 連翹 1兩 桔梗 薄荷 牛蒡子 6錢 竹葉 荊芥穗 4錢 豆豉 甘草 5錢

■ **恩膚霜**(=丙酸氯倍他索軟膏) 클로베타솔프로피오네이트

■ **銀花甘草湯**<醫學心悟> 金銀花 2兩 甘草 2錢

■ **陰毒內消散**<徐評外科正宗> 樟冰 12g 輕粉 腰黃 川烏 甲片 阿魏(瓦炒去油) 9g 南香 牙皂 良安 乳香(去油) 沒藥(去油) 6g 丁香 肉桂 白胡椒 3g

■ **薏苡附子敗醬散**<金匱要略> 薏苡仁 10分 敗醬草 5分 附子 2分

■ **二甘湯**<醫學入門> 生甘草 炙甘草 五味子 烏梅 等分

■ **異功散**<小兒藥證直訣> 人蔘 100g 白朮 茯苓 陳皮 90g 炙甘草 60g

■ **二妙散**<丹溪心法> 黃柏(炒) 蒼朮(米泔水浸, 炒) 15g

■ **二妙丸**<丹溪心法> 蒼朮(米泔水浸, 炒) 180g 黃柏(炒) 120g

■ **二妙丸**<類編朱氏集驗醫方> 巴豆(不去殼) 蓽澄茄 七枚

■ **二礬湯**<外科正宗> 柏葉 300g 白礬 皂礬 160g 孩兒茶 20g

■ **二仙湯**<上海中醫學院 方劑學> 仙茅 仙靈脾(淫羊藿) 3~5錢 當歸 巴戟肉(如無可用菟絲子

代) 3錢 黃柏 知母 1.5~3錢

- **二仙湯**<壽世保元> 白芍藥 黃芩 等分
- **二陳湯**<太平惠民和劑局方> 半夏 橘紅 5兩 茯苓 3兩 甘草 1.5兩 生薑 3片 烏梅 7個
- **二號癬藥水**<經驗方> 米醋 10000g 土槿皮 300g 百部 蛇床子 硫黃 各 240g 斑蝥 60g 白國樟 輕粉 36g 白砒 6g (或加 살리실산 330g, 冰醋酸 100㎖, 초산알루미늄 60g)
- **益胃湯**<脾胃論> 蒼朮 1.5錢 當尾 陳皮 升麻 5分 柴胡 黃芩 人蔘 白朮 益智仁 3分 黃芪 半夏 炙甘草 2分
- **人蔘健脾丸**<飼鶴亭集方> 枳實 180g 黨參 冬朮 神曲 麥芽 120g 山査 90g 陳皮 60g
- **人蔘歸脾丸**(=歸脾丸) 歸脾湯作蜜丸
- **人蔘養榮湯**<局方> 白芍 3兩 陳皮 黃芪 當歸 桂心 人蔘 白朮 甘草 1兩 熟地黃 五味子 茯苓 7.5錢 遠志 5錢
- **茵陳五苓散**<金匱要略> 澤瀉 15g 白朮 赤茯苓 豬苓 9g 桂枝 6g 茵陳 4g
- **茵陳赤小豆湯**<출전불명> 茵陳 赤小豆 慧苡仁 乾蟾皮 山慈菇 半枝蓮 白花蛇舌草 30g 茯苓 15g 大黃 10g 水蛭 6g
- **茵陳蒿湯**<傷寒論> 茵陳 18g 梔子 12g 大黃(去皮) 6g
- **一貫煎**<續名醫類案> 生地黃 18~30g 枸杞子 9~18g 北沙蔘 麥冬 當歸身 9g 川楝子 4.5g
- **一掃光**<外科正宗> 苦參 黃柏 煙膠 500g 枯礬 木鱉肉 大風子肉 蛇床子 點紅椒 潮腦 硫黃 明礬 水銀 輕粉 90g 白砒 15g
- **紫金錠**(=玉樞丹)<百一选方> 山慈菇 五倍子 2兩 大戟 1.5兩 千金子仁 1兩 麝香 3錢
- **紫金錠**(=玉樞丹)<外科正宗> 山慈菇 五倍子 2兩 大戟 1.5兩 千金子仁 1兩 朱砂 雄黃 麝香 3錢
- **紫藍方**<中醫藥學高級叢書中醫外科學第二版> 馬齒莧 60g 板藍根 大青葉 30g 生苡仁 紫草根 赤芍 紅花 15g
- **紫色潰瘍膏**<趙炳南臨床經驗集> 乳香 60g 黃連 40g 輕粉 紅粉 琥珀 血竭 青黛 12g 煅珍珠面 0.4g 蜂蠟 120g 香油 600g
- **紫雪丹**<千金翼方> 黃金 玄蔘 1斤 寒水石 石膏 磁石 3斤 甘草 8兩 犀角 羚羊角 青木香 沈香 5兩 丁香 4兩 辰砂 3兩 麝香 5錢 樸硝 硝石 4升 升麻 1升
- **雌雄四黃散**<外科正宗> 石黃 雄黃 硫黃 白附子 雌黃 川槿皮 等分

■ **滋陰補腎片**<經驗方> 生熟地 澤瀉 山藥 女貞子 制首烏 桑椹子 麥冬 500g 生白芍 五味子 250g

■ **滋陰除濕湯**<外科正宗> 生地 30g 丹蔘 15g 元蔘 當歸 茯苓 澤瀉 地膚子 蛇床子 10g

■ **赤茯苓湯**<聖濟總錄> 鼈甲(去裙襴, 醋炙) 2兩 赤茯苓(去黑皮) 1.5兩 桔梗(炒) 陳橘皮(湯浸, 去白, 焙) 1兩 白朮 5錢 桂(去粗皮) 3分

■ **顚倒散**<醫宗金鑒> 大黃 硫黃 等分

■ **顚倒散洗劑**<經驗方> 硫黃 生大黃 7.5g 石灰水 100㎖

■ **全蟲方**<趙炳南> 刺蒺藜 炒槐花 15~30g 威靈仙 12~30g 白癬皮 黃柏 15g 皂刺 12g 豬牙皂角 苦蔘 全蟲 6g

■ **定命散**<小兒偉生總微方論> 川大黃(銼, 炒) 黃連(去須) 白僵蠶(直者, 炒去絲嘴) 甘草(生) 5錢 五倍子 1分 膩粉 五筒子

■ **定命散**<太平聖惠方> 乾蝦蟆(燒爲灰) 1個 蛇蛻皮(炒令黃) 蟬殼 1分

■ **濟生腎氣丸(加味腎氣丸)**<濟生方> 山藥 山茱萸 澤瀉 茯苓 丹皮 車前子 1兩 官桂 乾地黃 牛膝 5錢 炮附子 2个

■ **除濕胃苓湯**<外科正宗> 防風 蒼朮 白朮 赤茯苓 陳皮 厚樸 豬苓 山梔 木通 澤瀉 滑石 1錢 甘草 薄桂 3分

■ **調胃承氣湯**<傷寒論> 大黃(去皮 清酒洗) 12g 芒硝 9g 甘草(炙) 6g

■ **調胃湯**<출전불명> 黨蔘 15g 白朮 厚樸 川楝子 木香 大腹皮 蓽撥 枳殼 10g

■ **痤瘡洗劑**<經驗方> 樟腦酊 10g 沈降硫黃 6g 西黃芪膠 1g 石灰水 加至100㎖

■ **竹葉石膏湯**<傷寒論> 半夏 粳米 0.5斤 人蔘(黨參) 甘草 2兩 石膏 麥冬 1升 竹葉 2把

■ **竹葉黃芪湯**<醫宗金鑒> 生地黃 2錢 人蔘 黃芪 石膏 半夏 麥門冬 白芍藥 川芎 當歸 黃芩 甘草 8分 竹葉 10片 生薑 3片 燈心 20根

■ **增液承氣湯**<溫病條辨> 玄蔘 1兩 麥門冬 生地黃 8錢 大黃 3錢 芒硝 1.5錢

■ **增液湯**<溫病條辨> 玄蔘 1兩 麥門冬 生地黃 8錢

■ **增液解毒湯**<朱仁康臨床經驗集> 生地 30g 銀花 15g 元參 12g 麥冬 石斛(先煎) 沙參 丹參 赤芍 花粉 連翹 炙鱉甲 炙龜板 9g 生甘草 6g

■ **地龍片**<經驗方> 地龍

- **知柏八味丸**<新方八陣> 熟地黃 8兩 山藥 山茱萸 4兩 牧丹皮 茯苓 澤瀉 黃柏 知母 3兩
- **止癢藥粉**<經驗方> 綠豆 50g 산화아연 5g 樟腦 1g 滑石粉 加至100g
- **枳朮散**<古今醫鑒> 枳實(麩炒) 白朮(土炒) 12g
- **止痛如神湯**<外科啟玄> 秦艽(去苗) 桃仁(去尖皮 另研) 皂角子(燒存性 研) 熟大黃 1錢 蒼朮(泔浸 炒) 防風 7分 黃柏(酒洗) 5分 當歸尾(酒洗) 澤瀉 3分 尖檳榔 1分(另研)
- **地黃飮子**<黃帝素問宣明論方> 熟地 巴戟天(去心) 山茱萸 石斛 肉蓯蓉(酒浸 焙) 附子(炮) 五味子 官桂 白茯苓 麥門冬(去心) 菖蒲 遠志(去心) 等分
- **眞君妙貼散**<外科正宗> 明淨硫黃(爲末) 5kg 蕎麵 白麵 2.5kg
- **秦艽蒼朮湯**<難室秘藏> 秦艽 皂角仁 桃仁 1錢 蒼朮 防風 7分 黃柏 5分 當歸 澤瀉 3分 檳榔 1分 大黃 少許
- **千金漏蘆湯**<備急千金要方> 大黃 1兩 漏蘆 連翹 白蘞 芒消 甘草 6錢 升麻 枳實 麻黃 黃芩 九銖
- **千金散**<經驗方> 制乳香 制沒藥 輕粉 飛朱砂 赤石脂 炒五倍子 煅雄黃 醋制蛇含石 15g 煅白砒 6g,
- **天王補心丹**<校注婦人良方> 生地黃 120g 當歸(酒浸) 五味子 麥門冬(去心) 天門冬 柏子仁 酸棗仁(炒) 30g 人蔘(去蘆) 茯苓 玄蔘 丹蔘 桔梗 遠志 15g
- **淸肝蘆薈丸**<醫宗金鑑> 當歸 112.5g 白芍藥 生地黃 川芎 75g 甘草節 昆布 蘆薈 靑皮 海粉 黃連 牙皂 18.75g
- **淸肝化痰丸**<醫門補要> 生地 丹皮 海藻 貝母 柴胡 昆布 海帶 夏枯草 僵蠶 當歸 連翹 梔子
- **淸骨散**<證治准繩> 銀柴胡 5g 胡黃連 秦艽 鱉甲 地骨皮 靑蒿 知母 3g 甘草 2g
- **靑果水洗劑**<經驗方> 藏靑果 9~15 木賊草 9 金蓮花 6
- **淸肌滲濕湯**<醫宗金鑒> 蒼朮(米泔水浸炒) 厚樸(薑汁炒) 陳皮 甘草(生) 柴胡 木通 澤瀉 白芷 升麻 白朮(土炒) 梔子(生) 黃連 4g
- **靑黛膏**<中醫藥學高級叢書中醫外科學第二版> 靑黛散 75g 바셀린 300g
- **靑黛膏**<普濟方> 天麻 蠍梢 15g 白附子 朱砂 9g 花蛇肉(酒炙) 天竺黃 靑黛 6g 麝香 3g
- **靑黛散**<經驗方> 石膏 滑石 120g 黃柏 靑黛 60g
- **淸涼乳油劑**<醫宗金鑒> 風化石灰 1.8ℓ, 淸水 4사발

- **清上防風湯**<萬病回春> 防風 連翹 桔梗 白芷 黃芩 川芎 15g 荊芥 山梔 黃連 薄荷 枳殼 甘草 10g
- **清暑飮**<溫熱經解> 銀花露(沖) 20g 青蒿露(沖) 六一散(包) 西瓜翠衣 絲瓜皮 12g 綠豆皮 淡竹葉 白扁豆衣 6g 荷葉邊 1圈
- **清暑湯加味**<外科眞詮> 連翹 天花粉 赤芍藥 金銀花 甘草 滑石 車前子 澤瀉 等分
- **清心蓮子飮**<太平惠民和劑局方> 石蓮肉 茯苓 黃芪 人蔘 7.5錢 黃芩 麥門冬 地骨皮 車前子 炙甘草 5錢
- **清熱除濕湯**<李元文方> 夏枯草 板藍根 白鮮皮 連翹 藿香 佩蘭 苡仁 茯苓 扁豆 15g 白朮 陳皮 10g 甘草 3g
- **清熱解毒丸**<證治準繩> 寒水石 石膏 8兩 青黛4兩
- **清營湯**<溫病條辨> 犀角(水牛角代替) 30g 生地黃15g 元蔘 麥冬 銀花 9g 丹蔘 連翹 6g 黃連 5g 竹葉心 3g
- **清瘟敗毒飮**<疫疹一得> 生石膏 (大制) 6兩~8兩 (中制) 2兩~4兩 (小制) 8錢~1兩2錢 生地黃 (大制) 6錢~1兩 (中制) 3錢~5錢 (小制) 2錢~4錢 犀角 (大制) 6錢~8錢 (中制) 3錢~4錢 (小制) 2錢~4錢 黃連 (大制) 4錢~6錢 (中制) 2錢~4錢 (小制) 1錢~1錢5分 梔子 桔梗 黃芩 知母 赤芍藥 玄蔘 連翹 竹葉 甘草 牧丹皮 括兩
- **青吹口散**<經驗方> 煅月石 18g 煅石膏 煅人中白 9g 青黛 冰片 3g 黃柏 2.1g 川連 1.5g 薄荷 0.9g
- **青吹口散油膏**<中醫喉科學講義> 青吹口散 120g 바셀린 400g
- **清解透表湯**<上海中醫學院 兒科學> 西河柳 7g 葛根 牛蒡子 6g 升麻 甘草 4g 蟬衣 連翹 銀花 紫草根 桑葉 甘菊 3g
- **清解片**<經驗方> 大黃 黃芩 黃柏 蒼朮 500g
- **清血搜毒飮(清血搜毒丸)**<金匱要略> 大黄 100g 荆芥 蒲公英 防风 苦地丁 黄芩 连翘 甘草 关木通 地黄 50g
- **青蒿鼈甲湯**<溫病條辨> 鱉甲 15g 細生地 12g 丹皮 9g 知母 青蒿 6g
- **醋泡方**<朱仁康臨床經驗集> 皂角刺 大楓子 30g 荊芥 防風 紅花 地骨皮 明礬 18g 藥用米醋 1500㎖
- **衝和膏**<外科正宗> 炒炙荊皮 5兩 炒獨活 3兩 炒赤芍藥 2兩 石菖蒲 1.5兩 白芷 1兩

- **沖和膏**<醫宗金鑑> 紫金皮 187.5g 獨活, 白芷 112.5g 赤芍藥 75g 石菖蒲 56.25g
- **側柏葉酊**<經驗方> 다이메틸설폭사이드 100g 側柏葉酒精浸出液 加到10000㎖
- **治癬方**<출전불명> 大丁甎 地蜈蚣 生地黃 紅骨蛇 1兩 金銀花 土茯苓 犀牛皮 5錢 黃芩 皂刺 3錢 甘草 2錢
- **治瘰方**<中醫藥學高級叢書中醫外科學第二版> 生牡蠣 龍骨 30g 制首烏 夏枯草 板藍根 15g 熟地 當歸 赤芍 白芍 川芎 桃仁 紅花 莪朮 白朮 香附 6g,
- **七寶美髯丹**<醫方集解> 何首烏 2斤 茯苓 牛膝 當歸 枸杞子 菟絲子 0.5斤 補骨脂 4兩
- **七三丹**<周醫外科學講義> 石膏 7錢 升丹 3錢
- **沈洗方**<中醫藥學高級叢書中醫外科學第二版> 大青葉 板藍根 30g
- **托裏消毒散**<外科正宗> 人蔘 黃芪 川芎 白芍 白術 金銀花 茯苓 3g 白芷 皂刺 桔梗 1.5g
- **托裏透膿湯**<醫宗金鑒> 生黃芪 3錢 當歸 2錢 皂角刺 1.5錢 人蔘 白朮(土炒) 穿山甲(炒 研) 白芷 1錢 升麻 甘草節 青皮(炒) 5分
- **奪命丹**<東醫寶鑑> 半夏 5錢 天南星 4錢 白附子 3錢 白礬 2錢 砒石 1錢
- **奪命丹**<醫宗金鑑> 雄黃 乾蜈蚣 乳香 沒藥 煅寒水石 銅綠 2錢 枯礬 朱砂 血竭 1錢 輕粉 麝香 砒石 5分
- **奪命丹**<太平惠民和劑局方> 吳茱萸 1斤 澤瀉 2兩
- **太乙膏**<衛生寶鑑> 沒藥 4錢 麝香 3錢 輕粉 乳香 2錢 氷片 1錢 黃丹 5兩
- **通經逐瘀湯**<醫林改錯評注> 桃仁(研) 32g 皂刺 24g 紅花 山甲(炒) 16g 連翹(去心) 地龍(去心) 赤芍 12g 柴胡 4g 麝香(絹包) 0.12g
- **通竅活血湯**<醫林改錯> 桃仁(研泥) 鮮薑(切碎) 紅花 9g 赤芍 川芎3g 麝香(絹包) 0.15g 老蔥(切碎) 3根 紅冬(去核) 7個
- **通氣散堅丸**<醫宗金鑑> 桔梗 膽星 當歸 半夏 白茯苓 石菖蒲 人蔘 枳實 陳皮 川芎 天花粉 貝母 海藻 香附 黃芩 甘草 37.5g
- **透骨丹**<外科大成> 青鹽 大黃 輕粉 兒茶 膽礬 銅綠 雄黃 枯礬 皂礬 1.5g 麝香 0.3g 冰片 0.15g 杏仁 7個
- **透膿散**<外科正宗> 黃耆 12g 川芎 9g 當歸 6g 皂角 4.5g 山甲(炒末)3g
- **板芩澤方**<中醫藥學高級叢書中醫外科學第二版> 板藍根 20g 黃芩 白鮮皮 地膚子 桑枝 菊花 木賊草 蒼耳子 澤瀉 9g 蟬蛻 6g

- **板藍根沖劑**<中國藥典2010年版一部> 板藍根
- **八味地黃湯**<辨證錄> 熟地 川芎 1兩 山茱萸 山藥 5錢 茯苓 丹皮 澤瀉 3錢 肉桂 1錢
- **八味地黃丸**<博青主女科 · 産後編> 熟地黃 4錢 山藥 山茱萸 茯苓 2錢 澤瀉 牧丹皮 1.5錢 知母 黃柏 0.5錢
- **八二丹**<外科正宗> 熟石膏 24g 升丹 6g
- **八珍湯**<瑞竹堂經驗方> 人蔘 白朮 白茯苓 當歸 川芎 白芍藥 熟地黃 甘草(炙) 30g
- **平屑湯**<中醫藥學高級叢書中醫外科學第二版> 生地 金銀花 大青葉 白花蛇舌草 丹參 30g 玄參 土鱉蟲 15g 麥冬 黃芩 12g 當歸 10g 黃連 9g 大棗 5枚
- **風癬湯**<朱仁康臨床經驗集> 生地 30g 丹參 15g 玄參 12g 當歸 白芍 茜草 紅花 黃芩 苦參 蒼耳子 白鮮皮 地膚子 生甘草 9g
- **瘋油膏**<經驗方> 輕粉 4.5g 飛朱砂 東丹(廣丹) 3g
- **皮癬湯**<朱仁康臨床經驗集> 生地 30g 當歸 赤芍 黃芩 苦參 蒼耳子 白鮮皮 地膚子 9g 生甘草 6g
- **皮炎湯**<朱仁康效驗方> 生地 生石膏 30g 丹皮 赤芍 知母 銀花 連翹 竹葉 10g 生甘草 6g
- **皮脂膏**<經驗方> 煆石膏 60g 青黛 黃柏 6g 煙膏 60g(即土法煙熏烘硝牛皮後的殘留物質) 바셀린 240g
- **解毒利濕湯**<中醫皮膚病學簡編> 銀花 炒苡仁 31g 連翹 茯苓 15g 防己 豬苓 澤瀉 12g 桂枝 9g 生黃芪 甘草 3g
- **解毒瀉脾湯**<醫宗金鑒> 石膏 牛蒡子 防風 黃芩 蒼朮 生甘草 木通 生山梔 1錢 燈心 20根
- **解毒養陰湯**<趙炳南臨床床經驗集> 南 · 北沙參 耳環石斛 黑元參 佛手參 生黃芪 乾生地 雙花 公英 15~30g 二冬 9~18g 紫丹參 玉竹 9~15g 西洋參(另煎, 兌服) 3~9g
- **香砂六君子湯**<張氏醫通> 人蔘 白朮 茯苓 炙甘草 陳皮 半夏 1錢 木香 砂仁 8分
- **香敗養營湯**<醫宗金鑑> 白朮 7.5g 當歸 茯苓 熟地黃 人蔘 陳皮 川芎 貝母 香附 白芍 3.75g 甘草 桔梗 1.875g
- **血府逐瘀湯**<醫林改錯> 桃仁 12g 紅花 當歸 生地黃 牛膝 9g 赤芍 枳殼 甘草 6g 川芎 桔梗 4.5g 柴胡 3g
- **荊防敗毒散**<外科理例> 荊芥 防風 人蔘 柴胡 前胡 羌活 獨活 枳殼 炒桔梗 茯苓 川芎 甘草 1錢

- **胡麻丸**<外科正宗> 大胡麻 160g 防風 威靈仙 石菖蒲 苦參 80g 白附子 獨活 40g 甘草 20g
- **琥珀黑龍丹**<瘍醫大全> 血竭 2兩 天南星 京墨 五靈脂 海帶 海藻 5錢 琥珀 1兩 木香 3錢 麝香 1錢
- **紅升丹**<醫宗金鑒> 硝石 4兩 水銀 白礬 1兩 皂礬 6錢 朱砂 雄黃 5錢
- **紅油膏**<經驗方> 九一丹 30g 東丹(廣丹) 4.5g 바셀린 300g
- **紅油膏**<朱仁康臨床經驗集> 紅信 250g 黃蠟 250~500g 棉子油 2500ml
- **化斑解毒湯**<外科正宗> 玄參 知母 石膏 人中黃 黃連 升麻 連翹 牛蒡子 60g 甘草 6g
- **花蕊石散**<腫瘤方劑大辭典> 花蕊石(煨過) 45g 黃連 30g 黃柏皮 15g
- **化核膏**<外科全生集> 壁虎 14條 蜘蛛 28個 蝸牛 26枚 菜油 2400g
- **活血散瘀湯**<外科正宗> 大黃(酒炒)6g 川芎 當歸尾 赤芍 蘇木 牡丹皮 枳殼 瓜蔞仁(去殼) 桃仁(去皮尖) 3g 檳榔 2g
- **活血散瘀湯**<趙炳南臨床床經驗集> 鬼箭羽 5錢~1兩 蘇木 赤白芍 草紅花 桃仁 三棱 莪朮 陳皮 3~5錢 木香 1~3錢
- **活血通絡丸**<(특허) CN100337670C> 肉桂 桂枝 天牛膝 15g 血力花 乳香 沒藥 野生天麻 甘草 10g 蠍子 蜈蚣 5g 紅棗 50個
- **活血通脈茶**<中醫良藥良方> 全瓜蔞 20g 丹蔘 15g 紅花 9g 鬱金 7g 炙甘草 6g
- **黃芩淸肺飮**<外科正宗> 黃芩 2錢 川芎 當歸 赤芍 防風 生地 乾葛 天花粉 連翹 紅花 1錢 薄荷 5分
- **黃芪健中湯**<傷寒論> 芍藥 18g 黃芪 桂枝(去皮) 生薑(切)9g 甘草(炙) 6g 大棗 12枚 飴飴 60g (小建中湯 加 黃芪 9g)
- **黃芪桂枝五物湯**<金匱要略> 黃芪 芍藥 桂枝 3兩 生薑 6兩 大棗 12枚
- **黃芪芍藥桂枝苦酒湯**<傷寒論> 黃芪 15g 芍藥 桂枝 9g 苦酒 200g
- **黃芪湯**<金匱翼> 鱼腥草 30g 生黄芪 15g 赤芍 瓜蒌 生大黄(后下) 9g 丹皮 桔梗 6g
- **黃連膏**<瘍科捷徑> 大黃 2兩 黃連 黃芩 1兩 黃蠟 6兩 참기름 2斤
- **黃連膏**<醫宗金鑒> 生地 30g 當歸 15g 黃柏 黃連 薑黃 9g 麻油 360g 黃蠟 120g
- **黃蓮阿膠鷄子黃湯**<傷寒論> 黃蓮 4兩 阿膠 3兩 黃芩 芍藥 2兩 鷄子黃 2枚
- **黃蓮解毒湯**<肘後秘急方> 黃蓮 梔子 9g 黃芩 黃柏 6g

- **黃柏霜**<經驗方> 黃柏液(1:4) 500g 스테아르산 200g 글리세릴모노스테아레이트 72g 트리에탄올아민 50g 다이메틸설폭사이드 20g 트윈-80 10g 벤조산나트륨 4g 니파긴 1g 파라핀유 160g 바셀린 40g
- **回生丹**<增補萬病回春> 大黃 末 1斤 蘇木 紅花 3兩 當歸 川芎 熟地黃 茯苓 蒼朮 香附子 烏藥 玄胡索 桃仁 蒲黃 牛膝 2兩 白芍藥 甘草 陳皮 木香 三稜 五靈脂 羌活 地楡 山茱萸 5錢 高良薑 4錢 人蔘 白朮 靑皮 木果 3錢 乳香 沒藥 1錢 黑豆 3升
- **回陽玉容膏**<外科正宗> 草烏 乾薑 3兩 赤芍藥 白芷 天南星 1兩 肉桂 5錢
- **回陽通絡丸**<출전불명> 鷄血藤 30g 巴戟天 15g 白朮 炙黃芪 絲瓜絡 桂枝 路路通 當歸 10g
- **豨薟丸**<重訂嚴氏濟生方> 豨薟草

# INDEX

## 국문

ㄴ



ㄷ



ㄹ



ㅁ

ㅂ

ㅈ

ㅋ



ㅌ



ㅍ

### ㅎ



## 영문

### A

## B



## C



## D

## F



## G



## H



## I



## K

U

## 기타